Das große GU
Vollwert-Kochbuch

**Die köstlichsten Koch- und
Back-Ideen aus der bewährten
Reihe »Vollwertküche«**

**Rezepte von Benita von Eichborn,
Ingrid Früchtel, Marey Kurz und
Eva Rittinger
Herausgegeben von Doris Birk**

GU
Gräfe und Unzer

Die Farbfotos auf der Einband-Vorderseite zeigen von oben nach unten Paprikasalat mit Äpfeln, Rezept Seite 49, gebackene Kümmelkartoffeln, Rezept Seite 191 und eine Peperonata, Rezept Seite 102.

Die Farbfotos auf der Einband-Rückseite zeigen von oben nach unten einen Kartoffelschmarrn, zu dem Lauch, kurz mitgedünstet, besonders gut paßt. Rezept Seite 192, ein Weizenvollkornbrot und Rosinenbrötchen (Rezepte Seite 272 und 281) sowie einen Preiselbeer-Kürbis-Salat, Rezept Seite 247.

CIP Kurztitelaufnahme der Deutschen Bibliothek

Das große GU-Vollwert-Kochbuch: d. köstlichsten Koch- u. Back-Ideen aus d. bewährten Reihe »Vollwertküche« / Rezepte von Benita von Eichborn … Hrg. von Doris Birk.
2. Aufl. – München: Gräfe und Unzer, 1987.
ISBN 3-7742-1229-5

NE: Eichborn, Benita von [Mitverf.]; Birk, Doris [Hrsg.]

2. Auflage 1987
© Gräfe und Unzer GmbH, München

Redaktion: Nina Andres
Herstellung: Robert Gigler
Farbfotos: Susi und Pete A. Eising
Zeichnungen: Gerlind Bruhn
Umschlaggestaltung: Heinz Kraxenberger
Reproduktionen: SKU Reproduktionen GmbH
Satz: Appl, Wemding
Druck und Bindung: Richterdruck

ISBN 3-7742-1229-5

Doris Birk, die Herausgeberin, studierte Haushaltswissenschaften an der Universität Stuttgart-Hohenheim. Nach ihrer Ausbildung arbeitete sie an der Verbraucherzentrale München und seit 1982 ist sie Mitarbeiterin des Bayerischen Rundfunks. In ihren Sendungen beschäftigt sie sich hauptsächlich mit Fragen gesunder Ernährung. Mit der Vollwertkost ist sie schon seit Jahren intensiv vertraut. Ihre Erfahrungen und ihr Wissen gibt sie in Kursen an Volkshochschulen und in Seminaren des Bayerischen Volkshochschulverbandes weiter. Doris Birk lebt in München.

Benita von Eichborn beschäftigt sich seit Jahren intensiv mit der Reformküche Bircher-Benners und Kollats und erweitert ihr Wissen über gesunde Ernährung durch Teilenahme an Kursen und Seminaren. Benita von Eichborn lebt am Ammersee/Bayern.

Ingrid Früchtel beschäftigt sich – nach Abschluß ihres Hochschulstudiums – seit über 20 Jahren mit der Vollwert-Ernährung in Theorie und Praxis. Ihre Erfahrungen gibt sie in zahlreichen Kursen und Seminaren weiter. Durch ihre erfolgreichen Kochbücher ist sie eine anerkannte Autorität auf dem Gebiet der Vollwertkost geworden. Ihre bei GU erschienenen Kochbücher wurden mit begeisterter Kritik aufgenommen. Ingrid Früchtel lebt in Oberfranken in einem Bauernhaus mit großem Garten.

Marey Kurz interessiert sich seit ihrer Jugend für alles, was mit gesunder Ernährung zusammenhängt. Da sie selbst jahrelang Diät halten mußte, begann sie, sich intensiv mit der Vollwertkost zu beschäftigen. Die konsequente Umstellung der Ernährung brachte Besserung der Gesundheitsprobleme. Marey Kurz lebt in Wasserburg am Inn.

Eva Rittinger besuchte nach ihrer Ausbildung zur Hauswirtschaftsmeisterin Seminare über Vollwertkost und Gesundheitsbildung. Heute hält sie Vorträge und Kochkurse an Erwachsenenbildungsstätten und berufsbildenden Schulen, berät Hotels und Sanatorien und ist freie Mitarbeiterin des Bayerischen Rundfunks. Eva Rittinger lebt in einem Vorort von München.

Sie finden in diesem Buch

Ein Wort zuvor 4

Was koche ich, wenn … 5

… es schnell gehen muß 5
… es preiswert sein soll 5
… es etwas Leichtes sein soll 6
… es Frühjahr ist 6
… es Sommer ist 6
… es Herbst ist 7
… es Winter ist 7
… Gäste kommen 7
… eine Party gefeiert wird 8

Was backe ich, wenn … 8
… Freunde zu Tee und Kaffee kommen 8
… jemand Geburtstag hat 8
… es Weihnachten ist 8

Vollwertkost – was ist das? 9

Frühstück und Zwischenmahlzeiten 15

Vorspeisen und kleine Gerichte 28

Rohkost und Salate 38

Suppen und Eintöpfe 74

Gemüse für jede Jahreszeit 97

Feine Getreidegerichte 132

Herzhaftes mit Hülsenfrüchten 151

Kartoffel-Delikatessen 182

Reis, Teigwaren und Klöße 196

Aufläufe, Pies und Pizzen 209

Beliebte Saucen 233

Köstliche Desserts 243

Brot, Kuchen und Gebäck 270

Was Kinder mögen 311

Natürliche Vorratshaltung 340
Rezepte mit milchsaurem Gemüse 347
Trocknen – aber richtig 351
Marmeladen und Getränke 360

Das harmonische Menü 366

Kleine Warenkunde 368

Getreide-Steckbriefe 368
Gemüse-Steckbriefe 372
Saisonkalender Obst 386
Saisonkalender Gemüse 387
Hülsenfrüchte-Steckbriefe 389
Frische Kräuter 392
Soja – ein vielfältiges Angebot 397
Besondere Zutaten 403
Techniken und Geräte 408
Das Keimen von Samen 410

Rezept- und Sachregister 414

Empfehlenswerte Bücher 424

Bezugsquellen 424

Die Zutaten sind, wenn nicht anders angegeben, für 4 Personen, im Kapitel »Was Kinder mögen« für 2 Erwachsene und 2 Kinder berechnet.

 Dieses »Mühlensymbol« kennzeichnet alle Rezepte, für die eine Getreidemühle nötig ist.

Ein Wort zuvor

Wer sie ausprobiert hat – die Vollwertküche – wird es bestätigen: Man fühlt sich wohler und leistungsfähiger.

Das große GU Vollwert-Kochbuch entstand auf Wunsch vieler Leser, die endlich einmal ein umfassendes und handliches Buch der Vollwertküche haben wollten mit den besten Koch- und Backideen aus der bewährten und weit verbreiteten GU Reihe »Vollwertküche«. Für die Qualität der Rezepte bürgen die Namen der erfolgreichen und in Fachkreisen anerkannten Autorinnen Benita von Eichborn, Ingrid Früchtel, Marey Kurz und Eva Rittinger.

Das Angebot an verlockenden Nahrungsmitteln ist überreich. Trotzdem wählen wir nach den neuesten Erkenntnissen der Ernährungswissenschaft die Produkte häufig nicht richtig aus. Unsere Aufmerksamkeit sollte vor allem frischen, naturbelassenen, nährstoffreichen, ballaststoffreichen, vitaminreichen und möglichst wenig »raffiniert veredelten« Lebensmitteln gelten.

Sie werden es bestimmt schmecken: Die Vollwertküche bietet soviel Reizvolles, das auch jeder Feinschmecker auf seine Kosten kommt. Es werden nämlich nur frischeste Produkte verwendet und diese sorgfältig zubereitet. Wie ausgezeichnet so gekochte Gerichte schmecken, zeigen die Rezepte dieses Buches. Schon die Rezepttitel werden Ihre Neugierde wecken. Nach jedem Ausprobieren werden Sie erstaunt sein, wie leicht alles gelingt. Sie finden Altbekanntes in neuem geschmacklichem Gewand. Hier nur einige Beispiele: Fenchel mit frischen Feigen, Gemüsesuppe mit Vollkornbrot, Blattspinat mit Pinienkernen, Pilaw mit Azukibohnen, Ragout fin mit Sojamark, Kräuterquiche, Kartoffelgratin, Pizza mit Tomaten, feine Gemüsetorte, Germknödel, Reis Trauttmansdorff oder Crêpes aus Vollkorn zubereitet.

Gemessen an ihren Vorteilen ist die Vollwertküche kaum arbeitsintensiver als die herkömmliche Art zu kochen. Viele Lebensmittel werden roh zu köstlich frischen Salaten, herzhaft oder süß.

Wenn gegart wird, geschieht dies auf schonende Art, in wenig Wasser, möglichst kurz, damit Vitamine, Mineralstoffe und Spurenelemente erhalten bleiben.

Die vielen brillanten Farbfotos überzeugen schon optisch von den aromatisch-schmeckenden Gerichten. Schritt-für-Schritt-Fotos zeigen, wie Komplizierteres zubereitet wird. Besondere Geräte sind nicht erforderlich, denn gemahlenes Getreide gibt es inzwischen überall zu kaufen. Wenn Sie häufiger vollwertig kochen, werden Sie sich aber doch möglicherweise eine Getreidemühle zulegen. Zutaten, die Sie vielleicht noch nicht kennen, die aber ebenfalls überall zu bekommen sind, werden im Kapitel »Kleine Warenkunde« erläutert.

Anregungen für die Zusammenstellung vollwertiger Mahlzeiten finden Sie im Kapitel „Das harmonische Menü". Die Übersicht »Was koche ich, wenn ...« und »Was backe ich, wenn ...« hilft Ihnen, rasch die passende Idee für viele Anlässe zu finden. Alle Rezepte sind mit den wichtigen Hinweisen versehen: «Ballaststoffreich«, »Vitaminreich« oder »Eiweißreich«.

Neben ausführlichen Erstinformationen, unterstützt durch erklärende Zeichnungen, stehen Ihnen für den Start in die Vollwertküche über 500 »gesunde«, verlockende, interessante, neue und vertraute Rezept-Ideen zur Verfügung. Dabei wünschen Ihnen die Autorinnen und ich viel Spaß, gutes Gelingen und guten Appetit.

Ihre Doris Birk

Was koche ich, wenn ...

Die folgende Rezeptübersicht ist nach Anlässen gegliedert. Sie will Ihnen helfen, aus der Fülle der Rezeptideen rasch das Passende herauszufinden. Es gibt allerdings viele Gerichte, die für mehrere Anlässe geeignet sind. Um den Rahmen nicht zu sprengen, wurden alle Rezepte häufig nur an einer Stelle genannt. Sie werden trotzdem sicher ohne Probleme herausfinden, was Ihnen für Ihren Anlaß am geeignetesten erscheint.

In den Kapiteln mit Rezepten für die einzelnen Jahreszeiten finden Sie die Obst- und Gemüsesorten, die vor allem dann Saison haben. Das soll Ihnen helfen, Ihren Speiseplan stärker nach dem jahreszeitlichen Angebot zu richten, damit Sie das Obst und Gemüse dann verwenden, wenn es besonders frisch, vitaminreich, preiswert und von hervorragendem Geschmack ist.

... es schnell gehen muß

Joghurtmüsli 16
Feine Buchweizengrütze 18
Erdbeerbrote 20
Russischer Quark 18
Garnierte Käsebrote 37
Paprika-Apfelsalat 49
Sprossensalat 68
Apfel-Sellerie-Salat 73
Schwedische Snolsoppa 80
Sauerkrautsuppe 82
Spinattopf mit Ei 83
Spinattorte 97
Bananengemüse 122
Kräuterblumenkohl 117
Spanische Gemüsecreme 107
Umgedrehte Lauchtorte 104
Pikante Gemüsefüllung 104
Sprossengemüse 125
Roggenschmarrn 138
Würziger Mais 143
Blini 140
Kascha mit Rahmguß 142
Grünkern-Pilz-Topf 143
Bulgur mit Zwiebeln und Kräutern 144
Schnelle Vollkornpfannkuchen 145
Delikate Kartoffelpfanne 183
Kartoffelpfanne mit Tofu 194
Dämpfkartoffeln 182
Nußkartoffeln 183
Kartoffeln und Äpfel 193
Spaghetti mit Soja »bolognese« 202
Schoko-Obstsalat 248
Kiwi-Nuß-Quark 243
Kirschenquark mit Kakao 244
Apfelsahne 251
Erfrischende Walnußsahne 251
Buttermilchkaltschale 246
Russische Creme 262
Kirsch-Mandel-Creme 261
Vanillequark 245
Schokoladenpudding 265
Äpfel in Nußsauce 250
Schoko-Schaum mit Kleie 245
Bananensalat 251

... es preiswert sein soll

Kräuter-Käse-Creme 21
Käsesnacks 37
Erfrischender Möhrensalat 55
Würzige Kartoffelsuppe 77
Roggen-Lauch-Topf 82
Bunter Weizenkörnertopf 81
Sahnige Erbsensuppe 85
Buttermilchsuppe 91
Apfelsuppe 92
Gefüllte Zwiebeln 100
Wirsingpudding 116
Apfel-Rotkohl 115
Wachsbohnen mit Tomaten 119
Selleriepüree 110
Spinatpfannkuchen mit Kräuterkäsefüllung 101
Rotkohlrollen mit Grünkernfüllung 112
Weizengrütze 133
Roggengrütze 133
Grünkerngrütze 134
Buchweizengrütze 137
Würzige Roggenkörner 139
Getreidebratlinge 136
Roggen in saurer Sahne 133
Haferburger 135
Weizenküchle 134
Käsesoufflé 139
Grünkernfrikadellen 136
Hirsotto 141
Kaiserschmarrn 146
Allgäuer Topfenschmarrn 147
Vollkornpfannkuchen 147
Soja-Hirse-Omelette 145
Erbsenpüree 152
Ackerbohnen in Sahnesauce 159
Curry-Linsen mit Äpfeln 159
Kreolisches Bohnengericht 157
Malaysische Linsen 161
Kichererbsen-Koteletts 160
Bohnen-Mais-Topf 156
Überbackene Linsenhappen 165
Linsen-Haferflocken-Bratlinge 161
Pommes Duchesse 188
Herzhafte Bratkartoffeln 187

Was koche ich, wenn ...

Bratkartoffeln mit
Kräutern 187
Kartoffelpuffer 188
Kartoffelpudding 191
Käsetaschen 193
Kartoffelplätzchen 193
Quarknockerl 208
Getreideauflauf 209
Sauerkraut in Eier-Sahne 211
Ofenschlupfer 226
Reisauflauf 228
Brotauflauf 229
Hirsesoufflé 229
Erdbeermix 246
Schokoladenpudding 265
Zitronencreme 264

... es etwas Leichtes sein soll

Bananenbecher 19
Vitaminjoghurt 19
Früchte mit Hüttenkäse 20
Gefüllte Tomaten
oder Gurken 33
Rustikaler Tomatensalat
mit Tofu 52
Pilze-Paprika-Topf 83
Flageoletbohnensuppe 89
Mexiko-Gemüse mit
gebratenem Tofu 103
Peperonata 102
Sojamark in Pilzsahne 172
Ragoût fin mit Sojamark 173
Feine Kräuter-Tofu-
Frikadellen 171
Kartoffelpfanne mit Tofu 194
Vollkorn-Kartoffelgemüse 190
Kalifornischer Reis 197
Frischer Reissalat 197
Auberginen-Auflauf mit
Tomaten 209
Französischer Obstauflauf 227
Johannisbeer-Apfel-Salat 261

Buttermilchkaltschale 246
Überbackene Grapefruits 250
Rhabarber in Weinschaum 254
»Errötendes Mädchen« 244
Fruchtjoghurt 247
Feine Tofucreme 265

... es Frühjahr ist

Kopfsalat mit Wildkräutern 41
»Erste-Ernte«-Platte 46
Brennesseln mit Äpfeln, Hütten-
käse und Walnüssen 51
Spargelsalat mit Nüssen 56
Löwenzahnsalat 57
Zucchini mit Knoblauch 67
Kresse-Kartoffelsalat 70
Pilz-Kartoffelsuppe 358
Dicke Schottische Gerstensuppe 80
Ungarischer Krautkuchen 348
Junge Möhren 107
Blattspinat mit Pinienkernen 99
Apfel-Weißkraut mit getrockne-
ten Aprikosen 358
Linsen-Frühlingstorte 163
Zucchinisoufflé 214
Haselnuß-Grünkern mit Pilzen 359
Spinatsoufflé 213
Rhabarberauflauf 229
Roh gerührtes Rhabarber-
kompott 256

... es Sommer ist

Pfirsich-Buttermilch-Müsli 18
Gefüllte Melone 31
Bunter Eissalat 45
Spinat-Kohlrabi-Möhren-
Platte 48
Spinat mit Äpfeln
und Möhren 58
Kohlrabi mit Wildkräutern
und Haselnüssen 59

Blumenkohl mit Äpfeln 63
Kürbisrohkost 67
Kartoffelsalat aus Arles 69
Bohnen-Kartoffelsalat 71
Minestrone 75
Gemüsesuppe mit Vollkorn-
schrot 76
Zucchini-Knoblauch-Suppe 77
Zuppa quattro 81
Weiße-Bohnen-Suppe
mit Klößchen 90
Pfirsichkaltschale 91
Grüne Bohnen mit
Schaumkrone 119
Junge Erbsen mit
Perlzwiebeln 108
Feines Broccoligemüse 116
Auberginen im Tomaten-
bett 108
Mangold in heller Sauce 118
Sommergemüse in der
Folie 102
Fritiertes Gemüse 101
Sommer-Risotto 198
Bunter Reistopf 200
Mangold-Pfannkuchen-
Auflauf 210
Kohlrabi-Kartoffel-Gratin 211
Cassoulet mit roten
Bohnen 216
Hirseflocken-Quark-Auflauf
mit Obst 228
Zwiebackauflauf mit
Früchten 227
Kirschenmichel 232
Grießauflauf mit Früchten 230
Kalte Kirschtorte 252
Pfirsiche mit Himbeer-
püree 252
Beeren-Tutti-Frutti 260
Stachelbeersülzchen mit
Dickmilch-Fruchtsauce 254
Sauerkirschcreme 262

Was koche ich, wenn ...

Grüne Grütze 253
Himbeergelee 255
Erdbeertraum 244
Fruchteis 269
Beeren-Reis-Schnee 259
Brombeer-Charlotte 259

... es Herbst ist

Endivien mit Apfel-Meerrettich-
sahne 42
»Sommerende«-Platte 48
Chinakohl mit Sellerie und
Sesam 56
Herbstlicher Chicoréesalat 59
Broccoli mit Pinienkernen 65
Wirsing mit Fenchel in Apfel-
sauce 63
Rote-Rüben-Salat 65
Festlicher Sauerkrautsalat 349
Curry-Reis-Salat 71
Würzige Kartoffelsuppe 77
Fenchelsuppe 76
Borschtsch 84
Andalusische Kichererbsen-
suppe 86
Linsensuppe mit Kastanien 89
Kürbisgemüse mit
Nudeln 121
Chinakohl mit Äpfeln
und Zwiebeln 111
Wirsingwickel 113
Apfelpfannkuchen mit
Nüssen 146
Pilaw mit Azukibohnen 153
Hülsenfruchtpastete 162
Sellerie-Apfel-Auflauf 212
Süßer Kartoffelauflauf 227
Brotauflauf 229
Türkenauflauf 230
Trauben-Nuß-Auflauf 231
Preiselbeer-Kürbis-Salat 247
Pflaumen in Gelee 256

Herbstlicher Obstsalat 248
Flan 265
Äpfel im Schlafrock 249
Preiselbeercreme 260

... es Winter ist

Keimsprossenmüsli 16
Winter-Müsli 17
Linsenpaste 36
Radicchio bunt gemischt 46
Bauern-Rapunzel 47
Dips und Wintergemüse 50
Rüben-Rettich-Rapunzel-
Platte 50
Möhren mit angekeimten
Weizenkörnern 54
Möhren mit Ananas 53
Sellerie mit Mandarinen 57
Fenchel mit frischen Feigen 55
Herzhafter Lauch 58
Chicorée in Bananencreme 60
Weißkohl mit milchsaurem
Gemüse 64
Rotkohl mit Endivien in
Meerrettichsauce 60
Rosa Sauerkraut und Apfel-
salat im Rapunzelbeet 66
Sauerkraut mit gemischtem
Obst und Walnüssen 66
Salat aus gegarten Weizen-
körnern 72
Zwiebelsalat mit Orangen 73
Rote-Rüben-Suppe 347
Sauerkrautsuppe 82
Kartoffelsuppe mit milchsauren
Bohnen 349
Linsen mit Backpflaumen 86
Rosenkohl mit Käsesahne 115
Glasierte Teltower Rübchen 120
Steckrübentopf 125
Fenchelschnitzel 110
Grünkohlpfanne 111

Überbackene Pfannkuchen 147
Kichererbsen mit Joghurt 165
Brasilianischer Bohnenpfann-
kuchen 158
Vollkornspätzle mit Käse 200
Sauerkraut mit Kastanien 348
Westfälisches Bohnen-
gericht 215
Reisauflauf 228
Mandelgelee mit Sahne 255
Ambrosia-Obstsalat 350
Aprikosenkompott 255
Sanddorncreme 261
Indianisches Maisdessert 253
Hafercremespeise 264

... Gäste kommen

Beerenmüsli 17
Bleichsellerie mit Käsecreme
28
Auberginenscheiben mit
Joghurtsauce 31
Artischocken mit Zitronen-
mayonnaise 33
Avocado au gratin 34
Chicorée-Pastetchen 35
Walnuß-Avocado 35
Spinat mit Äpfeln und
Möhren 58
Broccolisuppe mit Klößchen 78
Reissuppe 78
Französischer Gemüseeintopf
mit Pistou 84
Chicorée mit Nußcreme 98
Rosenkohl in brauner
Nußsauce 115
Staudensellerie mit Kräutern
und Nußbutter 109
Spitzkohl in Wein-Sahne-
Sauce 113
Gebackene Topfenpalat-
schinken 148

Was backe ich, wenn ...

Indischer Bohnen-Kürbis-Curry 156
Pilaw mit Azukibohnen 153
Hülsenfruchtpastete 162
Frühlingsrolle mit Sojasprossen 164
Sahnekartoffeln 187
Kartoffelgratin 192
Zwetschgenknödel nach böhmischer Art 208
Germknödel 207
Tomaten mit Schafkäse auf Kichererbsen 212
Türkischer Reis 214
Pie mit vielerlei Gemüsen 223
Kräuterquiche 218
Polenta-Auflauf mit Azukibohnen 216
Feine Gemüsetorte 224
Obst und Käse 269

... eine Party gefeiert wird

Paprikaschoten mit Apfelquark gefüllt 28
Feiner Waldorfsalat 30
Tomaten mit Rohkostfüllung 32
Birnen mit Käse 29
Dips und Wintergemüse 50
Salat aus schwarzen Bohnen, Paprika und Schafkäse 68
Gemischter Bohnenkernsalat 69
Reissalat mit Mungobohnen 72
Weizenküchle 134
Grünkernfrikadellen 136
Bohnenküchle 157
Gefüllter Staudensellerie 350
Knoblauch-Kerbelbutter 350
Knabberstangen 225
Laugenbrezen 278
Partysemmeln 278
Vollkorn-Hausbrot 271
Gewürz-Brötchen 280
Bierstangen 281
Schokoladencreme 263
Mandelcreme 263
Reis Trauttmansdorff 268
Gefüllte Trockenfrüchte 355
Feiner Obstsalat 248
Brombeer-Charlotte 259
Dörrobst–raffiniert gefüllt 357

Was backe ich, wenn ...

... Freunde zu Tee und Kaffee kommen

Feiner Tee-Kuchen 285
Wiener Nußkuchen 286
Rhabarberkuchen mit Honigbaiser 283
Orangenkuchen 284
Schokoladenkuchen mit Sauerkirschen 283
Apfelrolle 289
Topfenrahmstrudel 295
Graubündner Apfelwähe 296
Apfelkuchen mit Guß 298
Käsekuchen 297
Mandeltorte 287
Rüblitorte 286
Buttergebäck 304
Vanillekipferl 305

... jemand Geburtstag hat

Zwetschgenrolle 291
Bienenstich 288
Nußrolle 290
Linzer Torte 295
Obstkuchen mit Mandelbaiser 297
Apfel-Käse-Kuchen vom Blech 299
Windbeutel 308
Sahnetorte mit Früchten 303
Käse-Sahne-Torte 300
Walnußtorte 284

... es Weihnachten ist

Früchtekuchen 285
Gewürzkuchen 288
Mohnrolle 290
Weihnachtsstollen 293
Kletzenbrot 294
Buttergebäck 304
Wiener Nußbusserl 303
Vanillekipferl 305
Spritzgebäck 310
Ingwerplätzchen 306
Dattelmakronen 305
Basler Leckerli 307
Mandellebkuchen 309
Spitzbuben 306
Fruchtschnitten 309
Wiener Lebkuchen 307
Schweizer Dörrobstfladen 356

Vollwertkost – was ist das?

Vorschläge und Empfehlungen, wie man sich gesund und richtig ernähren kann, gibt es viele. Zu viele. Es vergeht kaum eine Woche, in der nicht eine neue Ernährungsweise oder Diät vorgestellt wird, die verspricht, gesünder, schlanker und leistungsfähiger zu machen. Die meisten dieser Ernährungsempfehlungen sind kurzlebig. Denn häufig sind die Vorschriften, was man essen darf beziehungsweise nicht essen darf, so extrem und einseitig, daß die meisten Menschen, die eine solche Ernährung ausprobieren, innerhalb kürzester Zeit wieder in alte Ernährungsgewohnheiten zurückfallen. Und das ist gut so, denn häufig denken die Verfasser solcher Ernährungspläne mehr an ihren gut gefüllten Geldbeutel als an die Gesundheit der Verbraucher. Eine einseitige Lebensmittelauswahl, wie zum Beispiel die Empfehlung, nur fett- und eiweißreiche Lebensmittel zu essen, kann nämlich bald zu schweren Gesundheitsstörungen führen.

Auf der anderen Seite ist der Rückfall in alte Ernährungsgewohnheiten auch nicht der richtige Weg, um gesund zu bleiben oder gesund zu werden. Denn mit unserer Gesundheit ist es nicht so weit her. Ein Drittel, bei etwas strengerem Maßstab sogar fast die Hälfte, unserer Bevölkerung leidet an Übergewicht. Übergewicht ist jedoch keineswegs nur ein Schönheitsproblem, wie man uns gelegentlich glauben machen möchte. Übergewicht ist einer der Risikofaktoren für die Zunahme der Herz-Kreislauferkrankungen, der Zuckerkrankheit, der Gallensteine, des Bluthochdrucks und für überhöhte Harnsäurewerte. Es sind nicht nur einige wenige, die an diesen Erkrankungen leiden, sondern es sind Millionen Menschen. Hinzu kommt, daß etwa 95 bis 100% der Bevölkerung wegen eines hohen Zucker- und Süßigkeitenkonsums Karies haben, und etwa jeder dritte Probleme mit der Verdauung hat. Die hohen Umsatzzahlen für Abführmittel belegen dies. Insgesamt entstehen nach Angabe des Bundesministers für Jugend, Familie und Gesundheit allein durch ernährungsabhängige Krankheiten Kosten in Höhe von 40 Milliarden DM pro Jahr.

Und hierin bildet die Bundesrepublik sicher keine Ausnahme unter den europäischen Ländern.

Eine übermäßige und falsch zusammengesetzte Ernährung spielt also eine maßgebliche Rolle beim Anstieg der sogenannten Wohlstandskrankheiten wie Übergewicht, Leber-, Galle-, Darmstörungen, Zuckerkrankheit, Gicht und Herzinfarkt. Darüber gibt es gesicherte wissenschaftliche Erkenntnisse. Zu viel, zu süß, zu fett und zu viel Alkohol – damit sind die Hauptfehler unserer Ernährungsweise genannt. Wir nehmen etwa ein Drittel mehr Nahrungsenergie auf als wir verbrauchen und die nicht verbrauchte Energie wird in den Fettdepots des Körpers gespeichert. Viele Menschen essen, als ob sie Schwerarbeit verrichten würden und scheinen zu vergessen, daß sie eine vorwiegend im Sitzen ausgeübte Beschäftigung haben, bei der sie sich wenig bewegen und deshalb auch wenig Kalorien verbrauchen. Und wir essen zuviel vom Falschen. Rund 120 g Fett ißt der Durchschnittsbundesbürger am Tag. Dabei spielt die Butter oder die Margarine, die wir aufs Brot streichen eine kleinere Rolle als die versteckten Fette in Fleisch, Wurst, Käse und Sahnetorten. Mit dem übertriebenen Fettverzehr ist automatisch eine überhöhte Cholesterinzufuhr verbunden. Hohe Cholesterinmengen im Blut begünstigen aber bei entsprechend veranlagten Menschen die Arteriosklerose. Cholesterinreich sind vor allem Fleisch, Wurst und Eier.

Schweinefleisch enthält darüberhinaus die sogenannten Purine, die bei überhöhter Zufuhr zu einem Anstieg des Harnsäurespiegels im Blut und als Folge davon zu Gichterkrankungen und Steinbildungen in den Harnwegen führen können.

Auch der Zuckerkonsum ist hoch. Das ist für unsere Gesundheit keineswegs nur wegen der möglichen Zahnschäden von Übel. Zucker enthält keine lebenswichtigen Nährstoffe, sondern nur Energie, die kurzfristig satt macht. Wer viel zuckerreiche Nahrungsmittel verzehrt, hat dadurch keinen Appetit mehr auf wertvolle Lebensmittel, die reichlich Vitamine und Mineralstoffe enthalten. Vitamin- und Mineralstoffmangel können die Folge sein. Außerdem führt man mit zuckerreichen Nahrungsmitteln zu viel Energie zu, begünstigt dadurch Übergewicht und damit auch alle durch Übergewicht hervorgerufenen Krankheiten.

Wir gehören zu den Ländern mit dem größten Nahrungsmittelangebot der Welt. Und trotzdem scheint es für viele Menschen schwierig zu sein, sich vollwertig zu ernähren. Denn trotz allem Überfluß erhalten wir von einigen lebensnotwendigen Nährstoffen zuwenig. Das sind vor allem Vitamine und Mineralstoffe.

Wir müssen also unsere Ernährungsgewohnheiten ändern, wollen wir unsere Gesundheit erhalten oder nicht noch kränker werden. Vielfach verschwinden durch eine Ernährungsumstellung auch manche Krankheiten oder Beschwerden lassen sich lindern.

Was wir brauchen, ist eine auf Dauer durchführbare Ernährungsweise, die zur Verbesserung unserer Ernährungs- und Gesundheitssituation beitragen kann. Daß eine solche Ernährung auch schmecken muß, ist selbstverständlich, denn nur dann wird man sie länger praktizieren als eine der extremen und einseitigen Diäten. Dabei müssen alle die Lebensmittel im Vordergrund stehen und vermehrt gegessen werden, die unsere Gesundheit positiv beeinflussen. Weniger essen oder gar weglassen sollte man die Lebensmittel, die unserer Gesundheit schaden.

Vollwertkost ist eine Ernährungsweise, die genau diesen Anforderungen entspricht. Sich vollwertig zu ernähren, heißt vorwiegend pflanzliche Lebensmittel zu essen, also Vollgetreide, Gemüse, Obst, Hülsenfrüchte und Kartoffeln, außerdem Milch und Milchprodukte, naturbelassene Fette und milchsaure Lebensmittel. Alle diese Lebensmittel sind reich an Eiweiß, hochwertigen Kohlenhydraten, Ballaststoffen, Vitaminen, Mineralstoffen und Spurenelementen. Sie enthalten wenig Fett, kein oder kaum Cholesterin sowie Purine. Wir vermindern damit also alle die Nahrungsinhaltsstoffe, die keinen günstigen Einfluß auf die Gesundheit haben.

Bei einer vollwertigen Ernährung sollten weniger Fleisch, Fisch und Eier auf dem Speiseplan stehen. Mit einem Ei kann man bereits den gesamten Tagesbedarf an Cholesterin decken, außerdem enthalten Eier reichlich tierisches Fett. Das heißt nun aber nicht, daß in der Vollwertkost Fleisch, Fisch und Eier nicht verzehrt werden dürften, sie sollten eben nur mäßig gegessen werden. Mäßig heißt in diesem Fall 1–2 Fleisch- und Fischmahlzeiten und 3–4 Eier pro Person in der Woche.

Pro Woche/pro Person: 1–2 ×   3–4 ×

Fleisch, Fisch und Eier sollten bei einer vollwertigen Ernährung nur mäßig gegessen werden, das heißt: 1–2 Fleisch- und Fischmahlzeiten und 3–4 Eier pro Person in der Woche.

Fleisch, Fisch und Eier sind wichtige Eiweißlieferanten und enthalten wichtige Mineralstoffe und Vitamine. Fleisch trägt zum Beispiel wesentlich zur Eisenversorgung bei, Fisch ist der wichtigste Jodlieferant und Eier enthalten relativ viel Vitamin A. Doch diesen Vorteilen stehen auch gesundheitliche Nachteile gegenüber. Tierische Lebensmittel enthalten viel Fett, Cholesterin, gesättigte Fettsäuren und Purine, Stoffe also, die

Übergewicht, Herz-Kreislauferkrankungen und Gicht begünstigen.

Verzehren wir viel tierische Produkte, so erhält unser Körper häufig mehr Eiweiß, als er braucht und nur wenig Ballaststoffe. Ein ständig erhöhter Eiweißkonsum kann den Stoffwechsel belasten. Ein geringer Anteil an Ballaststoffen in unserer Nahrung führt zu Verstopfung.

Wer wenig oder kein Fleisch ißt, braucht jedoch nicht zu befürchten, daß er zu wenig Eiweiß erhält. Fleischeiweiß ist zwar besonders hochwertig, da es dem menschlichen Körpereiweiß sehr ähnlich ist und unser Organismus besonders leicht daraus körpereigenes Eiweiß aufbauen kann. Pflanzliches Eiweiß ist im allgemeinen nicht so hochwertig. Doch kann man Eiweiß verschiedener Pflanzen so miteinander kombinieren, daß es ebenso hochwertig oder sogar noch hochwertiger ist als Fleischeiweiß. Kombiniert man zum Beispiel Hülsenfrüchte und Mais in einer Mahlzeit, so nimmt man ebenso hochwertiges Eiweiß zu sich, wie wenn man Fleisch ißt. Oder auch Weizen und Milch, wie es zum Beispiel im Müsli enthalten ist, sind eine sehr gute Mischung. Und da wir in einer vollwertigen Mahlzeit immer ein Gemisch verschiedener Eiweiße aus Getreide, Hülsenfrüchten, Milch, Eiern und so weiter essen, ergänzen diese sich stets gegenseitig. Wir brauchen uns also nicht zu sorgen, daß wir zuwenig Eiweiß erhalten. Nur wer sich ganz ohne Milch, Milchprodukte und Eier und ausschließlich mit pflanzlichen Lebensmitteln, das heißt streng vegetarisch ernährt, muß besonders sorgfältig auf günstige Eiweißkombinationen achten.

Sich vollwertig zu ernähren, heißt auch, isolierte Zucker (Haushaltszucker) und damit hergestellte Süßigkeiten zu meiden. Zucker wird vom Körper sehr rasch verdaut und überschwemmt das Blut mit einem Überangebot an Energie. Die Blutzuckerwerte steigen. Die Bauchspeicheldrüse muß in sehr kurzer Zeit eine große Menge Insulin produzieren, denn nur mit diesem Hormon können die Zuckerteilchen aus dem Blut in die einzelnen Körperzellen transportiert werden. Die Bauchspeicheldrüse wird dadurch stark belastet. Die Zuckerteilchen werden sehr rasch vom Blut in die Körperzellen transportiert. Dadurch sinkt der Blutzuckerspiegel schlagartig ab. Der Abfall des Blutzuckers meldet dem Gehirn: Hunger. Wir haben nach dem Essen von Süßigkeiten also relativ schnell erneut das Bedürfnis, wieder etwas zu essen. Und eigentlich ist es eine altbekannte Erfahrung, daß süße Mahlzeiten nicht so lange sättigen. Essen wir dagegen einen mit Honig gesüßten Auflauf aus Vollgetreide, so wird zwar der Honig rasch verdaut, die Kohlenhydrate des Getreides aber werden nur sehr langsam verarbeitet und liefern dem Körper langsam und stetig Energie nach. Es kommt zu keinem raschen Abfall der Blutzuckerkurve. Wir bleiben also lange satt.

Daß man in der Vollwertküche auch sparsam mit Salz umgeht, hat gute Gründe. Auf der einen Seite läßt ein hoher Salzkonsum bei vielen Menschen den Blutdruck ansteigen. Ein hoher Blutdruck gilt als ein Risikofaktor für den Herzinfarkt. Auf der anderen Seite wird bei einem stark gesalzenen Essen der Geschmack der einzelnen Zutaten übertönt. Außer Salz kann man dann kaum noch etwas schmecken. Würzen wir dagegen mit frischen Kräutern, so bekommen die Speisen nicht nur einen viel feineren Geschmack, sondern wir bereichern sie um reichlich Vitamine und Mineralstoffe. Frische Kräuter enthalten nämlich eine Menge davon.

Die Vollwert-Ernährung empfiehlt nicht nur Lebensmittel wie Getreide, Gemüse, Obst, Pflanzensamen (wie Sonnenblumen-, Kürbiskerne oder Sesam), Nüsse und Milch besonders häufig zu verzehren, es ist auch wichtig in welchem Zustand diese Lebensmittel verzehrt werden sollen. Für den Begründer der Vollwerternährung, Professor Kollath, galt die Nahrung dann als vollwertig, »wenn sie alles enthält, was der Organismus zu seiner Erhaltung und zur Erhaltung der

Art benötigt«. Das bedeutet nach Kollath, daß die »Nahrung so natürlich wie möglich sein soll«. Diese Forderung hat auch heute noch ihre Berechtigung, denn unser Wissen um die optimale Nährstoffversorgung ist trotz aller Forschungen immer noch unvollständig. Noch im letzten Jahrzehnt wurden einige Spurenelemente (Chrom, Selen) als für den Menschen lebensnotwendig erkannt. Es ist also durchaus möglich und sogar wahrscheinlich, daß auch in Zukunft noch Stoffe in der Nahrung gefunden werden, die für unsere Gesundheit notwendig und wichtig sind. Die Wahrscheinlichkeit, daß wir alle lebensnotwendigen und wichtigen Nährstoffe, auch die noch unbekannten, mit der Nahrung zu uns nehmen, ist umso größer, je weniger behandelt, also je naturbelassener die Lebensmittel sind. Jeder Verarbeitungsschritt bei der Zubereitung oder Haltbarmachung der Lebensmittel führt zu einem Verlust an wertvollen Inhaltsstoffen. Eine Möhre frisch aus dem Garten gegessen hat noch den ganzen Anteil an wichtigen Nährstoffen. Liegt sie einige Tage im Lebensmittelgeschäft, bis sie verkauft wird, muß man allein durch die Lagerung mit einem Verlust an sauerstoffempfindlichen Vitaminen rechnen. Wird sie dann zu Hause mit Wasser gewaschen und vielleicht sogar einige Zeit im Wasser liegen gelassen, gehen wasserlösliche Vitamine verloren und Mineralstoffe werden weggeschwemmt. Zerkleinert man sie und läßt sie bis zum Essen noch eine Weile stehen, greift der Luftsauerstoff erneut die Vitamine an. Soll die Möhre nicht als Salat, sondern gekocht gegessen werden, kommt es durch das Erhitzen zu einem weiteren Verlust an Vitaminen. Denn einige Vitamine sind ausgesprochen hitzeempfindlich. Hat man sie dann noch in viel Wasser gekocht und gießt dieses nach dem Garen weg, schüttet man damit auch wasserlösliche Vitamine und Mineralstoffe weg. Man sieht also, daß beim Zubereiten mit jeder zusätzlichen Bearbeitung wertvolle Inhaltsstoffe abnehmen. Ein anderes Beispiel ist das Getreide. Das Getreidekorn ist als ganzes Korn jahrelang haltbar. Wird es zu Mehl vermahlen, vermindert der Luftsauerstoff die Vitamine und der fetthaltige Keim, der zuvor geschützt unter der Schale lag, wird durch den Sauerstoff innerhalb weniger Wochen ranzig. Der Haltbarkeit wegen entfernt man nun die Samen- und Fruchtschale sowie den Keim. Damit entfernt man aber auch gleichzeitig den größten Teil der Vitamine, Mineralstoffe, ungesättigten Fettsäuren und die Ballaststoffe. Zurück bleibt das Mehlinnere, nämlich das weiße Auszugsmehl, das hauptsächlich aus Stärke und Eiweiß besteht und das nun jahrelang haltbar ist.

Die neueren Vertreter der Vollwert-Ernährung (von Koerber, Männle, Leitzmann) haben die Nahrung in fünf Wertstufen eingeteilt. Je geringer der Verarbeitungsgrad, desto höher ist die Wertigkeit der Lebensmittel:

Stufe I.
Besonders empfehlenswert: *unveränderte* Lebensmittel: gewaschen, gekühlt, geschälte Früchte (Südfrüchte), entspelztes Getreide, geschälte Nüsse.

Stufe II.
Sehr empfehlenswert: *bearbeitete* Lebensmittel: geschnitten, gehobelt, geraspelt, geschrotet, gemahlen, geschält, kaltgepreßt (Öl), fermentiert mit Hilfe von Milchsäurebakterien.

Stufe III.
Empfehlenswert: *erhitzte* Lebensmittel: blanchiert und eingefroren, im eigenen Saft gegart, gekocht, gebacken, pasteurisiert, mit hohem Druck gepreßt, zentrifugiert, getrocknet.

Stufe IV.
Weniger empfehlenswert: *verarbeitete* Nahrungsmittel: Keime abgetrennt, gefiltert, gesiebt (Auszugsmehl), poliert (Reis), gebraten, geröstet, ultrahocherhitzt, sterilisiert, konserviert.

Stufe V.
Nicht empfehlenswert: *isolierte* Nahrungsmittel und Fertigprodukte, zum Beispiel raffinierter Zucker, Limonaden, Eiweißpräparate.

Wir sollten also möglichst viele Lebensmittel der Stufe I und II täglich essen. Wie sich unser täglicher Speiseplan aus den einzelnen Lebensmittelgruppen zusammensetzen sollte, zeigt das folgende Bild:

Bei der Frischkost sollte etwa ein Viertel des Anteils aus Frischkorn, Nüssen und Rohmilch (Vorzugsmilch) bestehen. Etwa 15 Prozent werden als Frischgemüse und 10 Prozent als Frischobst gegessen. Aus Getreidegerichten, Hülsenfrüchten, Brot und gedünstetem Gemüse setzt sich die erhitzte Kost zusammen.

Etwa die Hälfte unserer täglichen Nahrung sollte unerhitzt als Frischkost gegessen werden. Die andere Hälfte besteht aus gekochten und gebakkenen Lebensmitteln. Neben dem Vollwert der Nahrung sollte jedes Lebensmittel einen möglichst hohen Reinwert haben, das heißt, es sollte möglichst frei von Schadstoffen sein. Der Gehalt an Schadstoffen in Lebensmitteln ist zum Teil bedenklich. Auch, wenn es häufig nur geringe Konzentrationen sind, über deren langfristige Auswirkungen auf unsere Gesundheit ist noch viel zu wenig bekannt und erforscht. Wir wissen auch kaum, wie die einzelnen Schadstoffe miteinander im Körper reagieren. Es ist nicht auszuschließen, daß sich einzelne Schadstoffe gegenseitig in ihrer Giftigkeit verstärken. Wir sind in unserer Umwelt einer Vielfalt von Schadstoffen ausgesetzt, auf die wir keinen Einfluß haben. Bei unserer Ernährung haben wir es zumindest zu einem Teil in der Hand, die Einflüsse von Schadstoffen zu vermindern. Das ist möglich, indem wir Lebensmittel aus kontrolliertem biologischem Anbau bevorzugen. Denn hier werden Lebensmittel mit Methoden erzeugt, die weniger oder keine bedenklichen Stoffe wie zum Beispiel chemische Schädlingsbekämpfungsmittel und Tierarzneimittel als Masthilfsmittel erfordern. Außerdem sind solche Produktionsmethoden umweltschonend und wir leisten damit einen Beitrag zur Erhaltung unserer Umwelt.

Vollwert-Ernährung bietet also gegenüber einer herkömmlichen Ernährung viele Vorteile: Sie kann uns gesund und leistungsfähig erhalten und ernährungsabhängige Krankheiten verhindern. Auch kann sie bereits vorhandene Krankheiten durch eine Umstellung der Ernährung bessern oder auch heilen. Sie ist darüber hinaus umweltschonender, preiswert und nicht zuletzt: Sie schmeckt ganz ausgezeichnet, wovon Sie die vielen Rezepte dieses Buches überzeugen werden.

Ein weit verbreiteter Irrtum ist noch auszuräumen: Man kann nicht einfach darauf vertrauen, daß Vollwerternährung Normalgewicht garantiert. Auch Vollwertkost wird zu Übergewicht führen, wenn man ständig mehr Energie (Kalorien) aufnimmt, als man braucht. Wer gern und häufig Süßes ißt, wie honiggesüßte Aufläufe und Kuchen und außerdem viel Sahne, Butter und Käse zum Kochen verwendet, darf sich nicht wundern, wenn der Zeiger der Waage nach oben wandert. Deshalb sollte man auch in der Vollwerternährung den Kalorien- und Fettgehalt im Auge behalten. Im Durchschnitt nimmt eine Frau 800 Kalorien, ein Mann 1300 Kalorien täglich zu viel auf. Das zeigen jedenfalls die Zahlen des Ernährungsberichts 1984.

Sie finden bei den Rezepten dieses Buches die Kalorienangabe für eine Portion. Mit Hilfe der folgenden Tabelle können Sie leicht kontrollieren, ob Sie ihren Tagesbedarf erreicht oder überschritten haben. Bei aller Notwendigkeit, auf den Kaloriengehalt der Mahlzeiten zu achten, ist es für die Vermeidung von Übergewicht sehr wichtig, daß der tägliche Speisenplan klug zusammengestellt wird. Wer sich an die Empfehlungen der Vollwerternährung hält und vorwiegend Getreide, Obst und Gemüse ißt, wird keine Probleme mit den Pfunden kennen. Denn die vielen Ballaststoffen haben eine ausgesprochen »gewichtsfreundliche« Wirkung. Sie füllen Magen und Darm, machen dadurch schneller satt und das Gefühl der Sättigung hält länger an.

Nach einiger Zeit werden sich die Nahrungsmengen automatisch verringern. Die unverdaulichen Ballaststoffe passieren unseren Körper, ohne Energie (Kalorien) abzugeben. Ballaststofffreiche Gerichte verlangen vom Körper zudem mehr Verdauungsarbeit als ballaststoffarme Speisen; dabei werden noch zusätzlich Kalorien verbraucht. Gegenüber der sonst üblichen Ernährung hat Vollwertkost also auch bei der Reduzierung von Übergewicht eine Menge Vorteile.

Übersicht über die durchschnittliche Höhe des Energiebedarfs:

Alter	kJ/Tag		kcal/Tag	
	männl.	weibl.	männl.	weibl.
Kinder				
10–12 Jahre	9 600	9 200	2300	2200
13–14 Jahre	11 300	10 500	2700	2500
Jugendliche				
15–18 Jahre	12 500	10 000	3000	2400
Erwachsene*				
19–35 Jahre	10 900	9 200	2600	2200
36–50 Jahre	10 000	8 400	2400	2000
51–65 Jahre	9 200	7 500	2200	1800
Über 65 Jahre	7 900	7 100	1900	1700

* Die Werte gelten für Personen mit vorwiegend sitzender Tätigkeit (Leichtarbeiter). Für andere Berufsgruppen sind Zuschläge erforderlich.

Frühstück und Zwischenmahlzeiten

Getreide ist die Nummer 1 in der Vollwertküche. Deshalb sollte jedes vollwertige Frühstück Getreide oder Getreideprodukte in irgendeiner Form enthalten. Ein Frischkornmüsli, aus geschrotetem und eingeweichtem Getreide ist das richtige Sprungbrett für den Tag. Denn morgens braucht der Körper eine solide Grundlage, nachdem er über Nacht lange nichts erhalten hat. Auch nachts gehen nämlich alle Körperfunktionen weiter, wenn auch in vermindertem Ausmaß. Dabei wird ebenfalls Energie verbraucht. Ein Müsli aus frisch geschrotetem Getreide ist die ideale Möglichkeit, Getreide in unerhitzter Form zu sich zu nehmen. Da beim Kochen und Backen von Getreide immer eine gewisse Menge Vitamine und andere wichtige Inhaltsstoffe zerstört werden, ist der regelmäßige Verzehr eines Teils des Getreides in roher Form – als Keimlinge oder Frischkornbrei – besonders empfehlenswert. Auch haben die unerhitzten Ballaststoffe, die im Getreide reichlich vorkommen, ein besseres Quellvermögen im Darm und ihre Wirksamkeit bei der Verdauung ist größer. Gerade bei Frischkornmüsli kommt es zu einem besonders langsamen und niedrigen Anstieg der Blutzuckerkurve. Das ist besonders günstig, denn dadurch bleiben wir bis zu 4–5 Stunden satt, ohne daß der Magen belastet wurde und sind gleichzeitig frisch und leistungsfähig. Müsli nimmt beim Frühstück auch hinsichtlich des Gehalts an hochwertigem Eiweiß eine Spitzenstellung ein. Denn die Kombination von Getreide und Milch oder Milchprodukten zusammen mit Nüssen ist besonders ideal. Deshalb enthält dieses Kapitel auch eine ganze Reihe von Müsli-Rezepten. Aber auch eine süße Buchweizengrütze oder ein Hirsebrei sorgen für einen guten Start in den Tag.

Zwischenmahlzeiten, und damit meinen wir Mahlzeiten, die zwischen Frühstück und Mittagessen beziehungsweise Mittagessen und Abendessen liegen, sind Voraussetzung für gleichbleibende Leistungsfähigkeit während des Tages. Fünf kleine Mahlzeiten über den Tag verteilt sind meist günstiger als drei große. Mit einem Stück Obst, einem Joghurt oder Milchmixgetränk, einem Vollkornbrot mit einem eiweißreichen Brotaufstrich läßt sich so manches Leistungstief rechtzeitig abfangen, das heißt, es kann gar nicht erst entstehen. In diesem Kapitel finden Sie daher auch eine Anzahl von Rezepten für die kleinen Mahlzeiten zwischendurch.

Ballaststoffreich · Ganz einfach

Frischkornmüsli 🥄

Zutaten für 1 Person:
2 Eßl. Weizen, Roggen, Nacktgerste oder Nackthafer · etwas Wasser · 1–2 Teel. Honig · 4 Eßl. Milch oder 2–3 Eßl. Sahne · ½ Apfel oder 2 Eßl. Beeren · ½ Banane · 1 Eßl. gemahlene Walnußkerne, Haselnußkerne, Mandeln, Erdnußkerne oder Kokosflocken · eventuell etwas Zitronensaft oder 1 gestrichener Teel. Kakao und etwas Vanillepulver
Etwa 1020 Joule/245 Kalorien (mit 1 Teel. Honig, Milch und 10 g Walnußkernen)

Zubereitungszeit: 10 Minuten
Quellzeit: etwa 12 Stunden (über Nacht)

Das Getreide mittelfein schroten und, mit Wasser bedeckt, zugedeckt an einem kühlen Platz (nicht über +5°) oder im Kühlschrank über Nacht quellen lassen. • Am anderen Tag den Honig über den Schrot geben, die Milch oder Sahne leicht erwärmen und darübergießen. Den Apfel unter heißem Wasser gründlich waschen, vom Kerngehäuse befreien und in das Müsli reiben oder in kleine Würfel schneiden und darüberstreuen. Oder die Beeren zufügen. Die Banane schälen, in Scheiben schneiden und geriebene Nüsse nach Geschmack zufügen. • Alles mischen. Eventuell mit Zitronensaft abschmekken. Oder mit Kakao und Vanille abschmecken (in diesem Fall die Beeren und eventuell den Apfel weglassen).

Für das Reiben von rohem Obst oder Gemüse empfiehlt sich eine Rohkostreibe aus rostfreiem Edelstahl, für größere Mengen die Küchenmaschine.

Ballaststoffreich · Braucht etwas Zeit

Keimsprossenmüsli

Zutaten für 1 Person:
1 Eßl. keimfähiger Weizen (Sprießkornweizen) ·
1 Eßl. Sonnenblumenkerne · ½ Apfel · 1 Eßl.
ungeschwefelte Rosinen · 1 Eßl. Kokosflocken ·
4 Eßl. Milch · 1 Teel. Honig
Etwa 1180 Joule/280 Kalorien

Vorbereitungszeit: etwa 48 Stunden
(für das Keimen)
Zubereitungszeit: 5 Minuten

Die Weizenkörner und die Sonnenblumenkerne in einem Schälchen (aus Porzellan, Steingut oder Glas), mit Wasser bedeckt, 3–4 Stunden stehenlassen. • Das Wasser abgießen und die Körner alle 5–6 Stunden einmal mit frischem Wasser bedecken und gleich wieder abgießen, so daß die Körner stets feucht bleiben. Eventuell auch ab

und zu mit den Fingern durchmischen, damit sich die Feuchtigkeit überall verteilt. • Sobald kleine Keime an den Körnern zu sehen sind, können sie verwendet werden (das dauert an einem warmen Platz 1–2 Tage). Die Keime sollten niemals länger als etwa ½ cm sein, sonst schmecken sie nicht mehr. • Den Apfel vierteln, vom Kerngehäuse befreien, kleinschneiden und auf die Keime geben. Die Rosinen, die Kokosflocken, die Milch und den Honig ebenfalls zufügen und alles mischen.

Ganz einfach · Schnell

Joghurtmüsli

2 Eßl. Haselnußkerne · 4 Becher Sanoghurt
(je 175 g) · 2 Eßl. flüssiger Honig · 2 Eßl. Zitronensaft oder ungesüßter Sanddornsaft · 2 gehäufte Eßl. Weizenkeime · 2 gehäufte Eßl. Hirseflocken · 2 Äpfel
Pro Portion etwa 1180 Joule/280 Kalorien

Zubereitungszeit: 10 Minuten

Die Haselnüsse grobhacken, mit dem Sanoghurt, dem Honig, dem Fruchtsaft, den Weizenkeimen und den Hirseflocken verrühren • Die Äpfel in das Müsli raspeln und alles vermengen.

Varianten: Über Nacht 4–6 ungeschwefelte Kurpflaumen ohne Kern einweichen. Die Pflaumen am Morgen pürieren oder kleinschneiden, mit Zimt und Vanille abschmecken und anstelle von Honig zum Müsli geben – ein besonders darmfreundliches Müsli. Oder ungeschwefelte Rosinen zum Süßen verwenden. Statt des Apfels schmecken alle frischen Früchte der Saison.

Braucht etwas Zeit

Beerenmüsli

300 g Beerenobst · 1 Eßl. Zitronensaft · 1 Eßl. Honig · 200 g Weizen- oder Gerstenflocken · 3 Eßl. Sonnenblumenkerne · 2 Eßl. Honig · ⅛ l Sahne · ¼ Teel. Vanillepulver
Pro Portion etwa 1640 Joule/385 Kalorien

Zubereitungszeit: 40 Minuten

Die Beeren waschen, von den Stielen zupfen und mit dem Zitronensaft und Honig beträufeln. • Die Flocken mit den Sonnenblumenkernen in einer Pfanne mischen, den Honig darüberträufeln und alles bei schwacher Hitze unter Wenden braten, bis die Flocken und Sonnenblumenkerne mit dem Honig überzogen sind und karamelisieren. • Die Masse abkühlen lassen und fein zerstoßen und mit dem Beerenobst mischen. • Die Sahne mit der Vanille würzen, steif schlagen und zum Müsli servieren.

Ballaststoffreich · Ganz einfach

Schlemmerfrühstück ☛

Bild Seite 26

Dieses Müsli versorgt Sie am Morgen mit allen lebensnotwendigen Stoffen; es beschwingt, sättigt anhaltend und belastet nicht.

Zutaten für 1 Person:
1 gehäufter Eßl. Getreidekörner, eine Sorte oder gemischt · etwas Wasser · 2 gehäufte Eßl. Magerquark · 1–2 Eßl. Sahne · 1 Teel.–1 Eßl. Ahornsirup · 1 Eßl. Haselnußkerne · 1 Eßl. frisch gepreßter Zitronen- oder Orangensaft · ½ Apfel
Pro Portion etwa 1430 Joule/340 Kalorien

Quellzeit: etwa 12 Stunden (über Nacht)
Zubereitungszeit: 10 Minuten

Die Körner am Vorabend grob schroten und mit Wasser zu einem dickflüssigen Brei verrühren. Zugedeckt im Kühlschrank über Nacht quellen lassen. • Am anderen Morgen den Quark mit der Sahne cremig rühren und den Sirup zugeben. Die Nüsse vierteln und mit dem Getreidebrei unter die Quarkcreme rühren. Zuletzt den Fruchtsaft dazugießen. • Den Apfel waschen, entkernen, in Scheiben schneiden und unterheben.

Vitaminreich · Schnell · Ganz einfach

Winter-Müsli

Viel Vitamin C enthält dieses Müsli durch die Apfelsine, den Apfel und den Sanddornsaft.

Zutaten für 1 Person:
2 Eßl. Vollkornhaferflocken · 2 Eßl. Hirseflocken · 1½ Teel. geschroteter Leinsamen · 1½ Teel. ungeschwefelte Rosinen · 150 g Kefir · ½ Apfel · ½ Apfelsine · 2 Teel. Honig · 1 Eßl. ungesüßter Sanddornsaft
Etwa 1430 Joule/340 Kalorien

Zubereitungszeit: 10 Minuten

Die Haferflocken, die Hirseflocken, den Leinsamen und die Rosinen mit dem Kefir mischen. • Den Apfel waschen, entkernen und mit der Schale ins Müsli reiben. Die Apfelsine schälen, in Stücke teilen und dazugeben. • Mit dem Honig und dem Sanddornsaft abschmecken.

Schnell · Ganz einfach

Pfirsich-Buttermilch-Müsli

Zutaten für 1 Person:
2 Eßl. Weizenkeimflocken · 1 Eßl. Vollkornhafer-
flocken · ⅛ l Buttermilch · 100 g Pfirsiche · 2 Teel.
Honig · 1 Eßl. frisch gepreßter Orangensaft
Etwa 960 Joule/230 Kalorien

Zubereitungszeit: 5 Minuten

Die Weizenkeimflocken und die Haferflocken
mit der Buttermilch übergießen. • Die Pfirsiche
in kleine Stücke schneiden und unter das Müsli
mischen. • Mit dem Honig und dem Orangensaft abschmecken.

Ganz einfach · Schnell

Feine Buchweizengrütze

Ein sehr bekömmliches Frühstücksgericht.

Zutaten für 4–6 Personen:
40 g Butter · 1 l Wasser · 2 Prisen Salz ·
250 g Buchweizen, grob gemahlen ·
4 Eßl. Sanoghurt · 4 Eßl. Ahornsirup
Pro Portion etwa 990 Joule/235 Kalorien bei
6 Portionen

Zubereitungszeit: 15 Minuten

Die Butter, das Wasser und das Salz zum Kochen bringen. Den Buchweizen einstreuen, unter
Rühren aufkochen und auf der ausgeschalteten
Herdplatte zugedeckt etwa 10 Minuten ausquellen lassen. Die Grütze in vorgewärmte Teller füllen. • In die Mitte mit einem Löffel eine Vertiefung drücken und je einen Eßlöffel Sanoghurt in
die Vertiefung geben. Die Grütze mit Ahornsirup
beträufeln.

Eiweißreich · Schnell

Russischer Quark

Eine prima Alternative für einen süßen Brotaufstrich anstelle von Marmelade.

250 g Magerquark · 1 Ei · 2 Eßl. Honig ·
2 Messerspitzen Vanillepulver · Saft von ½ Zitrone
Pro Portion etwa 540 Joule/130 Kalorien

Zubereitungszeit: knapp 5 Minuten

Die Zutaten mit dem Schneebesen gut verrühren.

Ganz einfach

Hirsebrei

Hirsebrei schmeckt Erwachsenen und Kindern
zum Frühstück.

1 Vanilleschote · ¼ l Wasser · 1 Prise Salz ·
100 g Hirse · 1 Eßl. ungeschwefelte Rosinen ·
1 Eßl. Haselnußkerne · ⅛ l Milch · Ahornsirup
Pro Portion etwa 545 Joule/130 Kalorien

Vorbereitungszeit: 10 Minuten
Garzeit: 20 Minuten

Die Vanilleschote der Länge nach aufschlitzen
und das Mark mit einem spitzen Messer heraus-
schaben. • Das Wasser mit dem Salz und dem
Mark der Vanilleschote zum Kochen bringen.
Die Hirse einstreuen, aufkochen und 20 Minuten

bei schwacher Hitze zugedeckt ausquellen lassen. • Die Rosinen mit heißem Wasser überbrühen. • Die Nüsse grobhacken • Die Milch erhitzen und so viel Milch zur körnig gekochten Hirse geben, daß ein Brei entsteht. Eventuell noch etwas nachgießen. Mit den abgetropften Rosinen sowie den Nüssen vermengen und mit Ahornsirup nach Geschmack süßen. Heiß servieren.

Schnell · Ganz einfach

Bananenbecher

Dies ist ein köstliches und »gehaltvolles« Mixgetränk ohne Milch, das auch zwischendurch als Aufmunterung schmeckt.

1 Banane · ¼ l Wasser · 3-4 Teel. Mandelmus (Fertigprodukt) · 1½ Eßl. Honig · 1 Messerspitze Zimt · Saft von ½ Zitrone oder Grapefruit
Pro Portion etwa 375 Joule/90 Kalorien

Zubereitungszeit: 5 Minuten

Die Banane schälen, in Stücke brechen, mit allen übrigen Zutaten in den Mixer füllen und feinmixen. Nochmals mit Honig abschmecken und in Gläsern servieren.

Vitaminreich · Schnell

Vitaminjoghurt

*150 g schwarze Johannisbeeren ·
3 Becher Sanoghurt (je 200 g) · 1-2 Eßl. Honig ·
2 Teel. Mandelmus (Fertigprodukt) ·
1 Teel. abgeriebene Zitronenschale
(Schale unbehandelt)*
Pro Portion etwa 625 Joule/150 Kalorien

Zubereitungszeit: 5 Minuten
Ruhezeit: 10 Minuten

Die Johannisbeeren waschen, abtropfen lassen, zusammen mit allen übrigen Zutaten in den Mixer geben und feinmixen. Die Mischung in vier Gläser füllen und 10 Minuten stehenlassen (damit der Joghurt wieder fest wird).

Varianten: Selbstverständlich können Sie auf die gleiche Weise auch anderen Fruchtjoghurt herstellen zum Beispiel mit Erdbeeren, Himbeeren, Brombeeren, Aprikosen, Pfirsichen, Bananen.

Vitaminreich · Schnell

Möhren-Muntermacher-Trunk

Bild Seite 44

Natürlich ist die ganze Gemüsepflanze für unsere Ernährung wertvoller als der aus ihr gepreßte Saft, dem einige Wertstoffe bzw. Ballaststoffe des Gemüses fehlen. Außerdem schluckt man Saft viel zu rasch hinunter. Niemand kann 500 g Möhren in 5 Minuten verzehren. Der Saft daraus läßt sich jedoch in noch kürzerer Zeit trinken. Eingedenk dessen, trinken Sie diesen Trunk besonders langsam, lassen Sie jeden Schluck genießerisch auf der Zunge zergehen. Man benötigt zur Zubereitung einen Entsafter.

*500 g Möhren · 500 g Äpfel · 2 Blutorangen ·
Saft von 1 Zitrone · ¼ l Sahne · 1 Prise
geriebene Ingwerwurzel · 1 Bund Dill*
Pro 0,25 l etwa 1470 Joule/350 Kalorien

Zubereitungszeit:10 Minuten

Die Möhren unter fließendem Wasser bürsten und in Stücke schneiden. Die Äpfel waschen, vierteln und vom Kerngehäuse befreien. Die Orangen schälen und in Segmente teilen. • Möhren, Äpfel und Orangen portionsweise im Entsafter auspressen. • Den Zitronensaft, die Sahne und den Ingwer unterrühren. • Den Dill waschen, trockenschleudern und feinhacken. Den Saft in Gläser füllen und den Dill daraufstreuen.

Eiweißreich · Schnell

Früchte mit Hüttenkäse

200 g Hüttenkäse (Cottage cheese) · 2 Eßl.
Honig · 1 Messerspitze Zimt · 75 g Himbeeren,
frisch oder tiefgefroren (ohne Zucker) · 1–2 Äpfel
Pro Portion etwa 520 Joule/125 Kalorien

Vorbereitungszeit: tiefgefrorene Himbeeren bei Zimmertemperatur 3–4 Stunden zugedeckt auftauen lassen
Zubereitungszeit: 5 Minuten

Den Hüttenkäse mit dem Honig und dem Zimt gut vermischen. • Die frischen Himbeeren vorsichtig waschen und abtropfen lassen. Die Beeren mit dem Hüttenkäse verrühren. Die Himbeeren dürfen ruhig etwas zerfallen, um Aroma zu

Unser Tip Von einer Packung gekaufter tiefgefrorener Himbeeren kann man einen entsprechenden Teil abbrechen oder mit einem Tiefkühlmesser (Säge) abteilen. Den Rest rasch wieder in die Packung und ins Gefriergerät zurücklegen und für eine andere Speise aufbewahren.

geben. • Die Äpfel waschen, vierteln, eventuell schälen, und das Kerngehäuse entfernen. Die Viertel quer in dünne Scheiben schneiden und unter den Hüttenkäse mischen.

Schnell · Ganz einfach

Erdbeerbrote

Kaloriensparer lassen bei diesem Rezept die Butter weg. Ohne Butter müssen die Brote jedoch sofort serviert werden, damit sie nicht durchweichen.

250 g Erdbeeren · 2 Scheiben Grahambrot oder
Vollkorn-Toastbrot · Butter zum Bestreichen ·
100 g Magerquark · 1–1½ Eßl. Honig ·
1 Messerspitze Delifrut · eventuell etwas
Zitronensaft · etwas Zitronenmelisse
oder Pfefferminze zum Garnieren
Pro Portion etwa 625 Joule/150 Kalorien

Zubereitungszeit: gut 5 Minuten

Die Erdbeeren waschen, abtropfen lassen, von den Stielen zupfen und halbieren. • Das Brot toasten und mit Butter bestreichen. • Den Quark, den Honig, das Delifrut und eventuell etwas Zitronensaft miteinander verrühren. Die Quarkcreme auf die Brote streichen. Mit den halbierten Erdbeeren belegen. • Die Brote diagonal durchschneiden, so daß jeder ein Dreieck bekommt. Mit Blättchen oder Spitzen von Zitronenmelisse oder Pfefferminze garnieren.

Eiweißreich · Schnell

Tofu-»Rührei«

Es ähnelt in der Zubereitung, in der Verwendung, im Geschmack und im Aussehen dem »richtigen« Rührei.

Zutaten für 2 Personen:
300 g Tofu · 2 Teel Butter · ½ Teel. Kräutersalz ·
½–1 Teel. Delikata · 1 Bund Schnittlauch
Pro Portion etwa 415 Joule/100 Kalorien

Zubereitungszeit: knapp 10 Minuten

Den Tofu in einem Suppenteller mit einer großen Gabel zerdrücken. • Inzwischen die Butter in einer Pfanne zerlaufen lassen. Den zerdrückten Tofu ins heiße Fett schütten und bei starker Hitze knapp 5 Minuten rühren, bis die wenige sich bildende Flüssigkeit fast wieder verdampft ist. Das Salz und das Delikata darüberstreuen und gut verrühren. Den feingeschnittenen Schnittlauch unter das fertige »Rührei« mischen.

Das paßt dazu: Butterbrot.

Eiweißreich · Schnell

Kräuter-Käse-Creme

Wie es sich für Käse gehört, sollte man auch diese Käsecreme mindestens 30 Minuten vor dem Essen aus dem Kühlschrank nehmen. Sie schmeckt als Brotaufstrich zu allen Vollkorn-Broten, mit dem Sechs-Korn-Brot (Rezept Seite 272) harmoniert sie besonders gut.

2 Schalotten, ersatzweise kleine Zwiebeln ·
250 g Schichtkäse, ersatzweise trockener
Magerquark · 200 g Crème fraîche · ½ Teel.

Kräutersalz · je 1 Teel. feingehackte Petersilie
und Dill, ersatzweise getrocknete Petersilie und
getrocknete Dillspitzen
Insgesamt etwa 3205 Joule/765 Kalorien

Zubereitungszeit: 10 Minuten
Zeit zum Durchziehen: mindestens 30 Minuten

Die Schalotten schälen und feinschneiden. Den Schichtkäse durch ein Sieb streichen (bei Quark nicht nötig) und mit den feingeschnittenen Schalotten und allen übrigen Zutaten gründlich verrühren. • Die Käsecreme mindestens 30 Minuten durchziehen lassen.

Variante: 1–2 Teelöffel feingeriebenen frischen Meerrettich unter die fertige Creme mischen oder feingehackte Radieschen untermischen.

Unser Tip Mit Pellkartoffeln serviert ist die Kräuter-Käse-Creme auch ein leichtes Abendessen.

Vitaminreich · Schnell

Karottenmix

4 Becher Sanoghurt (je 175 g) · 1 Teel. flüssiger
Honig · Saft von 1 Orange · 2–4 Karotten
Pro Portion etwa 670 Joule/160 Kalorien

Zubereitungszeit: 15 Minuten
Kühlzeit: etwa 30 Minuten

Den Sanoghurt mit dem Honig und dem Saft der Orange cremig rühren. Die Karotten waschen, schaben und fein in die Joghurtcreme reiben. Alles vermengen und gut gekühlt servieren.

Schnell · Ganz einfach

Krafttrunk

Sicher hat dieses Getränk alle Chancen, Ihr täglicher »Haustrunk« zu werden. Ihren Tee oder Kaffee können Sie dafür ruhig schwächer zubereiten. Zusammen mit den übrigen Zutaten wird daraus ein bekömmliches Getränk, dessen langanhaltende anregende Wirkung auf seinem Gehalt an Lezithin und hochwertigem Eiweiß beruht. Alle folgenden Krafttrunk-Varianten sollten Sie während des Trinkens ab und zu umrühren.

Zutaten für 1 Tasse:
2 gestrichene Teel. Vollsojamehl oder Sojamehl fettarm · eventuell 1 Messerspitze Vanillepulver oder Zimt · 1 Teel. Honig · 1 Tasse Tee oder Kaffee · Milch oder Kaffeesahne nach Belieben
Etwa 220 Joule/50 Kalorien

Zubereitungszeit: 1 Minute (ohne Kaffee- oder Teekochen)

Das Sojamehl und den Honig in eine Tasse geben, etwas Tee oder Kaffee (etwa 2 Teelöffel) dazugießen, alles glattrühren, nochmals wenig Flüssigkeit dazugießen, wieder glattrühren und mit dem restlichen Tee oder Kaffee aufgießen. • Man kann den Krafttrunk pur trinken oder wie gewohnt Milch oder Kaffeesahne zufügen. Sie können das Getränk nach Wunsch mit 1 Messerspitze Vanille oder Zimt aromatisieren (mit dem Mehl mischen).

Variante: Sojakakao
Rühren Sie das Sojamehl mit 2 Teelöffeln Honig, 1 gestrichenen Teelöffel Kakao und 1 kleinen Messerspitze Vanillepulver an und gießen nach und nach, wie oben, heißes Wasser, Milch oder Sojamilch auf.

Variante: Pfefferminzkakao
Rühren Sie die Soja-Honig-Kakao-Mischung wie beschrieben an (ohne Vanillepulver) und gießen mit starkem Pfefferminztee auf. Gut gekühlt servieren – ideal an heißen Tagen.

Eiweißreich · Schnell

Tofu-Frucht-Shake

Zutaten für 4 Gläser:
100 g Tofu · 50 g Erdbeeren, Himbeeren, Ananas, frisch ausgepreßter Orangensaft, ½ Banane oder 100 g entsteinte Süßkirschen · 1 Eßl. Honig · 1 Teel. Mandelmus (Fertigprodukt) · Saft von ½ Zitrone · ¼ l Wasser
Pro Glas etwa 290 Joule/70 Kalorien

Zubereitungszeit: 5 Minuten

Alle Zutaten zusammen in den Mixer füllen und feinmixen (etwa 45 Sekunden). Das Getränk in Gläser füllen.

Unser Tip 1 Kugel Vanilleeis in jedem Glas macht das Getränk kühl und noch cremiger.

Eiweißreich · Schnell

Ananasmilch

Mixgetränke mit Sojamilch werden cremig dick. Sie sind sehr bekömmlich und erfrischend und gerinnen nicht so leicht wie solche aus Kuhmilch. Probieren Sie auch andere Früchte.

Zutaten für 2 große Gläser:
150 g frisches Ananasfruchtfleisch, notfalls
Ananas aus der Dose, ungezuckert · Saft von
½ Grapefruit · ½ l Sojamilch · eventuell 1-2 Teel.
Honig
Pro Glas etwa 480 Joule/115 Kalorien

Zubereitungszeit: 5 Minuten

Das Ananasfruchtfleisch grob zerkleinern und
zusammen mit den übrigen Zutaten in den Mixer
füllen, sofort feinmixen (etwa 45 Sekunden) •
Eventuell mit Honig abschmecken (je nach Süße
der Ananas) und in Gläser füllen.

Nicht ganz einfach · Eiweißreich

Sojapaste im Glas ☛

Bild Seite 363

Ein schmackhafter Brotaufstrich, der sich gut ab-
wandeln läßt.

Zutaten für 2 Parfaitgläser (Gläser mit Patent-
verschluß) oder Einweckgläser (Sturzgläser)
von je ½ l Inhalt:
2 Zwiebeln · 2 Knoblauchzehen · 3 Eßl.
Olivenöl · 50 g Grünkern · 2 Teel. Kümmel ·
50 g Vollsojamehl · 50 g Sojamehl fettarm ·
1 gestrichener Teel. Pilzpulver · 2 Messer-
spitzen schwarzer Pfeffer, frisch gemahlen ·
¼ l Wasser · 2 Eßl. Sojasauce · 100 g Butter ·
2 Eßl. Edelhefeflocken
Für die Gläser: etwas Butter
Insgesamt etwa 6920 Joule/1650 Kalorien

Vorbereitungszeit: 20 Minuten
Garzeit: 30 Minuten

Die Zwiebeln und die Knoblauchzehen schälen
und feinschneiden. • Das Öl in einem Topf erhitzen und die zerkleinerten Zwiebeln und Knoblauchzehen darin hellgoldgelb braten. • Inzwischen den Grünkern zusammen mit dem
Kümmel mittelgrob schroten (oder gemahlenen
Kümmel verwenden). • Die Sojamehle, das Pilzpulver und den Pfeffer mischen. Den Grünkernschrot mit dem Kümmel zu den Zwiebeln schütten und unter Rühren etwa 1 Minute mitbraten.
Das Sojamehl gemischt hinzufügen und unter
Rühren ebenfalls kurz mit anrösten. Das Wasser
und die Sojasauce dazugießen. Alles schnell und
gründlich verrühren. Den Topf vom Herd nehmen. Die Butter und die Hefeflocken zufügen.
2-3 Minuten stehenlassen, bis die Butter geschmolzen ist, dann alles gründlich miteinander
verrühren. Eventuell noch mit Sojasauce und
Pfeffer abschmecken. • Parfaitgläser oder kleine
Weckgläser (Sturzgläser) ausfetten und bis zu
¾ mit der Sojamasse füllen. Die Gläser mit Gummiring und Deckel – wie vom Einwecken gewohnt – schließen und im Wasserbad (bis ¾ der
Glashöhe) 30 Minuten kochen; ein Gitter auf
den Boden des Topfes stellen! Im Kühlschrank
aufbewahrt hält sich dieser Aufstrich ungeöffnet
etwa 10 Tage, geöffnet etwa 6 Tage.

Variante: Paprikapaste
1 rote oder grüne Paprikaschote (am schönsten
gemischt) längs achteln, waschen, von Stengelansatz und Kernen befreien, quer in feine Streifen schneiden und in kochendem Wasser 5 Minuten blanchieren. Die abgetropften Paprikastreifen zusammen mit der Butter zur Sojamasse
geben. Zusätzlich mit 3-4 Messerspitzen Piccata
abschmecken.

Variante: Zwiebelpaste
Statt der angegebenen Mengen 4-6 Zwiebeln
und 4 Knoblauchzehen nehmen. Zum Schluß
mit zusätzlich je ½ Teelöffel getrocknetem, gere-
beltem Thymian und Majoran abschmecken.

Eiweißreich · Schnell

Tofucreme

Bild Seite 363

Brotaufstriche aus Tofu gelingen am feinsten, wenn sie im Mixer hergestellt werden. Dazu muß eventuell wenig Flüssigkeit (Wasser oder Sojamilch) zugefügt werden und, damit die Creme wieder fest wird, ein Bindemittel. 1 gestrichener Meßlöffel Biobin, zum Schluß daruntergemixt, hat sich am besten bewährt. Für den täglichen Gebrauch ist es allerdings meist praktischer, kleine Mengen schnell von Hand zusammenzurühren, daher sind die Rezepte ohne Mixer beschrieben. Tofucreme hält sich im gut verschlossenen Gefäß im Kühlschrank etwa 5 Tage.

200 g Tofu · 1 Eßl. Sojaöl · 1 kleine saure Gurke (etwa 50 g) · 1 säuerlicher Apfel · 1 Eßl. Friate (Apfeldicksaft) · 1 Eßl. Apfelessig · 1 Eßl. Sojasauce · ½ Teel. getrockneter, gerebelter Majoran · etwa 1 Messerspitze schwarzer Pfeffer, frisch gemahlen · 1 Eßl. feingehackte Petersilie · eventuell 1 gestrichener Meßlöffel Biobin
Insgesamt etwa 1995 Joule/475 Kalorien

Zubereitungszeit: 10 Minuten

Den Tofu durch ein Sieb drücken und mit dem Öl gründlich verrühren. • Die Gurke sehr fein schneiden. Den Apfel mit der Schale ringsherum bis zum Kerngehäuse abreiben. • Die Tofucreme mit der zerkleinerten Gurke, dem geriebenen Apfel und allen übrigen Zutaten gut mischen. Eventuell mit dem Biobin binden.

Variante: Schnittlauch-Tofucreme
Den Tofu durch ein Sieb streichen, dann mit 1–2 Eßlöffeln Sojaöl, 2 Teelöffeln Senf, 3 Teelöffeln Sojasauce und 1–2 Messerspitzen frisch gemahlenem schwarzem oder weißem Pfeffer gut

verrühren. 1 Bund Schnittlauch feinschneiden und unter die Tofucreme mischen.

Variante: Tofucreme Liptauer Art
200 g Tofu durch ein Sieb streichen, dann mit 1 Eßlöffel Sojaöl, 100 g Crème fraîche, je ½ Teelöffel Kräutersalz, edelsüßem Paprikapulver, gemahlenem Kümmel, 2–3 Messerspitzen Piccata und 1–2 Messerspitzen schwarzem Pfeffer gut verrühren. 1 Zwiebel schälen und feinschneiden, zusammen mit je 1 Eßlöffel feingeschnittenem Schnittlauch, Petersilie und Dill unter die Tofucreme mischen.

Schnell · Ganz einfach

Pikante Misocreme

Ein pikanter Brotaufstrich.

2 Eßl. Vollreis-Miso · 4 Eßl. Sojaöl · 3 Eßl. Tomatenmark · 3 gestrichene Eßl. Vollsojamehl · 1 Becher Crème fraîche (200 g) · 1 Zwiebel · 1 Eßl. feingehackte Petersilie · je ½ Teel. frisches, feingehacktes oder getrocknetes, gerebeltes Basilikum und Thymian
Insgesamt etwa 3710 Joule/885 Kalorien

Zubereitungszeit: 10 Minuten

Das Miso in eine Schüssel geben und jeweils 1 Eßlöffel Öl, Tomatenmark, Sojamehl und Crème fraîche nacheinander mit dem Miso cre-

Ein knuspriges Müsli, wie Kinder es lieben, als Vorrat ▷ immer bereit. Rezept Seite 312.

mig rühren, bis alle diese Zutaten verbraucht sind und eine geschmeidige rosa Creme entstanden ist. • Die Zwiebel schälen, feinschneiden und zusammen mit den Kräutern unter den Aufstrich mischen. • Oder alle Zutaten in eine Rührschüssel füllen und mit den Schneebesen des elektrischen Handrührgerätes oder dem Teigrührer der Küchenmaschine zu einer geschmeidigen Creme rühren. • In einem gut verschlossenen Gefäß im Kühlschrank aufbewahren. Die Creme hält sich dort etwa 4–5 Tage frisch.

Schnell · Preiswert

Misobutter

Misobutter ist ein würziger Brotaufstrich.

125 g Butter · 1 Eßl. Vollreis-Miso · 3 Zwiebeln · 1 Essiggurke · 1–2 Messerspitzen schwarzer Pfeffer, frisch gemahlen
Insgesamt etwa 5025 Joule/1195 Kalorien

Zubereitungszeit: 10 Minuten (die Butter etwa 30 Minuten vorher aus dem Kühlschrank nehmen)

Die Butter in eine Schüssel geben und mit einem Holzlöffel oder den Schneebesen des elektrischen Handrührgerätes oder der Küchenmaschine schaumig schlagen. Das Miso daruntermi-

◁ Alle lebensnotwendigen Nährstoffe bietet dieses Schlemmerfrühstück am Morgen; doch es schmeckt auch als Imbiß zwischendurch. Rezept Seite 17.

schen und so lange weiterrühren, bis eine cremige, hellbraune Masse entstanden ist. • Die Zwiebeln schälen und ganz fein schneiden. Die Gurke ebenfalls feinschneiden. • Die Zwiebel- und Gurkenwürfel zur Butter geben, umrühren und das Ganze mit dem Pfeffer abschmecken. In einem gut verschlossenen Gefäß im Kühlschrank hält sich die Misobutter etwa 14 Tage.

Eiweißreich · Schnell

Schoko-Hafer-Creme 𝖋

Ein nougatähnlicher Brotaufstrich, der durch den rohen Hafer, das Sojamehl und relativ wenig Fett eine gesunde Alternative zu den handelsüblichen Nougataufstrichen sein kann.

100 g Nackthafer · 3 gestrichene Eßl. Sojamehl fettarm · 2 gestrichene Eßl. Kakao · 1 Messerspitze Koch- oder Meersalz · je 3 Messerspitzen Vanillepulver und Zimt · 100 ccm Wasser · 100 g Honig · 100 g Butter oder Öl
Insgesamt etwa 6650 Joule/1585 Kalorien

Zubereitungszeit: 5–10 Minuten

Den Hafer mittelgrob mahlen (bei Getreidemühlen, die dafür nicht geeignet sind, den Hafer vorher mindestens 1 Stunde einfrieren). • Den Haferschrot mit dem Sojamehl, dem Kakao, dem Salz, der Vanille und dem Zimt mischen. Das Wasser zusammen mit dem Honig und dem Fett langsam erwärmen, bis das Fett geschmolzen ist. • Diese Flüssigkeit über die Haferschrotmischung gießen und alles gründlich verrühren (am besten mit dem elektrischen Handrührgerät oder der Küchenmaschine). In einem Schraubglas im Kühlschrank aufbewahrt, bleibt der Brotaufstrich 14 Tage frisch.

Vorspeisen sollen den Appetit anregen und den Magen für die folgenden Gänge aufschließen. In der Vollwertküche bevorzugen wir als Vorspeisen Rohkostsalate. Deshalb enthält dieses Kapitel einige Rohkost-Rezepte, die sich besonders als Vorspeise für feine Gelegenheiten eignen oder auch einmal für ein kaltes Büffet. Sie finden aber auch kleine, warme Gerichte, die anstelle von Rohkost ein Menü einleiten können oder die auch einmal ein kleines, leichtes Abendessen sind. Für größere Menüs gilt die Regel, daß kalte Vorspeisen vor und heiße nach der Suppe serviert werden.

Ballaststoffreich · Eiweißreich

Paprikaschoten mit Apfelquark gefüllt

Bild Seite 43

2 Eßlöffel Nackthafer · 200 g Magerquark ·
1 Messerspitze Meersalz · 2 Teel. Honig · 2 Teel.
Zitronensaft · 1 Teel. Currypulver · ⅛ l Sahne ·
4 große grüne oder rote Paprikaschoten · 2 Äpfel ·
3 Eßl. Haselnußkerne · einige Kopfsalatblätter
Pro Portion etwa 1345 Joule/320 Kalorien

Quellzeit: 12–18 Stunden
Zubereitungszeit: 20 Minuten

Den Hafer waschen und von Wasser bedeckt 12–18 Stunden – am besten über Nacht – quellen lassen. • Für die Füllung den Quark mit dem Salz, Honig, Zitronensaft und Curry verrühren. Die Sahne steif schlagen und unterheben. • Die Paprikaschoten waschen, vom Stielende jeweils eine Kappe abschneiden und das Fleisch dieser Kappen in kleine Würfel schneiden. Die Äpfel waschen, vierteln, das Kerngehäuse entfernen

und die Apfelviertel ebenfalls kleinwürfeln. Die Haselnüsse grobhacken. • Die Haferkörner, die Apfelwürfel und die gehackten Haselnüsse unter die Quarksahnesauce mengen und in die Paprikaschoten füllen. Die Paprikawürfel obenauf streuen. • Die Salatblätter waschen, trockentupfen, eine Platte damit belegen und die gefüllten Paprikaschoten darauf anrichten.

Braucht etwas Zeit

Bleichsellerie mit Käsecreme

Dieses feine Gemüse ist bei uns nicht sehr bekannt. In Frankreich und Italien schätzt man es um so mehr. Von dort stammt auch meist der biologisch angebaute Bleich- oder Staudensellerie, den man im Naturkostladen in den frühen Wintermonaten kaufen kann. Die kräftigen blaßgrünen Stangen schmecken würzig und mild nach Sellerie. Sie wirken sehr appetitanregend und erfrischend. Auf folgende Art kann Bleichsellerie als festliche Vorspeise gereicht werden.

Für die Sauce: 100 g Blauschimmelkäse ·
½ Teel. Selleriesalz · 1 Prise weißer Pfeffer, frisch
gemahlen · 1 Messerspitze gemahlener Anis ·
1 Teel. Birnendicksaft · 1 Eßl. Zitronensaft ·
5 Eßl. Sahne
4 Orangen · 4 Stangen Bleichsellerie
Pro Portion etwa 970 Joule/230 Kalorien

Zubereitungszeit: 40 Minuten

Für die Sauce den Käse mit der Gabel zerdrücken, mit dem Selleriesalz, dem Pfeffer, dem Anis, dem Birnendicksaft, dem Zitronensaft und der Sahne verrühren. • Die Orangen waschen und abtrocknen. Von jeder Orange das obere Drittel abschneiden, den Saft aus den Kappen pressen und zu der Sauce geben. Die Orangen vorsichtig aushöhlen. Die Kerne entfernen und das Orangenfleisch kleinschneiden. Die Selleriestangen waschen, abtropfen lassen, die grünen Blätter abschneiden und feinhacken. Die Stangen in kleine Stücke schneiden, zusammen mit dem Orangenfleisch unter die Käsecreme heben, in die ausgehöhlten Orangen füllen und mit dem Selleriegrün bestreuen.

Ganz einfach

Birnen mit Käse

4 reife Birnen (etwa 600 g) · 2 Eßl. Zitronensaft · 60 g weicher Blauschimmelkäse · ⅛ l saure Sahne · 4 Eßl. Sanoghurt · 1 kleine Prise Cayennepfeffer · 50 g Walnußkerne · je 75 g Bergkäse und Tilsiterkäse · je 1 Zweig Zitronenmelisse und frische Pfefferminze
Pro Portion etwa 1680 Joule/400 Kalorien

Zubereitungszeit: 30 Minuten

Die Birnen waschen, abtropfen lassen, vierteln und von den Kerngehäusen befreien. Die Birnenviertel in nicht zu dünne Scheiben und diese in Stifte schneiden. Die Birnenstifte mit dem Zitronensaft beträufeln. • Den Blauschimmelkäse mit der Gabel zerdrücken, zusammen mit der sauren Sahne und dem Sanoghurt cremig rühren und mit einem Hauch Cayennepfeffer würzen. • Die Walnußkerne feinreiben und unter die Käsecreme rühren. • Den Bergkäse und den Tilsiterkäse in ebensolche Streifen wie die Birnen schneiden und mit den Birnen mischen. Den Salat anrichten und mit der Käsesauce überziehen. • Die Kräuter waschen, trockenschleudern, hacken und auf den Salat streuen.

Variante: Birnen mit gekeimten Weizenkörnern
500 g Birnen und 100 g Bergkäse wie vorab beschrieben in Stifte schneiden und mit 4 Eßlöffeln gekeimten Weizenkörnern mischen. Aus 2 Eßlöffeln Apfelessig, 1 Eßlöffel Birnendicksaft, 1 Messerspitze Meersalz, 1 Teelöffel mildem Paprikapulver, 4 Eßlöffeln Sanoghurt und 2 Eßlöffeln Öl eine Sauce anrühren und den Birnensalat damit anmachen. In eine mit Salatblättern ausgelegte Schüssel füllen und mit gehackter Petersilie bestreuen.

Ganz einfach

Tcha wan mushi – »Gedämpfte Tasse«

In Japan ist dieses Gericht Bestandteil eines festlichen Essens. Uns schmeckt es als leichte Vorspeise oder Zwischenmahlzeit.

1 mittelgroße Möhre (100 g) · 100 g frische Champignons · ¼ l Wasser · 4 Eier · 1 Eßl. Weißwein oder Sake (japanischer Reiswein) · 1 Eßl. Sojasauce
Pro Portion etwa 440 Joule/105 Kalorien

Vorbereitungszeit: 10 Minuten
Garzeit: 20 Minuten

Die Möhren und die Champignons waschen und putzen; die Möhren in Würfel schneiden, die Pilze halbieren, vierteln oder ganz lassen, je nach Größe. Das Gemüse in dem Wasser zugedeckt in etwa 10 Minuten gar kochen. • Vier Tassen bereitstellen. Das Gemüse mit einem Schaumlöffel herausheben und gleichmäßig in die Tassen verteilen. • Die Kochflüssigkeit abmessen - es sollen 200 ccm sein - und etwas abkühlen lassen. • In einer Schüssel die Eier, den Wein, die Sojasauce und die Kochbrühe mit einem Schneebesen gründlich verrühren. Die Eimasse gleichmäßig verteilt über das Gemüse in den Tassen gießen. Die Tassen mit Alufolie verschließen (in Japan gibt es für dieses Gericht spezielle Tassen und Töpfe) und in einen passenden Topf stellen. Den Topf mit kochendem Wasser bis zu ¾ der Tassenhöhe füllen, einen Deckel auflegen und die Eimasse im Wasserbad 10 Minuten schwach kochen lassen, bis sie gestockt ist. Das Tcha wan mushi wird aus der Tasse gegessen.

Schnell · Ganz einfach

Kräuter-Mixgetränk

Im Sommer ein erfrischendes Getränk, das Sie auch einmal anstelle einer Vorspeise servieren können.

250 g Gurke oder Tomaten · ⅛ l Wasser · 1 Becher Sanoghurt · ½ Becher Sahne (100 g) · 1 gestrichener Teel. Salz · 1 Messerspitze Piccata · 1 Messerspitze weißer Pfeffer, frisch gemahlen · reichlich frische gemischte Garten- oder Wildkräuter nach Wahl
Pro Portion etwa 515 Joule/125 Kalorien

Zubereitungszeit: 5 Minuten

Die Gurke, wenn nötig, schälen und grobzerkleinern. Oder die Tomaten grobzerkleinern. In den

Unser Tip Von Kräutern, die Sie im Mixer zusammen mit anderen Zutaten zerkleinern, brauchen Sie nur die harten Stengel entfernen. Die Kräuter brauchen nicht zuvor feingehackt werden.

Mixer geben und alle übrigen Zutaten dazufügen und feinmixen. Das Mixgetränk in Gläsern servieren.

Nicht ganz einfach

Feiner Waldorfsalat

Bild Seite 62

½ Eigelb · 1 Messerspitze Salz · ½ Teel. Honig · 1 kleine Prise Cayennepfeffer · 4 Eßl. Sonnenblumenöl · 2 Teel. Zitronensaft · 3 Eßl. Sahne · 4 große, mürbe Äpfel · 1 Eßl. Zitronensaft · 1 kleine Sellerieknolle · 1 Eßl. gehackte Walnußkerne · 4 Walnußkernhälften · einige grüne Salatblätter
Pro Portion etwa 905 Joule/215 Kalorien

Zubereitungszeit: 40 Minuten

Aus dem Eigelb, dem Salz, dem Honig, einem Hauch Cayennepfeffer, dem Öl und dem Zitronensaft eine Mayonnaise rühren. • Die Sahne steif schlagen und unterziehen. • Die Äpfel waschen, abtrocknen, die Kerngehäuse ausstechen und die Äpfel mit einem spitzen Teelöffel oder rundem Messer vorsichtig aushöhlen. Das herausgelöste Apfelfleisch kleinschneiden und mit dem Zitronensaft beträufeln. • Den Sellerie unter fließendem Wasser gründlich bürsten. Das Blatt- und Wurzelende sowie dunkle Stellen abschneiden. Den Sellerie in dünne Scheiben und diese in kleine Würfel schneiden. Das Apfelfleisch, die Selleriewürfel und die gehackten Walnüsse mit der Sahnemayonnaise mischen und in die ausgehöhlten Äpfel füllen. • Die Salatblätter waschen, trockenschleudern und eine Platte damit belegen. Die Äpfel daraufsetzen und auf jeden gefüllten Apfel eine Walnußkernhälfte legen.

Sellerie wird vom Blatt- und Wurzelende sowie von allen dunklen und schlechten Stellen befreit, dann in Scheiben und diese in kleine Würfel geschnitten.

Nicht ganz einfach

Gefüllte Melone

Der krönende Abschluß der schönen Sommergemüsezeit ist die duftende, gelbfleischige Netzmelone. Melone zählt zwar eher zum Obst, doch ist das Fleisch dieser Melonenart mit der rauhen, graugrünen Schale nicht sehr süß, dafür um so aromatischer. Ein farblich wie geschmacklich guter Kontrast dazu ist der herbe römische Salat oder Endiviensalat.

1 Messerspitze Salz · 2 Teel. Apfeldicksaft ·
1 Messerspitze geriebene Ingwerwurzel · 2 Eßl.
Zitronensaft · 5 Eßl. Öl
1 Netzmelone (etwa 1½ kg) · 1 kleine Staude römischer Salat oder Endiviensalat · 250 g reife feste Tomaten · 3 Eßl. Haselnußkerne · je 2 Stengel Estragon, Basilikum und Zitronenmelisse
Pro Portion etwa 1325 Joule/315 Kalorien

Zubereitungszeit: 30 Minuten

Das Salz mit dem Dicksaft, dem Ingwer und dem Zitronensaft verrühren, bis sich das Salz völlig aufgelöst hat. Das Öl zugießen und rühren, bis die Sauce dicklich wird. • Die Melone waschen, abtrocknen und vom oberen Ende eine Kappe abschneiden, so daß sich die Melone aushöhlen läßt. Die Kerne herauskratzen, mit einem scharfkantigen Löffel vorsichtig das Melonenfleisch herauslösen und in Würfel schneiden. Den Saft, der sich dabei bildet, zu der Sauce geben. • Den Salat waschen, in Blätter zerlegen, trockenschleudern und kleinschneiden. • Die Tomaten in kochendes Wasser tauchen, enthäuten und entkernen. Das Tomatenfleisch ebenfalls würfeln und mit dem Melonenfleisch und dem Blattsalat mischen. • Die Haselnüsse in einer Pfanne ohne Fettzugabe unter Wenden rösten, bis sie duften und grobhacken. • Die Kräuter waschen, trockenschleudern, von jedem Kraut einige Blättchen zurückbehalten, die übrigen feinhacken und mit den Haselnüssen auf den Salat streuen. Die Sauce darübergießen und alle Zutaten behutsam mischen. Die Mischung in die ausgehöhlte Melone füllen und die Kräuterblätter dann als Sträußchen in die Mitte stecken.

Braucht etwas Zeit

Auberginenscheiben mit Joghurtsauce

Für die Joghurtsauce:
250 g Sanoghurt · ⅛ l saure Sahne ·
2 Knoblauchzehen · 2 Messerspitzen Salz ·
1 Messerspitze schwarzer Pfeffer, frisch gemahlen · 5 Frühlingszwiebeln mit dem Grün ·
1 Bund Dill · 1 Eßl. Zitronenmelisse · 1 kleine Salatgurke · 2 Eßl. Zitronensaft
Für die Auberginen:
750 g Auberginen · ⅛ l Olivenöl · 1 Teel.
Knoblauchsalz · Saft von 1 Zitrone
Pro Portion etwa 1280 Joule/305 Kalorien

Zubereitungszeit: 35 Minuten

Für die Sauce das Sanoghurt mit der sauren Sahne verrühren. • Die Knoblauchzehen schälen, durch die Knoblauchpresse in das Sahnejoghurt drücken und die Sauce mit dem Salz und dem Pfeffer würzen. • Die Zwiebeln waschen, mit etwa der Hälfte vom Zwiebelgrün sehr klein schneiden und in die Joghurtsauce geben. • Den Dill und die Zitronenmelisse waschen, trockentupfen und feinhacken. • Die Gurke waschen, halbieren, die Kerne herauskratzen und die Gurkenhälften grob in die Sauce raspeln. Den Zitronensaft und die Kräuter unterrühren. Die Joghurtsauce kühl stellen. • Die Auberginen waschen, abtrocknen, die Stielenden entfernen, die Auberginen längs in etwa ½ cm dicke Scheiben schneiden und die Scheiben trockentupfen. •

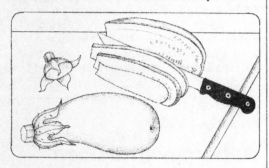

Von Auberginen das Stielende abschneiden und die Früchte längs in Scheiben schneiden.

Das Öl in einer großen Pfanne erhitzen und die Auberginenscheiben darin portionsweise von beiden Seiten goldbraun braten. • Die gebratenen Scheiben auf saugfähigem Papier sehr gut abtropfen lassen, auf eine vorgewärmte Platte legen, mit dem Knoblauchsalz bestreuen und mit dem Zitronensaft beträufeln. Die Platte warm stellen, bis alle Auberginenscheiben gebraten sind. • Die Auberginen saugen beim Braten viel

Öl auf. Wenn nötig, noch mehr Olivenöl in die Pfanne gießen. Die gebratenen Auberginen warm oder kalt (Zimmertemperatur) reichen, doch stets mit gut gekühlter Sauce.

Vitaminreich · Nicht ganz einfach

Tomaten mit Rohkostfüllung

Bild Seite 106

4 große oder 8 mittelgroße Tomaten · Saft von ½ Zitrone · 1 Eigelb · 1 Teel. Kräutersenf · 6 Eßl. Sonnenblumenöl · 3 Eßl. Magerquark · 1 Messerspitze Salz · 1 kleine Prise Cayennepfeffer · ½ Teel. mildes Paprikapulver · 1 kleiner Salatkopf · etwa 75 g frische Champignons · 250 g rohes Gemüse der Saison wie Blumenkohl, enthülste frische Erbsen, Gurke, Knollensellerie · 1 Bund Dill
Pro Portion etwa 945 Joule/225 Kalorien

Zubereitungszeit: 30 Minuten

Die Tomaten waschen, abtrocknen und vom runden Ende der Tomaten eine Kappe abschneiden. Mit einem Teelöffel das Innere aus den Tomaten herauskratzen. Die ausgehöhlten Tomaten innen mit ein wenig Zitronensaft beträufeln. Das herausgelöste Fleisch durch ein Haarsieb streichen, so daß nur die Kerne im Sieb zurückbleiben. Den entstandenen Tomatensaft beiseite stellen. • Das Eigelb mit dem Senf verrühren und zuerst tropfenweise etwas Öl unterrühren. Wenn die Masse dicklich zu werden beginnt, Zitronensaft und unter ständigem Rühren teelöffelweise Öl hinzufügen. Wiederum 1 Teelöffel Zitronensaft und dann das restliche Öl unter Rühren in dünnem Strahl zugießen. • Den Quark mit 2 Eßlöffeln der hergestellten Mayonnaise glattrühren und mit der übrigen Mayonnaise mischen. Die Quarkmayonnaise mit dem Salz, einem Hauch Cayennepfeffer und dem Paprikapulver würzen. Zuletzt den passierten Tomatensaft in die Quarkmayonnaise rühren. • Den Kopfsalat in Blätter zerlegen, waschen und trockenschleudern. Mit den Außenblättern eine Platte auslegen. • Das Salatherz in dünne Streifen schneiden. Die Champignons waschen, abtropfen lassen, putzen und feinblättrig schneiden. • Das Gemüse waschen und Blumenkohl in kleinste Röschen zerteilen oder hobeln; Sellerie und Gurke kleinwürfeln; Erbsen bleiben ganz. • Den Dill waschen, trockenschleudern, feinhacken und mit dem kleingeschnittenen Salat, den Champignons und dem Gemüse unter die Quarkmayonnaise heben. Die Tomaten damit füllen, die Kappen als Deckel oben auflegen und die Tomaten auf die mit den Salatblättern belegte Platte setzen.

Schnell · Ganz einfach

Gefüllte Tomaten oder Gurken

8 große feste Tomaten oder 2 Salatgurken · etwas Butter · 4 Eier · knapp ⅛ l Milch · 1–2 gestrichene Teel. Kräutersalz · 1 Messerspitze geriebene Muskatnuß · 1 Eßl. Schnittlauchröllchen
Pro Portion etwa 580 Joule/140 Kalorien

Zubereitungszeit: knapp 10 Minuten

Von den Tomaten an der Stielseite einen Deckel abschneiden und die Früchte aushöhlen. Gurken in 5 cm lange Stücke schneiden, mit einem spitzen Küchenmesser aushöhlen und mit den Schnittflächen auf eine Platte setzen. In einer Pfanne etwas Butter leicht erhitzen. Die Eier, die

Milch, das Kräutersalz und das Muskat miteinander verquirlen, in die Pfanne gießen. Die Eimasse stocken (fest werden) lassen, dabei gelegentlich umrühren und Rührei zubereiten. Mit etwas feingeschnittenem Schnittlauch mischen. • Das Rührei in die Tomaten oder in die Gurkenstücke füllen. Mit Schnittlauch bestreut servieren.

Das paßt dazu: Würziger Mais (Rezept Seite 143) oder Dämpfkartoffeln (Rezept Seite 182) oder Nußkartoffeln (Rezept Seite 183) und Kräuter-Mixgetränk (Rezept Seite 30).

Nicht ganz einfach · Braucht etwas Zeit

Artischocken mit Zitronenmayonnaise

1½ l Wasser · 3 Teel. Meersalz · 2 Eßl. Zitronensaft · 4 große oder 8 kleine Artischocken · 1 Eigelb · ½ Teel Meersalz · ½ Teel. Honig · abgeriebene, unbehandelte Schale von ½ Zitrone · ⅛ l Distelöl · 3–4 Eßl. Zitronensaft · ½ Becher Sanoghurt oder 2 Eßl. Magerquark · 1 Teel. feingehackte Rosmarinnadeln
Pro Portion etwa 1535 Joule/365 Kalorien

Zubereitungszeit: 40 Minuten

Das Wasser mit dem Salz und dem Zitronensaft zum Kochen bringen. • Von den Artischocken die Stielenden abschneiden und die Blattspitzen kürzen. Die Artischocken waschen, ins kochende Wasser einlegen und zugedeckt bei mittlerer Hitze 30 Minuten kochen lassen. Die Artischocken sind gar, wenn sich die Blätter leicht herausziehen lassen. • Während die Artischocken garen, die Zitronenmayonnaise zubereiten. Das Eigelb mit dem Salz, dem Honig und der abgeriebenen Zitronenschale verrühren. Tropfenweise das Öl unterrühren. Wenn sich Ei und Öl gut miteinander verbunden haben und die Masse dicklich zu werden beginnt, 1 Teelöffel Zitronensaft unterrühren. Das Öl jetzt teelöffelweise zufügen. Da-

Die harten Blattspitzen von Artischocken am besten mit einer Schere kürzen.

bei ständig rühren. Immer wenn die Sauce dicklich wird, zuerst etwas Zitronensaft und dann wieder teelöffelweise das Öl zugießen, bis alles Öl verbraucht ist. • Das Sanoghurt oder den Magerquark mit dem Schneebesen in einer Schüssel glattrühren und eßlöffelweise die Mayonnaise unterziehen, den Rosmarin hinzufügen. • Die Artischocken abtropfen lassen, auf 4 Tellern anrichten und die Mayonnaise dazu reichen.

Unser Tip 2 Teelöffel feingehackten Estragon oder 1 Eßlöffel gehackte Petersilie an die Mayonnaise geben. – Fingerschalen mit lauwarmem Wasser bereitstellen, weil die Artischocken mit der Hand gegessen werden. Reichen Sie statt der Mayonnaise auch einmal eine einfache Salatsauce zu den Artischocken.

Ganz einfach

Avocado au gratin

2 große reife Avocados · Saft von ½ Zitrone · 1 kleine Zwiebel · 2 Knoblauchzehen · 2 Fleischtomaten · 2 Eßl. Butter · 1 Eßl. dunkle Sojasauce (Tamari) · 2 Eßl. geschälte Mandeln · 2 Eßl. saure Sahne · 1 Teel. Salz · 1 Prise Cayennepfeffer · 2 Eßl. Vollkornbrösel · 2 Eßl. alter Emmentaler Käse, frisch gerieben
Pro Portion etwa 1510 Joule/360 Kalorien

Zubereitungszeit: 25 Minuten
Grillzeit: 6–8 Minuten

Die Avocados längs halbieren, die Steine herauslösen und das Avocadofleisch vorsichtig – ohne die Schalen zu beschädigen – mit einem spitzen Teelöffel aus den Schalen heben. Die Avocadoschalen aufbewahren. Das Avocadofleisch hakken und mit dem Zitronensaft beträufeln. • Die Zwiebel und die Knoblauchzehen schälen und in kleine Würfel schneiden. • Die Tomaten enthäuten und grobhacken, dabei die Stiele herausschneiden. • Den Grill vorheizen. • 1 Eßlöffel Butter in einer Pfanne zerlassen und die Zwiebel- und Knoblauchwürfel darin glasig braten. Das Tomatenfleisch und die Sojasauce hinzufügen und alles etwa 10 Minuten dünsten, bis das Tomatenfleisch zerfallen ist. • Die Mandeln hakken. • Die saure Sahne unter die Tomatensauce rühren, mit dem Salz und dem Cayennepfeffer würzen. Die gehackten Mandeln, die Vollkornbrösel, 2 Eßlöffel geriebenen Käse und das Avocadofleisch zufügen und gut umrühren. Die Masse in die Avocadoschalen füllen. Den restlichen Käse daraufstreuen und die restliche Butter in Flöckchen darauf verteilen. • Die gefüllten Avocadohälften 6–8 Minuten dicht unter den Grillstäben grillen, bis der Käse geschmolzen und leicht gebräunt ist.

Braucht etwas Zeit

Chicorée-Pastetchen

Für den Teig:
250 g Weizenvollkornmehl · 200 g kalte Butter ·
250 g trockener Magerquark · 1 Teel. Salz
Für die Füllung:
750 g Chicorée · 2 Eßl. Distelöl · 1 Teel.
Kräutersalz · ⅛ l Wasser
Für das Backblech: 2 Teel. Butter
Pro Portion etwa 2835 Joule/675 Kalorien

Vorbereitungszeit: 40 Minuten
Ruhezeit für den Teig: 2 Stunden
Backzeit: 45 Minuten

Das Mehl in eine Schüssel geben, die kalte Butter in Flöckchen darauf verteilen. Mehl und Butter mit den Händen locker mischen und zwischen den Handflächen reiben. Den Quark daraufkrümeln und das Salz darüberstreuen. Alle Zutaten rasch und gründlich zu einem glatten Teig verkneten. Den Teig zur Kugel formen und in Alufolie gewickelt 2 Stunden kühl stellen. • Inzwischen den Chicorée vorbereiten. Den Chicorée waschen, den Wurzelansatz entfernen und die Stauden längs, größere noch einmal quer halbieren. • Das Öl in einem flachen Topf mit großem Durchmesser erhitzen. Die Chicoréestücke nebeneinander ins Öl legen, mit dem Kräutersalz bestreuen und das Wasser seitlich zugießen. Das

---

> **Unser Tip** Die Pastetchen können auch mit Fenchelknollen, mit Mangold oder mit Chinakohl gefüllt werden. Fenchelknollen dafür vierteln, Mangold grobhacken und dünsten und Chinakohl in nicht zu kleine Stücke schneiden und ebenfalls kurz dünsten.

Wasser zum Kochen bringen und den Chicorée zugedeckt bei schwacher Hitze 8 Minuten dünsten und anschließend sehr gut abtropfen lassen. Die Garflüssigkeit für ein anderes Gericht verwenden. • Den Teig dünn ausrollen und in 15 cm große Quadrate schneiden. Die Chicoréestücke auf die Teigstücke verteilen und diese bei einer Ecke beginnend aufrollen. Die Ränder gut andrücken. • Das Backblech mit der Butter einfetten. Die Pastetchen darauflegen, auf der zweiten Schiebeleiste von oben in den kalten Backofen schieben, den Ofen auf 250° schalten und die Pastetchen 45 Minuten backen. Warm servieren!

Braucht etwas Zeit · Ganz einfach

Walnuß-Avocado

2 reife Avocados · 2 Eßl. Zitronensaft · 1 kleine
Zwiebel · 100 g Walnußkerne · 2 Teel.
Apfeldicksaft · ½ Teel. Salz · 1 Messerspitze
gemahlener Piment · 1 Bund Dill oder Petersilie
Pro Portion etwa 1660 Joule/395 Kalorien

Zubereitungszeit: 35 Minuten

Die Avocados waschen, abtrocknen, längs halbieren und die Steine herausnehmen. Die Avocadohälften bis auf einen ½ cm breiten Fruchtfleischrand aushöhlen. Das Avocadofleisch mit dem Zitronensaft beträufeln und mit der Gabel zerdrücken. • Die Zwiebel schälen und kleinwürfeln. • Die Walnußkerne mahlen oder feinhacken und mit den Zwiebelwürfeln, dem Apfeldicksaft, dem Salz, dem Piment und mit dem Avocadofleisch verrühren. • Den Dill oder die Petersilie waschen, trockenschleudern, feinhacken und unter die Avocadomischung rühren. Die Avocadohälften damit füllen und vor dem Servieren 15 Minuten durchziehen lassen.

Braucht etwas Zeit · Ganz einfach

Linsenpaste

Das würzige Linsenpüree kann kalt als Beilage zu Getreidegerichten gereicht werden. Mit grünem Salat umkränzt ist es eine gute Vorspeise. Auch auf Vollkornbrot mit Butter schmeckt es fein.

350 g Tellerlinsen · 1 Stück unbehandelte Zitronenschale · 1¼ l Wasser · 1 Lorbeerblatt · 2 Nelken · 5 Pimentkörner · 1 kleines Stück Zimtstange · 3 Eßl. frisches feingehacktes Basilikum · 5 Eßl. Olivenöl · 1 Zwiebel · 2 Knoblauchzehen · 2-3 Teel. Salz · 1 Teel. Honig · 3-5 Eßl. Zitronensaft
Pro Portion etwa 1825 Joule/435 Kalorien

Vorbereitungszeit: 30 Minuten
Garzeit: 45 Minuten

Die Linsen waschen, mit der Zitronenschale in dem Wasser zum Kochen bringen und zugedeckt bei schwacher Hitze in etwa 45 Minuten gut weich kochen. Das Lorbeerblatt, die Nelken, die Pimentkörner und den Zimt in ein Mullsäckchen

Gewürzkörner, Nelken oder Lorbeerblätter, die man nach dem Garen wieder entfernen möchte, bindet man am besten in ein Mullsäckchen und hängt sie während des Kochens in das Gericht hinein.

binden und mitkochen lassen. • Während die Linsen garen, das Basilikum mit 2 Eßlöffeln Olivenöl beträufeln und zugedeckt ziehen lassen. • Die Zwiebel schälen und in kleine Würfel schneiden. Den Knoblauch schälen. • Die Zwiebelwürfel im restlichen Öl weich braten, aber nicht braun werden lassen. • Wenn die Linsen weich sind, das Mullsäckchen mit den Gewürzen entfernen, die Linsen durch die feinste Scheibe des Fleischwolfes drehen und auskühlen lassen. Die Knoblauchzehen über den Linsen auspressen oder mit etwas Salz zerdrücken und hinzufügen. Die gebratenen Zwiebelwürfel, das Salz, den Honig, den Zitronensaft und zuletzt das Basilikum mit dem Öl unterrühren.

Das paßt dazu: Tortillas aus Körnermais (Rezept Seite 145).

Preiswert · Schnell

Rührei spezial – mit Hirse

gut ½ l Wasser · 4 gestrichene Teel. Salz · 3 gestrichene Teel. Delikata · 2 Messerspitzen Muskatblüte (Macis) · 200 g Hirse · 8 Eier · knapp ½ l Milch und Sahne gemischt · etwas Butter · 250 g Tomaten · 75 g Pumpernickel (1½ große Scheiben) oder ganz dunkles Vollkornbrot · 2 Bund Schnittlauch
Pro Portion etwa 1975 Joule/470 Kalorien

Vorbereitungszeit: 5 Minuten
Garzeit: 20 Minuten

Das Wasser mit 2 Teelöffeln Salz, 1 Teelöffel Delikata und 1 Messerspitze Muskatblüte in einer großen Deckelpfanne zum Kochen bringen. Die Hirse einstreuen, umrühren und 10 Minuten zugedeckt kochen lassen. Dann wieder umrühren, glattstreichen, die Herdplatte ausschalten und die Hirse zugedeckt 10 Minuten quellen lassen. • Die Eier mit dem Milch-Sahne-Gemisch, 2 Teelöffeln Salz, 2 Teelöffeln Delikata und 1 Messerspitze Muskatblüte verquirlen. • In einer zweiten Pfanne Butter zerlaufen lassen, aus der Eimasse Rührei darin bereiten. • Inzwischen die Tomaten waschen und in Scheiben schneiden. • Das Brot etwas zerbrechen und zwischen den Handflächen zerbröseln. Den Schnittlauch waschen und feinschneiden. Das Rührei auf der Hirse gleichmäßig verteilen. Die Tomatenscheiben kreuzweise auf das Rührei legen, in je zwei gegenüberliegende Felder Brotbrösel beziehungsweise Schnittlauch streuen.

Das paßt dazu: Gurkensalat (Rezept Seite 53) oder Grüne Salate (Rezept Seite 40).

Variante: Man kann das Gericht noch schneller und sparsamer garniert zubereiten. Die Tomaten in Würfel schneiden, unter die rohe Eimasse mischen. Tomatenrührei daraus herstellen, auf der Hirse anrichten und mit feingeschnittenem Schnittlauch (nur 1 Bund) bestreuen.

Schnell · Ganz einfach

Käsesnacks

4 Scheiben Grahambrot oder Vollkorn-Toastbrot · Butter zum Bestreichen · 200 g Hüttenkäse (Cottage cheese) · etwas Pfeffer, frisch gemahlen · 4 Scheiben Emmentaler Käse · rohes Gemüse, zum Beispiel Tomaten, Möhren oder Kresse zum Garnieren · etwas Paprikapulver · 1 Eßl. Schnittlauchröllchen
Pro Portion etwa 1100 Joule/260 Kalorien

Zubereitungszeit: 10 Minuten

Die Brotscheiben toasten und mit Butter bestreichen. Mit dem Hüttenkäse dick belegen und leicht mit Pfeffer bestreuen. Mit den Emmentaler-Käsescheiben belegen und im Grill überbacken oder in eine Pfanne mit Deckel legen und bei kleiner Hitze backen, bis der Käse zerläuft. • Das Gemüse waschen, putzen und zurechtschneiden. Den Schnittlauch feinschneiden. Die Brote mit Paprikapulver überstäuben, mit Schnittlauch bestreuen und mit dem rohen Gemüse garnieren.

Schnell · Ganz einfach · Preiswert

Garnierte Käsebrote

1 Bund Radieschen · 1 Kästchen Kresse oder 1 Bund Schnittlauch · 4 Scheiben Pumpernickel oder Roggenvollkornbrot · Butter zum Bestreichen · 4 Scheiben milder Schnittkäse, zum Beispiel Butterkäse
Pro Portion etwa 895 Joule/215 Kalorien

Zubereitungszeit: 5 Minuten

Die Radieschen putzen und waschen. Die Kresse oder den Schnittlauch waschen und feinschneiden. Die Brote mit Butter bestreichen, mit den Käsescheiben belegen und mit Kresse oder Schnittlauch und Radieschen garnieren.

Rohkost und Salate

Salat erscheint auf fast jedem Tisch. Meist handelt es sich jedoch, im Sommer wie im Winter, immer nur um Kopfsalat. Wie langweilig, möchte man da fast sagen, denn damit beraubt man sich einer Vielfalt von Geschmacksvarianten, ganz abgesehen davon, daß Kopfsalat ziemlich nährstoffarm ist. Dagegen ist eine Platte verschiedener frischer Salate, in den Farben harmonisch zusammengestellt und mit einer würzigen Sauce mit vielen frischen Kräutern serviert, ein ausgesprochenes Geschmackserlebnis, die auch dem Auge etwas bietet.

Rohkost kommt der wichtigsten Forderung der Vollwertkost »Die Nahrung sollte so natürlich wie möglich sein« am besten entgegen. Denn je naturbelassener ein Lebensmittel ist, um so größer ist die Gewähr, daß es noch alle wichtigen Nährstoffe, insbesondere Vitamine, Mineralstoffe und Spurenelemente enthält. In der Vollwerternährung nimmt die Pflanzenkost den ersten Platz ein: allen voran die Nüsse und Samen, wozu auch das ungemahlene Getreide gehört, dann folgen Fruchtgemüse, Obst, Knollen- und Wurzelgemüse, Blatt- und Stengelgemüse. Diese Lebensmittel möglichst unverändert und erntefrisch zu essen, ist besonders empfehlenswert. An zweiter Stelle stehen die mechanisch bearbeiteten Lebensmittel, also alle zuvor genannten Lebensmittel, die durch Schneiden, Raspeln oder Mahlen zerkleinert wurden. Dadurch kommt es zu einem allerdings geringen Verlust verschiedener wertvoller Inhaltsstoffe. In der Vollwerternährung gehören Rohkostgerichte zu den sehr empfehlenswerten Lebensmitteln und sollten jeden Tag auf den Tisch kommen. Pro Person und Tag sollten Sie etwa 300 bis 400 g Gemüse, die Hälfte davon unerhitzt, und 200 bis 300 g Obst, möglichst roh verzehren.

Täglich Rohkost zu verzehren hat viele Vorteile. Wir können sicher sein, daß wir mit wichtigen Nährstoffen wie Vitaminen und Mineralstoffen gut versorgt sind. Denn es gehen keine Vitamine und Mineralstoffe verloren, beispielsweise durch Erhitzen oder Auslaugen im Wasser. Auch die Ballaststoffe behalten unerhitzt ihre volle Wirkung. Sekundäre Pflanzenstoffe wie Duft-, Aroma- oder Geschmacksstoffe, deren Wirkungen zwar noch nicht hinreichend erforscht sind, von denen man aber weiß, daß sie gesundheitsfördernd sind, bleiben in der Rohkost erhalten. Denn gerade diese sekundären Pflanzenstoffe sind sehr hitzeempfindlich. Außerdem ist Rohkost, verwendet man nicht gerade üppige Saucen zum Anmachen, ausgesprochen kalorienarm und hält trotzdem sehr lange satt.

Entscheidend ist jedoch nicht nur, Obst und Gemüse möglichst roh zu essen, wichtig ist auch, daß es äußerst frisch ist. Am besten wäre es also, Gemüse und Obst ganz kurz vor der Zubereitung aus dem Garten zu holen. Denn frisch geerntetes Gemüse und Obst enthält die meisten wertvollen Inhaltsstoffe und schmeckt besonders gut. Muß es über weite Strecken transportiert werden, wird es halbreif geerntet, weil es sich so besser transportieren läßt. Im Geschmack und im Vitamingehalt ist solches Obst und Gemüse nicht mit reifem zu vergleichen. Bevorzugen Sie also Obst und Gemüse aus Anbaugebieten der näheren Umgebung. In den Städten sind es vor allem die Wochenmärkte, die eine gute Auswahl bieten. Sehr gut ist es, wenn man direkt beim Erzeuger kaufen kann, besonders, wenn dieser auf Mineraldünger und chemische Schädlingsbekämpfungsmittel verzichtet. Schilder an Obststeigen und Gemüsekisten geben Auskunft über Herkunftsland und zum Teil auch über die Anbauweise. Frisches Gemüse wird mit dem »Grün« (Kraut) verkauft, zum Beispiel Möhren, Sellerie oder Fenchel. Ware mit welkem oder ohne »Grün« ist nicht mehr frisch. Frisches Gemüse ist prall und fest, altes dagegen reagiert auf Druck weich und biegsam. Bei Salaten oder Kohl kann man die Frische an einer hellen Schnittstelle erkennen. Auch wenn inzwischen bei uns fast jedes Obst und Gemüse das ganze

Jahr über zu bekommen ist, sollte man es sich wieder angewöhnen, jahreszeitengerecht einzukaufen. Denn es schmeckt in der jeweiligen Saison nicht nur am besten und hat außerdem die höchsten Nährwerte, es ist auch preiswerter, da Kosten für das Heizen der Gewächshäuser, für Transporte aus entfernten Gegenden und teure Lagerung wegfallen. Rohkost sollte jedoch nicht nur besonders frisch sein, sondern auch gut und sorgfältig ausgewählt werden und sich möglichst aus allen Teilen der verschiedensten Pflanzen zusammensetzen, also aus Wurzeln, Stengeln, Blättern, Früchten, Samen, Kernen und Knospen. Diese Abwechslung garantiert, daß wir mit allen wichtigen Nährstoffen versorgt werden und damit das Beste für unsere Gesundheit tun.

Damit bei der Vor- und Zubereitung möglichst wenig wertvolle Nährstoffe verlorengehen, sollten Sie einige wichtige Regeln beachten. Da manche Vitamine lichtempfindlich sind, zum Beispiel Provitamin A, das reichlich in Karotten und Spinat enthalten ist, sollten Sie diese, wenn Sie sie nicht sofort verarbeiten können, bis zur Zubereitung kurzfristig dunkel aufbewahren. Durch Sauerstoff können vor allem Provitamin A und Vitamin C zerstört werden. Deshalb sollte man Obst und Gemüse niemals über einige Tage aufbewahren. Der Vitamin-C-Gehalt kann dabei bis auf ein Drittel des ursprünglichen Wertes sinken. Wegen der Sauerstoffempfindlichkeit sollte man Obst und Gemüse auch erst unmittelbar vor der Zubereitung zerkleinern, denn fein zerkleinert ist die Oberfläche viel größer und der Sauerstoff kann die Zellen leichter angreifen. Obst und Gemüse sollten immer vor dem Zerkleinern gewaschen werden, denn viele Vitamine und Mineralstoffe sind wasserlöslich und würden, das geschieht auch, wenn wir Obst und Gemüse zum Frischhalten im Wasser liegen lassen, einfach weggeschwemmt. Obst und Gemüse mit harter Schale wie zum Beispiel Äpfel oder Karotten sollten Sie beim Waschen mit warmem Wasser immer kräftig reiben, gegebenenfalls sogar mit

einer Bürste schrubben und mit einem Tuch kräftig trockenreiben. Dadurch läßt sich Blei, das fast nur außen auf der Schale liegt, ziemlich gut entfernen. Von Salaten und Kohlköpfen sollten Sie – besonders, wenn sie nicht aus biologischem Anbau stammen – die äußeren Blätter entfernen und nicht verwenden. Gemüse mit gekräuselter Oberfläche, zum Beispiel Grünkohl, oder Obst mit behaarter oder rauher Oberfläche wie Pfirsiche oder Erdbeeren sollten Sie sehr gut waschen, da Schadstoffe hier besonders gut haften bleiben.

Ob man Obst und Gemüse, das nicht aus biologischem Anbau stammt, besser schälen sollte, darüber gehen die Meinungen von Experten auseinander. Denn auf der einen Seite sitzen auf der Schale die meisten Schadstoffe, aber auf der anderen Seite unter der Schale die meisten Vitamine. Es bleibt also Ihrer eigenen Entscheidung überlassen. Auf alle Fälle sollten Sie solche Früchte besonders gründlich, wenn möglich mit heißem Wasser waschen. Müssen Sie Rohkost aus irgendeinem Grund einmal eine Weile vor dem Verzehr zubereiten, ist es besser, sie mit einer Haushaltsfolie zuzudecken. Salate, die etwas ziehen können, geben Sie gleich in die Sauce. Das in der Sauce enthaltene Fett – Öl oder Sahne – legt sich wie ein Schutzfilm um die Gemüseteilchen und verhindert so eine rasche Zerstörung von sauerstoffempfindlichen Vitaminen. Es ist jedoch sinnlos, Reste zubereiteter Rohkost aufzubewahren, denn die wertvollen Inhaltsstoffe gehen ziemlich rasch verloren. Bereiten Sie deshalb immer nur Portionen zu, die Sie oder Ihre Familie auf einmal essen können.

Die besten Saucenzutaten

Es wäre schade, wenn Sie sich bei der Vorbereitung so viel Mühe machten, um dann bei der Zubereitung der Rohkost nur minderwertige Zutaten zu nehmen wie beispielsweise Dosensahne, minderwertigen Essig oder raffiniertes Öl mit einem geringen Anteil an ungesättigten Fettsäuren.

Kalt gepreßtes Pflanzenöl mit einem hohen Anteil mehrfach ungesättigter Fettsäuren ist das wertvollste. Solche Öle enthalten auch die lebensnotwendige Linolsäure, die dem Körper durch die Nahrung zugeführt werden muß, da er sie selbst nicht bilden kann. Reich an ungesättigten Fettsäuren sind Mais- und Weizenkeimöl, Distelöl, Sonnenblumenöl, Walnußöl und Sojaöl. Inzwischen weiß man aber auch, daß ein Zuviel an mehrfach ungesättigten Fettsäuren nachteilig sein kann, zum Beispiel kann bei dafür veranlagten Menschen die Gallensteinbildung angeregt werden. Schon mit 1 bis 1½ Eßlöffeln der obengenannten Pflanzenöle können Sie den Tagesbedarf an lebensnotwendiger Linolsäure decken. Das geschieht am besten im Zusammenhang mit Rohkost, da das Öl dabei nicht erhitzt wird und seine volle Wirkung behält. Öl kauft man am besten in kleinen, dunkelgetönten Flaschen, denn es muß vor Licht geschützt werden und nach dem Öffnen kühl aufbewahrt und schnell verbraucht werden.

Statt Öl können auch Sahne oder Sauermilch die Grundlage einer Salatsauce sein. Rohe, das heißt nicht pasteurisierte Sahne oder Sauermilch sind für Salatsaucen ideal. Man muß sie jedoch selbst aus Rohmilch herstellen, da die im Lebensmittelhandel angebotene, ausnahmslos zur besseren Haltbarkeit und aus hygienischen Gründen mit Hitze behandelt worden ist. Man kann sie aber durchaus verwenden, da auch sie sehr hochwertig sind. Jede Salatsauce braucht etwas Säure als würzende Zutat. Säure wirkt ebenso wie Kräuter und Gewürze appetitanregend. Ob Sie Essig oder Zitronensaft nehmen, ist dabei eher eine Geschmacksfrage. Frisch ausgepreßter Zitronensaft enthält viel Vitamin C und ist daher gerade im Winter sehr zu empfehlen. Frische Kräuter - nach Möglichkeit selbst gepflückt aus eigenem Garten oder von der Fensterbank - helfen nicht nur Salz einzusparen, sie enthalten auch reichlich Vitamine und Mineralstoffe sowie ätherische Öle, die die Verdauungssäfte anregen.

Während Sie frische Kräuter üppig verwenden können, sollten Sie bei getrockneten Kräutern und bei Gewürzen etwas zurückhaltender sein, da manche sehr intensiv sind und dann hervorschmecken. Kräuter und Gewürzkombinationen finden Sie in allen Rezepten dieses Kapitels. Rezepte für Salatsaucen, wenn Sie eigene Rohkostgerichte erfinden wollen, enthält auch das Kapitel »Beliebte Saucen«.

Schnell · Ganz einfach · Preiswert

Grüne Salate

1 Kopfsalat, 1 Kopf Endivien- oder Zichoriensalat oder 200–250 g Feldsalat · 2 Eßl. Öl · ½–1 Teel. Salz · Saft von ½ Zitrone · eventuell etwas Pfeffer, frisch gemahlen und 1 kleine Zwiebel
Pro Portion etwa 220 Joule/50 Kalorien

Zubereitungszeit: 5-10 Minuten

Die Blätter vom Salatkopf lösen, mehrmals gut waschen, gründlich abtropfen lassen und zerkleinern (Kopfsalat reißen, Endivien- oder Zichoriensalat feinschneiden, Feldsalatblätter ganz lassen). • Das Öl, das Salz und den Zitronensaft auf die Salatblätter geben und vorsichtig mischen. Nach Geschmack etwas Pfeffer und etwas feingeschnittene Zwiebel untermischen.

Variante: Kressesalat
Die Blättchen ganz lassen oder nur einmal durchschneiden. Etwa die richtige Menge für 4 Personen ist 100 g Kresse, 1 Eßlöffel Öl, ½ Teelöffel Kräutersalz, 1 Eßlöffel Zitronensaft. Zubereitung wie oben.

Variante: Vitaminreicher Salat
Feldsalat, Endivien- oder Zichoriensalat zubereiten wie oben beschrieben, zusätzlich 2 Orangen

schälen, halbieren, in dünne Scheiben schneiden und unter den Salat mischen. 3 Eßlöffel Crème fraîche mit 1 Eßlöffel Wasser, 1 Teelöffel Zitronensaft und wenig frisch gemahlenem weißem Pfeffer anrühren. Die Creme auf den angerichteten Salat geben. Erst bei Tisch untermischen.

Ganz einfach

Kopfsalat mit Käsedressing

Für die Sauce: 100 g Blauschimmelkäse ·
¼ Teel. Schabziger-Kleepulver · 1 Teel. mildes
Paprikapulver · 1 Messerspitze Meersalz ·
2 Eßl. Apfelessig · 4 Eßl. Öl · 1 Eßl. gehackte
Walnußkerne
1 Bund Petersilie · 1 großer Salatkopf
Pro Portion etwa 965 Joule/230 Kalorien

Zubereitungszeit: 20 Minuten

Den Käse in einer Schüssel mit der Gabel zerdrücken. Den Schabziger Klee, das Paprikapulver und das Salz darüberstreuen. Den Essig zufügen und alles mit dem Schneebesen verrühren. Nach und nach das Öl zugießen und weiterschlagen, bis die Sauce glatt und cremig ist. • Die gehackten Nüsse unterrühren. • Die Petersilie waschen, trockenschleudern und feinhacken. • Von dem Salatkopf das Stielende kürzen, welke und schlechte Blätter entfernen und den Salat im ganzen in viel handwarmem Wasser schwenken, ausschütteln und trockenschleudern. Den Kopf vierteln. Die Salatviertel mit der Rundung nach oben auf den Salatteller legen und mit dem Käsedressing übergießen und mit der Petersilie bestreuen.

Vitaminreich · Preiswert

Kopfsalat mit Wildkräutern

Kann man heute überhaupt noch Wildkräuter sammeln, bei deren Verzehr aufgrund von Schadstoffen in Luft und Boden man nicht für seine Gesundheit fürchten muß? Man kann! Allerdings nicht an Acker-, Wiesen- oder gar an Straßenrändern. Was dort überhaupt noch gedeiht, ist meist mit Pflanzenbehandlungsmitteln oder mit Rückständen von Autoabgasen verseucht. Geeignete Sammelstellen sind hingegen sonnige Waldränder und Bachufer fern von Straßen, alte Kiesgruben und Ränder von Trockenwiesen, die nicht intensiv landwirtschaftlich genutzt werden. Wildkräuter haben die größte Heilwirkung vor ihrer Blütezeit. Dann schmecken sie auch am besten, würzig und nicht zu bitter. Die günstigste Zeit zum Kräutersammeln ist der Vormittag, wenn der Tau getrocknet ist. Pflücken darf man nur eßbare Kräuter, die man mit Sicherheit bestimmen kann. Ein Salat nur aus Wildkräutern schmeckt vielen zu streng, zu bitter. Deshalb mischt man die Kräuter mit einem Blattsalat oder anderem Gemüse.

Für die Sauce: ¼ Teel. Salz · 1 Teel. Apfel- oder
Birnendicksaft · 1 Eigelb · 2 Eßl. Apfelessig · je
1 Messerspitze gemahlener Piment und gemahlene
Senfkörner · 2 Eßl. Haselnuß- oder Mandelmus ·
6 Eßl. Öl
1 kleiner Kopfsalat oder ein anderer Blattsalat ·
etwa 200 g Wildkräuter (Brennesselspitzen, kleine
Löwenzahnblätter, Melde, Sauerampfer, Schaf-
garbe, Spitzwegerich, Vogelmiere) · 1 Bund
Petersilie · 2 Scheiben Weizenvollkornbrot ·
2 Teel. Butter
Pro Portion etwa 360 Joule/85 Kalorien

Zubereitungszeit: 20 Minuten

Das Salz mit dem Dicksaft, Eigelb, Essig, Piment und den gemahlenen Senfkörnern verrühren, bis sich das Salz völlig aufgelöst hat. Das Nußmus und zuletzt das Öl unterrühren. So lange mit dem Schneebesen rühren, bis sich alle Zutaten gut miteinander verbunden haben. • Vom Salat das Strunkende kürzen, den Kopf in einzelne Blätter zerlegen, in viel Wasser gründlich waschen, abtropfen lassen und trockenschleudern. • Die Wildkräuter waschen, abtropfen lassen, trockenschleudern und nicht zu fein hacken. Die Petersilie waschen und sehr fein hacken. Den Salat mit den Kräutern mischen. Die Sauce darübergießen und den Salat behutsam durchheben. • Das Brot würfeln, rasch in der Butter goldbraun braten und auf den angerichteten Salat streuen.

Unser Tip Bei Nußmus setzt sich oft Öl ab. Das Mus deshalb vor Gebrauch gründlich durchrühren. Den Wildkräutersalat mit gewaschenen Gänseblümchenblüten, Veilchen- und/oder Löwenzahnblüten bestreuen. Diese hübsche Garnierung kann man mitessen.

Ganz einfach · Schnell

Endivien mit Apfel-Meerrettichsahne

Für die Sauce: 2 säuerliche Äpfel · 2 Teel. Zitronensaft · 75 g frische Meerrettichwurzel · ⅛ l Sahne
1 Endiviensalat · 2 Eßl. Haselnußkerne · wenn möglich frische Gartenkräuter (Pimpinelle, Liebstöckel, Zitronenmelisse) oder 1 Bund Petersilie
Pro Portion etwa 925 Joule/220 Kalorien

Zubereitungszeit: 20 Minuten

Für die Sauce die Äpfel waschen, abtrocknen, mit der Schale und dem Kerngehäuse reiben und mit dem Zitronensaft beträufeln. Die Meerrettichwurzel waschen, schaben und sehr fein auf die Äpfel reiben. Die Sahne steif schlagen und unter die Äpfel und den Meerrettich ziehen. • Vom Endiviensalat das Strunkende abschneiden und welke Blätter entfernen. Die Staude in Blätter zerlegen, waschen, abtropfen lassen und trockenschleudern. Die Blätter in dünne Streifen schneiden. • Die Haselnüsse in einer Pfanne ohne Fettzugabe unter Wenden rösten, bis sie duften. Die Nüsse hacken. Die Kräuter waschen, trockenschleudern und feinhacken. Die gehackten Nüsse und die Kräuter unter den Endiviensalat mischen, mit der Apfel-Meerrettichsahne überziehen oder diese dazu reichen.

Variante: Endivien mit Orangen
Den Endiviensalat kleinschneiden und auf Portionsteller verteilen. Auf jedem Teller einige Orangenspalten arrangieren. Den Salat mit einer Sauce aus 1 Messerspitze Salz, 2 Teelöffeln Apfeldicksaft, 1 Prise geriebener Ingwerwurzel und ⅛ l steif geschlagener Sahne überziehen und mit jeweils ½ Teelöffel unbehandelter, abgeriebener Orangenschale bestreuen.

Sehr wohlschmeckend und sättigend sind Paprikaschoten mit Apfelquark gefüllt. Rezept Seite 28. ▷

Vitaminreich

Bunter Eissalat

Bild Seite 61

Ab Ende Juli gibt es den herrlich knackigen Eissalat – auch als Eisbergsalat bekannt – aus Freilandanbau. Die festen geschlossenen Köpfe werden so groß wie Rotkohlköpfe, für eine Mahlzeit
ist ein ganzer Kopf oft zu viel. Man kann die
Blätter portionsweise vom Strunk lösen und den
übrigen Salatkopf in ein feuchtes Tuch gehüllt
1–2 Tage im Gemüsefach des Kühlschranks aufbewahren. Dieser Salat kann auch wie Kopfsalat
zubereitet werden. Für das folgende Rezept wird
jedoch ein ganzer Kopf benötigt.

*Für die Sauce: 1 Eigelb · ¼ Teel. Salz ·
1 Messerspitze Senfpulver · ½ Teel. Ahornsirup ·
3 Teel. Zitronensaft · 6 Eßl. Sonnenblumenöl ·
1 Teel. mildes Paprikapulver · ⅛ l Sahne ·
1 Zweig frischer Estragon oder 2 Zweige
frisches Basilikum, ersatzweise ½ Bund Petersilie
1 mittelgroßer Eissalat · 1 Bund Radieschen ·
2 kleine Zucchini (zusammen etwa 150 g) ·
200 g feste Tomaten · 2 hartgekochte Eier*
Pro Portion etwa 1470 Joule/350 Kalorien

Zubereitungszeit: 20 Minuten

Aus dem Eigelb, Salz, Senfpulver, Ahornsirup,
Zitronensaft und Öl eine Mayonnaise bereiten.
Das Paprikapulver unterrühren. • Die Sahne
steif schlagen. • Die Kräuter waschen, trockenschleudern, sehr fein wiegen und zusammen mit
der Schlagsahne unter die Mayonnaise ziehen.

◁ Den Möhren-Muntermacher-Trunk sollte man langsam – Schluck für Schluck – genießen. Rezept Seite 19.

Die Salatsauce kühl stellen. • Vom Eissalatkopf
das Strunkende kürzen und welke Blätter entfernen. Den Salat im ganzen waschen und mit dem
Strunkende nach oben abtropfen lassen. • Die
Radieschen waschen und in Scheiben schneiden.
Die Zucchini waschen, trockentupfen und in
Scheiben schneiden. Die Stielansätze dabei entfernen. Die Tomaten waschen, trockentupfen
und achteln. Die Eier schälen und ebenfalls in
Scheiben schneiden. • Den Eissalat in Viertel
oder Achtel zerteilen und sternförmig auf einer
großen runden Platte anrichten. Das übrige Gemüse und die Eischeiben abwechselnd in den
Zwischenräumen auf der Salatplatte anordnen
und alles mit der Sahnemayonnaise überziehen
oder die Salatsauce dazu reichen.

Ganz einfach

Schnittsalat mit Fenchel und Kerbelsahne

Ende Mai wird auch der erste Schnittsalat oder
Pflücksalat geerntet. Dieser Blattsalat ist eng verwandt mit dem Kopfsalat, er bildet jedoch keine
Köpfe, sondern lockere Blattstauden. Die Blätter
sind ein wenig fester als Kopfsalatblätter.
Schnittsalat schmeckt wie Kopfsalat und kann
wie dieser zubereitet werden.

*Für die Sauce: ¼ Teel. Salz · 1 Teel. Honig ·
1 Prise gemahlener Anis · 1 Eßl. Zitronensaft ·
⅛ l Sahne · etwa 100 g frisches Kerbelkraut
1 Schnittsalatstaude · 1 Fenchelknolle*
Pro Portion etwa 420 Joule/100 Kalorien

Zubereitungszeit: 20 Minuten

Das Salz mit dem Honig, Anis und Zitronensaft
verrühren, bis sich das Salz völlig aufgelöst hat. •

Die Sahne halbsteif schlagen und mit der Zitronensauce mischen. • Den Kerbel waschen, abtropfen lassen, trockenschleudern, feinwiegen und locker unter die dicke Sahnesauce heben. • Vom Salat den Strunk abschneiden. Die Staude in einzelne Blätter zerlegen, gründlich waschen, trockenschleudern und in 3–5 cm lange Stücke schneiden. • Die Fenchelknolle waschen, die Stielenden abschneiden und den Fenchel längs in dünne Scheiben schneiden. Das Fenchelgrün feinwiegen und mit dem Fenchel und dem Schnittsalat in der Salatschüssel mischen. Die Kerbelsauce darübergießen.

Vitaminreich

Radicchio bunt gemischt

Für die Sauce: ¼ Teel. Salz · 1 Messerspitze gemahlener Anis · 1 Prise weißer Pfeffer, frisch gemahlen · ½ Teel. getrockneter Salbei · 2 Eßl. Zitronensaft · 1 weiche Avocado · 5 Eßl. Olivenöl 1–2 Radicchioköpfe · 1 Grapefruit · 100 g Topinambur · 200 g Knollenfenchel · 1 Karton Gartenkresse oder Brunnenkresse
Pro Portion etwa 1090 Joule/260 Kalorien

Zubereitungszeit: 30 Minuten

Für die Sauce das Salz mit dem Anis, Pfeffer, zerriebenem Salbei und Zitronensaft verrühren, bis sich das Salz völlig aufgelöst hat. • Die Avocado halbieren und den Stein herausnehmen. Das Avocadofleisch aus den Schalen lösen, grobhacken, mit der Gabel fein zerdrücken und mit dem Olivenöl unter die Sauce rühren, bis sich alle Zutaten gut miteinander verbunden haben. • Vom Radicchio die Strunkenden abschneiden. Den Salat in Blätter zerlegen, waschen und trockenschleudern. Große Blätter kleinzupfen. • Die Grapefruit halbieren, das Grapefruitfleisch her-

auslösen, kleinschneiden und dabei die Kerne entfernen. Den sich bildenden Saft zu der Sauce geben. • Die Topinamburknollen unter fließendem Wasser sehr gründlich bürsten, gegebenenfalls die Knollen ein- oder zweimal durchschneiden, damit die anhaftende Erde in den Wurzelverzweigungen entfernt werden kann. Den Topinambur ungeschält dünn hobeln. • Vom Fenchel die Stiele und das Wurzelende abschneiden. Zartes Blattgrün abschneiden und mit dem Fenchel waschen. Die harten Rippen der äußeren Blätter abziehen. Den Fenchel halbieren und in dünne Scheiben schneiden. Das Fenchelgrün hacken. • Die Kresse vom Beet schneiden, waschen, abtropfen lassen. Brunnenkresse waschen, abtropfen lassen und kleinschneiden. • Alle Zutaten mischen, mit der Sauce übergießen und behutsam durchheben.

Ganz einfach

»Erste-Ernte«-Platte

Für die erste Sauce: 1 Messerspitze Salz · 1 Teel. Kräutersenf · 1 Prise gemahlener Piment · 2 Eßl. Apfelessig · 6 Eßl. Öl
Für die zweite Sauce: 1 Messerspitze Meersalz · 1 Teel. Honig · 1 Prise gemahlener Anis · 1 Eßl. Zitronensaft · ⅛ l Sahne
1 Kopfsalat · 50 g Brennesselspitzen und 1 Handvoll andere Wildkräuter (zarte Löwenzahnblätter, Schafgarbe, Sauerampfer, Vogelmiere) · 2 Bund Radieschen · 1 Bund Schnittlauch · 1 Eßl. ungeschwefelte Rosinen · 2 säuerliche Äpfel · 2 Teel. Zitronensaft · 1 Eßl. Mandeln
Pro Portion etwa 1470 Joule/350 Kalorien

Zubereitungszeit: 30 Minuten

Für die erste Sauce das Salz mit dem Kräutersenf, Piment und Essig verrühren, bis sich das

Salz völlig aufgelöst hat. Das Öl zugießen und rühren, bis die Sauce dicklich wird. • Für die Sahnesauce das Salz mit dem Honig, Anis und Zitronensaft verrühren, bis sich das Salz völlig aufgelöst hat. Die Sahne halbsteif schlagen und unterziehen. • Für die Rohkostplatte den Kopfsalat in Blätter zerlegen, waschen, trockenschleudern und mit den großen äußeren Blättern eine Platte auslegen. • Die Wildkräuter verlesen, waschen, trockenschleudern und feinhacken. • Die übrigen Salatblätter kleinschneiden und mit den Kräutern mischen. Die Radieschen waschen, die Blattansätze und Wurzelspitzen abschneiden und die Radieschen dünn hobeln. • Den Schnittlauch waschen, abtropfen lassen, in Röllchen schneiden und mit den Radieschen mischen. • Die Rosinen warm überbrausen und abtropfen lassen. • Die Äpfel waschen, abtrocknen, ungeschält mit dem Kerngehäuse grobraspeln, mit den Rosinen mischen und dem Zitronensaft beträufeln. • Alles auf der Platte anordnen. Die Mandeln grobhacken und den Apfelsalat damit bestreuen. Die Saucen extra reichen.

Schnell · Ganz einfach

Bauern-Rapunzel

Rapunzel, Acker-, Feld- oder Nüsselsalat, das sind Bezeichnungen für ein und dieselbe Pflanze. Dieser vitamin- und mineralstoffreiche Wintersalat wuchs früher wild als »Unkraut« auf Feldern und wurde dort gesammelt. Seitdem unsere Äcker unkrautfrei gespritzt werden, gibt es dort auch keinen Ackersalat mehr. Dafür wird er feldmäßig im Freien angebaut und ist in der kältesten Zeit, auch in Folienhäusern gezogen, den ganzen Winter über zu haben. Besonders würzig schmeckt Rapunzel aus biologischem Anbau. Besonders gut paßt er zu Radicchio, Fenchel, Chicorée und Möhren.

Für die Sauce: ¼ Teel. Meersalz · 1 Prise weißer Pfeffer, frisch gemahlen · 2 Eßl. sehr guter Weinessig · 5 Eßl. Öl · 2 Frühlingszwiebeln mit Grün oder 3–4 Schalotten
300 g Rapunzel · 1 Handvoll Kerbel · 1 Bund Petersilie
Pro Portion etwa 525 Joule/125 Kalorien

Zubereitungszeit: 15 Minuten

Für die Sauce das Salz mit dem Pfeffer und Essig verrühren, bis sich das Salz völlig aufgelöst hat. Das Öl zugießen und rühren, bis die Sauce dicklich wird. • Die Zwiebeln waschen, abtropfen lassen – Schalotten schälen – in ganz kleine Würfel, das Grün in Ringe schneiden und in der Salatsauce ziehen lassen. • Den Rapunzel verlesen und gründlich in reichlich kaltem Wasser waschen und trockenschleudern. Größere Pflanzen ein- oder zweimal teilen. • Den Kerbel und die Petersilie waschen, trockenschleudern, feinhacken und mit dem Rapunzel mischen. Die Sauce darübergießen und unterheben.

Unser Tip Pfefferminze, frisch gehackt, schmeckt gut in diesem Salat.

Variante: Rapunzel mit Radicchio
Aus ½ Teelöffel Salz, 1 Messerspitze Macispulver, 1 Messerspitze geriebener Ingwerwurzel, 2 Teelöffeln Ahornsirup, 2 Eßlöffeln Zitronensaft und 5 Eßlöffeln Öl eine Sauce anrühren. 200 g Rapunzel verlesen, 1 kleinen Kopf Radicchio in Blätter zerlegen, beide waschen und trockenschleudern. 1 Zwiebel schälen und in dünne Ringe schneiden, mit dem Rapunzel und mit dem Radicchio mischen und mit der Sauce übergießen. 2 Scheiben gewürfeltes Weizenvollkornbrot in etwas Öl kroß braten und darunterheben.

Vitaminreich

Spinat-Kohlrabi-Möhren-Platte

*Für die erste Sauce: 1 Bund Frühlingszwiebeln ·
1 Knoblauchzehe · 1 Teel. Salz · 1 Prise weißer
Pfeffer, frisch gemahlen · 1 Eßl. sehr guter
Weinessig · 3 Eßl. naturreiner Apfelsaft ·
5 Eßl. Olivenöl
Für die zweite Sauce: 1 Messerspitze Salz ·
2 Teel. Apfeldicksaft · 1 Messerspitze gemahlener
Fenchelsamen · 1 Eßl. Zitronensaft · ⅛ l saure
Sahne · das Grün der Frühlingszwiebeln
150 g zarten Blattspinat · 2–3 junge
Kohlrabiknollen · 300 g junge Möhren*
Pro Portion etwa 945 Joule/225 Kalorien

Zubereitungszeit: 30 Minuten

Für die erste Sauce die Frühlingszwiebeln waschen, abtropfen lassen, die grünen Blattröhren
abschneiden und aufbewahren. Die Zwiebeln
sehr fein hacken. Die Knoblauchzehe schälen,
hacken, mit dem Salz zerdrücken und mit dem
Pfeffer, Essig und Apfelsaft verrühren. Das Öl
zugießen und rühren, bis die Sauce dicklich
wird. Zuletzt die gehackten Zwiebeln unterrühren. • Für die zweite Sauce das Salz mit dem Apfeldicksaft, Fenchel und Zitronensaft verrühren,
bis sich das Salz völlig aufgelöst hat. Die saure
Sahne zugießen und rühren, bis sich die Zutaten
gut miteinander verbunden haben. Das Zwiebelgrün in dünne Ringe schneiden und unter die
Sauce mischen. • Für die Rohkostplatte den Spinat verlesen, waschen, trockenschleudern und
kleinschneiden. • Die Kohlrabi schälen und
feinraspeln. • Die Möhren unter fließendem
Wasser gründlich bürsten. Die Blattansätze und
Wurzelenden abschneiden und die Möhren
ebenfalls feinreiben. • Den geriebenen Kohlrabi
und die Möhren nebeneinander auf einer runden

Platte anrichten und mit dem Spinat umkränzen.
Die Saucen gesondert dazu reichen.

Braucht etwas Zeit

»Sommerende«-Platte

Bild Seite 88

Wenn die letzten Freilandtomaten geerntet wer-
den, sind bei uns die ersten Birnen reif. Der
Herbst hält Einzug. Im Gemüsegarten ist das die
Zeit der letzten großen Ernte. Feiern Sie so oft
wie möglich Erntefest mit Rohkostplatten, deren
Mittelpunkt Fruchtgemüse wie Tomaten, Kürbis,
Gurken, Auberginen oder Paprikaschoten bildet.

*Für die erste Sauce: 100 g weichen
Blauschimmelkäse · ⅛ l Buttermilch oder
Dickmilch · 1 Messerspitze gemahlener
Koriander · 50 g frische Gartenkräuter (Petersilie,
Pimpinelle, einige Liebstöckelblätter)
Für die zweite Sauce: ¼ Teel. Salz · 1 Eßl.
Zitronensaft · 1 Teel. geriebener Meerrettich ·
Saft von 1 Orange, ersatzweise 1 Eßl.
Birnendicksaft · 1 Teel. abgeriebene unbehandelte
Zitronenschale · ⅛ l Sahne
350 g Kürbis · 1 Eßl. Zitronensaft · 50 g Walnuß-
kerne · 4 Tomaten · 1 Karton Gartenkresse ·
1 mittelgroße Sellerieknolle · 2 reife Birnen ·
1 Staude Endiviensalat*
Pro Portion etwa 1720 Joule/410 Kalorien

Zubereitungszeit: 45 Minuten

Für die erste Sauce den Blauschimmelkäse mit
der Gabel zerdrücken, die Buttermilch und den
Koriander zufügen und die Zutaten mit dem
Schneebesen zu einer glatten Sauce verrühren.
Die Kräuter waschen, trockenschleudern, fein-
hacken und unter die Käsesauce rühren. •

Für die zweite Sauce das Salz mit dem Zitronensaft, Meerrettich, Orangensaft oder Birnendicksaft und der Zitronenschale verrühren, bis sich das Salz völlig aufgelöst hat. Die Sahne halbsteif

Für die Käsesauce wird der Blauschimmelkäse (Gorgonzola oder Bavaria blue) fein zerdrückt und mit den übrigen Zutaten zu einer Sauce verrührt.

schlagen und unterziehen. • Den Kürbis schälen, grobraspeln und mit dem Zitronensaft beträufeln. • Die Walnußkerne grobhacken. • Die Tomaten waschen, häuten und in Scheiben schneiden. • Die Kresse abschneiden, kurz kalt überbrausen, abtropfen lassen und etwas kleiner hacken. • Den Sellerie gründlich unter fließendem Wasser bürsten, nur wenn nötig, schälen, in dünne Scheiben und diese in etwa 3 cm lange dünne Stifte schneiden. • Die Birnen waschen, vierteln, vom Kerngehäuse befreien und ebenfalls stifteln. • Den Endiviensalat in Blätter zerlegen, waschen, trockenschleudern und in dünne Streifen schneiden. Den Endiviensalat auf einer großen Platte ausbreiten, die übrige Rohkost nebeneinander auf dem grünen Salatbeet anordnen und den Kürbis mit den gehackten Walnußkernen bestreuen. Die Saucen gesondert dazu reichen.

Vitaminreich · Schnell

Paprika-Apfelsalat

Rohe Paprikaschoten und Äpfel passen geschmacklich besonders gut zusammen. Man kann diese Mischung noch mit rohem Knollensellerie und mit Blattsalat ergänzen.

Für die Sauce: ¼ Teel. Salz · 1 Messerspitze geriebene Ingwerwurzel · 1 Prise Zimtpulver · 2 Teel. Dicksaft · 2 Teel. geriebener Meerrettich · 2 Eßl. Zitronensaft · 3 Eßl. naturreiner Apfelsaft · 3 Eßl. Nuß- oder Mandelmus
3 rote Paprikaschoten · 3 Äpfel · 1 Bund Petersilie
Pro Portion etwa 565 Joule/135 Kalorien

Zubereitungszeit: 15 Minuten

Das Salz mit dem Ingwer, Zimt, Dicksaft, Meerrettich, Zitronen- und Apfelsaft verrühren, bis sich das Salz völlig aufgelöst hat. Das Nuß- oder Mandelmus unterrühren. • Die Paprikaschoten waschen, vierteln und in dünne Streifen schneiden. • Die Äpfel waschen, vierteln, das Kerngehäuse entfernen und die Apfelviertel quer hobeln oder in dünne Streifen schneiden. • Die Petersilie waschen, trockenschleudern, feinhakken und in der Salatschüssel mit den Paprikaschoten und den Äpfeln mischen. Die Sauce darübergießen und unterheben.

Variante: Paprikasalat mit Sellerie
¼ Teelöffel Salz mit 1 Teelöffel Honig, 1 Teelöffel mildem Paprikapulver, 2 Eßlöffeln Zitronensaft, 1 Eßlöffel Öl und 6 Eßlöffeln Sahne zu einer Sauce verrühren. 2–3 Sellerie- oder Liebstöckelblätter feinhacken und zufügen. 2 grüne oder rote Paprikaschoten vierteln und in Streifen schneiden, 1 Apfel und 1 kleine Sellerieknolle waschen und grob dazuraffeln. Die Sahnesauce darübergießen und unterheben.

Ganz einfach

Rüben-Rettich-Rapunzel-Platte

Für die Sauce: ½ Teel. Salz · 1 Eßl.
Apfeldicksaft · ½ Teel. gemahlene Senfkörner ·
2 Eßl. Zitronensaft · Saft von 1 Blutorange ·
6 Eßl. Öl · 1 Zwiebel
2 rote Bete/rote Rüben (etwa 300 g) · 1 Messer-
spitze gemahlener Anis · 2 schwarze Rettiche
(etwa 300 g) · 1 Prise schwarzer Pfeffer, frisch
gemahlen · 300 g Rapunzel (Feldsalat) · 1 Bund
Schnittlauch
Pro Portion etwa 775 Joule/185 Kalorien

Zubereitungszeit: 30 Minuten

Für die Sauce das Salz mit dem Apfeldicksaft,
Senf, Zitronen- und Orangensaft verrühren, bis
sich das Salz völlig aufgelöst hat. Das Öl unterschlagen. • Die Zwiebel schälen, in ganz kleine
Würfel schneiden und unter die Sauce rühren. •
Die rote Bete gründlich unter fließendem Wasser
bürsten, die Wurzel- und Stielansätze entfernen.
Die rote Bete sehr fein reiben und mit dem gemahlenen Anis würzen. • Die Rettiche ebenfalls

Im kleineren Haushalt genügt meist eine Handreibe für
Rohkost. Die Schneidflächen sollten immer aus rostfreiem Edelstahl sein.

unter fließendem Wasser bürsten und die Stiel-
und Wurzelansätze entfernen. Die Rettiche ungeschält grobraspeln und mit dem Pfeffer bestreuen. • Den Rapunzel verlesen, in reichlich
Wasser gründlich waschen und trockenschleudern. Große Pflänzchen teilen, kleine ganz lassen. • Den Schnittlauch waschen, abtropfen lassen und in Röllchen schneiden. Die geriebenen
rote Bete und den Rettich nebeneinander auf einer Salatplatte anordnen, mit dem Rapunzel umkränzen und mit Schnittlauch bestreuen. Die
Sauce gleichmäßig über die Rohkost gießen.

Braucht etwas Zeit

Dips und Wintergemüse

In der kalten Jahreszeit tragen Rohkostplatten
dazu bei, uns gesund zu halten. Gleichzeitig sei
hier noch gesagt, daß Rohkost vor allem im Winter nicht gekühlt gereicht werden soll, wenn unser Energiebedarf höher ist als in der warmen
Zeit.

Für den ersten Dip: 100 g weicher
Blauschimmelkäse · je ½ Teel. getrockneter Salbei
und Thymian · ⅛ l Dickmilch · 30 g fein gemahle-
ne Walnußkerne · je 1 Bund Dill und Schnittlauch
Für den zweiten Dip: 1 Eßl. frische Pfefferminz-
blätter oder 1 Teel. getrocknete Pfefferminz-
blätter · 2 Eßl. naturreiner Apfelsaft · 2 große
säuerliche Äpfel · 1 Messerspitze geriebene
Ingwerwurzel · 1 Eßl. Zitronensaft · 5 Eßl. Sahne
Für den dritten Dip: 200 g Kefir · 1 Teel.
Kräutersalz · 1 Teel. mildes Paprikapulver ·
4 Knoblauchzehen
2 Chicoréestauden · 250 g große Möhren ·
1 Staude Bleichsellerie · 1 schwarzer Rettich
(300 g)
Pro Portion etwa 1470 Joule/350 Kalorien

Zubereitungszeit: 1 Stunde

Für den ersten Dip den Käse mit der Gabel zerdrücken, den Salbei und Thymian zwischen den Fingern zerreiben und auf den Käse streuen. Die Dickmilch kurz mit dem Schneebesen durchschlagen und gründlich mit dem Käse verrühren. Die gemahlenen Walnüsse zufügen. Den Dill und Schnittlauch waschen, trockenschleudern, den Dill feinhacken, den Schnittlauch in Röllchen schneiden und beide unter den Käsedip rühren. • Für den zweiten Dip frische Pfefferminze waschen, abtropfen lassen und feinhakken. Für getrocknete Minze den Apfelsaft erhitzen und die Minze darin ziehen lassen. Die Äpfel waschen, abtrocknen, vierteln und vom Kerngehäuse befreien. Die Apfelviertel sehr fein reiben und mit der frischen Minze, dem Ingwer und Zitronensaft verrühren. Getrocknete Minze durch ein Haarsieb gießen, den Apfelsaft auffangen und auf die geriebenen Äpfel gießen. Die Sahne halbsteif schlagen und unter die Apfelsauce ziehen. • Für den dritten Dip den Kefir mit dem Kräutersalz und dem Paprikapulver verrühren. Die Knoblauchzehen schälen, in winzige Würfel schneiden und unter den Kefir rühren. • Den Chicorée waschen, vom Strunkende eine Scheibe abschneiden und die Stauden in Blätter zerlegen. • Die Möhren unter fließendem Wasser gründlich bürsten, die Blattansätze und Wurzelenden abschneiden und die Möhren ungeschält längs in dünne Scheiben schneiden. • Den Bleichsellerie waschen, abtropfen lassen und in einzelne Stangen zerlegen. Von den äußeren Stangen gegebenenfalls harte Blattrippen abschneiden. Zarte Sellerieblättchen an den Stangenenden belassen, gröbere Blätter abschneiden. Die Stangen je nach Länge ein- bis zweimal durchschneiden; sie sollen so lang sein wie die Möhren. • Den Rettich gründlich unter fließendem Wasser bürsten, den Blattansatz und das Wurzelende abschneiden und den Rettich zuerst in Scheiben und diese dann in nicht zu dünne,

lange Stifte schneiden. • Das Gemüse aufrecht nebeneinander in einer Schüssel mit hohem Rand oder in einem Krug anordnen. Oder jeweils eine Gemüsesorte in einem Gefäß anrichten. Die Dips dazu reichen. Jeder nimmt sich von dem gewünschten Dip etwas auf seinen Teller oder in ein Schüsselchen und tunkt die Gemüsestücke hinein.

Ganz einfach · Schnell

Brennesseln mit Äpfeln, Hüttenkäse und Walnüssen

Die ersten Brennesselsprossen im Frühjahr sind so zart und wohlschmeckend, daß man sie unbedingt roh essen soll. Die Heilkraft dieser Pflanze ist seit langer Zeit bekannt. Brennesseln enthalten viel Eisen und Kieselsäure, wirken blutbildend, entschlackend und anregend auf Magen, Darm und Nieren.

Für die Sauce: ¼ Teel. Salz · je 1 Messerspitze gemahlener Fenchel und Macispulver · 2 Eßl. Zitronensaft · 6 Eßl. Öl
200 g Brennesseln · 2 Äpfel · 100 g möglichst trockener Hüttenkäse (Cottage cheese) · 60 g gehackte Walnußkerne
Pro Portion etwa 1220 Joule/290 Kalorien

Zubereitungszeit: 20 Minuten

Das Salz mit dem Fenchel, Macispulver und Zitronensaft verrühren, bis sich das Salz völlig aufgelöst hat. Das Öl zugießen und mit dem Schneebesen rühren, bis die Sauce cremig ist. • Die Brennesselspitzen waschen, abtropfen lassen und trockenschleudern • Die Äpfel waschen, abtrocknen, vierteln und vom Kerngehäuse befreien. Die Apfelviertel in dünne Scheiben und diese in Stifte schneiden. • Die Brennesseln feinhakken und mit den Apfelstiften mischen • Den Hüttenkäse darauf verteilen. Zum Schluß die gehackten Walnüsse darüberstreuen. Die Sauce darübergießen und behutsam durchheben.

Ganz einfach

Tomaten mit Ananas

Im Sommer gibt es keine frische Ananas und im Winter, wenn es Ananas gibt, schmecken die Tomaten nicht mehr so gut. Doch die Mischung aus beiden ist so köstlich, daß man einmal eine Ausnahme machen und Ananasscheiben aus der Dose verwenden kann.

Für die Sauce: 2 Teel. Honig · 1 Messerspitze Salz · 1 Messerspitze Macispulver · 1 Messerspitze geriebene Ingwerwurzel · 1 Eßl. Zitronensaft · 2 Eßl. Ananassaft · 1 Teel. unbehandelte abgeriebene Zitronenschale
500 g reife, feste Tomaten · 250 g ungesüßte Ananas (ausnahmsweise aus der Dose) ·
⅛ l Sahne · 50 g Mandeln
Pro Portion etwa 1155 Joule/275 Kalorien

Zubereitungszeit: 20 Minuten

Den Honig mit dem Salz, Macispulver, Ingwer, Zitronensaft, Ananassaft und der abgeriebenen Zitronenschale verrühren. • Die Tomaten waschen, trockentupfen und vierteln. • Saft und Kerne der Tomatenviertel entfernen (aufbewahren) und die Tomatenviertel in Würfel schneiden. • Dosenananas abtropfen lassen und kleinschneiden. • Die Sahne fast steif schlagen, unter die Sauce ziehen, die Tomaten und die Ananas unterheben. • Die Mandeln blättrig schneiden

oder hobeln, in einer Pfanne ohne Fettzugabe goldgelb rösten und gleichmäßig über die Tomaten-Ananas-Mischung verteilen.

Unser Tip Honigmelonen lassen sich auch vorzüglich mit Tomaten kombinieren.

Variante: Tomaten mit Rahmfrischkäse
8 mittelgroße reife, feste Tomaten aushöhlen und innen mit Zitronensaft beträufeln. 1 Eigelb mit 1 Teelöffel Honig, 1 Messerspitze Salz, 1 Teelöffel Senfpulver und 1 Eßlöffel Zitronensaft verrühren. 100 g Rahmfrischkäse und 2 Eßlöffel frisch geriebenen Emmentaler Käse unterrühren. ⅛ l Sahne sehr steif schlagen, unter die Käsecreme heben und die Tomaten damit füllen. Man kann die gleichen Zutaten auch folgendermaßen verwenden: Die Tomaten häuten, in Scheiben schneiden, auf eine Platte legen und mit Zitronensaft beträufeln. Die Käsecreme bereiten und die Tomatenscheiben damit überziehen oder die Käsecreme mit dem Spritzbeutel auf die Tomaten spritzen.

Eiweißreich · Ganz einfach

Rustikaler Tomatensalat mit Tofu

500 g Tomaten · 1 Schalotte oder kleine Zwiebel · 1 gestrichener Teel. Salz · 2 Teel. feingehacktes Basilikum · 2–3 Messerspitzen schwarzer Pfeffer, frisch gemahlen · 1 Eßl. Öl · 200 g Tofu
Pro Portion etwa 430 Joule/105 Kalorien

Zubereitungszeit: 10 Minuten
Marinierzeit: mindestens 10 Minuten

Die Tomaten waschen, den Stielansatz entfernen und die Tomaten in dünne Scheiben schneiden. • Die Schalotte oder Zwiebel schälen und feinschneiden. Die Zwiebelwürfel, das Salz, das Basilikum, den Pfeffer und das Öl zu den Tomatenscheiben geben. Alles gründlich mischen. • Den Tofu in etwa 1 cm große Würfel schneiden und vorsichtig unter den Salat heben. • Bis zum Servieren mindestens 10 Minuten durchziehen lassen.

Schnell · Preiswert

Gurken mit Kräutern

*Für die Sauce: ¼ Teel. Salz · 1 Prise gemahlener Fenchel · 2 Eßl. Apfelessig · 5 Eßl. Öl
1–2 Salatgurken · je 1 Bund Dill
und Schnittlauch · je 1 Zweig Basilikum,
Estragon und Ysop*
Pro Portion etwa 545 Joule/130 Kalorien

Zubereitungszeit: 10 Minuten

Das Salz mit dem Fenchel und dem Essig verrühren, bis sich das Salz völlig aufgelöst hat. Das Öl zugießen und rühren, bis die Sauce dicklich wird. • Die Gurken waschen, abtrocknen und ungeschält in die Sauce hobeln oder grobraspeln. Die Kräuter waschen, trockenschleudern, feinhacken und unter die Gurken heben.

Variante: Gurken in Käsesauce mit Oliven
125 g Schafkäse zerdrücken, mit 3 Eßlöffeln Olivenöl und ⅛ l Buttermilch glattrühren. Die Sauce mit einem Hauch Cayennepfeffer und 2 Teelöffeln zerriebenem getrocknetem Oregano würzen. 75 g schwarze Oliven entsteinen. Eine Salatgurke

waschen, dünn hobeln und mit den Oliven mischen. Die Salatschüssel mit Eisbergsalatblättern auslegen. Die Salatblätter mit 2 Eßlöffeln Zitronensaft und etwas Olivenöl beträufeln. Die Gurkenscheiben mit den Oliven einfüllen und mit der Käsesauce überziehen.

Variante: Gurken mit Knoblauchsauce
1 Salatgurke waschen und ungeschält in kleine Würfel schneiden. 3 Knoblauchzehen schälen, hacken und mit 1 Teelöffel Kräutersalz zerdrükken. ½ l saure Sahne mit dem Schneebesen schaumig schlagen und die Gurkenwürfel und den Knoblauch unterrühren. Mit gehackten Pfefferminzblättchen bestreuen und kühl stellen.

Unser Tip Die Gurken mit Knoblauchsauce passen zu Gerichten aus Roggen-, Hafer- oder Grünkernschrot besonders gut. Man kann sie nach Belieben noch mit 1 Teelöffel mildem Paprikapulver würzen. Die Sauce am gleichen Tag verbrauchen, weil sie sonst durch den Knoblauch sehr scharf wird.

Vitaminreich · Braucht etwas Zeit

Möhren mit Ananas

*Für die erste Sauce: ½ Eigelb · 6 Eßl. Sonnenblumenöl · 3 Teel. Zitronensaft · 1 Messerspitze Salz · 1 Teel. Birnendicksaft · 2 Eßl. frische Kräuter (Petersilie, wenn möglich auch etwas Estragon, Zitronenmelisse)
Für die zweite Sauce: 1 Teel. Ahornsirup · 1 Eßl. Zitronensaft · 3 Eßl. naturreiner Quittensaft · 2 Eßl. Öl*

1 kleiner Endiviensalat · 250 g frische Ananas ·
Saft von 1 Blutorange · 500 g Möhren
Pro Portion etwa 905 Joule/215 Kalorien

Zubereitungszeit: 40 Minuten

Für die erste Sauce das Eigelb glattrühren, tropfenweise das Öl unterrühren, dann einige Tropfen Zitronensaft zufügen. Wieder etwas Öl und
dann Zitronensaft zufügen. Dabei ständig rühren, bis der Zitronensaft und das Öl aufge-
braucht und eine dicke Mayonnaise entstanden
ist. Die Mayonnaise mit dem Salz und Birnendicksaft würzen. • Die Kräuter waschen, trok-
kenschleudern, sehr fein hacken und unter die
Mayonnaise rühren. • Für die zweite Sauce den
Ahornsirup, Zitronensaft, Quittensaft und das Öl
miteinander verrühren. • Vom Endiviensalat das
Wurzelende abschneiden. Die Staude in Blätter
zerlegen, dabei welke Blätter entfernen, waschen, abtropfen lassen und trockenschleudern.
Den Endiviensalat in dünne Streifen schneiden
und mit der Kräutermayonnaise mischen. • Die
Ananas schälen, in Scheiben schneiden und die
holzige Mitte ausstechen. Die Ananasscheiben
würfeln und mit dem Orangensaft beträufeln. •
Die Möhren unter fließendem Wasser bürsten
und grobreiben. Den Endiviensalat auf einer
Platte ausbreiten. Die Möhren in die Mitte geben
und die Ananaswürfel als Kranz darum herum-
legen. • Die Zitronensauce darübergießen.

Unser Tip Im Winter sind frische
Kräuter rar. Nur wer ein Kräuterbeet im
Garten besitzt, kann dort zuweilen auch
unterm Schnee noch Salbei oder andere
winterharte Kräuter ernten. Als Ersatz
für frische Gartenkräuter dient Fenchelgrün, die Blätter von Bleichsellerie,
Kresse oder auch feingehackter Spinat.

Vitaminreich · Braucht etwas Zeit

Möhren mit angekeimten Weizenkörnern

2 Eßl. Weizenkörner
Für die Sauce:¼ Teel. Salz · ¼ Teel. getrocknetes
Liebstöckel · je 1 Prise gemahlener Koriander
und gemahlener Fenchel · ½ Teel. abgeriebene un-
behandelte Zitronenschale · 1 Eßl. Zitronensaft ·
⅛ l saure Sahne · 1 Eßl. Öl
750 g Möhren · reichlich frische Kräuter
(ein wenig Dill, Petersilie, Rosmarin und Salbei)
Pro Portion etwa 400 Joule/95 Kalorien

Quellzeit: 24–36 Stunden
Zubereitungszeit: 20 Minuten

Die Weizenkörner in einem Sieb unter fließendem Wasser waschen, abtropfen lassen, in eine
flache Schale füllen und mit Wasser bedeckt
mindestens 24 Stunden quellen lassen. Danach
die Körner in einem Sieb überbrausen und für
die Rohkost verwenden oder nochmals von frischem Wasser knapp bedeckt 12 Stunden quellen lassen. • Für die Sauce das Salz, zerriebenen
Liebstöckel, den Koriander, Fenchel und die Zitronenschale mit dem Zitronensaft und der sauren Sahne verrühren. Das Öl zufügen und rühren, bis sich alle Zutaten gut miteinander verbunden haben. • Die Möhren unter fließendem
Wasser gründlich bürsten, die Wurzel- und Blattansätze abschneiden und die Möhren grobraspeln. • Die Kräuter waschen und trockenschleudern. Etwas Petersilie zurückbehalten, den
Rest mit den anderen Kräutern feinhacken und
mit den angekeimten Weizenkörnern und den
Möhren mischen. Die Sauce darübergießen und
behutsam unterheben. Das Ganze mit der Petersilie garnieren.

Ganz einfach · Schnell

Erfrischender Möhrensalat

4 Möhren (etwa 300 g) · 2 Äpfel (etwa 300 g) ·
1 Becher Sanoghurt (175 g) · 2 Teel. Öl ·
2 Teel. Honig · eventuell 30 g Walnußkerne
und 2 Teel. Zitronen- oder Limettensaft
Pro Portion etwa 575 Joule/135 Kalorien

Zubereitungszeit: 15 Minuten

Die Möhren putzen und waschen. Die Äpfel waschen, vierteln und das Kerngehäuse entfernen. Möhren und Apfelviertel in der Küchenmaschine raspeln oder die Möhren auf einer groben Reibe raspeln und die ganzen Äpfel auf einer groben Reibe rings ums Kerngehäuse abreiben. • Den Sanoghurt mit dem Öl und dem Honig verrühren und die Hälfte dieser Sauce unter den Salat mischen. Eventuell die Walnußkerne grobreiben und unter den Möhrensalat heben. • Wer es gerne sauer mag, kann mit dem Zitronen- oder Limettensaft abschmecken. Die restliche Salatsauce auf die Rohkost gießen und mit Walnußkernen garnieren.

Ganz einfach · Schnell

Fenchel mit frischen Feigen

Für die Sauce: Saft von 1 Blutorange · 1 Teel.
getrocknete Pfefferminze · 1 Messerspitze Salz ·
1 Prise gemahlener Kardamon · 1 Eßl. Zitronen-
saft · 3 Eßl. Öl
150 g frische Feigen, ersatzweise frische Datteln
oder 1 süße Melone · 3 mittelgroße

Fenchelknollen · 2 Eßl. Pinienkerne
Pro Portion etwa 780 Joule/185 Kalorien

Zubereitungszeit: 20 Minuten

Für die Sauce 2 Eßlöffel Orangensaft in einem kleinen Topf erhitzen und die Pfefferminze 10 Minuten darin ziehen lassen. Den übrigen Orangensaft mit dem Salz, Kardamom, Zitronensaft und dem Öl verrühren. • Die Feigen waschen, abtropfen lassen und vierteln (frische Datteln waschen, halbieren, dabei die Steine herauslösen. Melone schälen und würfeln). • Die Fenchelknollen waschen, die Stiele und das Fenchelgrün abschneiden und die Fenchelblätter aufbewahren. Die Fenchelknollen dünn schälen, da die äußeren Blätter sehr harte Blattrippen haben, die man nicht mitessen kann. Den Fenchel vierteln und die Viertel hobeln. Den Fenchel auf einer Platte anrichten. Das Fenchelgrün hacken

Fenchelknollen werden dünn geschält (die äußeren Blätter haben sehr harte Blattrippen), dann geviertelt und wie Zwiebeln in Scheiben geschnitten.

und darüberstreuen. • Die Feigenviertel oder das andere Obst auf dem Fenchel arrangieren und die Pinienkerne darüberstreuen. • Den Orangensaft mit der Pfefferminze durch ein Sieb in die Sauce gießen, umrühren und die Orangensauce gleichmäßig auf den Fenchel gießen; nicht mehr durchheben.

Variante: Fenchel mit Möhren

2 Fenchelknollen wie vorab beschrieben vorbereiten und feinhobeln. 350 g Möhren grobraspeln, mit dem Fenchel mischen und die Mischung mit einer Sauce aus 1 Messerspitze Salz, 1 Teelöffel Honig, 1 Messerspitze geriebenem Ingwer, einem Hauch gemahlenem Anis, 1 Eßlöffel Zitronensaft, 3 Eßlöffeln Sahne und 2 Eßlöffeln Öl anmachen. Mit Fenchelgrün und gehackten Haselnüssen bestreuen.

Unser Tip Besser eignet sich für dieses Rohkostgericht frische Pfefferminze, die feingehackt gleich zu der Sauce gegeben werden sollte, damit sich das Pfefferminzaroma in der Sauce entwickeln kann.

Ganz einfach · Preiswert

Chinakohl mit Sellerie und Sesam

Für die Sauce: ½ Teel. Salz · je 1 Prise schwarzer Pfeffer, frisch gemahlen und gemahlener Piment · 1 Messerspitze gemahlener Fenchel · 2 Eßl. dunkle Sojasauce (Tamari) · 1 Eßl. Schlehenelexier oder Apfeldicksaft · 1 Eßl. Zitronensaft · 5 Eßl. Öl · 750 g Chinakohl · 1 Zwiebel · 3 Stangen Bleichsellerie · 2 Eßl. Sesamsamen
Pro Portion etwa 945 Joule/225 Kalorien

Zubereitungszeit: 20 Minuten

Für die Sauce das Salz, den Pfeffer, Piment und Fenchel mit der Sojasauce, dem Schlehenelexier oder Dicksaft und Zitronensaft verrühren. Das Öl zugießen und rühren, bis sich alle Zutaten gut miteinander verbunden haben. • Vom Chinakohl das Strunkende kürzen, den Kohl waschen, die Blätter ablösen und in nicht zu große Stücke schneiden. • Die Zwiebel schälen und in dünne Scheiben schneiden. • Den Bleichsellerie waschen, abtropfen lassen, in etwa 2 cm lange Stücke schneiden und mit dem Chinakohl und der Zwiebel mischen. • Die Sauce über die Mischung gießen und unterheben. • Den Sesamsamen in einer Pfanne ohne Fettzugabe unter Wenden rösten, bis er zu duften beginnt, und den Chinakohl damit bestreuen.

Variante: Chinakohl mit Möhren

Aus ½ Eigelb, 1 Messerspitze gemahlenen Senfkörnern, 1 Eßlöffel Zitronensaft, 6 Eßlöffeln Sonnenblumenöl, 1 Teelöffel Ahornsirup, einem Hauch Cayennepfeffer und ½ Teelöffel Currypulver eine Mayonnaise rühren. 500 g Chinakohl waschen und feinhobeln. 250 g Möhren unter fließendem Wasser bürsten und grobraspeln. 2 Äpfel waschen und ebenfalls grobraspeln. 1 Zwiebel feinhacken und mit dem Kohl und den Äpfeln mischen. 5 Eßlöffel Sahne steif schlagen, unter die Mayonnaise ziehen und die Chinakohl-Möhren-Rohkost damit anmachen.

Schnell · Ganz einfach

Spargelsalat mit Nüssen

500 g frischer Spargel · 200 g Magerquark · ⅛ l Sahne · 30 g Walnußkerne · 1 Ei · 1 Teel. Honig · 1 Teel. Senf · 1 gestrichener Teel. Salz · 1 Messerspitze weißer Pfeffer, frisch gemahlen · Saft von 1 Zitrone · 1 Schalotte oder 1 kleine Zwiebel · 50 g frische Kräuter, zum Beispiel Dill, Petersilie, Estragon und Zitronenmelisse
Pro Portion etwa 765 Joule/180 Kalorien

Zubereitungszeit: 10 Minuten

Den Spargel waschen, schälen und in etwa 2 cm lange Stücke schneiden. • Den Quark, die Sahne, die Nüsse, das Ei, den Honig, den Senf, das Salz, den Pfeffer, den Zitronensaft, die geschälte, halbierte Schalotte oder Zwiebel und die unzerkleinerten Kräuter in den Mixer füllen und feinmixen. • Die cremige Sauce über die rohen Spargelstücke gießen und etwas durchziehen lassen.

Unser Tip Die sehr delikate Sauce paßt auch gut zu gekochten Blumenkohlröschen oder rohem, grobgeriebenem Kohlrabi oder rohen, gewürfelten Zucchini.

Ganz einfach · Preiswert

Sellerie mit Mandarinen

Für die Sauce: ½ Teel. Salz · 2 Teel. Honig ·
1 Prise Nelkenpulver · 5 Eßl. Sahne · 2 Eßl. Öl
2 mittelgroße Sellerieknollen (etwa 600 g) ·
Saft von 1 Zitrone · 250 g Mandarinen · Sellerie-
grün oder 1 Bund Petersilie · 50 g Mandeln
Pro Portion etwa 1070 Joule/255 Kalorien

Zubereitungszeit: 30 Minuten

Für die Sauce das Salz mit dem Honig, Nelkenpulver und der Sahne verrühren. Das Öl zugießen und rühren, bis sich alle Zutaten gut miteinander verbunden haben. • Den Sellerie unter fließendem Wasser gründlich bürsten, vorhandenes Selleriegrün waschen, abschneiden und aufbewahren. Vom Sellerie dunkle Stellen abschneiden, die Knollen möglichst ungeschält grob-

raspeln und sofort mit dem Zitronensaft beträufeln. • Die Mandarinen schälen und in Segmente zerteilen. Einige davon zurückbehalten, die übrigen kleinschneiden und mit dem Sellerie mischen. • Das Selleriegrün oder die Petersilie feinhacken, die Mandeln hobeln und beides zusammen unter den Sellerie und die Mandarinen mischen. Die Sauce unterheben. Das Ganze mit den Mandarinen garnieren.

Variante: Sellerie mit Birnen und Käse
Die gleiche Sauce zubereiten, statt mit Nelkenpulver mit einer Messerspitze gemahlenem Koriander würzen. Den Sellerie raspeln und mit Zitronensaft beträufeln. Die Birnen vierteln, vom Kerngehäuse befreien, in Stifte oder Würfel schneiden und mit 60 g in Streifen oder in kleine Würfel geschnittenem Bergkäse und 1 Bund gehackter Petersilie zu dem Sellerie geben. Anstelle von Mandeln gehackte Haselnüsse zufügen. Die Zutaten mischen und gleichmäßig mit der Sauce übergießen.

Unser Tip Beide Salate eignen sich gut für ein kaltes Büffet.

Schnell · Ganz einfach

Löwenzahnsalat

Für die Sauce: 1 Knoblauchzehe · ½ Teel. Salz ·
1 Teel. Kräutersenf · 1 Messerspitze gemahlener
Piment · 2 Eßl. sehr guter Weinessig · 6 Eßl. Oli-
venöl
250 g junge Löwenzahnblätter · 50 g Wiesen-
oder Gartenkerbel · 2 hartgekochte Eier ·
1 Bund Petersilie
Pro Portion etwa 1050 Joule/250 Kalorien

Zubereitungszeit: 15 Minuten

Die Knoblauchzehe schälen, hacken und zusammen mit dem Salz mit der Messerklinge zerdrükken. Den Senf, den Piment und den Essig zufügen und rühren, bis sich das Salz aufgelöst hat. Das Olivenöl zugießen und mit dem Schneebesen rühren, bis die Sauce cremig ist. • Die Löwenzahnblätter und den Kerbel in viel Wasser gründlich waschen, abtropfen lassen, trockenschleudern und kleinschneiden. • Die Eier schälen und in kleine Würfel schneiden. • Die Petersilie waschen, abtropfen lassen, trockenschleudern, feinhacken und mit den Eiwürfeln, dem Löwenzahn und dem Kerbel mischen. Die Sauce darübergießen und unterheben.

Unser Tip Statt Kerbel junge Brennesselspitzen nehmen. Diese müssen jedoch ganz fein gehackt werden, damit sie nicht mehr brennen.

Vitaminreich · Ganz einfach

Spinat mit Äpfeln und Möhren

Für die Sauce: 2 Messerspitzen Salz ·
1 Teel. Honig · 2 Teel. Zitronensaft ·
1 Messerspitze frisch geriebene Ingwerwurzel ·
1 Messerspitze gemahlener Piment ·
1 Eßl. gemahlene Mandeln · ⅛ l Sahne
250 g Möhren · 2 Äpfel · 2 Teel. Zitronensaft ·
150 g Spinat · 1 Eßl. blättrig geschnittene
Mandeln
Pro Portion etwa 1115 Joule/265 Kalorien

Zubereitungszeit: 20 Minuten

Das Salz mit dem Honig, Zitronensaft, Ingwer, Piment und den gemahlenen Mandeln verrühren. Die Sahne halbsteif schlagen und mit den verrührten Zutaten mischen. • Die Möhren gründlich unter fließendem Wasser bürsten, braune Stellen und die Blattgrünansätze abschneiden, dann die Möhren grobraspeln. • Die Äpfel waschen, von schlechten Stellen befreien, ungeschält um das Kerngehäuse herum ebenfalls grob auf die Möhren raspeln, mischen und mit dem Zitronensaft beträufeln. • Den Spinat verlesen, waschen, trockenschleudern, in dünne Streifen schneiden und mit den Möhren und Äpfeln mischen. Die Sahnesauce unterheben und das Ganze mit den Mandelblättchen bestreuen.

Braucht etwas Zeit

Herzhafter Lauch

Für die Sauce: ½–1 Teel. Salz · 1 Prise Pfeffer,
frisch gemahlen · je 1 Teel. gemahlener Kümmel
und gemahlener Fenchel · 3 Eßl. Apfelessig ·
3 Eßl. naturreiner Apfelsaft · 6 Eßl. Öl · 2 frische
grüne Pfefferschoten (Peperoni) oder 1 kleine ge-
trocknete rote Pfefferschote
750 g Lauch/Porree · 250 g Möhren ·
je 1 Bund Petersilie und Schnittlauch
Pro Portion etwa 715 Joule/170 Kalorien

Zubereitungszeit: 20 Minuten
Zeit zum Durchziehen: 30 Minuten

Das Salz, Pfeffer, Kümmel und Fenchel mit dem Apfelessig, dem Apfelsaft und dem Öl verrühren, bis die Sauce dicklich wird. Frische Peperoni waschen, sehr fein hacken – getrocknete kleinschneiden und zerreiben – und zu der Sauce geben. • Vom Lauch die welken Blätter entfernen und die grünen Blattspitzen abschneiden. Die Lauchstangen der Länge nach zweimal aufschlitzen, unter fließendem Wasser gründlich waschen, abtropfen lassen und in feine Streifen schneiden. • Die Möhren unter fließendem Wasser gründlich bürsten, grobraspeln und mit dem Lauch mischen. • Die Petersilie und den Schnittlauch waschen und trockenschleudern. Die Petersilie feinhacken, den Schnittlauch in Röllchen schneiden und beides mit dem Lauch und den Möhren mischen. • Die Sauce darübergießen, die Rohkost durchheben und vor dem Servieren zugedeckt 30 Minuten durchziehen lassen. Wenn nötig, noch mit etwas Salz nachwürzen.

Ganz einfach

Kohlrabi mit Wildkräutern und Haselnüssen

Für die Sauce: ¼ Teel. Salz · 1 Messerspitze geriebene Muskatnuß · 1 Prise gemahlener Kümmel · 1 Eßl. Zitronensaft · 1 Eßl. Öl · ⅛ l saure Sahne · 50 g frische Kräuter (Borretsch, Dill, Pfefferminze, Schnittlauch, Zitronenmelisse) 3–4 mittelgroße Kohlrabiknollen · 1 Handvoll Brennesselspitzen, Löwenzahn und Schafgarbe · 1 Eßl. frische Holunderblüten · 2 Eßl. gehackte Haselnußkerne Pro Portion etwa 760 Joule/180 Kalorien

Zubereitungszeit: 30 Minuten

Das Salz, den Muskat, den Kümmel und den Zitronensaft verrühren, bis sich das Salz völlig aufgelöst hat. Das Öl unterrühren. Die saure Sahne zugießen und rühren, bis die Sauce cremig wird. • Die Gartenkräuter waschen, trockenschleudern, feinhacken und unter die Sauce mengen. • Die Kohlrabiblätter waschen und auf-

bewahren. Die Kohlrabi dünn schälen, vierteln und mittelfein reiben. Die Kohlrabiblätter feinschneiden. Die gröberen mit anderen »Gemüseabfällen« aufbewahren und zu einer Gemüsebrühe auskochen. • Die Wildkräuter und die Holunderblüten waschen, trockenschleudern, feinhacken und mit dem Kohlrabi und den kleingeschnittenen Blättern mischen. Die Sauce darübergießen, unterheben und die Kohlrabirohkost mit den gehackten Haselnüssen bestreuen.

Braucht etwas Zeit

Herbstlicher Chicoréesalat

Für die Sauce: 1 Messerspitze Salz · 1 kleine Prise Nelkenpulver · 1 Prise Macispulver · 1 Eßl. Birnendicksaft · 2 Eßl. Zitronensaft · 3 Eßl. naturreiner Obstsaft · 2 Eßl. Sonnenblumenöl 350 g Chicorée (2–3 Stauden) · 1 Avocado · 1 reife Birne · 1 Apfel · 150 g blaue Weintrauben · 75 g Walnußkerne Pro Portion etwa 1405 Joule/335 Kalorien

Zubereitungszeit: 40 Minuten

Für die Sauce das Salz mit Nelkenpulver, Macispulver, Dicksaft, Zitronensaft und dem Obstsaft verrühren, bis sich das Salz völlig aufgelöst hat. Das Öl zugießen und rühren, bis sich alle Zutaten gut miteinander verbunden haben. • Die Chicoréestauden waschen, welke Blätter entfernen und vom Strunkende eine Scheibe abschneiden. Die Stauden in etwa ½ cm dicke Scheiben schneiden. • Die Avocado halbieren, den Stein herausnehmen, die Avocadohälften schälen und in Scheiben schneiden. • Die Birne und den Apfel waschen, abtrocknen und in Viertel schneiden. Die Kerngehäuse entfernen und die Birnen- und Apfelviertel ungeschält in dünne Scheiben schneiden. • Die Weintrauben gründlich unter fließendem warmem Wasser waschen. Die Beeren von den Stielen zupfen und halbieren. • Stammen die Walnußkerne aus der neuen Ernte, die im Oktober beginnt, soweit wie möglich die dünne helle Haut von den Kernen abziehen, sie enthält viel Gerbsäure und schmeckt bitter. Die Kerne halbieren, einige im ganzen lassen und aufbewahren. • Den Chicorée mit den zerkleinerten Früchten und den Nüssen mischen. Die Sauce darübergießen, den Salat behutsam durchheben und mit den Nußkernhälften garnieren.

Schnell · Ganz einfach

Chicorée in Bananencreme

Für die Sauce: 3 sehr reife Bananen ·
200 g Doppelrahm-Frischkäse · Saft von
½ Blutorange · ½ Teel. Salz · 1 kleine Prise
Cayennepfeffer · 1 Bund Petersilie
4 Chicoréestauden · 1 Eßl. Kokosraspeln
Pro Portion etwa 985 Joule/235 Kalorien

Zubereitungszeit: 15 Minuten

Für die Cremesauce die Bananen schälen und mit der Gabel fein zerdrücken. Den Frischkäse, den Orangensaft, das Salz und einen Hauch Cayennepfeffer zufügen und alles zu einer glatten dicken Sauce verrühren. • Die Petersilie waschen, trockenschleudern, feinhacken und zu der Bananencreme geben. • Von den Chicoréestauden am Strunkende jeweils eine Scheibe abschneiden. Die Stauden in Blätter zerlegen, welke Blätter dabei entfernen. Den Chicorée waschen und sehr gut abtropfen lassen. Die Chicoréeblätter in 2–3 cm lange Stücke schneiden, in die Salatschüssel füllen und mit der Cremesauce

überziehen. • Die Kokosraspeln in einer Pfanne ohne Fettzugabe goldgelb rösten und den Chicorée damit bestreuen.

Preiswert · Ganz einfach

Rotkohl mit Endivien in Meerrettichsauce

Bild Seite 105

Ein appetitanregender Wintersalat.

Für die Sauce: ½ Teel. Salz · 2 Teel. Ahornsirup ·
je 1 Messerspitze Macispulver und gemahlener
Fenchel · 2 Eßl. Zitronensaft · 2 Eßl. frisch
geriebener Meerrettich · 6 Eßl. Sahne
500 g Rotkohl · 1 kleine Staude Endiviensalat
Pro Portion etwa 670 Joule/160 Kalorien

Zubereitungszeit: 30 Minuten

Für die Sauce das Salz mit dem Ahornsirup, Macispulver, Fenchel, Zitronensaft und Meerrettich verrühren. • Vom Rotkohl das Strunkende und welke Blätter abschneiden, den Kohl waschen, achteln und sehr fein hobeln. • Den Endiviensalat in einzelne Blätter zerlegen, waschen, trockenschleudern, in dünne Streifen schneiden und mit den Kohlstreifen mischen. • Die Sahne steif schlagen, unter die Sauce ziehen und die Meerrettich-Sauce behutsam unter den Salat heben; gleich servieren.

Ab Ende Juli gibt es den Eissalat aus Freilandanbau, ▷ dann sollten Sie unbedingt den bunten Eissalat mit Zucchini, Radieschen und Tomaten zubereiten. Rezept Seite 45.

Preiswert · Ganz einfach

Wirsing mit Fenchel und Apfelsauce

Für die Sauce: ¼ Teel. Salz · je 1 Prise Nelkenpulver und Zimt · 1 Messerspitze Macispulver · 3 Teel. schwach gesüßtes Schlehenelexier oder 1 Teelöffel Honig · 1 Eßl. Zitronensaft · 2 Äpfel · 5 Eßl. Sahne 750 g Wirsingkohl · 1 große Fenchelknolle · 1 Bund Petersilie
Pro Portion etwa 905 Joule/215 Kalorien

Zubereitungszeit: 20 Minuten

Für die Sauce das Salz mit dem Nelkenpulver, Zimt, Macispulver, Schlehenelexier oder Honig und Zitronensaft verrühren, bis sich das Salz völlig aufgelöst hat. • Die Äpfel waschen, vierteln, vom Kerngehäuse befreien und sehr fein in die Sauce reiben. • Die Sahne halbsteif schlagen und unter die Sauce ziehen. • Vom Wirsing welke Blätter entfernen, das Strunkende kürzen und den Wirsing waschen. Den Kohlkopf achteln und sehr fein hobeln. • Den Fenchel waschen. Die Stiele mit dem Grün abschneiden. Das Fenchelgrün aufbewahren. Vom Fenchel die harten Blattrippen der Außenblätter abschneiden und den Fenchel grobraspeln. Den Fenchel mit dem

Wirsing mischen. • Die Petersilie waschen, trockenschleudern, mit dem Fenchelgrün feinhacken und auf die Wirsing-Fenchel-Mischung streuen. Die Sauce darübergießen und unterheben.

> **Unser Tip** Schlehenelexier und weitere Wildfruchtelexiere sind vor allem in den Wintermonaten sehr empfehlenswert. Im Kühlschrank bleiben sie selbst in angebrochenen Flaschen mehrere Wochen frisch, so daß man verschiedene Sorten zur Abwechslung im Hause haben kann.

Preiswert · Ganz einfach

Blumenkohl mit Äpfeln

*1 mittelgroßer Blumenkohl
Für die Sauce: ¼ Teel. Meersalz · je 1 Messerspitze Senfpulver und geriebene Muskatnuß · 1 Eßl. Apfelessig · 125 g Magerquark · 3 Eßl. Buttermilch · 1 Teel. mildes Paprikapulver · 250 g Äpfel · 1 Eßl. Zitronensaft · 1 Bund Petersilie*
Pro Portion etwa 440 Joule/105 Kalorien

Zubereitungszeit: 20 Minuten

Vom Blumenkohl das Strunkende und die grünen Hüllblätter abschneiden und den Kohlkopf 15 Minuten in kaltes Salzwasser legen, damit Ungeziefer, das sich oft zwischen den Kohlblüten versteckt, ausgeschwemmt wird. • Für die Sauce das Salz mit dem Senfpulver, Muskat und dem Apfelessig verrühren, bis sich das Salz völlig aufgelöst hat. Den Quark unterrühren und nach und nach die Buttermilch zugießen. Die Sauce mit dem Paprikapulver würzen. • Die Äpfel wa-

◁ Feiner Waldorfsalat, gefüllt in ausgehöhlte Äpfel, ist ein leichtes Abendessen. Rezept Seite 30.

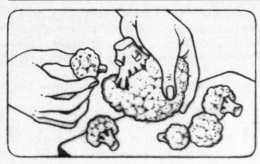

Der gründlich gewaschene Blumenkohl wird in Röschen geteilt und diese werden dann feingerieben.

schen, abtrocknen, vierteln und die Kerngehäuse herausschneiden. Die Apfelviertel grobraspeln, mit dem Zitronensaft beträufeln und vorsichtig wenden, damit der Zitronensaft verteilt wird. • Den Blumenkohl gut abtropfen lassen, in Stücke zerschneiden und diese feinhobeln oder reiben. • Die Petersilie waschen, trockenschleudern und feinhacken. Den Blumenkohl mit den Äpfeln und der Petersilie mischen, mit der Quarksauce übergießen und durchheben.

Unser Tip Hellfarbene Rohkostgerichte, beispielsweise aus Blumenkohl, Kohlrabi, Weißkohl oder Fenchel, sollten beim Garnieren einen farblichen Akzent erhalten. Radieschenscheiben, Paprikaschoten oder Tomatenstreifen, Kresse oder Petersilieblättchen sehen hübsch aus. Sehr dekorativ sind auch die leuchtend blauen Blüten von Salbei und Borretsch.

Braucht etwas Zeit

Weißkohl mit milchsaurem Gemüse

750 g Weißkohl · 1 Teel. Salz · 2 Teel. Kümmel · 1 Zwiebel · 150 g milchsauer eingelegte Gurken · 150 g milchsauer eingelegte rote Bete oder ein anderes milchsaures Gemüse · 1 Bund Petersilie Für die Sauce: ¼ Teel. Salz · je 1 Messerspitze gemahlener Kümmel, gemahlener Koriander und gemahlener Piment · 1 Teel. getrockneter Thymian · 3 Eßl. Einlegflüssigkeit der Gurken · 1 Eßl. Apfeldicksaft · 200 g Dickmilch oder Sanoghurt
Pro Portion etwa 440 Joule/105 Kalorien

Zeit zum Durchziehen: 1 Stunde
Zubereitungszeit: 30 Minuten

Vom Weißkohl welke Blätter entfernen, das Strunkende abschneiden, den Kohl waschen und vierteln. Die Kohlviertel sehr fein hobeln. Die Kohlstreifen mit dem Salz und dem Kümmel bestreuen, mischen und mit einem Stampfer einige Minuten fest stampfen, bis die Kohlstreifen glasig werden. • Die Zwiebel schälen, kleinwürfeln und unter den Kohl mischen. Einen Teller auf den Kohl legen, mit einem geeigneten Gegenstand beschweren und den Kohl 1 Stunde lang Saft ziehen lassen. • Inzwischen die milchsauren Gurken und rote Bete abtropfen lassen, die Einlegflüssigkeit der Gurken aufbewahren. Das Gemüse in kleine Würfel schneiden. • Die Petersilie waschen und trockenschleudern. • Für die Sauce das Salz mit dem gemahlenen Kümmel, Koriander, Piment, zerriebenem Thymian, der Einlegflüssigkeit und dem Apfeldicksaft gut verrühren. Die Dickmilch oder den Sanoghurt kurz mit dem Schneebesen schlagen, zur Sauce gießen und alles nochmals mit dem Schneebesen durchschlagen. • Die Petersilie sehr fein hacken, mit dem

Kohl mischen, die Sauce darübergießen und unterheben.

Variante: Weißkohl mit Tomatenrahm

Den Kohl hobeln und mit etwas Salz und Kümmel vermischt durchziehen lassen. Eine Sauce aus 2 Eßlöffeln Tomatenmark, ⅛ l saurer Sahne, ½ Teelöffel Kräutersalz, 1 Teelöffel mildem Paprikapulver, je ½ Teelöffel getrocknetem, zerriebenem Salbei und getrocknetem Basilikum zubereiten und den Kohl damit anmachen.

> **Unser Tip** Im Naturkostladen gibt es Tomatenmark aus biologisch angebauten Tomaten, das bei der Herstellung sehr schonend bei einer Temperatur unter 50° eingedickt wird.

Schnell · Preiswert

Rote-Rüben-Salat

Die Milchsäure der sauren Sahne macht die rohen roten Rüben bekömmlicher und schmackhafter. Die Sahne darf ruhig recht sauer sein.

2 rote Rüben/rote Bete (etwa 300 g) ·
2 säuerliche Äpfel · 1 Stück frischer oder
2 Teel. geriebener Meerrettich (ungeschwefelt
aus dem Glas) · 1 gestrichener Teel. Salz ·
1 Becher saure Sahne (200 g) · 1 Bund Petersilie
oder Schnittlauch
Pro Portion etwa 495 Joule/115 Kalorien

Zubereitungszeit: 5–10 Minuten

Die roten Rüben schälen. • Die Äpfel vierteln, falls nötig, schälen und das Kerngehäuse entfer-

nen. • Frischen Meerrettich schälen. • Die roten Rüben, Äpfel und den Meerrettich feinreiben (Meerrettich nicht im Schnitzelwerk, sondern auf einer feinen Reibe mit der Hand reiben). • Das Salz und die saure Sahne auf das Geriebene geben und alles gut mischen. Die feingehackten Kräuter daraufstreuen.

Ganz einfach

Broccoli mit Pinienkernen

Für die Sauce: 50 g ungeschwefelte Korinthen ·
5 Eßl. Apfelsaft · 1 Knoblauchzehe · ¼ Teel.
Salz · 1 kleine Prise Cayennepfeffer ·
2 Eßl. Obstessig · 6 Eßl. Öl · 2–3 Schalotten
oder 1 Zwiebel
500 g Broccoli · 60 g Pinienkerne ·
1 Bund Basilikum
Pro Portion etwa 860 Joule/205 Kalorien

Zubereitungszeit: 20 Minuten

Die Korinthen in einem Sieb warm überbrausen, abtropfen lassen und mit dem Apfelsaft übergossen kurz quellen lassen. • Die Knoblauchzehe

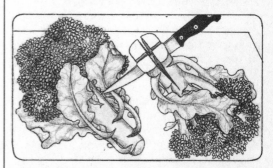

Auch der etwas dickere Strunk von Broccoli findet in der Rohkostküche Verwendung. Er wird feingehobelt oder gerieben.

schälen, hacken und mit dem Salz mit der Messerklinge zerdrücken. Einen Hauch Cayennepfeffer und den Obstessig zufügen und rühren, bis sich das Salz völlig aufgelöst hat. Das Öl zugießen und mit dem Schneebesen rühren, bis die Sauce cremig wird. Die gequollenen Korinthen unterrühren. • Die Schalotten oder die Zwiebel schälen, sehr fein würfeln und in die Sauce geben. • Den Broccoli waschen, abtropfen lassen, das Stielende und die Blätter abschneiden und die Broccolistiele schälen. Die Kohlstaude zerteilen, die Stücke etwas kleiner schneiden, feinhacken und mit den Pinienkernen mischen. Die Sauce darübergießen. • Das Basilikum waschen, trockenschleudern, feinhacken, auf den Broccoli streuen und alles behutsam mischen.

Vitaminreich · Ganz einfach

Sauerkraut mit gemischtem Obst und Walnüssen

2 Eßl. ungeschwefelte Korinthen · 4 Eßl. naturreiner Traubensaft · 350 g rohes Sauerkraut · 2 Äpfel · 2 Birnen · 3 Mandarinen · 50 g Walnußkerne
Für die Sauce: 1 Eßl. ungesüßtes Sanddornelexier · 1 Teel. Honig · 150 g saure Sahne
Pro Portion etwa 1640 Joule/390 Kalorien

Zubereitungszeit: 20 Minuten

Die Korinthen waschen, abtropfen lassen und in dem Traubensaft quellen lassen. • Das Sauerkraut auflockern und kleinschneiden. • Die Äpfel und die Birnen waschen, abtrocknen, vierteln, die Kerngehäuse entfernen und das Obst grob auf das Sauerkraut raspeln. • Die Mandarinen

schälen, sorgfältig die weiße Haut entfernen. Die Mandarinen in Spalten zerlegen und entkernen. • Die Walnüsse grobhacken, mit den Mandarinen zum Sauerkraut geben. Die Korinthen mit dem Traubensaft unterarbeiten. • Aus dem Sanddorn, Honig und der sauren Sahne mit dem Schneebesen die Sauce anrühren, über das Sauerkraut gießen und alles gründlich mischen.

Variante:
Sauerkraut mit Ananas und Pinienkernen
300 g rohes Sauerkraut kleinschneiden, mit dem gewürfelten Fleisch und Saft von 1 kleinen, reifen Ananas und 2 Eßlöffeln gehackten, ungesalzenen Pistazien- oder Pinienkernen mischen. 2 Eßlöffel Preiselbeerelexier mit 1 Eßlöffel Zitronensaft und 5 Eßlöffeln Sahne schaumig schlagen und über das Sauerkraut gießen.

Vitaminreich · Braucht etwas Zeit

Rosa Sauerkraut und Apfelsalat im Rapunzelbeet

Für das Sauerkraut: 300 g rohes Sauerkraut · 1 kleine rote Bete · 1 Grapefruit · 1 Eßl. Zitronensaft · 3 Eßl. saure Sahne · 1 Eßl. Haselnußkerne
Für den Apfelsalat: 3 Stangen Bleichsellerie · 2 säuerliche Äpfel · 1 Eßl. Zitronensaft · 50 g junger Emmentaler Käse oder Bergkäse · 2 Eßl. Orangensaft · 3 Eßl. Öl
Für den Rapunzelsalat: 200 g Rapunzel · ½ Knoblauchzehe · 1 Messerspitze Meersalz · 1 Eßl. sehr guter Weinessig · 3 Eßl. Öl
Pro Portion etwa 1345 Joule/320 Kalorien

Zubereitungszeit: 50 Minuten

Das Sauerkraut auflockern und kleinschneiden. • Die rote Bete unter fließendem Wasser gründlich bürsten, den Blattansatz und das Wurzelende abschneiden und die rote Bete sehr fein auf das Sauerkraut reiben. • Die Grapefruit halbieren, das Grapefruitfleisch herauslösen, kleinschneiden und mit dem Sauerkraut und der roten Bete mischen. • Den Zitronensaft mit der sauren Sahne verrühren und das Sauerkraut damit anmachen. Die Haselnüsse hacken und daruntermischen. • Die Selleriestangen waschen, das Selleriegrün abschneiden, feinhacken und die Stangen quer in dünne Streifen schneiden. • Die Äpfel waschen, abtrocknen, vierteln, die Kerngehäuse entfernen, die Apfelviertel grobraspeln und mit dem Zitronensaft beträufeln. • Den Käse würfeln, mit dem Sellerie und den Äpfeln mischen. • Den Orangensaft mit dem Öl verrühren, über den Salat gießen und unterheben. • Den Rapunzelsalat verlesen, gründlich in reichlich Wasser waschen, abtropfen lassen und trockenschleudern. • Die Knoblauchzehe hacken, mit dem Salz zerdrücken und dem Essig und Öl verrühren. Den Rapunzelsalat mit dieser Sauce anmachen und den Salat auf einer Platte dekorativ ausbreiten. Das Sauerkraut und den Apfelsalat darauf anrichten.

Schnell · Ganz einfach

Kürbisrohkost

Bild Seite 87

Für die Sauce: 1 Messerspitze Salz · 2 Teel. Honig · 2 Teel. geriebener Meerrettich · 1 Messerspitze geriebene Ingwerwurzel · 1 Prise gemahlener Anis · 1 Eßl. Apfelessig · 3 Eßl. naturreiner Apfelsaft · 3 Eßl. Öl · 6 Eßl. Sahne
750 g Kürbis · 50 g ungeschwefelte Rosinen · 1 Eßl. geschälte Kürbiskerne

Pro Portion etwa 880 Joule/210 Kalorien

Zubereitungszeit: 15 Minuten

Das Salz mit dem Honig, Meerrettich, Ingwer, Anis und dem Apfelessig verrühren, bis sich das Salz völlig aufgelöst hat. Den Apfelsaft und das Öl unterrühren. • Die Sahne steif schlagen. • Den Kürbis schälen und in die Sauce raspeln. • Die Rosinen waschen, die Kürbiskerne grobhacken und mit den Rosinen und dem Kürbis unter die Sauce heben. Die Sahne unterziehen.

Braucht etwas Zeit

Zucchini mit Knoblauch

Für die Sauce: 2 Knoblauchzehen · ½ Teel. Salz · 2 Eßl. Zitronensaft · 6 Eßl. Olivenöl · 1 Bund Petersilie · 500 g junge Zucchini
Pro Portion etwa 610 Joule/145 Kalorien

Zubereitungszeit: 15 Minuten

Die Knoblauchzehen schälen, hacken und mit dem Salz zerdrücken. Den Zitronensaft und das Öl zugießen und rühren, bis die Sauce dicklich wird. • Die Petersilie waschen, trockenschleudern, feinhacken und unter die Knoblauchsauce rühren. • Die Zucchini waschen, Stiel- und Blütenansätze abschneiden, die Zucchini in dünne Scheiben schneiden und unter die Sauce heben. Vor dem Servieren möglichst 20–30 Minuten durchziehen lassen.

Variante: Zucchini mit Käse
Die Knoblauchsauce wie beschrieben zubereiten. Dabei Weinessig statt Zitronensaft verwenden. 1 Zwiebel schälen, kleinschneiden und mit der Petersilie unter die Sauce rühren. 500 g Zucchini in etwas dickere Scheiben und diese in Stif-

te schneiden. 100 g jungen Emmentaler Käse oder Bergkäse in ebensolche Stifte schneiden, mit den Zucchini unter die Sauce heben und 20 Minuten durchziehen lassen.

Schnell · Preiswert

Sprossensalat

Sojabohnenkeime sind sehr vitaminreich, leicht verdaulich und enthalten wenig Kalorien.

Zutaten für 2 Personen:
200 g frische Sojasprossen · ½ l Wasser ·
½ Teel. Salz · 2 Teel. Sojaöl · 1–2 Teel. Soja-
sauce · 2 Teel. Zitronensaft · etwas schwarzer
Pfeffer, frisch gemahlen
Pro Portion etwa 135 Joule/30 Kalorien

Zubereitungszeit: 10 Minuten

Die Sojasprossen mehrmals gründlich waschen und abtropfen lassen. • Das Wasser mit dem Salz zum Kochen bringen, die Sojasprossen einlegen und 5 Minuten sprudelnd darin kochen. Auf einem Sieb abtropfen und etwas abkühlen lassen. • Die gekochten Sojasprossen in einer Schüssel mit dem Öl, der Sojasauce und dem Zitronensaft übergießen und etwas Pfeffer darübermahlen. Alles mischen und etwas durchziehen lassen. Der Salat schmeckt auch warm.

> **Unser Tip** Die Keimlinge können Sie auch unter andere Rohkost- und Obstsalate mischen. Auch in süßen und pikanten Quarkspeisen schmecken sie gut.

Braucht etwas Zeit · Ballaststoffreich

Salat aus schwarzen Bohnen, Paprika und Schafkäse

300 g schwarze Bohnen · 1 l Wasser ·
1 Lorbeerblatt · 6 Wacholderbeeren · 1 Zweig
Thymian · 1 Zweig Bohnenkraut · 2 Teel. Salz ·
2 Teel. Kräutersenf · 2 Teel. Apfel- oder
Birnendicksaft · 1 Teel. mildes Paprikapulver ·
2 Messerspitzen Salz · 3 Eßl. Apfelessig · 1 rote
Zwiebel · 3 rote Paprikaschoten · 5 Eßl. Distel-
oder Keimöl · 1 Bund frisches Basilikum ·
75 g Schafkäse · 1 Messerspitze getrockneter
Oregano
Pro Portion etwa 2040 Joule/485 Kalorien

Quellzeit: 8–12 Stunden
Garzeit: 1–1½ Stunden
Zubereitungszeit: 30 Minuten

Die Bohnen waschen und in dem Wasser 8–12 Stunden, am besten über Nacht, quellen lassen. • Die Bohnen mit dem Lorbeerblatt und den Wacholderbeeren zum Kochen bringen und zugedeckt bei schwacher Hitze in 1–1½ Stunden weich kochen. • Nach 45 Minuten Kochzeit den Thymian und das Bohnenkraut zufügen und mitkochen lassen. Kurz bevor die Bohnen weich sind, salzen. Den Thymian- und den Bohnenkrautzweig entfernen, das restliche Wasser abgießen und die Bohnen abkühlen lassen. • Inzwischen den Senf, den Dicksaft, das Paprikapulver, das Salz und den Apfelessig in einer Schüssel verrühren. Die Zwiebel schälen, kleinwürfeln und in die Sauce geben. • Die abgekühlten Bohnen in der Salatsauce wenden. Die Paprikaschoten waschen, halbieren, dabei die Stiele und Kerne entfernen. Die Hälften in kleine Würfel schneiden und mit den Bohnen mischen. • Das

Öl über den Salat träufeln. • Das Basilikum waschen, trockenschleudern, kleinschneiden und unterheben. • Den Schafkäse in kleine Scheiben schneiden, den Salat damit belegen und den Käse mit dem zerriebenen Oregano bestreuen.

Ballaststoffreich · Braucht etwas Zeit

Gemischter Bohnenkernsalat

Je 50 g Azukibohnen, Kichererbsen und weiße Bohnen · 200 g gekochte gelbe Sojabohnen, abgetropft · je 1 grüne, rote und gelbe Paprikaschote · etwa ½ l kochendes Wasser · 2–4 Zwiebeln nach Geschmack · 375 g Tomaten · 2 Eßl. Öl · 2 Eßl. Apfelessig · 2 gestrichene Teel. Salz · ½ Teel. edelsüßes Paprikapulver · etwa 2 Messerspitzen schwarzer Pfeffer, frisch gemahlen · 1 Bund Schnittlauch
Pro Portion etwa 1540 Joule/365 Kalorien

Quellzeit: etwa 12 Stunden (über Nacht)
Garzeit: 45 Minuten (normal) oder 20 Minuten (Schnellkochtopf)
Zubereitungszeit: 10 Minuten

Die Azukibohnen, Kichererbsen und weißen Bohnen in ½ l Wasser über Nacht quellen lassen. • Am nächsten Tag die Bohnen und Erbsen mit dem Einweichwasser in 45 Minuten gar kochen (im Schnellkochtopf 20 Minuten). • Das Kochwasser abgießen. Die Azukibohnen, Kichererbsen und weißen Bohnen zusammen mit den gekochten Sojabohnen in eine Schüssel geben. • Die Paprikaschoten längs achteln, waschen, vom Stengelansatz und den Kernen befreien, in dem kochenden Wasser 1 Minute blanchieren, mit einem Schaumlöffel herausheben und auf einem Schneidbrett abkühlen las-

sen. • Die Zwiebeln schälen, längs halbieren und quer in dünne halbe Ringe schneiden. Die Tomaten waschen und in Spalten oder Scheiben schneiden. • Die Paprikastücke quer in dünne Streifen schneiden. • Das vorbereitete Gemüse zu den Bohnen geben und mit dem Öl und dem Essig übergießen. Die Gewürze und den feingeschnittenen Schnittlauch darüberstreuen. Alles gründlich mischen und den Salat etwas durchziehen lassen.

Unser Tip Die weißen Bohnen und die Kichererbsen werden beim Kochen zusammen mit den Azukibohnen rosa. Hübscher sieht es aus, wenn Sie die Azukibohnen getrennt gar kochen. Der Salat ist ein vorzüglicher Party-Salat. Wenn Sie dafür die doppelte Menge zubereiten, ist der Energie-Mehrverbrauch für das Getrennt-Kochen wohl zu rechtfertigen.

Braucht etwas Zeit

Kartoffelsalat aus Arles

500 g Kartoffeln · 1 Teel. Kümmel · 1 Teel. Salz · 300 g Auberginen · 2 Eßl. Olivenöl · 4 Eßl. Gemüsebrühe · ½ Teel. Salz · 250 g feste Tomaten Für die Sauce: 2 Knoblauchzehen · ½ Teel. Salz · 1 Messerspitze weißer Pfeffer, frisch gemahlen · 1 Messerspitze gemahlener Rosmarin · 1 Teel. getrockneter Oregano · 3 Eßl. sehr guter Weinessig · 6 Eßl. Olivenöl · 1 Bund Petersilie · 1 Zwiebel
Pro Portion etwa 1280 Joule/305 Kalorien

Zubereitungszeit: 1 Stunde

Die Kartoffeln waschen, mit dem Kümmel und Salz knapp von Wasser bedeckt zum Kochen bringen und in etwa 30 Minuten garen. Die Kartoffeln abgießen, ausdämpfen, etwas abkühlen lassen und in Würfel schneiden. • Während die Kartoffeln garen, die Auberginen waschen, abtrocknen, in 1 cm dicke Scheiben und diese in Würfel schneiden. Das Öl in einer Pfanne erwärmen, die Auberginen darin wenden und die Brühe zugießen. Die Auberginen bei ganz schwacher Hitze in etwa 15 Minuten weich schmoren und mit dem Salz bestreuen. • Die Tomaten waschen, abtrocknen und kleinschneiden, dabei die Stielansätze entfernen. Die Auberginen mit der in der Pfanne verbliebenen Flüssigkeit, die Tomaten mit Saft und Kernen mit den Kartoffelwürfeln mischen. • Die Knoblauchzehen schälen, hacken und mit dem Salz zerdrücken. Den Knoblauch mit dem Pfeffer, Rosmarin, Oregano und Essig verrühren. Das Öl zugießen und rühren, bis sich alle Zutaten gut miteinander verbunden haben. Die Petersilie waschen, trockenschleudern, feinhacken und in die Sauce geben. • Die Sauce über den Kartoffelsalat gießen und den Salat durchheben. Die Zwiebel schälen und in hauchdünne Ringe schneiden. Den Salat anrichten und mit den Zwiebelringen garnieren.

Braucht etwas Zeit · Eiweißreich

Kresse-Kartoffelsalat

Ein Ei deckt bereits einen Teil des Tagesbedarfs an Eiweiß. Das Eiweiß vom Hühnerei und Kartoffeleiweiß ergänzen einander optimal, darum sei dieser Kartoffelsalat einmal mit Eiern gekrönt.

750 g Kartoffeln · 1 Teel. Salz · 1 Teel. Koriander · 100 g Gartenkresse oder Brunnenkresse · 2 Bund Radieschen

Für die Sauce: 4 Eßl. Gemüsebrühe · ½ Teel. Salz · 1 Messerspitze schwarzer Pfeffer, frisch gemahlen · je ½ Teel. getrockneter Thymian und getrockneter Salbei · 3 Eßl. Apfelessig · 6 Eßl. Öl · 3 hartgekochte Eier · 1 Bund Petersilie
Pro Portion etwa 1365 Joule/325 Kalorien

Zubereitungszeit: 1 Stunde

Die Kartoffeln waschen und mit dem Salz und Koriander knapp von Wasser bedeckt in etwa 30 Minuten garen. Die Kartoffeln abgießen, ausdämpfen und etwas abkühlen lassen. Die Kartoffeln schälen und in etwa 1 cm große Würfel schneiden. • Die Kresse waschen, trockenschleudern und grob kleinschneiden. Die Radieschen waschen, in Scheiben schneiden und mit der Kresse und den Kartoffelwürfeln mischen. • Die Gemüsebrühe mit dem Salz, Pfeffer, zerriebenem Thymian, Salbei und Essig verrühren, bis sich das Salz völlig aufgelöst hat. Das Öl zugießen und rühren, bis sich alle Zutaten gut miteinander verbunden haben. • Die Sauce über den Kartoffelsalat gießen, den Salat durchheben und in einer Schüssel anrichten. • Die Eier schälen und kieinwürfeln. Die Petersilie waschen, trockenschleudern, feinhacken, mit den Eiern mischen und den Salat damit bestreuen. • Soll

Zur Abwechslung können Sie die Kresse durch Sauerampfer und Brennesselspitzen, beides feingehackt, ersetzen.

der Salat einige Zeit durchziehen, die Eier und die Petersilie erst kurz vor dem Servieren darüberstreuen.

Variante: Kartoffelsalat mit Sauerampfer
Die Kartoffeln wie vorab beschrieben garen und würfeln. Statt Kresse insgesamt etwa 100 g feingehackten, jungen Sauerampfer und Brennesselspitzen mit den Kartoffeln mischen. Die Sauce aus 2 Teelöffeln Salz, 1 Messerspitze frisch gemahlenem schwarzem Pfeffer, 3 Eßlöffeln Apfelessig, 3 Eßlöffeln Öl, ⅛ l saurer Sahne und 2 Zweigen feingehacktem, frischem Bohnenkraut bereiten. Den Salat nach Belieben mit gehackten hartgekochten Eiern und Petersilie bestreuen.

Ballaststoffreich · Braucht etwas Zeit

Bohnen-Kartoffelsalat

200 g frische weiße Bohnenkerne · 1 Stengel Bohnenkraut · 500 g Kartoffeln · 1 Teel. Kümmel · 1 Teel. Salz · 125 g milchsauer eingelegte Gurken · 1–2 säuerliche Äpfel · 1 Bund Frühlingszwiebeln oder 1–2 Zwiebeln Für die Sauce: 1 Knoblauchzehe · ½ Teel. Salz · 2 Eßl. Apfelessig · 2 Eßl. Öl · 50 g saure Sahne · reichlich frische Kräuter (Petersilie, Pimpinelle, Bohnenkraut, Borretsch, Majoran und Ysop)
Pro Portion etwa 1010 Joule/240 Kalorien

Zubereitungszeit: 1 Stunde und 30 Minuten

Die Bohnen in einem Sieb unter fließendem Wasser kurz abspülen und zusammen mit dem Stengel Bohnenkraut in ¼ l Wasser zugedeckt bei schwacher Hitze in etwa 40 Minuten weich kochen und auskühlen lassen. • Die Kartoffeln unter fließendem Wasser bürsten und mit dem Kümmel und dem Salz knapp von Wasser be-

deckt in etwa 30 Minuten garen, abgießen und abkühlen lassen. • Die Kartoffeln schälen und in Würfel schneiden. • Die Gurken abtropfen lassen und kleinwürfeln. • Die Äpfel waschen, abtrocknen, vierteln, von den Kerngehäusen befreien und die Apfelviertel ebenfalls in Würfel schneiden. • Die Frühlingszwiebeln waschen, abtropfen lassen und mit dem Zwiebelgrün kleinschneiden. Oder die Zwiebeln schälen und feinwürfeln. Die Kräuter waschen, trockenschleudern und feinhacken. • Die Kartoffeln mit den Bohnen, Äpfeln, Zwiebeln und Kräutern mischen. • Die Knoblauchzehe schälen, hacken und mit dem Salz zerdrücken. Den Knoblauch mit dem Essig, Öl und der sauren Sahne mit dem Schneebesen verrühren, bis sich alle Zutaten gut miteinander verbunden haben. Die Sauce auf den Kartoffelsalat gießen und unterheben.

Braucht etwas Zeit

Curry-Reis-Salat

200 g Naturreis · knapp ½ l Wasser · 1 Lorbeerblatt · 1 Liebstöckelzweig oder 1 Teel. getrocknetes Liebstöckel · 3 Pimentkörner · 1 Teel. Salz · 3 Eßl. ungeschwefelte Korinthen · 5 Eßl. naturreiner Traubensaft · 30 g Mandeln · 250 g Bleichsellerie · 2 Eßl. Öl · 1–2 Eßl. Currypulver · 5 Eßl. Öl · Saft von ½ Zitrone · ¼–½ Teel. Salz · 1 Bund Petersilie
Pro Portion etwa 1785 Joule/425 Kalorien

Quellzeit: 3 Stunden
Gar- und Nachquellzeit: 1½ Stunden
Zubereitungszeit: 20 Minuten

Den Reis in einem Sieb unter fließendem Wasser waschen und in dem Wasser 3 Stunden quellen lassen. • Das Lorbeerblatt, den Liebstöckel und den Piment zufügen, den Reis zum Kochen bringen. Zugedeckt bei schwacher Hitze kochen lassen, bis die Körner weich sind. Das dauert etwa 30 Minuten. Wenn nötig, immer wieder etwas heißes Wasser nachfüllen. Den Reis etwa 1 Stunde nachquellen lassen. • Währenddessen die Korinthen im Traubensaft quellen lassen. • Die Mandeln in Stifte schneiden. • Den Bleichsellerie waschen, putzen, die Stangen quer in dünne Streifen schneiden, in einem Topf im Öl wenden und in wenig Wasser bei schwacher Hitze 10 Minuten dünsten. • Das Lorbeerblatt und den Piment aus dem Reis entfernen. Das Currypulver unterrühren, abschmecken. • Die Korinthen abtropfen lassen und mit den Mandelstiften und dem Sellerie zu dem Salat geben. Das Öl und den Zitronensaft zufügen und mit Salz abschmekken. • Die Petersilie waschen, trockenschleudern und feinhacken. Den Salat anrichten und mit der Petersilie bestreuen.

Eiweißreich · Braucht etwas Zeit

Reissalat mit Mungobohnen

100 g Mungobohnen · ⅜ l Wasser · 200 g Naturreis · ¾ l Wasser · 2 Teel. getrockneter Estragon · 1 Eßl. gekörnte Gemüsebrühe · 2 Stangen Bleichsellerie · 2 Möhren · 1 Apfel · 50 g gehackte Walnußkerne · 2 Teel. Salz · 2 Teel. Ahornsirup · je 1 Messerspitze gemahlene Muskatnuß und gemahlener Piment · 3 Eßl. Apfelessig · 6 Eßl. Distel- oder Keimöl · 3 Eßl. frisch gehackte Petersilie
Pro Portion etwa 1930 Joule/460 Kalorien

Quellzeit: 8–12 Stunden
Zubereitungszeit: ¾–1 Stunde
Zeit zum Durchziehen: ½–1 Stunde

Die Mungobohnen waschen und in dem Wasser 8–12 Stunden, am besten über Nacht, quellen lassen. • Den Reis waschen und in dem Wasser ebenfalls 8–12 Stunden einweichen. • Die Bohnen und den Reis dann jeweils im Einweichwasser zum Kochen bringen und in 30–45 Minuten weich kochen. Nach 30 Minuten Kochzeit den Estragon zum Reis geben und, kurz bevor die Reiskörner weich sind, die gekörnte Brühe unterrühren. • Während Reis und Bohnen garen, den Staudensellerie waschen, schlechte Stellen abschneiden, die Stangen quer in dünne Streifen schneiden und das Selleriegrün feinhacken. • Die Möhren unter fließendem Wasser gründlich bürsten und schlechte Stellen entfernen. • Den Apfel waschen, vierteln, vom Kerngehäuse befreien. • Den Reis und die Bohnen, wenn nötig, abtropfen lassen und in eine Salatschüssel füllen. Den Sellerie zufügen und die Möhren und den Apfel auf einer groben Reibe in die Schüssel reiben. Die gehackten Walnüsse zufügen und alles mischen. • Das Salz mit dem Ahornsirup, dem Muskat, dem Piment und dem Essig verrühren, über die Zutaten in der Schüssel gießen und behutsam umrühren. Das Öl darübertäufeln, die Petersilie darüberstreuen und nochmals vorsichtig durchheben. Den Reissalat vor dem Servieren mindestens 30 Minuten bei Zimmertemperatur durchziehen lassen.

Ballaststoffreich · Braucht etwas Zeit

Salat aus gegarten Weizenkörnern

150 g Weizenkörner · ½ l Wasser · 1½ Teel. Salz · 300 g milchsauer eingelegtes Gemüse (Gurken, Bohnen, Rote Bete, Blumenkohl) · 100 g Bergkäse oder mittelalter Goudakäse oder Emmentaler Käse · reichlich frische Gartenkräuter (Petersilie,

Pimpinelle, Bohnenkraut, ein wenig Liebstöckel) ·
4 Eßl. Einlegflüssigkeit vom milchsauer eingeleg-
tem Gemüse · 4 Eßl. Distelöl oder Keimöl
Pro Portion etwa 1385 Joule/330 Kalorien

Quellzeit: 8–10 Stunden
Zeit zum Nachquellen: 2 Stunden
Zubereitungszeit: 10 Minuten

Die Weizenkörner in einem Sieb unter fließendem Wasser waschen und mit dem Wasser
8–10 Stunden, am besten über Nacht, quellen
lassen. • Den Weizen im Einweichwasser zugedeckt 1 Stunde wallend kochen lassen, das Salz
zufügen und den Weizen bei ganz schwacher
Hitze noch 1 Stunde nachquellen lassen. • Das
milchsauer eingelegte Gemüse und den Käse in
kleine Würfel schneiden. • Die Kräuter waschen,
trockenschleudern, feinhacken und mit dem Gemüse, dem Käse und der Einlegflüssigkeit vom
Gemüse mit den Weizenkörnern mischen. • Das
Öl darüberträufeln und sorgfältig unterheben.
Der Salat kann sofort serviert werden, gewinnt
jedoch noch an Geschmack, wenn er etwa
1 Stunde bei Raumtemperatur durchzieht.

Schnell · Ganz einfach

Apfel-Sellerie-Salat

3 säuerliche Äpfel · 100 g Sellerieknolle, geputzt
gewogen · Saft von ½ Zitrone · 4 Eßl. Sahne ·
1 Teel. Senf · Salz · ½ Bund Petersilie
Pro Portion etwa 530 Joule/125 Kalorien

Zubereitungszeit: 10 Minuten

Die Äpfel möglichst ungeschält auf einer groben
Reibe ringsherum bis zum Kerngehäuse abreiben. Den Sellerie mit der Bircherraffel feinreiben. Beides mit dem Zitronensaft beträufeln. •

Die Sahne, den Senf und das Salz miteinander
verquirlen und über die Rohkost gießen, gut mischen. Feingehackte Petersilie untermischen.

Vitaminreich · Braucht etwas Zeit

Zwiebelsalat
mit Orangen

Ein vitaminreicher Wintersalat.

Für die Sauce: 1 Messerspitze Salz · 2 Eßl.
ungesüßtes Sanddornelexier · 2 Teel. Honig ·
je 1 Messerspitze Macispulver, gemahlener Anis
und geriebene Ingwerwurzel · 3 Eßl. Zitronen-
saft · 3 Eßl.Öl · 350 g milde Zwiebeln · 4 saftige
Orangen · 1 Eßl. Kapern
Pro Portion etwa 905 Joule/215 Kalorien

Zubereitungszeit: 30 Minuten
Zeit zum Durchziehen: 1 Stunde

Für die Sauce das Salz mit dem Sanddornelexier,
Honig, Macispulver, Anis, Ingwer und dem Zitronensaft verrühren, bis sich das Salz völlig aufgelöst hat. Das Öl zugießen und rühren, bis sich
alle Zutaten gut miteinander verbunden haben. •
Die Zwiebeln schälen und in hauchdünne Scheiben schneiden oder hobeln. • Die Orangen schälen, auch die weiße Haut unter der Schale abziehen und die Orangen quer in Scheiben schneiden. Dabei die Kerne entfernen. Den Saft zu der
Sauce geben. • Die Zwiebeln und Orangen abwechselnd in eine Glasschüssel schichten, mit
einer Lage Orangen abschließen. Die Sauce darübergießen und den Salat mit den Kapern bestreuen. Nicht mehr durchheben. • Den Zwie-
bel-Orangen-Salat bei Raumtemperatur zugedeckt 1 Stunde durchziehen lassen.

Suppen und Eintöpfe

Suppen sind bei Erwachsenen und Kindern gleichermaßen beliebt. Im Winter kann eine herzhafte Suppe innerlich wärmen, im Sommer ist eine leichte, vielleicht sogar kalte Suppe wie die Apfelsuppe (Rezept Seite 92) sehr erfrischend. Je nach Konsistenz kann eine Suppe Vorspeise oder Hauptgericht sein. Eine leichte Gemüsecremesuppe oder eine Gemüsebrühe mit feiner Einlage ist ideal als Vorspeise. Sie nimmt schnell den größten Appetit und sorgt dafür, daß wir beim Hauptgericht nicht so kräftig zulangen. Es stimmt also nicht, daß Suppen dick machen. Eine kräftige, dicke Suppe oder ein Eintopf aus Hülsenfrüchten oder Getreide kann ein vollständiges Hauptgericht sein. Dazu gibt es ein Vollkornbrötchen und vorneweg einen Rohkostsalat. Oder man serviert nach der Suppe einen selbstgemachten Früchtequark, einen Fruchtjoghurt, einen Obstsalat oder einen süßen Auflauf. Eintöpfe sind immer praktisch, wenn man wenig Zeit hat oder während dem Kochen noch mit etwas anderem beschäftigt ist. Einmal vorbereitet und in den Topf getan, kochen sie sich fast von selbst, und beim Abwasch hat man nur einen Topf zu spülen.

In der »üblichen« Küche ist meist die Fleischbrühe die Grundlage vieler Suppen. In der Vollwertküche ist dies die Gemüsebrühe. Sie ist wie die Fleischbrühe mineralstoffreich, hat aber den zusätzlichen Vorteil, daß sie kein Fett enthält. Eine Gemüsebrühe kann man auch aus »Gemüseabfällen« wie weggeschnittenen harten Rippen von Blättern, aus Schalen, Strünken oder Erbsenschoten usw. zubereiten, wenn diese aus biologischem Anbau stammen. Zusammen mit frischen Kräutern gegart und eventuell mit einem Gemüsebrühwürfel gewürzt, ist sie in 20–30 Minuten fertig. Auch das Einweichwasser von Hülsenfrüchten oder Getreide kann man als Grundlage für eine Brühe nehmen. Es enthält nämlich viele gelöste Mineralstoffe und sollte deshalb nicht weggeschüttet werden.

Ganz einfach · Braucht etwas Zeit

Kräftige Gemüsebrühe

Eine Brühe ist auch in der Vollwertküche die Grundlage vieler Gerichte. Eine gute Gemüsebrühe ist sehr wohlschmeckend, leicht verdaulich und deckt unseren Flüssigkeitsbedarf auf eine gesunde Weise.

Zutaten für etwa 1½ l Brühe:
1 Zwiebel · 1 mittelgroße Sellerieknolle · reichlich Selleriegrün vom Knollensellerie · 2 Stangen Lauch/Porree · 250 g Möhren · 2 Petersilienwurzeln · 1 kleiner Blumenkohl oder 1 Blumenkohlstrunk und Blumenkohlblätter · 1 kleiner Weißkohl (etwa 300 g) · 1 Kohlrabi · 2 Tomaten · 125 g grüne Bohnen · 125 g frische Erbsen in den Schoten · 1 Eßl. Butter · 2 Teel. getrocknetes Basilikum · 1 Teel. Salz
Für ¼ l Brühe etwa 85 Joule/20 Kalorien

Vorbereitungszeit: 50 Minuten
Garzeit: 25 Minuten

Die Zwiebel schälen und grob zerschneiden. Die Sellerieknolle unter fließendem Wasser gut bürsten und halbieren. Das Selleriegrün waschen. Vom Lauch die welken Blätter und Blattspitzen abschneiden, die Stange halbieren und gründlich waschen. Die Möhren und die Petersilienwurzeln waschen und, wenn nötig, schaben. Den Blumenkohl gründlich waschen. Vom Weißkohl schlechte Blätter entfernen und die Kohlhälfte einmal durchschneiden. Die Tomaten waschen, halbieren und die Stielansätze entfernen. Die Bohnen und die Erbsen ebenfalls waschen, die Stielenden und Spitzen abschneiden. Die Erbsenschoten abfädeln. • Die Butter in einem großen Topf bei schwacher Hitze zerlassen und alles Gemüse darin kurz andämpfen, jedoch keine Farbe annehmen lassen. Das Basilikum zufügen und nach Belieben salzen. Das Gemüse mit etwa

2 l kaltem Wasser übergießen, so daß es gut davon bedeckt ist. Das Wasser zum Kochen bringen und das Gemüse in etwa 40 Minuten weich kochen – es soll jedoch nicht zerfallen. • Das Gemüse während der Garzeit nicht umrühren, weil die Brühe sonst trüb wird. Die Brühe durch ein Sieb in einen anderen Topf gießen und bei schwacher Hitze noch etwas einkochen lassen.

> **Unser Tip** Gartenbesitzer, die im Herbst noch Bohnen oder Erbsen an den Sträuchern finden, können diese im Ganzen verwenden und jeweils eine Handvoll mitgaren. Die Brühe wird noch kräftiger im Geschmack. Die Gemüsebrühe kann gut eingefroren werden.

Vitaminreich · Braucht etwas Zeit

Minestrone

Die beliebte italienische Gemüsesuppe kann man statt mit Teigwaren auch mit Naturreis zubereiten.

1 kleine Zwiebel · 1 kleine Stange Lauch/Porree · 1 Stück Sellerieknolle · 2 Kartoffeln · 1 Weißkohl- oder Wirsingkohlviertel · einige Mangoldblätter oder 50 g Spinat · 2 Tomaten · 2 Eßl. Öl · 2 l Wasser · 3 Eßl. frisch gehacktes Liebstöckel und frisch gehackter Thymian oder andere frische Kräuter · 2 Teel. Salz · 150 g Vollkornnudeln · 1 Eßl. Hefeextrakt · 2 Eßl. (50 g) Emmentaler Käse, frisch gerieben
Pro Portion etwa 1090 Joule/260 Kalorien

Vorbereitungszeit: 50 Minuten
Garzeit: 40 Minuten

Die Zwiebel schälen und hacken. Vom Lauch die harten, dunkelgrünen Blätter entfernen, die Blattspitzen kürzen. Die Lauchstange vom weißen unteren Ende bis zu den Blattenden hin aufschlitzen und sehr gründlich unter fließendem Wasser waschen, die Blätter dabei auseinanderbiegen. Anschließend den Lauch in Streifen schneiden. Die Sellerieknolle und die Kartoffeln schälen, waschen und in kleine Würfel schneiden. Den Kohl waschen, einmal längs halbieren und quer in Streifen schneiden. Den Mangold oder Spinat in handwarmem Wasser gründlich waschen, abtropfen lassen und kleinschneiden. Die Tomaten häuten und grob zerkleinern, die Stielansätze dabei entfernen. • Das Öl in einem großen Topf erhitzen und alles Gemüse bis auf die Tomaten unter Wenden im Öl anbraten, bis es etwas Farbe angenommen hat. • Das Wasser zugießen, zum Kochen bringen und 20 Minuten zugedeckt bei schwacher Hitze kochen lassen. Die Tomaten, die Kräuter und das Salz zufügen und 5 Minuten kochen lassen. • Die Nudeln zum Gemüse geben und alles in weiteren 15 Minuten garen. Den Hefeextrakt unter die Suppe rühren. Die Minestrone in eine vorgewärmte Schüssel füllen und mit dem Käse bestreuen.

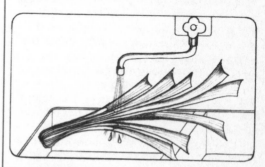

Lauch muß besonders gründlich unter fließendem Wasser gewaschen werden. Dabei die Blätter der aufgeschlitzten Stangen auseinanderbiegen.

Braucht etwas Zeit · Ballaststoffreich

Gemüsesuppe mit Vollkornschrot

Schrot aus Roggen, Gerste, Weizen, Hafer oder Grünkern kann diese Suppe anreichern. Das Gemüse richtet sich ganz nach der Jahreszeit.

1 Kohlrabi mit Grün · 2 Möhren · 500 g frische Erbsen in den Schoten · 1 kleine Stange Lauch/Porree · 250 g Broccoli oder 1 kleiner Blumenkohl · 1 grüne Paprikaschote · 1 kleine Sellerieknolle mit dem Grün · 1 Eßl. Butter · 5 Eßl. (75 g) feingeschrotetes Getreide · 1½ l Gemüsebrühe oder Wasser · 1 Teel. Salz · ½ Teel. Selleriesalz · 1 Teel. mildes Paprikapulver · 2 Eßl. Distelöl · 1 Bund Petersilie
Pro Portion etwa 965 Joule/230 Kalorien

Vorbereitungszeit: 55 Minuten
Garzeit: 35 Minuten

Den Kohlrabi waschen, dünn schälen, holzige Teile abschneiden und die Knolle in Würfel schneiden. Das Kohlrabigrün sehr fein hacken. Die Möhren unter fließendem Wasser bürsten und in Scheiben schneiden. Die Erbsen enthülsen. Vom Lauch die äußeren dunkelgrünen Blätter entfernen und die Blattspitzen kürzen. Die Lauchstange vom weißen unteren Ende bis zu den Blattenden hin aufschlitzen, unter fließendem Wasser gründlich waschen und in dünne Streifen schneiden. Den Broccoli oder Blumenkohl waschen, in Röschen zerteilen, vom Broccoli die Stiele schälen und kleinschneiden. Die Paprikaschote waschen, halbieren, von den Kernen und weißen Rippen befreien und in Streifen schneiden. Den Sellerie waschen, schälen und würfeln; das Selleriegrün feinschneiden. • Die Butter in einem großen Topf zerlassen. Das Gemüse zufügen und unter Wenden hellbraun anbraten. • ½ Tasse von der Brühe oder von dem Wasser zugießen und umrühren. • Den Schrot über das Gemüse streuen, umrühren und bei mittlerer Hitze etwa 5 Minuten mitdünsten, bis er sich dunkler gefärbt hat. • Die Brühe oder das Wasser zugießen und die Suppe zugedeckt bei schwacher Hitze 25 Minuten kochen lassen. • Das Salz, das Paprikapulver und das Distelöl unterrühren. Die Petersilie waschen, abtropfen lassen, feinschneiden und vor dem Anrichten unter die Suppe rühren.

Ganz einfach · Braucht etwas Zeit

Fenchelsuppe

Bei dieser bekömmlichen, gebundenen Suppe finden Fenchelgemüseabfälle wie Stiele, harte Rippen und gröberes Blattgrün eine gute Verwendung.

Etwa 200 g Fenchelgemüseabfälle, gegebenenfalls noch ein Stückchen Fenchelknolle · gut ½ l Wasser · 1 Teel. Fenchelsamen · ¼ Teel. Aniskörner · 1 Teel. Salz · 3 Eßl. feingemahlener Weizenvollkornschrot · Fenchelgrün oder Dill · 4 Eßl. Schwedendickmilch · 1 Eigelb · je 1 Messerspitze gemahlene Muskatblüte und gemahlener Fenchelsamen · 1 Prise Cayennepfeffer · 3 Eßl. Sahne
Pro Portion etwa 460 Joule/140 Kalorien

Vorbereitungszeit: 10 Minuten
Garzeit: 50 Minuten

Die Fenchelabfälle kalt überbrausen. Ein wenig Fenchelgrün zurückbehalten, die übrigen Stengel, Rippen und Blätter im Wasser mit den Fenchelsamen, den Aniskörnern und dem Salz 30 Minuten lang auskochen und anschließend die Brühe durch ein Sieb in einen anderen Topf gießen. • Die Fenchelbrühe wieder zum Kochen bringen, unter Rühren mit dem Schneebesen den Weizenschrot einstreuen und zugedeckt bei schwacher Hitze 20 Minuten ausquellen lassen. • Das Fenchelgrün oder den gewaschenen Dill trockenschleudern und feinhacken. • Die Schwedenmilch mit dem Eigelb und 3 Eßlöffeln der Suppe verrühren und die Fenchelsuppe damit legieren. • Mit der Muskatblüte, den Fenchelsamen und einem Hauch Cayennepfeffer würzen; wenn nötig, noch nachsalzen. • Den Topf vom Herd nehmen. • Die Sahne unterrühren und die Suppe mit dem Fenchelgrün oder dem Dill bestreut servieren.

Schnell · Preiswert

Würzige Kartoffelsuppe 🛈

1¼ l Wasser oder Gemüsebrühe · 500 g Kartoffeln · 1 Bund frisches oder 1 kleines Päckchen tiefgefrorenes Suppengrün · 3–4 gestrichene Teel. Salz · 1 gehäufter Teel. Kümmel · 1 gehäufter Teel. getrockneter, gerebelter Majoran · 1 gestrichener Teel. gemahlener Koriander · 1 gestrichener Teel. edelsüßes Paprikapulver · 1 gestrichener Teel. Knoblauchsalz · 1 große Zwiebel · Butter zum Braten · eventuell 2 Brisoletten (Fertigprodukt) · 2 gehäufte Eßl. Grünkern · 2 gehäufte Eßl. Edelhefeflocken · 1 Bund Petersilie · etwas Liebstöckel Pro Portion etwa 1115 Joule/265 Kalorien

Vorbereitungszeit: 8 Minuten
Garzeit: 12 Minuten

Das Wasser oder die Brühe in einem großen Topf zum Kochen bringen. • Inzwischen die Kartoffeln gut bürsten und mit der Schale in Würfel schneiden. Das frische Suppengrün putzen, waschen und zerkleinern. Kartoffelwürfel und Suppengrün (tiefgefrorenes unaufgetaut) in die kochende Flüssigkeit schütten, die Gewürze zufügen und alles in etwa 10 Minuten gar kochen. • Währenddessen die Zwiebel schälen, grobzerkleinern und in Butter goldbraun braten. Eventuell die Brisoletten kleinschneiden und mit anbraten. • Den Grünkern feinmahlen. Sobald das Gemüse gar ist, das Grünkernmehl langsam mit einem Schneebesen einrühren. Die Suppe noch etwa 2 Minuten kochen lassen, dann vom Herd nehmen. • Die Hefeflocken, die gebratene Zwiebel, eventuell die Brisolettenstücke und die feingehackten Kräuter untermischen. Falls nötig, noch mit Salz und Gewürzen abschmecken.

Unser Tip Brisoletten sind Sojafrikadellen. Wer den Eiweißgehalt des Menüs erhöhen möchte, kann damit ergänzen. Die preiswertesten findet man (2 Stück in Folie gepackt) im Kühlregal im Reformhaus.

Schnell · Ganz einfach

Zucchini-Knoblauch-Suppe

Eine erfrischende Sommersuppe.

500 g kleine Zucchini · 3 Knoblauchzehen · 1 l kalte Gemüsebrühe nach dem Rezept Seite 74 oder aus gekörnter vegetarischer Brühe und Wasser · ½ Teel. Salz · ½ Teel. Honig · Saft von ½ Zitrone · 3 Eßl. Sahne · 1 Bund Dill Pro Portion etwa 460 Joule/110 Kalorien

Zubereitungszeit: 15–20 Minuten

Die Zucchini waschen, die Stielenden abschneiden und die Zucchini in Stücke schneiden. Die
Knoblauchzehen schälen, mit den Zucchini würfeln und zusammen im Mixer pürieren, oder die
Zucchini feinreiben und den Knoblauch über
den geriebenen Zucchini auspressen. • Die Gemüsebrühe unterrühren und die Suppe mit dem
Salz und dem Honig würzen, mit dem Zitronensaft und der Sahne geschmacklich abrunden. •
Den Dill waschen, trockenschleudern und feinhacken. Die Zucchinisuppe in eine kalte Suppenschüssel füllen und mit Dill bestreuen.

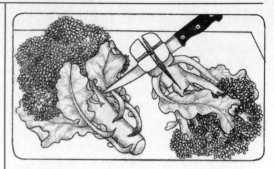

Wird Broccoli im ganzen gegart, die dicken Stiele
kreuzweise einschneiden, damit sie mit den Röschen
zusammen weich werden.

Braucht etwas Zeit

Broccolisuppe mit Klößchen

*Für die Klößchen: 1 Eßl. weiche Kräuterbutter ·
1 Eßl. Magerquark · 2 Eßl. geriebener
Vollkornzwieback · 2 Eßl. Weizenvollkornmehl ·
1 Messerspitze Salz · 1 Prise geriebene Muskatnuß*
*Für die Suppe: ¾ l Gemüsebrühe · 750 g Broccoli ·
200 g saure Sahne · 1 Teel. Salz · 2 Eßl. Apfelessig · 2 Eßl. Apfeldicksaft · 1 Messerspitze geriebener Ingwer*
Pro Portion etwa 1090 Joule/260 Kalorien

Vorbereitungszeit: 15 Minuten
Garzeit: 10 Minuten

Die Kräuterbutter mit dem Quark, dem geriebenen Zwieback, dem Weizenmehl, dem Salz und
dem Muskat verkneten. • Die Gemüsebrühe
zum Kochen bringen. • Mit einem nassen Teelöffel kleine Klößchen vom Teig abstechen, in
der leise kochenden Brühe in 5 Minuten garen,

herausheben und beiseite stellen. • Den Broccoli
waschen, in Röschen zerteilen, die Stiele schälen
und kleinschneiden. Den Broccoli 5 Minuten in
der Brühe kochen lassen und mit dem Schaumlöffel herausheben. Eine Handvoll Broccoliröschen aufbewahren, den übrigen Broccoli mit der
Brühe durch ein Sieb in einen anderen Topf
streichen. • Die Suppe mit dem Salz, dem Apfelessig, dem Apfeldicksaft und dem Ingwer würzen und die Broccoliröschen einlegen. Die Klößchen kurze Zeit in der heißen Suppe ziehen,
jedoch nicht mehr kochen lassen.

Braucht etwas Zeit · Preiswert

Reissuppe
Bild Seite 123

Diese Suppe wird allen schmecken, die das
»Exotische« mögen. Sie ist sozusagen »japa-
nisch inspiriert«.

*100 g Naturreis · 1¼ l Wasser · 1 Möhre (etwa
100 g) · 4 Frühlingszwiebeln mit Grün, ersatzweise
2 kleine Stangen Lauch/Porree · 1 Salatgurke ·*

1 rote Paprikaschote · 2 säuerliche Äpfel · 1 Eßl.
Sojaöl · 1 Eßl. Olivenöl · 4–5 Eßl. Natto-Miso ·
2 Eßl. feingehackte Petersilie
Pro Portion etwa 895 Joule/215 Kalorien

Vorbereitungszeit: 10 Minuten
Garzeit: 30 Minuten

Den Reis in dem Wasser fast gar kochen
(20–30 Minuten je nach Reissorte). • Inzwischen
die Möhre waschen, putzen, an den Längsseiten
drei Kerben einschneiden und die Möhren quer
in dünne Scheiben schneiden, so daß »Blumen«
entstehen. • Die Zwiebeln waschen und putzen.
Das Grün in etwa ½ cm breite Ringe schneiden,
die Zwiebeln je nach Größe längs vierteln oder
achteln; oder die Lauchstangen längs durchschneiden, waschen und quer in ½ cm dicke
Scheiben schneiden. • Die Gurke eventuell schälen (falls nicht aus biologischem Anbau), längs
vierteln und quer in dünne Scheiben schneiden. • Die Paprikaschote längs achteln, vom
Stengelansatz und den Kernen befreien und quer
in feine Streifen schneiden. • Die Äpfel vierteln,
schälen, vom Kerngehäuse befreien, die Viertel
nochmals längs teilen. • Das Öl in einer Pfanne
erhitzen und die Möhren- und Zwiebelstücke
darin unter gelegentlichem Wenden etwa 5 Minuten bei kleiner Hitze rasch unter häufigem
Wenden anbraten. Das übrige vorbereitete Gemüse und die Apfelstücke zufügen. Alles zusammen noch etwa 2–3 Minuten unter Wenden braten. Den Inhalt der Pfanne in den Topf mit dem
Reis schütten. • Die Suppe noch gut 5 Minuten
kochen. Prüfen, ob das Gemüse gar ist. • Den
Topf vom Herd nehmen. Das Natto-Miso gut
unter die Reissuppe rühren, abschmecken; eventuell noch etwas Natto-Miso zufügen. Zuletzt die
Petersilie obenaufstreuen.

Braucht etwas Zeit

Grüne-Erbsen-Suppe mit Tomaten

300 g getrocknete grüne Erbsen · 2 l Wasser ·
1 Teel. getrockneter Salbei · 250 g Tomaten ·
1 Teel. gemahlenes Curcuma (Gelbwurz) ·
2 Messerspitzen gemahlener Kreuzkümmel ·
2 Knoblauchzehen · 1 Zwiebel · 3 Eßl. Öl ·
1–2 Eßl. gekörnte Gemüsebrühe oder 1–2 Teel.
Salz · 2 Eßl. Zitronensaft
Pro Portion etwa 1325 Joule/315 Kalorien

Quellzeit: 10–12 Stunden
Vorbereitungszeit: 5 Minuten
Garzeit: 1½–2 Stunden

Die Erbsen waschen, in dem Wasser 10–12 Stunden, am besten über Nacht, quellen lassen, dann
im Einweichwasser mit dem Salbei zum Kochen
bringen und zugedeckt bei schwacher Hitze in
1½–2 Stunden garen. • Wenn die Erbsen fast
weich sind, die Tomaten nach Belieben häuten,
grobhacken und mit dem Curcuma und dem
Kreuzkümmel zu den Erbsen geben. Alles noch
3 Minuten kochen lassen. • Inzwischen den

Will man Tomaten ohne Haut verwenden, ritzt man sie
über Kreuz ein, überbrüht sie kurz in kochendem Wasser und zieht die Haut ab.

Knoblauch und die Zwiebel schälen, feinhacken und im Öl goldgelb braten. Die Suppe mit der gekörnten Gemüsebrühe oder dem Salz und dem Zitronensaft abschmecken und die gebratene Zwiebel mit dem Knoblauch unterrühren.

Schnell · Ganz einfach

Schwedische Snolsoppa

Ein leichtes Sommeressen ist diese schwedische Spezialität (man spricht Snolßoppa).

¾ l Wasser oder Gemüsebrühe · ¾ l Milch · 500 g gemischtes junges Sommergemüse, zum Beispiel Möhren, enthülste Erbsen, Blumenkohl, Broccoli, Mangoldrippen (Rippenmangold) und etwas Suppengrün · 500 g neue Kartoffeln · 1 gestrichener Eßl. Salz · 1 Messerspitze Muskatblüte (Macis) · reichlich frische Kräuter wie Petersilie, Dill und etwas Liebstöckel
Pro Portion etwa 1010 Joule/240 Kalorien

Vorbereitungszeit: 10 Minuten
Garzeit: 10 Minuten

Das Wasser oder die Gemüsebrühe und die Milch in einem großen Topf zum Kochen aufsetzen. • Währenddessen das Gemüse putzen, waschen und kleinschneiden. • Die Kartoffeln gut bürsten oder schaben und in große Würfel schneiden. Gemüse und Kartoffelwürfel in das Wasser-Milch-Gemisch schütten und in etwa 10 Minuten gar kochen. Mit Salz abschmecken und die Muskatblüte hinzufügen. • Den Topf vom Herd nehmen und reichlich feingehackte Kräuter untermischen.

Das paßt dazu: Käsesnacks (Rezept Seite 137).

Ballaststoffreich · Braucht etwas Zeit

Dicke Schottische Gerstensuppe

Bild Seite 124

100 g Nacktgerste · 1 l Gemüsebrühe · 2 Zwiebeln · 1 Stange Lauch/Porree · ¼ Sellerieknolle · 1 kleine Steckrübe (etwa 250 g) oder weiße Rübchen · 4 Möhren · 1 Kohlrabi · ½ kleiner Weißkohl oder Wirsingkohl · einige Blätter Liebstöckel · 100 g enthülste frische Erbsen · 1 Lorbeerblatt · ½–1 Teel. Salz · schwarzer Pfeffer, frisch gemahlen · 2 Eßl. Hefeflocken · 1 Eßl. Butter · 1½ Bund Petersilie oder Dill
Pro Portion etwa 995 Joule/230 Kalorien

Quellzeit: 2 Stunden
Vorbereitungszeit: 1 Stunde
Garzeit: 1 Stunde

Die Gerste in einem Sieb unter fließendem Wasser waschen, in Wasser etwa 2 Stunden quellen und abtropfen lassen. • Die Brühe mit der Gerste zum Kochen bringen, abschäumen und bei schwacher Hitze zugedeckt leise kochen lassen. • Inzwischen die Zwiebeln schälen, halbieren und in Scheiben schneiden. Vom Lauch welke Blätter und die dunkelgrünen Blattspitzen abschneiden, die Lauchstange längs halbieren, gründlich unter fließendem Wasser waschen und in kleine Stücke schneiden. Das Stück Sellerie, die Steckrübe oder die Rübchen waschen, schälen und nicht zu klein würfeln. Die Möhren waschen, wenn nötig, noch schaben und 1 Möhre in Scheiben schneiden. Den Kohlrabi waschen und schälen. Den Kohl waschen und in Stücke schneiden. Die Liebstöckelblätter ebenfalls waschen. Die Zwiebeln, den Lauch und die Möhrenscheiben gleich zu der Gerste geben und mitkochen lassen. •

Nach 30 Kochminuten das restliche Gemüse zufügen. Den Kohlrabi dabei in die Suppe hobeln und die 3 restlichen Möhren grobraffeln. Das Lorbeerblatt zufügen, die Suppe salzen und pfeffern und in 25–30 Minuten fertig garen. • Das Lorbeerblatt herausnehmen. Die Hefeflocken und die Butter unter die Suppe rühren. Die Petersilie oder den Dill waschen, trockenschleudern und feinhacken. Die Gerstensuppe mit der Petersilie oder dem Dill bestreut servieren.

Preiswert · Ballaststoffreich

Bunter Weizenkörnertopf

1¼ l Wasser oder Gemüsebrühe · 200 g Weizen · 1 Päckchen oder 2 Eßl. getrocknete Champignons · 250 g Möhren · 100 g enthülste frische oder tiefgefrorene grüne Erbsen · 1 gestrichener Eßl. gekörnte Gemüsebrühe · 2–3 gestrichene Teel. Salz · 3 Eßl. Tomatenmark · ½ Becher Sahne (100 g) · 1–2 Messerspitzen weißer Pfeffer, frisch gemahlen · 1 Bund Petersilie
Pro Portion etwa 1360 Joule/310 Kalorien

Quellzeit: etwa 12 Stunden (über Nacht)
Vorbereitungszeit: 15 Minuten
Garzeit: 15 Minuten

Am Vorabend das Wasser oder die Gemüsebrühe mit dem Weizen und den Champignons in einen großen Topf geben, einmal aufkochen und zugedeckt etwa 12 Stunden (über Nacht) quellen lassen. • Am nächsten Tag den gequollenen Weizen und die Pilze wieder zum Kochen bringen. • Währenddessen die Möhren putzen, waschen und in Würfel schneiden, zusammen mit den Erbsen, der gekörnten Brühe, dem Salz und dem Tomatenmark in die Suppe geben. In etwa 15 Minuten gar kochen. Die Sahne, den Pfeffer und feingehackte Petersilie daruntermischen.

Ballaststoffreich · Braucht etwas Zeit

Zuppa quattro

1¼ l Wasser oder Gemüsebrühe · 50 g Weizen · 50 g Nacktgerste · 50 g Nackthafer · 50 g Hirse · 250 g Möhren · ½ kleiner Kopf Blumenkohl (etwa 250 g) · 100 g frische Champignons · 100 g enthülste frische oder tiefgefrorene grüne Erbsen · 3 gestrichene Teel. Salz · 2 Messerspitzen geriebene Muskatnuß · 2 Eigelbe · ½ Becher Sahne (100 g) · 1 Bund Petersilie
Pro Portion etwa 1435 Joule/340 Kalorien

Quellzeit: etwa 12 Stunden
Vorbereitungszeit: 15 Minuten
Garzeit: 15 Minuten

Das Wasser oder die Gemüsebrühe mit allen Körnern in einen großen Topf geben und einmal aufkochen. Zugedeckt etwa 12 Stunden quellen lassen. • Am nächsten Tag die Körnermischung wieder zum Kochen bringen. • Währenddessen das Gemüse putzen und waschen. Die Möhren in Würfel schneiden, den Blumenkohl in Röschen zerteilen (größere noch halbieren), die Champignons halbieren. Alles Gemüse mit dem Salz und dem Muskat zu den kochenden Kör-

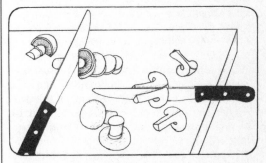

Kleine Champignons werden nur halbiert, größere schneidet man in Viertel oder Scheiben.

nern geben. Die Suppe in etwa 10–15 Minuten gar kochen. • Den Topf vom Herd nehmen. Die Eigelbe mit der Sahne verquirlen, in die nicht mehr kochende Suppe einrühren. Eventuell nochmals mit Salz abschmecken und die feingehackte Petersilie untermischen.

Ballaststoffreich · Braucht etwas Zeit · Preiswert

Roggen-Lauch-Topf

Reichlich 1 l Wasser oder Gemüsebrühe · 200 g Roggen · 1 gehäufter Eßl. gekörnte Gemüsebrühe · 2 Stangen Lauch/Porree (etwa 250 g geputzt) · 1 gehäufter Teel. Kümmel · 1 gestrichener Teel. gemahlener Koriander · 4 Eßl. trockener Rotwein, zum Beispiel französischer Landwein · 1 Becher saure Sahne (200 g) · Salz · 1 Bund Petersilie
Pro Portion etwa 1000 Joule/240 Kalorien

Quellzeit: etwa 12 Stunden
Vorbereitungszeit: 15 Minuten
Garzeit: 25 Minuten

Das Wasser oder die Gemüsebrühe mit dem Roggen und der gekörnten Brühe in einen großen Topf geben und einmal aufkochen. Zugedeckt etwa 12 Stunden quellen lassen. • Am nächsten Tag den gequollenen Roggen wieder zum Kochen bringen. • Währenddessen die Lauchstangen putzen, einmal längs durchschneiden, gut waschen und in 1 cm breite Stücke schneiden. Die Lauchstücke zusammen mit den Gewürzen zu dem kochenden Roggen geben. In etwa 25 Minuten gar kochen. • Den Topf vom Herd nehmen. Den Rotwein mit der sauren Sahne verquirlen und in die Suppe gießen. Mit Salz abschmecken und die feingehackte Petersilie untermischen.

Variante: Roggen-Bohnen-Topf
Statt 250 g Lauch 500 g grüne Bohnen, frisch oder tiefgefroren, in etwa 1 cm lange Stücke schneiden. Vorbereitung und Zubereitung wie oben beschrieben. Mit Selleriesalz und etwas schwarzem Pfeffer aus der Mühle abschmecken.

Ballaststoffreich · Vitaminreich

Sauerkrautsuppe

Diese herzhafte Suppe mit rohem Sauerkraut ist eine »Vitamin-C-Spritze« und zugleich eine wärmende Mahlzeit an kalten Wintertagen.

1½ l Wasser oder Gemüsebrühe · 1 Lorbeerblatt · 50 g Vollsojamehl · 50 g Buchweizenmehl, am besten frisch gemahlen · 1 gestrichener Teel. Salz · 1½ Teel. edelsüßes Paprikapulver · ½ Teel. gemahlener Kümmel · 3 Eier · 500 g rohes Sauerkraut · 1–2 Teel. Kümmel · 2–3 Eßl. Sojasauce · je 1 Eßl. feingeschnittene Petersilie und Schnittlauch
Pro Portion etwa 835 Joule/200 Kalorien

Vorbereitungszeit: 15 Minuten
Garzeit: 10 Minuten

Das Wasser oder die Brühe mit dem Lorbeerblatt zum Kochen bringen. • Währenddessen das Soja- und das Buchweizenmehl mit dem Salz, ½ Teelöffel Paprika und dem gemahlenen Kümmel mischen und mit den Eiern verrühren. • Sobald das Wasser im Topf kocht, von dem Teig mit zwei Teelöffeln kleine Klößchen abstechen und in das kochende Wasser gleiten lassen. In gut 5 Minuten zugedeckt bei schwacher Hitze gar kochen. • Das Sauerkraut feinschneiden, mit dem Kümmel und 1 Teelöffel Paprikapulver in den Topf geben, umrühren und den Topf vom Herd nehmen. • Die Suppe mit der Sojasauce abschmecken und die Kräuter zufügen.

Schnell · Preiswert

Spinateintopf mit Ei

Mit tiefgefrorenem Spinat ein sehr schnelles Gericht – mit frischem Spinat allerdings schmackhafter!

500 g frischer Spinat oder 400 g tiefgefrorener passierter Spinat · ½ l Milch · 2 gestrichene Teel. Salz · 2 Messerspitzen geriebene Muskatnuß · 1 Messerspitze schwarzer Pfeffer, frisch gemahlen · 3 gehäufte Eßl. Edelhefeflocken · ½ l Wasser · 1 gestrichener Eßl. gekörnte Gemüsebrühe · 100 g gelbes Maismehl oder feiner Maisgrieß · 2 gestrichene Eßl. Sojamehl · 1 Bund Petersilie · 4 Eier
Pro Portion etwa 1515 Joule/360 Kalorien

Vorbereitungszeit: tiefgefrorenen Spinat etwa 1 Stunde antauen lassen
Zubereitungszeit: 15 Minuten

Den frischen Spinat putzen, gründlich waschen, einige Blätter zurücklassen. Inzwischen in einem weiten Topf 2–3 Tassen Wasser aufkochen und die vorbereiteten Spinatblätter darin 1 Minute stark kochen lassen, bis sie zusammenfallen. Dann auf einem Sieb abtropfen lassen. (Tiefgefrorenen Spinat antauen lassen.) • Den abgetropften Spinat mit der Milch, dem Salz, den Gewürzen sowie der Edelhefe in den Mixer füllen und feinmixen. • ¼ l Wasser mit der gekörnten Brühe in einem weiten Topf zum Kochen bringen. • Das Maismehl und das Sojamehl mit ¼ l Wasser anrühren. Sobald das Wasser im Topf kocht, das Mehl-Wasser-Gemisch unter Rühren hineingießen und ein paarmal kurz aufkochen. Den Inhalt des Mixers (oder tiefgefrorenen Spinat, Milch, Salz, Gewürze und Hefeflocken) in den kochenden Mehlbrei gießen, wieder aufkochen, dabei öfter umrühren. Sobald die Masse brodelt, den Deckel schließen (es spritzt) und

noch 1–2 Minuten kochen. • Die zurückgelassenen frischen Spinatblätter und Petersilie feinhakken und in die nicht mehr kochende Suppe geben. Nochmals mit Salz abschmecken. • Die Eier während der Zubereitungszeit der Suppe in einem kleinen Topf 6–8 Minuten kochen, kalt abschrecken, schälen, einmal längs durchschneiden. Mit der Schnittfläche nach oben auf die fertige Spinatsuppe legen.

Ganz einfach

Pilze-Paprika-Topf

400 g beliebige Pilze (auch gemischt) · 4 grüne Paprikaschoten · 4 Tomaten · 1 Zwiebel · 1 Knoblauchzehe · 4 Eßl. Sonnenblumenöl · 1 Bund Petersilie · 5 Eßl. saure Sahne · 1–2 Teel. Salz · 1 Eßl. Zitronensaft
Pro Portion etwa 880 Joule/210 Kalorien

Vorbereitungszeit: 30 Minuten
Garzeit: 15 Minuten

Die Pilze putzen und in Stücke schneiden. Die Paprikaschoten halbieren, von den Kernen und Rippen befreien, kalt abspülen und ebenfalls in Stücke schneiden. Die Tomaten enthäuten, grobhacken und dabei die Stielansätze entfernen. Die Zwiebel und die Knoblauchzehe schälen und feinwürfeln. • Das Öl erhitzen und die Zwiebel und den Knoblauch darin glasig werden lassen. Die Pilze zufügen und kurz andünsten. Die Paprikaschoten zufügen und zugedeckt bei schwacher Hitze 5 Minuten mitdünsten. Die Tomaten unterrühren und alles zugedeckt bei schwacher Hitze noch etwa 10 Minuten weichdünsten. • Die Petersilie waschen, abtropfen lassen, feinschneiden und unterrühren. Die Sahne zufügen und mit dem Salz und dem Zitronensaft würzen.

Braucht etwas Zeit

Französischer Gemüseeintopf mit Pistou

Pistou in Frankreich – Pesto in Italien, das ist eine duftende Mischung aus Basilikum, Knoblauch, Parmesankäse und Olivenöl. Man braucht dazu einen Mörser. Wer keinen besitzt, kann Pistou durchaus im elektrischen Mixer bereiten. Kenner behaupten zwar, das sei Barbarei – doch gibt es kaum einen geschmacklichen Unterschied zwischen der gestampften und der gemixten Basilikumsauce.

Für den Gemüseeintopf:
1 Zwiebel · 1 Stange Lauch/Porree · 150 g kleine Zucchini · 150 g frische weiße Bohnenkerne · 200 g Tomaten · 150 g grüne Bohnen · 1 l Gemüsebrühe · 5 Eßl. Öl · 50 g kurze Vollkornnudeln
Für den Pistou:
25 g frisches Basilikum · 3 Knoblauchzehen · 50 g Pinienkerne · ½ Teel. Salz · 1 Messerspitze Cayennepfeffer · je 2 Eßl. Parmesan und Pecorino, frisch gerieben · 4 Eßl. Olivenöl
Pro Portion etwa 1620 Joule/385 Kalorien

Vorbereitungszeit: 1 Stunde
Garzeit: 35 Minuten

Die Zwiebel schälen und grobhacken. Vom Lauch die dunkelgrünen Blattspitzen abschneiden, die Lauchstange vom weißen Teil bis zu den Blattenden hin aufschlitzen und den Lauch unter fließendem Wasser sehr gründlich waschen; dabei die Blätter auseinanderbiegen. Von den Zucchini die Stielenden entfernen, die Zucchini waschen und in nicht zu kleine Stücke schneiden. Die Bohnenkerne in einem Sieb unter fließendem Wasser waschen und abtropfen lassen.

Die Tomaten enthäuten, vierteln und dabei die Stielansätze entfernen. Die grünen Bohnen waschen, die Blütenansätze und Stielenden abschneiden, falls nötig, die Fäden abziehen und die Bohnen einmal durchbrechen. • Die Gemüsebrühe erhitzen. Das Öl in einem großen Topf heiß werden lassen und die Zwiebel und den Lauch unter Rühren darin Farbe annehmen lassen. Die heiße Brühe zugießen und bis auf die Tomaten alles Gemüse zufügen. Die Suppe zugedeckt bei schwacher Hitze 30 Minuten kochen lassen. • Nach 20 Minuten Garzeit die Vollkornnudeln und die Tomaten unterrühren. • Während die Suppe gart, für den Pistou das Basilikum waschen, abtropfen lassen und kleinschneiden. Die Knoblauchzehen schälen und grobhakken. Die Pinienkerne ebenfalls hacken. Das Basilikum mit dem Knoblauch, dem Salz und dem Cayennepfeffer im Mörser zerdrücken. Die Pinienkerne zufügen und weiterstampfen, bis eine glatte grüne Paste entstanden ist. Nach und nach abwechselnd den Käse und das Öl unterarbeiten. Wird Pistou im Mixer bereitet, zuerst den Knoblauch mit dem Basilikum, dem Salz, dem Pfeffer und den Pinienkernen pürieren, dann das Öl und den Käse zufügen und im Mixer nochmals 20–30 Sekunden auf Stufe 2 laufen lassen. • Den Pistou in eine gut vorgewärmte Suppenschüssel füllen, die heiße Suppe langsam daraufgießen und vor dem Servieren noch 5 Minuten ziehen lassen.

Schnell

Borschtsch

300 g rote Rüben/rote Bete · 100 g grüne Bohnen · 1 Bund Suppengrün · 100 g Kohl (Weißkohl, Wirsing, Rosenkohl oder Broccoli) · 1 l Wasser · 500 g Kartoffeln · 1 Teel. frisches, feingehacktes oder ½ Teel. getrocknetes, gerebeltes

Bohnenkraut · 300 g Tofu · 2 Tomaten · 100 g
Salatgurke oder Salzgurke (1-2 Stück) · 2-3 Eßl.
Sojasauce · 1 Eßl. Apfel- oder Weinessig · 1 Eßl.
Weißwein · 2 Eßl. feingehackte Petersilie
Pro Portion etwa 1050 Joule/250 Kalorien

Vorbereitungszeit: 15 Minuten
Garzeit: 20 Minuten

Die roten Rüben schälen, zuerst in Scheiben,
dann in Stifte schneiden. Die grünen Bohnen
waschen, putzen und schräg in etwa 2 mm breite
Streifen schneiden. Das Suppengrün waschen,
putzen und grob zerkleinern. Den Kohl waschen, putzen und ebenfalls grob zerkleinern.
Das vorbereitete Gemüse mit dem Wasser in einem großen Topf zum Kochen bringen. Die Kartoffeln schälen, waschen und in grobe Würfel
schneiden. Die Kartoffelwürfel mit dem Bohnenkraut in den Topf geben und alles zusammen
in 15-20 Minuten gar kochen. • Den Tofu in etwa 1 cm große Würfel schneiden, die Tomaten
waschen und in Scheiben schneiden. Das Stück
Salatgurke eventuell schälen und in dünne
Scheiben schneiden oder die Salzgurke in dünne
Scheiben schneiden. • Die nicht mehr kochende
Suppe mit der Sojasauce, dem Essig und dem
Wein abschmecken. Die Tofuwürfel, die Toma-
ten- und Gurkenscheiben vorsichtig daruntermischen. Die Hälfte der Petersilie unter die Suppe
mischen, die andere Hälfte daraufstreuen.

Ganz einfach

Sahnige Erbsensuppe

Auch eine Hülsenfruchtsuppe kann zum
Schnellgericht werden. Die Behandlung der eingeweichten Erbsen im Mixer macht's möglich!

125 g getrocknete gelbe Erbsen (halbe

Schälerbsen) · 1¼ l Wasser oder Gemüsebrühe ·
1 Bund frisches oder 1 kleines Päckchen tiefgefrorenes Suppengrün · 1 Lorbeerblatt · 1 gehäufter
Eßl. gekörnte Gemüsebrühe · je 1 gehäufter Teel.
getrockneter, gerebelter Thymian und Majoran ·
1-2 gestrichene Teel. Curry · 1 Messerspitze weißer Pfeffer, frisch gemahlen · 2 säuerliche Äpfel ·
1-2 Zwiebeln · Butter zum Braten · ⅛ l Sahne ·
etwa 3 Eßl. Apfelessig · 2 Teel. Salz · 1 Eßl. gehackte Petersilie · 1 Teel. Liebstöckel
Pro Portion etwa 1270 Joule/300 Kalorien

Quellzeit: etwa 12 Stunden
Vorbereitungszeit: 15 Minuten
Garzeit: 15 Minuten

Die Erbsen mit ½ l Wasser oder Gemüsebrühe in
einen Topf geben und etwa 12 Stunden zugedeckt quellen lassen. • Am anderen Tag ¾ l Wasser oder Gemüsebrühe in einem großen Topf
zum Kochen bringen. • Währenddessen das frische Suppengrün putzen, waschen und zerkleinern. Das Suppengrün (tiefgefrorenes unaufgetaut) und die Gewürze von Lorbeerblatt bis
Pfeffer in den Topf geben. • Die Erbsen mit dem
Einweichwasser in den Mixer füllen, feinmixen
(dabei den Mixer zwischendurch ausschalten, je
nach Gebrauchsanweisung des Herstellers –
Höchstlaufzeit nicht überschreiten). Den Inhalt
des Mixers in den Topf mit der kochenden Flüssigkeit gießen und die Suppe zugedeckt (Vorsicht, es spritzt!) etwa 10 Minuten kochen lassen,
dabei gelegentlich umrühren. • Währenddessen
die Äpfel schälen, vierteln, vom Kerngehäuse befreien und in kleine Würfel schneiden. Die Apfelwürfel ebenfalls in den Topf geben. • Während die Suppe kocht, die Zwiebeln schälen, grob
zerkleinern und in einer kleinen Pfanne in Butter
goldbraun braten. • Prüfen, ob alles im Topf gar
ist, dann die Suppe vom Herd nehmen. Die Sahne zufügen. Die Erbsensuppe mit Essig und Salz
abschmecken und die feingehackten Kräuter sowie die gebratenen Zwiebeln untermischen.

Ballaststoffreich · Braucht etwas Zeit

Linsen mit Backpflaumen

150 g ungeschwefelte Backpflaumen · 250 g Linsen · 2 l Wasser · 75 g Grünkernschrot · ⅛ l Wasser · 1 Lorbeerblatt · 6 Wacholderbeeren · 1 Teel. Senfkörner · je ½ Teel. getrockneter Thymian und Estragon · 1 Teel. Kümmel · ½ Teel. Fenchelsamen · ½ l Wasser · 1 Stange Lauch/Porree · 1 Möhre · 1 Stück Sellerieknolle · 1 Zwiebel · 3 Eßl. Öl · 2–3 Teel. Salz · 1 Teel. geriebener Ingwer · 2 Messerspitzen gemahlener Piment · ½ Tasse Wasser · 2–3 Eßl. Zitronensaft · 1 Eßl. Birnendicksaft · 2 Eßl. Butter
Pro Portion etwa 2185 Joule/520 Kalorien

Quellzeit: 10–12 Stunden
Vorbereitungszeit: 10 Minuten
Garzeit: 1½ Stunden

Die Backpflaumen von Wasser bedeckt 10–12 Stunden einweichen. • Die Linsen waschen und in dem Wasser 1 Stunde quellen lassen. • Den Grünkernschrot mit dem Wasser übergießen und ebenfalls 1 Stunde einweichen. • Die Linsen im Einweichwasser mit dem Grünkernschrot, den Gewürzen von Lorbeerblatt bis Fenchelsamen und dem ½ l Wasser zum Kochen bringen und zugedeckt bei schwacher Hitze kochen lassen. • Inzwischen die Backpflaumen entsteinen, nach 40 Minuten Kochzeit zu den Linsen geben, aufkochen lassen und zugedeckt bei ganz schwacher Hitze die Linsen 45 Minuten quellen lassen. • Während der Quellzeit vom Lauch die harten grünen Blattspitzen abschneiden und welke Blätter entfernen. Den Lauch der Länge nach aufschlitzen, unter fließendem Wasser gründlich waschen und in dünne Scheiben schneiden. Die Möhre und den Sellerie unter fließendem Wasser gründlich bürsten, schlechte Stellen entfernen und beide kleinschneiden. Die

Zwiebel schälen und würfeln. Alles Gemüse in einem Topf im Öl wenden. ½ Teelöffel Salz, den Ingwer, den Piment und das Wasser zufügen, umrühren und das Gemüse zugedeckt bei schwacher Hitze in etwa 15 Minuten weich dünsten. • Das gegarte Gemüse unter die Linsen mischen, kurz aufkochen lassen, mit dem restlichen Salz, dem Zitronensaft und dem Birnendicksaft abschmecken und die Butter in Flöckchen unterrühren.

Braucht etwas Zeit · Preiswert

Andalusische Kichererbsensuppe

300 g Kichererbsen · 2 l Wasser · ½ Teel. getrocknete Rosmarinnadeln · 1–2 Teel. getrocknetes Basilikum · 1 Möhre · 1 Petersilienwurzel · 1 Stück Sellerieknolle · 1 Messerspitze gemahlener Safran · 2 Prisen Cayennepfeffer · 1–2 Teel. Salz · 1 Eßl. Zitronensaft · 2 Eßl. Butter · 2 Teel. Kümmel
Pro Portion etwa 1430 Joule/340 Kalorien

Quellzeit: 10–12 Stunden
Vorbereitungszeit: 30 Minuten
Garzeit: 1½ Stunden

Die Kürbisrohkost wird mit Rosinen »angereichert« ▷ und mit Ingwer und Anis gewürzt. Rezept Seite 67.

Die Kichererbsen waschen und 10–12 Stunden im Wasser quellen lassen. • Die Kichererbsen im Einweichwasser mit dem Rosmarin und dem Basilikum zum Kochen bringen. • Die Möhre, die Petersilienwurzel und den Sellerie unter fließendem Wasser gründlich bürsten, die Wurzelenden und schlechten Stellen abschneiden und die Wurzeln ungeschält kleinschneiden. • Das Gemüse zu den Bohnen geben und diese in 1½ Stunden zugedeckt bei schwacher Hitze weich kochen. • Die Suppe durch ein Sieb streichen. Das Safran zufügen und mit dem Cayennepfeffer, dem Salz und dem Zitronensaft würzen. Die Butter in Flöckchen unterrühren und die Suppe mit dem Kümmel bestreut servieren.

Braucht etwas Zeit

Linsensuppe mit Kastanien

125 g rote geschälte Linsen · ½ l Wasser · ½ l Apfelsaft · 1 Stück unbehandelte Zitronenschale · 1 kleines Stück Stangenzimt · 250 g Kastanien/Maroni · 3 Eßl. Butter · ¼ l Gemüsebrühe · 1½–2 Teel. Salz · 1 Bund Basilikum oder Petersilie
Pro Portion etwa 1345 Joule/320 Kalorien

Vorbereitungszeit: 20 Minuten
Garzeit: 40 Minuten

◁Feiern Sie so oft wie möglich Erntefest mit Rohkostplatten – beispielsweise mit dieser »Sommerende«-Platte. Rezept Seite 48.

Die Linsen waschen und in dem Wasser mit dem Apfelsaft, der Zitronenschale und dem Zimt zugedeckt bei schwacher Hitze in etwa 40 Minuten weich kochen. • Inzwischen die Kastanien am spitzen Ende kreuzweise einschneiden und von Wasser bedeckt etwa 20 Minuten kochen lassen, bis die Schalen aufspringen. • Die Kastanien schälen, dabei auch die braune, pelzige Haut entfernen. Die Kastanien in einem Topf in der Butter leicht anbraten, jedoch nicht bräunen lassen. Die Gemüsebrühe zugießen und die Kastanien zugedeckt bei schwacher Hitze in etwa 30 Minuten weich schmoren. Wenn nötig, noch etwas heiße Brühe zugießen. • Die Kastanien mit dem Kartoffelstampfer etwas zerdrücken. • Die geschälten Linsen sind bei Ende der Garzeit nahezu völlig zerkocht. Nach Belieben können sie jedoch noch passiert werden. Die Zitronenschale und das Stück Zimt aus den Linsen entfernen. Die Kastanien mit der Linsensuppe mischen. Die Suppe mit dem Meersalz abschmecken. Das Basilikum oder die Petersilie waschen, trockenschleudern, hacken und auf die Suppe streuen.

Braucht etwas Zeit

Flageoletbohnensuppe

Ein leichtes Süppchen, das auch mit noch nicht voll ausgereiften weißen Bohnen bereitet werden kann, die es im Sommer zu kaufen gibt. Diese noch weichen Bohnenkerne brauchen nicht vorzuquellen und haben etwa die gleiche Garzeit wie vorgequollene Flageoletbohnen.

75 g Flageoletbohnen · ¼ l Gemüsebrühe · 1 Kräutersträußchen, bestehend aus Bohnenkraut, Estragon, Kerbel und Thymian · 3 grüne Paprikaschoten · 2 Kartoffeln · 2 Eßl. Öl · 1–1½ Eßlöffel gekörnte Gemüsebrühe · 2 Teel. Hefeextrakt · 1 Messerspitze geriebene

Muskatnuß · 1 Messerspitze gemahlener Piment · 2 Scheiben Vollkorntoast · 2 Teel. Butter · 1 Bund Petersilie
Pro Portion etwa 1070 Joule/255 Kalorien

Quellzeit: 8–12 Stunden
Vorbereitungszeit: 30 Minuten
Garzeit: 45 Minuten

Die Bohnen in der Gemüsebrühe 8–12 Stunden quellen lassen. • Mit dem Kräutersträußchen in der Gemüsebrühe in etwa 45 Minuten weich kochen. • Inzwischen die Paprikaschoten waschen, die Kartoffeln unter fließendem Wasser gründlich bürsten, Keimansätze ausstechen und die Kartoffeln würfeln. 2 Paprikaschoten vierteln und von Rippen und Kernen befreien. Die Viertel in Streifen schneiden und mit den Kartoffelwürfeln im Öl kurz anbraten. • Nach 30 Minuten Garzeit das Gemüse zu den Bohnen geben und alles zusammen garen. Die Suppe mit der gekörnten Gemüsebrühe, dem Hefeextrakt, dem Muskat und dem Piment würzen. • Die dritte Paprikaschote von Rippen und Kernen befreien und in kleine Würfel schneiden. Die Toastscheiben in Würfel schneiden und in der Butter goldgelb braten. Die Petersilie waschen, trockenschleudern, hacken und mit den Paprikaschotenwürfel in die Suppe geben. Die gebratenen Brotwürfel zur Suppe dazu reichen.

Braucht etwas Zeit · Nicht ganz einfach

Weiße-Bohnen-Suppe mit Klößchen

Die Einlage ist das Besondere an dieser dicken Suppe. Man kann die Klößchen statt aus Maisgrieß auch aus anderem Getreide bereiten. Es sollte fein geschrotet sein. Zu Grünkern passen

als Gewürze Basilikum und Estragon, zu Roggen gemahlener Kümmel, Rosmarin und Thymian, zu Weizen gemahlener Koriander, Majoran und Rosmarin.

Für die Bohnensuppe: 150 g weiße Bohnen · 2 l Wasser · 1 Teel. getrocknetes Bohnenkraut · 2 Teel. getrocknetes Basilikum · ½ Teel. Kümmel · ½ Teel. grob zerstoßener Koriander · 1 großes Blatt frisches Liebstöckel oder 1 Teel. getrocknetes Liebstöckel
Für die Klößchen: 2 Eßl. Butter · 5 Eßl. Wasser · 2 Teel. gekörnte Gemüsebrühe · 5 Eßl. Maisgrieß · je 2 Messerspitzen getrockneter Oregano und getrocknetes Basilikum · 1 Messerspitze geriebene Muskatnuß · gegebenenfalls 1 Eßl. Magerquark oder 2–3 Eßl. Wasser
500 g geputztes, kleingeschnittenes Gemüse (je nach Jahreszeit Blumenkohl, Kohlrabi, Möhren, Frühlingszwiebeln, Lauch, Staudensellerie, Petersilienwurzel, Paprikaschote) · 2 Eßl. Öl · 1 Messerspitze geriebene Muskatnuß · 1 Messerspitze gemahlener Piment · ½ Tasse Wasser · 1–2 Eßl. gekörnte Gemüsebrühe · 2 Eßl. Zitronensaft · 2 Eßl. frisch gehackte Petersilie
Pro Portion etwa 1595 Joule/380 Kalorien

Quellzeit: 8–12 Stunden
Vorbereitungszeit: 30 Minuten
Garzeit: 1½ Stunden

Für die Suppe die Bohnen waschen und in dem Wasser 8–12 Stunden quellen lassen. • Die Bohnen dann im Einweichwasser mit den Gewürzen von Bohnenkraut bis Liebstöckel zugedeckt bei schwacher Hitze fast weich kochen. • Für die Klößchen die Butter mit dem Wasser und der gekörnten Brühe in einem Topf erhitzen. Den Maisgrieß unter Rühren in einem Topf erhitzen. Den Maisgrieß unter Rühren mit dem Schneebesen einrieseln lassen. Den Oregano, das Basilikum und den Muskat zufügen und aufkochen lassen. Den Grieß zugedeckt bei ganz schwacher

Hitze 20 Minuten ausquellen und dann abkühlen lassen. • Inzwischen für die Suppe das Gemüse im Öl wenden, mit dem Muskat und dem Piment würzen, das Wasser zufügen und das Gemüse zugedeckt bei schwacher Hitze in etwa 15 Minuten weich dünsten. • Für die Klößchen in einem Topf reichlich Salzwasser zum Kochen bringen. Aus dem steifen Maisgrieß mit nassen Händen haselnußgroße Klößchen formen. Am besten geht das, wenn man eine kleine Schüssel mit Wasser füllt, 2 Eßlöffel Öl zusetzt und die Hände beim Formen immer wieder mit dem Ölwasser befeuchtet. Wenn die Kloßmasse zu trocken und fest ist, den Quark oder noch etwas Wasser unterkneten. Ist die Masse zu weich, noch etwas Maisgrieß zufügen. • Wenn die Klößchen geformt sind, im Salzwasser knapp unter dem Siedepunkt in etwa 20 Minuten gar ziehen lassen. Die Hitze regulieren und den Topf nicht zudecken. Die Klößchen sinken zuerst auf den Topfboden und steigen dann an die Oberfläche. Sie sind jedoch erst gar, wenn sie auch innen trocken und locker sind. Die gegarten Klößchen aus dem Salzwasser heben und warm halten. • Die Bohnensuppe mit der gekörnten Gemüsebrühe und dem Zitronensaft würzen. Das Gemüse zur Bohnensuppe geben. Die Klößchen in die Suppenteller verteilen, die Bohnensuppe darüberschöpfen und mit der Petersilie bestreuen.

Unser Tip Nach dem gleichen Rezept können mit doppelter Zutatenmenge die Maisklößchen auch als Beilage für ein Bohnengericht bereitet werden. Man gart sie am besten in Gemüsebrühe, brät sie dann kurz in Butter und streut gehackte Petersilie darüber.

Braucht etwas Zeit

Pfirsichkaltschale

50 g grobe Haferflocken · 20 g Butter · 1 kg Pfirsiche · ½ l Wasser · abgeriebene Schale von ½ Zitrone (Schale unbehandelt) · etwa 100 g Honig · ½ Teel. Agar-Agar · ¼ l Weißwein oder ungesüßter Apfelsaft
Pro Portion etwa 1175 Joule/280 Kalorien

Zubereitungszeit: 40 Minuten
Kühlzeit: 1 Stunde

Die Haferflocken in der Butter goldbraun rösten und abkühlen lassen. • Die Pfirsiche brühen, häuten, halbieren und entkernen. • Das Wasser mit der Zitronenschale bis fast zum Kochen bringen, dann den Honig und das in wenig Wasser gelöste Agar-Agar zugeben; abkühlen lassen. • Die Hälfte der Früchte mit dem Wein oder Saft pürieren, die andere Hälfte kleinschneiden. Wenn die Honigflüssigkeit etwas steif zu werden beginnt, den Fruchtbrei und die Früchte zugeben. • Abschmecken und kühl stellen. Mit den Haferflocken bestreuen.

Ganz einfach · Preiswert

Buttermilchsuppe

Im Sommer sind süße kalte Suppen besonders erfrischend. Zusammen mit einem Salat sind sie eine leichte Hauptmahlzeit.

400 g Birnen · 1 Nelke · 1 Zimtstange · 1 l Buttermilch · 1 Prise Salz · ½ Teel. Agar-Agar · Honig nach Bedarf · abgeriebene Schale von ½ Zitrone (Schale unbehandelt)
Pro Portion etwa 610 Joule/145 Kalorien

Zubereitungszeit: 30 Minuten
Kühlzeit: 1 Stunde

Die Birnen halbieren, vom Kerngehäuse befrei-
en, schälen und kleinschneiden. Die Fruchtstük-
ke mit der Nelke und der Zimtstange in so wenig
Wasser wie möglich weich dünsten; sie sollen
nicht zerfallen. Dann die Gewürze entfernen. •
Nun die Buttermilch mit dem Salz erhitzen, aber
nicht kochen. Das Agar-Agar in wenig Wasser
anrühren, zur Buttermilch geben und verrühren.
Die Birnenstücke zugeben. Mit Honig und der
Zitronenschale abschmecken. Kalt stellen.

Ganz einfach · Preiswert

Apfelsuppe

*1 kg säuerliche Äpfel · 1 l Wasser · 1 Zimtstange ·
2 Nelken · 1 Zitrone (Schale unbehandelt) ·
¼ l trockener Weißwein oder ungesüßter Apfelsaft · etwa 125 g Honig · 1 gestrichener Teel.
Agar-Agar · 4 Eßl. Sahne*
Pro Portion etwa 1320 Joule/315 Kalorien

Vorbereitungszeit: 10 Minuten
Garzeit: 25 Minuten
Kühlzeit: 1 Stunde

Die Äpfel schälen, vom Kerngehäuse, Stiel und
Blüte befreien und in Schnitze schneiden. Die
Apfelschnitze mit dem Wasser, der Zimtstange,
den Nelken und der spiralig dünn abgeschnitte-
nen Zitronenschale zum Kochen bringen. Alles
zugedeckt auf der ausgeschalteten Herdplatte
ziehen lassen, bis die Äpfel zerfallen sind. Die
Gewürze entfernen. • Den Obstbrei mit dem
Schneebesen musig schlagen. Den Wein oder
den Apfelsaft und den Honig zugeben, dann
nochmals erhitzen. Das in wenig Wasser gelöste
Agar-Agar unterrühren. Die Suppe auf vier tiefe

Glasteller verteilen und kühl stellen. • Zum Servieren in die Mitte je 1 Eßlöffel ungeschlagene
Sahne geben.

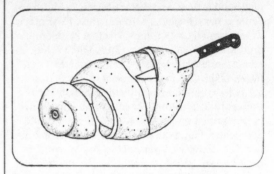

Das Messer zum Abschälen der Zitronenschalenspira-
le muß scharf sein, damit sie (ohne das Weiße) dünn
wird.

Ganz einfach · Braucht etwas Zeit

Indianische Schwarze-Bohnen-Suppe

Bei vielen Indianerstämmen Nord- und Südamerikas gehörten Bohnen und Mais zur täglichen
Nahrung. Sie bauten diese Feldfrüchte schon
lange bevor Kolumbus Amerika entdeckte an.
Zum Zerkleinern der Maiskörner und zum Zerstampfen der Bohnen benutzten sie Steinmörser
und Stößel. Mit einem auf den Mörser gesetzten
geflochtenen Korbrand verhinderten sie, daß das
Mahlgut fortflog.

*500 g schwarze Bohnen · 2½ l Wasser · 1 Stange
Lauch/Porree · 2 Knoblauchzehen · 1 grüne
Pfefferschote · 3 Eßl. Öl · 1 Prise Cayennepfeffer · 2–3 Teel. Salz · 1 Zweig frische Minze,
ersatzweise ½ Teel. getrocknete Pfefferminzblätter*
Pro Portion etwa 2140 Joule/510 Kalorien

Quellzeit: 8-12 Stunden
Zubereitungszeit: 2½-3 Stunden

Die Bohnen waschen und im Wasser 8-12 Stunden quellen lassen. • Die Bohnen im Einweichwasser zugedeckt bei schwacher Hitze in 1½-2 Stunden fast weich kochen. Die Hälfte der Bohnen portionsweise im Mixer nicht zu fein pürieren oder durch den Fleischwolf drehen, dabei etwas Kochflüssigkeit zufügen. Die restlichen Bohnen und das Kochwasser aufbewahren. • Vom Lauch die harten Blattspitzen abschneiden und welke Blätter entfernen. Den Lauch der Länge nach aufschlitzen, unter fließendem Wasser gründlich waschen und in dünne Scheiben schneiden. Die Knoblauchzehen schälen und zerdrücken. Die Pfefferschote waschen und feinhacken. • Das Öl in einen Topf gießen und den Lauch, den Knoblauch und die Pfefferschote darin unter Rühren leicht anbraten, jedoch nicht bräunen lassen. Die pürierten und die ganzen Bohnen mit dem Kochwasser, dem Cayennepfeffer und 2 Teelöffeln Salz zufügen und die Suppe bei schwacher Hitze noch 30 Minuten köcheln lassen. Mit den kleingeschnittenen Pfefferminzblättchen bestreut servieren.

Ganz einfach · Preiswert

Zuppa mille fanti

Die italienische Suppe (mille fanti = tausend Flocken) schmeckt vollwertig noch besser.

100 g Weizen · ¼ l Wasser · 1 gestrichener Eßl. gekörnte Gemüsebrühe · 1 l Wasser oder Gemüsebrühe · 4 Eier · 2 gehäufte Eßl. geriebener Parmesankäse · 1 Handvoll frische Kräuter, zum Beispiel Petersilie, Liebstöckel, Brennesseln, auch junge Spinatblätter · Salz
Pro Portion etwa 810 Joule/195 Kalorien

Vorbereitungszeit: 5 Minuten (am Abend vorher)
Quellzeit: etwa 12 Stunden
(über Nacht)
Zubereitungszeit: 10 Minuten

Am Vorabend den Weizen mit ¼ l Wasser und der gekörnten Brühe in einen Topf geben und 3 Minuten kochen. Zugedeckt etwa 12 Stunden (über Nacht) quellen lassen. • Am nächsten Tag 1 l Wasser oder Gemüsebrühe zum Kochen bringen. Währenddessen die Weizenkörner mit dem Einweichwasser, den Eiern und dem Parmesankäse in den Mixer füllen. Mixen, bis die Körner fein zerkleinert sind (Mixer dabei mehrmals zwischendurch ausschalten). • Sobald das Wasser oder die Brühe kocht, den Inhalt des Mixers hineingießen, unter Rühren mit dem Schneebesen wieder aufkochen, etwa 2 Minuten unter Rühren kochen (nicht länger). • Die Kräuter von den gröbsten Stengeln befreien, unzerkleinert mit 1 Tasse Wasser in den Mixer geben, feinmixen und in die nicht mehr kochende Suppe gießen. Die Suppe mit Salz abschmecken.

Schnell · Ganz einfach · Preiswert

Roggen-Rosenkohl-Topf ☛

1¼ l Wasser oder Gemüsebrühe · 500 g Rosenkohl · 3 gestrichene Teel. Salz · 40 g Roggen · 40 g Weizen · 1 gestrichener Teel. Delikata · 1 gestrichener Teel. edelsüßes Paprikapulver · 1 Messerspitze Muskatblüte (Macis) · 3 gehäufte Eßl. Edelhefeflocken · ½ Becher Sahne (100 g) · 2 Eßl. Kräuter, zum Beispiel Petersilie, Schnittlauch oder Liebstöckel, frisch gehackt
Pro Portion etwa 850 Joule/205 Kalorien

Zubereitungszeit: 20 Minuten

Das Wasser oder die Brühe in einem großen Topf zum Kochen bringen. • Währenddessen den Rosenkohl putzen, waschen, die Röschen längs halbieren und mit dem Salz in das kochende Wasser geben. In etwa 5-10 Minuten gar kochen. • Den Roggen und den Weizen mittelfein schroten. Den Schrot unter Rühren in die kochende Suppe einstreuen, noch 2-3 Minuten kochen. Die Gewürze zufügen. Die Suppe mit den Hefeflocken und der Sahne verfeinern und feingehackte Kräuter dazugeben.

Variante: Roggen-Wirsing-Topf
Genauso fein schmeckt es, wenn Sie statt Rosenkohl 500 g Wirsing verwenden. Den Wirsing von groben Blättern befreien, vierteln, Strunk entfernen. Die guten Wirsingblätter in Vierecke schneiden. Den Wirsing mit dem Wasser nur 5 Minuten kochen, sonst wie oben.

Schnell · Ganz einfach

Champignontopf 🍴

2 Eßl. Butter · 1 große Zwiebel · 1 Bund Petersilie · 100 g frische Champignons · Salz · 1 Messerspitze weißer Pfeffer, frisch gemahlen · Saft von ½ Zitrone · 1¼ l Wasser oder Gemüsebrühe · 1 Bund frisches oder 1 kleines Päckchen tiefgefrorenes Suppengrün · 100 g Weizen · ½ Becher Sahne (100 g) · eventuell etwas Weißwein
Pro Portion etwa 1005 Joule/240 Kalorien

Vorbereitungszeit: 10 Minuten
Zubereitungszeit: 20 Minuten

Die Butter in einer Pfanne zerlassen. Die Zwiebel schälen, feinschneiden und in der Butter bei schwacher Hitze glasig braten. Inzwischen die Petersilie hacken, die Champignons putzen, waschen und in Scheiben schneiden, zur Zwiebel in die Pfanne schütten, dazu 1 Teelöffel Salz, den Pfeffer, die Hälfte der Petersilie und den Saft von ½ Zitrone (etwas Zitronensaft zurückbehalten). Alles zusammen etwa 10 Minuten dünsten, dabei ab und zu umrühren. • Währenddessen das Wasser oder die Brühe zum Kochen bringen. Das frische Suppengrün putzen, waschen und zerkleinern. • Den Weizen grobschroten. • Das Suppengrün (tiefgefrorenes unaufgetaut) und den Weizenschrot zu der Flüssigkeit in den Topf schütten, umrühren. Alles in etwa 10 Minuten bei schwacher Hitze gar kochen (Vorsicht, kocht leicht über!). Die Suppe vom Herd nehmen. Die gedünsteten Champignons und die Sahne zufügen. Mit Salz, Zitronensaft und eventuell etwas Weißwein abschmecken. Die restliche Petersilie untermischen.

Das paßt dazu: Vollkornnudeln oder Naturreis

Ballaststoffreich · Ganz einfach

Ägyptische Linsensuppe

350 g grüne oder braune Linsen · 2 l Wasser · 8 Knoblauchzehen · 1 Lorbeerblatt · 1 Eßl. Kreuzkümmel · 2 Teel. Salz · 1 Messerspitze Cayennepfeffer · 5 Zwiebeln · 3 Eßl. Butter · 1 Zitrone
Pro Portion etwa 1430 Joule/340 Kalorien

Quellzeit: 1 Stunde
Zubereitungszeit: 1-1¼ Stunden

Die Linsen waschen und im Wasser 1 Stunde quellen lassen. Den Knoblauch schälen und 2 Knoblauchzehen und das Lorbeerblatt zu den eingeweichten Linsen geben und im Einweichwasser mitziehen lassen. • Während die Linsen quellen, die übrigen Knoblauchzehen hacken und mit dem Kreuzkümmel und etwas Salz im Mörser zerstoßen. Wenn kein Mörser vorhanden ist, den Knoblauch mit etwas Salz mit der Messerklinge zerdrücken, den Kreuzkümmel mahlen, mit dem Cayennepfeffer zum Knoblauch geben und alles mischen. • Die Zwiebeln schälen und würfeln und mit der Hälfte der Knoblauchmischung in der Butter in einem großen Topf unter Wenden goldgelb braten. Die Linsen mit dem Einweichwasser zufügen, zum Kochen bringen und bei schwacher Hitze in 45–60 Minuten weich kochen. • Die Suppe anschließend durch ein Sieb streichen und wieder erhitzen. Die übrige Knoblauchmischung unterrühren und die Suppe mit dem restlichen Salz abschmecken. Die Zitrone in Spalten separat reichen. Jeder würzt sich damit die Suppe nach Geschmack.

Ganz einfach

Bunter Gersteneintopf ☝

50 g Sojamarkwürfel · 2 Eßl. getrocknete Steinpilze · 50 g Azukibohnen · reichlich 1 l Wasser oder Gemüsebrühe · 250 g Kartoffeln · 1 Bund Suppengrün · 4 gehäufte Eßl. Nacktgerste · 2 gestrichene Eßl. gekörnte Gemüsebrühe · 1 gestrichener Teel. edelsüßes Paprikapulver · 2 Messerspitzen schwarzer Pfeffer, frisch gemahlen · 1 Becher saure Sahne (200 g) · 1 gestrichener Teel. getrocknete Pfefferminze oder 1 gehäufter Teel. frisches, feingehacktes Pfefferminzkraut · 2 Messerspitzen Piccata · 1 Bund Petersilie · 2 Zweige Liebstöckel · Salz
Pro Portion etwa 1090 Joule/260 Kalorien

Vorbereitungszeit: 5 Minuten (am Abend vorher)
Quellzeit: etwa 12 Stunden
(über Nacht)
Zubereitungszeit: 20 Minuten

Am Vorabend das Sojamark, die Pilze und die Bohnen in einen weiten Topf geben, mit Wasser bedecken und einmal aufkochen. Zugedeckt etwa 12 Stunden (über Nacht) quellen lassen. • Am nächsten Tag das Wasser oder die Gemüsebrühe in den Topf mit den eingeweichten Zutaten gießen, wieder zum Kochen bringen und 10 Minuten kochen. Währenddessen die Kartoffeln gut bürsten und würfeln. • Das Suppengrün putzen, waschen und zerkleinern. Die Gerste grobschroten, die Kartoffelwürfel, das Suppengrün und den Gerstenschrot zusammen mit der gekörnten Brühe, dem Paprikapulver und dem Pfeffer zur kochenden Suppe geben, in gut 5 Minuten gar kochen. Den Topf vom Herd nehmen. • Den Eintopf mit der verquirlten sauren Sahne, der Pfefferminze (getrocknete Blättchen mit den Fingern zerreiben), dem Piccata und feingehackten Kräutern mischen. Mit Salz abschmecken.

Braucht etwas Zeit · Preiswert

Bohnen und Erbsen mit Gerste

Dieser Wintereintopf ist ein Energiespender für Frosttage, wenn wir uns beim Wintersport verausgabt haben. Damit das Gericht nicht belastend wirkt, müssen wir uns beim Essen Zeit lassen und besonders gut kauen.

Je 125 g grüne Erbsen und weiße Bohnen · 150 g Nacktgerste · 1½ l Gemüsebrühe · 2 Nelken · 2 Teel. getrockneter Thymian · 2 Teel. Kümmel · 1 Teel. Fenchelsamen · 1 Petersilienwurzel · 250 g Möhren · 1 Stück Knollensellerie · 1 Eßl. gekörnte Gemüsebrühe · 1–2 Teel. Kräutersalz · ¼ Teel. geriebene Muskatnuß · 250 g Zwiebeln · 4 Eßl. Öl · 1 Bund Petersilie
Pro Portion etwa 1595 Joule/380 Kalorien

Quellzeit: 8–10 Stunden
Zubereitungszeit: 2–2½ Stunden

Die Erbsen, die Bohnen und die Gerste waschen und zusammen in einem Topf mit der Brühe 8–12 Stunden, am besten über Nacht, quellen lassen. • Die Nelken, den Thymian, den Kümmel und den Fenchel zufügen. Die Petersilienwurzel waschen, putzen und unzerkleinert zufügen. Den Eintopf etwa 1 Stunde zugedeckt bei schwacher Hitze kochen lassen, bis die Erbsen und Bohnen fast weich sind. • Die Möhren und den Sellerie unter fließendem Wasser gründlich bürsten, putzen, längs halbieren oder vierteln und in etwa 5 cm lange Stücke schneiden. Den Sellerie würfeln und das Gemüse 20 Minuten mitkochen lassen. Den Eintopf mit der gekörnten Gemüsebrühe, dem Kräutersalz und dem Muskat würzen und bei ganz schwacher Hitze auf dem Herd oder in eine Decke gehüllt noch mindestens 30 Minuten nachquellen lassen. • Die Zwiebeln schälen, halbieren, die Hälften in Scheiben schneiden und im Öl goldgelb braten. Die Petersilie waschen, trockenschleudern, feinhacken und mit den gebratenen Zwiebeln zuletzt unter den Eintopf rühren.

Eiweißreich · Ganz einfach

Bohnentopf

Reichlich 1 l Wasser oder Gemüsebrühe ·
150 g Azukibohnen · 50 g Sojamark (TVP,
Sojafleisch) · 1 gehäufter Eßl. gekörnte
Gemüsebrühe · 250 g Kartoffeln · 1 Zwiebel ·
1 Eßl. Butter · 2 säuerliche Äpfel · je 1 leicht ge-
häufter Teel. getrockneter, gerebelter Thymian und
Majoran · 1–2 Messerspitzen schwarzer Pfeffer,
frisch gemahlen · Salz · 1 Bund Petersilie
Pro Portion etwa 1100 Joule/265 Kalorien

Vorbereitungszeit: 5 Minuten (am Abend vorher)
Quellzeit: etwa 12 Stunden
(über Nacht)
Zubereitungszeit: 20 Minuten

Am Vorabend das Wasser oder die Brühe, die Azukibohnen, das Sojamark und die gekörnte Brühe in einen großen Topf geben und einmal aufkochen. Vom Herd nehmen und zugedeckt etwa 12 Stunden (über Nacht) zum Quellen stehenlassen. • Am nächsten Tag die Brühe mit den Bohnen wieder zum Kochen aufsetzen. Währenddessen die Kartoffeln gut bürsten und mit der Schale in Würfel schneiden. Die Kartoffelwürfel mit in den Topf geben und alles zusammen etwa 10 Minuten kochen. • Die Zwiebel schälen, grob zerkleinern und in der Butter goldbraun braten. • Inzwischen die Äpfel vierteln, schälen, vom Kerngehäuse befreien und würfeln. Die Apfelwürfel in die kochende Suppe geben und noch etwa 5 Minuten kochen. Prüfen, ob die Bohnen und die Kartoffeln gar sind. Mit den Gewürzen und dem Salz abschmecken. Den Eintopf vom Herd nehmen und feingehackte Petersilie untermischen. Die gebratene Zwiebel hinzufügen.

Gemüse für jede Jahreszeit

In der herkömmlichen Küche ist Gemüse meist nur Beilage, häufig mit viel Fett und einer Mehlschwitze nach langer Garzeit serviert. In der Vollwertküche spielt Gemüse dagegen eine Hauptrolle. Schließlich hat man erkannt, daß gerade Gemüse die meisten Vitamine und Mineralstoffe und dabei gleichzeitig besonders wenig Kalorien enthält. Auf der ganzen Welt gibt es mehr als 200 verschiedene Gemüsesorten. Auch wenn nicht alle bei uns erhältlich sind, Langeweile und Eintönigkeit im Geschmack brauchen nicht aufzukommen. Überlegen Sie einmal, wie wenig Fleischsorten es dagegen gibt. Um alle Vorzüge von Gemüse voll auszunutzen, sollte ein Teil als Rohkost verzehrt werden (siehe Kapitel Rohkost und Salate). Doch nicht immer mag man Gemüse nur roh essen. Zusammen mit anderen Lebensmitteln können im Ofen und auf dem Herd köstliche Gerichte entstehen, die eine feine und leichte Hauptmahlzeit ergeben, genauso, wie wir uns es heute wünschen. Denn fast niemand verrichtet heute noch Schwerstarbeit und braucht üppige, kalorienreiche Mahlzeiten. Besonders die Ballaststoffe im Gemüse haben einen günstigen Einfluß auf einen erhöhten Cholesterinspiegel. Gleichzeitig sorgen sie für eine geregelte Verdauung.

Gemüse gibt es rund ums Jahr. Dabei hat jede Jahreszeit spezielle Sorten zu bieten. Wer einen eigenen Garten hat, kann Gemüse nur während der jeweiligen Saison ernten. Wer nicht zu den glücklichen Gartenbesitzern gehört, die ihr Gemüse reif und frisch kurz vor der Zubereitung aus dem Gemüsebeet holen können, sollte sich trotzdem an den Jahreszeiten orientieren und nur frischeste Produkte auswählen. Das Gemüse besitzt dann nicht nur den besten Geschmack, sondern auch die meisten Wertstoffe. Achten Sie bei der Auswahl nicht nur auf Größe oder Makellosigkeit. Äußerlich schöne Früchte sind meist das Ergebnis intensiver chemischer Behandlung beim Anbau. Gemüse, das im Winter oder Frühjahr nicht reif wird, stammt in der Regel aus dem Treibhaus. Hier fehlt häufig nicht nur das Aroma, zu wenig Sonne führt bei vielen Arten zu erhöhtem Nitratgehalt und das feuchtwarme Klima läßt schädliche Pilze wachsen, die dann wieder mit Pflanzenbehandlungsmitteln bekämpft werden müssen. Außerdem sollte man berücksichtigen, daß solche Gemüse sehr »energie-intensiv« sind; zu ihrem Anbau braucht man nämlich viel Heizenergie. Gemüse sollte vor dem Waschen nicht zerkleinert werden, zu viele Vitamine und Mineralstoffe gingen verloren. Hartes Gemüse wird gründlich unter fließendem warmen Wasser geschrubbt, Blattgemüse gründlich unter fließendem Wasser gewaschen und, wenn möglich, die äußeren Blätter entfernt. Ganz besonders wichtig ist bei Gemüse die richtige Zubereitung. Es sollte stets nur in ganz wenig Wasser knapp gegart werden, so daß es noch »Biß« hat. Gut geeignet dafür sind Töpfe, in denen man fett- und wasserarm garen kann. Haben Sie einen gut schließenden Deckel mit nach innen gestülptem Rand, kann man das gewaschene Gemüse tropfnaß in den Topf geben und im eigenen Saft dünsten. So werden Vitamine am besten geschont und die Mineralstoffe nicht ausgelaugt.

Auf keinen Fall sollte man Gemüse warm halten, große Vitaminverluste wären unweigerlich die Folge davon. Die Gemüsegerichte dieses Kapitels können Hauptgericht oder Beilage sein. Daher finden Sie manchmal am Schluß der Rezepte Hinweise für passende Beilagen.

Eiweißreich · Schnell

Spinattorte

Bild Seite 149

750 g frischer Spinat oder 400 g tiefgefrorener Blattspinat · 100 g Weizen · 100 g Doppelrahm-Frischkäse · 200 g Magerquark ·

*2 Eßl. weiche Butter · 4 Eier · 1 gestrichener Eßl.
Salz · 1 gestrichener Teel. edelsüßes
Paprikapulver · 2 Messerspitzen geriebene
Muskatnuß · 2 Messerspitzen schwarzer Pfeffer,
frisch gemahlen · Fett zum Braten · 100 g Gouda-
oder Emmentaler Käse · 1 gestrichener Teel.
Delikata · 1 Bund Radieschen · eventuell Peter-
silie (wenn tiefgefrorener Spinat verwendet wird)*
Pro Portion etwa 2000 Joule/475 Kalorien

Auftauzeit: tiefgefrorenen Spinat bei Zimmertemperatur 3–4 Stunden zugedeckt auftauen
lassen
Vorbereitungszeit: 10 Minuten
Garzeit: 15–20 Minuten

Den frischen Spinat waschen, einige schöne große Blätter zurücklassen. Den Rest blanchieren
und abtropfen lassen. • Den Weizen mehlfein
mahlen. • Den Frischkäse mit einer Gabel zerdrücken. Alle Zutaten für den Teig – Mehl,
Frischkäse, Quark, Butter, Eier, Salz, Paprikapulver, Muskat und Pfeffer – in einer Schüssel rasch
verrühren. • Den Spinat grobhacken und unter
den Teig mischen. • In eine Deckelpfanne wenig
Fett geben, den Teig einfüllen und glattstreichen.
Den Deckel schließen. Die Spinattorte 10 Minuten bei mittlerer Hitze backen. Dann mit einem
flachen Teller wenden, das heißt den Teller umgedreht auf die Spinattorte legen, eine Hand auf
den Teller halten und zusammen mit der Pfanne
umdrehen. Dann das Ganze vom Teller wieder
in die Pfanne gleiten lassen, so daß jetzt die andere Seite noch 5–10 Minuten gebacken werden
kann. • Den Käse reiben, mit dem Delikata mischen und obenauf verteilen. Kurz zerlaufen lassen. Die Pfanne vom Herd nehmen. Oder den
Käse ganz kurz unter dem Grill gratinieren. •
Die Spinattorte auf eine vorgewärmte Platte gleiten lassen oder in der Pfanne servieren. Die zurückgelassenen Spinatblätter von der Mitte aus
wie eine Blume anordnen, die geputzten ganzen
Radieschen in der Mitte bergartig anrichten.

Wenn Sie tiefgefrorenen Spinat verwendet haben, können Sie auch aus Petersilie eine Blume
anordnen.

Unser Tip Aufläufe wie diese Spinattorte kann man natürlich auch – ohne
Wenden – in einer gefetteten Auflaufform im Backofen backen; Backzeit für
das obige Rezept etwa 30 Minuten, bei
guter Mittelhitze (Garprobe mit einem
Löffelstiel). Den Käse erst kurz vor Ende
der Backzeit aufstreuen.

Schnell · Ganz einfach

Chicorée mit Nußcreme

*750 g Chicorée · ¼ l Wasser · 100 g Goudakäse ·
⅛ l Sahne · 2 Eier · 40 g Walnußkerne · 2 gehäufte Eßl. Vollkornbrösel (Graham-Paniermehl) ·
½ Teel. Delikata · 1 Messerspitze weißer Pfeffer,
frisch gemahlen · 1 Messerspitze Muskatblüte
(Macis) · Petersilie · eventuell Tomaten zum
Garnieren*
Pro Portion etwa 1320 Joule/315 Kalorien

Vorbereitungszeit: 5 Minuten
Garzeit: 15 Minuten

Die Chicoréestauden längs durchschneiden, waschen, mit der Schnittfläche nach unten in einen
weiten Topf legen und mit dem Wasser in etwa
10–15 Minuten gar kochen. • Inzwischen den
Käse grobreiben, dann mit der Sahne, den Eiern,
den Nüssen, den Bröseln, dem Delikata, dem
Pfeffer und der Muskatblüte in den Mixer füllen. • Sobald der Chicorée gar ist, die Stauden
auf einem Sieb kurz abtropfen lassen und auf

einer Platte anrichten. • 1 Tasse vom Kochwasser zu den übrigen Zutaten in den Mixer gießen, alles kurz feinmixen und in den leeren Gemüsetopf gießen. • Unter Rühren (am besten mit einem Schneebesen) ein paarmal kurz aufkochen. Die nun dick gewordene Creme auf dem Gemüse verteilen, mit feingehackter Petersilie bestreuen und eventuell mit Tomatenscheiben garnieren.

Das paßt dazu: Würziger Mais (Rezept Seite 143) oder Dämpfkartoffeln (Rezept Seite 182) oder Kräuterkartoffeln (Rezept Seite 184) oder auch Vollkornnudeln oder Naturreis.

Unser Tip Es ist nicht notwendig, die Enden der Chicoréestauden auszuhöhlen, um die Bitterstoffe zu entfernen. Die Staudenenden sollten lediglich ganz dünn sauber abgeschnitten werden. Die Bitterstoffe sind wertvoll, denn sie regen den Appetit an und fördern den Gallenfluß. Der leicht bittere Geschmack des Chicorée harmoniert auch gut mit dem feinen Geschmack der Nußcreme.

Ganz einfach

Blattspinat mit Pinienkernen

1 kg Spinat · 1 kleine Zwiebel · 1 Knoblauchzehe · 2 Eßl. Butter · ½ Teel. Salz · 1 Messerspitze geriebene Muskatnuß · 3 Eßl. Sahne · frische Pfefferminzblätter · 2 Eßl. Pinienkerne
Pro Portion etwa 880 Joule/210 Kalorien

Vorbereitungszeit: 35 Minuten
Garzeit: 10 Minuten

Den Spinat verlesen, das heißt, schlechte und welke Blätter entfernen. Dicke Stiele ebenfalls entfernen. Den Spinat mehrmals in reichlich handwarmem Wasser waschen und etwas abtropfen lassen. • Die Zwiebel und die Knoblauchzehe schälen und sehr fein hacken. 1 Eßlöffel Butter in einem Topf zerlassen und die Zwiebel und den Knoblauch darin goldgelb braten. • Etwa 100 g Spinat zurückbehalten, den übrigen mit dem noch anhaftendem Wasser ohne weitere Zugabe in einen anderen Topf geben, stark erhitzen und dann bei schwacher Hitze zugedeckt etwa 5 Minuten dünsten, bis die Blätter zusammengefallen sind. • Den Spinat mit einem Schaumlöffel aus dem Topf heben, abtropfen lassen, grobhacken und zu der gebratenen Zwiebel und dem Knoblauch geben. Den Spinat salzen und mit dem Muskat würzen. Die Sahne und die übrige Butter unterrühren. • Die rohen Spinatblätter feinhacken und mit den gewaschenen, gehackten Pfefferminzblättern unter den Spinat heben. • Die Pinienkerne unter ständigem Rühren bei mittlerer Hitze in einer Pfanne ohne Fett goldgelb rösten und über den angerichteten Spinat streuen.

Das paßt dazu: In etwas Öl gebratene, dünne Weizenvollkornbrotscheiben und Spiegeleier oder weiche Eier.

Unser Tip Wenn der Spinat kleinblättrig und zart ist, braucht er nicht gehackt zu werden. Die rohen Spinatblätter, mit welchen Sie das Gemüse zuletzt aufwerten, sollten jedoch kleingeschnitten werden.

Nicht ganz einfach

Gefüllte Zwiebeln

Bild Seite 167

4 große Gemüsezwiebeln (1 kg) · Salz · 750 g
Blattmangold oder Spinat · 2 Knoblauchzehen ·
6 Eßl. Sonnenblumenöl · 2 Teel. gekörnte
Gemüsebrühe · 2 Messerspitzen gemahlener
Piment · 1 Prise Cayennepfeffer · je ½ Teel. Ros-
marinnadeln, getrockneter Lavendel und Salbei ·
6 Eier · 4 Eßl. Sahne · 2 Messerspitzen Salz ·
1 Teel. Pfeilwurzelmehl (Arrowroot) · 4 Eßl. saure
Sahne · je 1 Prise Salz und weißer Pfeffer, frisch
gemahlen
Pro Portion etwa 2060 Joule/490 Kalorien

Vorbereitungszeit: 50 Minuten
Garzeit insgesamt: 50 Minuten

Die Zwiebeln schälen, in reichlich Salzwasser
20 Minuten kochen und dann gut abtropfen und
auskühlen lassen. • Den Zwiebelsud aufbewahren. • Den Mangold oder Spinat verlesen,
waschen, nur kurz abtropfen lassen und mit dem
anhaftenden Wasser 3 Minuten dünsten. Die zu-
sammengefallenen Blätter in einem Sieb abtrop-

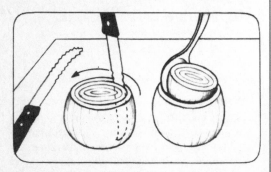

Zum Lockern des Zwiebelfleisches ein Grapefruitmes-
ser verwenden. Das Fleisch mit einem scharfkantigen
Löffel herauslösen.

fen lassen und noch etwas ausdrücken. Die Flüssigkeit aufbewahren. Den Mangold oder Spinat
feinhacken. • Von den Zwiebeln einen Deckel
abschneiden. Das Zwiebelfleisch bis auf
2 Schichten aus den Zwiebelhälften herauslösen.
Die entstandenen Löcher am Boden der Zwiebelhälften mit Zwiebelstückchen abdecken. Die
Zwiebelhälften innen leicht salzen. Das Zwiebelfleisch ebenfalls kleinhacken. • Die Knoblauchzehen schälen. 2 Eßlöffel Öl in einer großen
Pfanne erhitzen. Das gehackte Zwiebelfleisch,
den Mangold oder Spinat zufügen und den
Knoblauch durch eine Knoblauchpresse daraufdrücken. Die gekörnte Brühe, den Piment und
den Cayennepfeffer sowie die getrockneten
Kräuter unterrühren und alles unter gelegentlichem Rühren 5 Minuten braten. • Die Eier mit
der Sahne und dem Salz verquirlen und über die
Mischung in der Pfanne gießen. Die Eiersahne
bei schwacher Hitze in 8–10 Minuten stocken
lassen; dabei hin und wieder behutsam mit dem
Bratenwender vom Pfannenboden lösen. Diese
Masse mit einem Eßlöffel in die vorbereiteten
Zwiebelhälften füllen. • Den Backofen auf 200°
vorheizen. • Eine flache, feuerfeste Form mit Öl
einfetten. Die gefüllten Zwiebeln hineinsetzen.
Das Mangoldwasser mit dem Zwiebelsud auf
⅜ l Flüssigkeit ergänzen und in die Form gießen.
Die Zwiebeln mit dem restlichen Öl beträufeln
und auf der zweiten Schiebeleiste von oben im
Backofen 30 Minuten backen. • Die gefüllten
Zwiebeln auf einer vorgewärmten Platte im abgeschalteten Backofen warm halten. Die Garflüssigkeit in einen Topf gießen und erhitzen.
Das Pfeilwurzelmehl mit der sauren Sahne anrühren, die Flüssigkeit im Topf damit binden
und die Sauce 2 Minuten leicht kochen lassen.
Die Sauce mit dem Salz und dem Pfeffer abschmecken. • Die Zwiebeln wieder in die Form
setzen und mit der Sauce übergießen oder die
Sauce gesondert dazureichen.

Das paßt dazu: Naturreis (Rezept Seite 196).

Braucht etwas Zeit

Fritiertes Gemüse 🖐

Ausgebackenes Gemüse ist delikat und steht mit der Vollwertküche durchaus im Einklang, wenn das Öl erstklassig ist und nicht öfter als zwei- bis dreimal zum Fritieren verwendet wird. Fast jede Gemüsesorte kann auf diese schonende Weise gegart werden. Die Teighülle bewahrt das Gemüse dabei vor zu großer Hitze und erhält es schön saftig. Der Ausbackteig des folgenden Rezepts ist ausreichend für 500 g Gemüse.

Für den Ausbackteig:
6 Eßlöffel Weizenvollkornmehl · 1 Messerspitze
Salz · 1 Prise Cayennepfeffer, Macis, gemahlene
Nelken, Piment (insgesamt 2 Messerspitzen ge-
mahlene Gewürze) · 1 Eßl. Öl · 4 Eßl. Wasser ·
4 Eßl. Apfelsaft · 1 Eiweiß
Für das Gemüse:
500 g Gemüse wie Blumenkohl oder Broccoli, klei-
ne Champignons, Fenchelknolle, Schwarzwurzeln
oder Spargel, Topinamburknollen oder Zucchini,
Zuckerschoten
Zum Ausbacken:
½ l Sonnenblumenöl oder Olivenöl
Zum Garnieren:
Petersilie oder andere frische Kräuter · 1 Zitrone
Pro Portion etwa 1640 Joule/390 Kalorien

Vorbereitungszeit: 20 Minuten
Garzeit insgesamt: 40 Minuten

Für den Teig das Mehl mit dem Salz und den Gewürzen mischen und mit dem Öl, dem Wasser und dem Apfelsaft verrühren. Den Teig 30 Minuten quellen lassen. • Inzwischen das Gemüse putzen und, wenn nötig, zerkleinern. • Das Öl in einer Friteuse oder einem Topf auf 180° erhitzen. • Das Eiweiß steif schlagen und unter den Teig ziehen. Die Gemüsestücke in den Ausbackteig tunken und je nach Konsistenz und Größe in

2–4 Minuten rundherum knusprig goldbraun ausbacken. Nicht zuviel Gemüse auf einmal ins heiße Öl geben, damit das Öl nicht zu stark abkühlt. Die fritierten Gemüsestücke mit dem Schaumlöffel aus dem Öl heben und auf saugfähigem Papier abtropfen lassen. Auf einer vorgewärmten Platte anrichten, mit gehackten Kräutern bestreuen und mit Zitronenschnitzen garnieren.

Dazu paßt: als Dessert eine Quarkspeise.

Preiswert · Ganz einfach

Spinatpfannkuchen 🖐 mit Kräuterkäsefüllung

Für die Pfannkuchen:
100 g Spinat · 100 g Vollkornmehl (Gerste, Weizen
und Buchweizen zu gleichen Teilen) · ½ Teel.
Salz · 2 Eier · 4 Eßl. Mineralwasser
Für die Füllung:
2 Bund frische, gemischte Kräuter (Kerbel, Pimpi-
nelle, Sauerampfer) · 200 g Magerquark · 200 g
Doppelrahm-Frischkäse · 3 Eßl. saure Sahne ·
je 1 Messerspitze Salz und weißer Pfeffer, frisch
gemahlen
Zum Braten: 4 Eßl. Öl
Pro Portion etwa 1660 Joule/395 Kalorien

Vorbereitungszeit: 30 Minuten
Garzeit insgesamt: 15 Minuten

Den Spinat verlesen, mehrmals gründlich in lauwarmem Wasser waschen und etwas abtropfen lassen. Den Spinat mit dem noch anhaftendem Wasser ohne weitere Zugaben zugedeckt bei mittlerer Hitze 3–5 Minuten dünsten, bis er zusammengefallen ist, in einem Sieb abtropfen lassen und sehr fein hacken oder im Mixer pürieren. • Das Mehl in einer Schüssel mit dem Salz mischen. Die Eier unterrühren und nach und nach das Mineralwasser zugießen. Den Spinat unterrühren und den Teig mindestens 30 Minuten ruhen lassen. • Für die Füllung die Kräuter waschen, trockentupfen und hacken. Den Quark mit dem Doppelrahm-Frischkäse, der sauren Sahne, dem Salz und dem Pfeffer glattrühren und die Kräuter unterziehen. • 1 Eßlöffel Öl in einer Pfanne gut heiß werden lassen und nacheinander je nach Pfannengröße 4 große oder 8 kleine Pfannkuchen braten. Für jeden Pfannkuchen wieder etwas Öl in der Pfanne erhitzen. Die Pfannkuchen jeweils mit 2–3 Eßlöffeln der Käsecreme füllen und warm stellen, bis alle Pfannkuchen gebacken sind.

Das paßt dazu: Tomatensalat oder Kopfsalat.

Preiswert · Ganz einfach

Peperonata

750 g rote und grüne Paprikaschoten · 375 g Zwiebeln · 2 Knoblauchzehen · 4 Eßl. Olivenöl · ½ Teel. Rosmarinnadeln · 2 Teel. gehackte Salbeiblätter · 2 Teel. gehackter Thymian · 2 Teel. Salz · 1 Eßl. Apfelessig · 500 g Tomaten · 1 Bund Petersilie
Pro Portion etwa 860 Joule/205 Kalorien

Vorbereitungszeit: 20 Minuten
Garzeit: 25 Minuten

Die Paprikaschoten waschen, vierteln, Stiel und weiße Trennwände entfernen, die Paprikaviertel in Streifen schneiden. Die Zwiebeln schälen und würfeln. Die Knoblauchzehen schälen und feinhacken. • Das Öl in einer großen, tiefen Pfanne erhitzen und die Zwiebelwürfel darin glasig braten. Die Paprikastreifen, den Knoblauch, den

Rosmarin, den Salbei und den Thymian zufügen, das Salz darüberstreuen und den Apfelessig zugeben. Alles bei mittlerer Hitze zugedeckt 10 Minuten dünsten, dabei ab und zu umrühren. • Die Tomaten waschen, in Viertel schneiden, unter das Gemüse mischen und zugedeckt bei schwacher Hitze 5 Minuten mitgaren. Den Deckel von der Pfanne nehmen und das Gemüse noch etwa 5 Minuten bei starker Hitze unter häufigem Umrühren kochen lassen, bis das Gericht fast cremig geworden ist. • Die Petersilie waschen, trockenschleudern, kleinschneiden und unter die Peperonata rühren.

Das paßt dazu: körnige Goldhirse (Rezept Seite 141) oder Polenta (Rezept Seite 140).

Unser Tip Peperonata schmeckt auch kalt sehr gut, vor allem auf gerösteten, gebutterten Weizenvollkornbrotscheiben.

Ganz einfach · Vitaminreich

Sommergemüse in der Folie

250 g Spargel · 250 g junge Möhren · 1 Kohlrabi · 500 g Erbsen in der Schote · 250 g junge grüne Bohnen · 60 g Butter · ½ Bund Petersilie · 1 Stengel Basilikum · ½ Teel. Salz · ½ Teel. Salz · 1 Prise frisch geriebene Muskatnuß · 1 Zweig Bohnenkraut
Pro Portion etwa 650 Joule/155 Kalorien

Vorbereitungszeit: 30 Minuten
Garzeit insgesamt: 20 Minuten

Den Spargel waschen, schälen und holzige Enden abschneiden. Die Möhren unter fließendem Wasser gründlich bürsten und in etwa 3 cm lange Stücke schneiden. Den Kohlrabi schälen, zarte Blätter waschen, feinhacken, zugedeckt aufbewahren und den Kohlrabi in Scheibchen schneiden. Die Erbsen aus den Hülsen streifen, kurz überbrausen und abtropfen lassen. Die Bohnen waschen und Stielenden und Blütenansätze abschneiden; wenn nötig die Bohnen dabei abfädeln. • Den Grill vorheizen. • Die Butter zerlassen. Die Petersilie und das Basilikum waschen, trockentupfen und feinhacken. • Für jede Gemüsesorte ein genügend großes Stück extra starke oder doppelt gefaltete Alufolie zurechtschneiden, mit zerlassener Butter bestreichen und das vorbereitete Gemüse darauflegen. Die restliche Butter daraufträufeln und den Spargel mit wenig Salz bestreuen. • Die Möhren mit etwas Salz und der Petersilie, den Kohlrabi mit Salz, Muskatnuß und den gehackten Kohlrabiblättchen und die Erbsen mit Salz und dem Basilikum bestreuen. Das Bohnenkraut auf die Bohnen legen und die Bohnen mit Salz würzen. Die Folienstücke über dem Gemüse zusammenschlagen und die Pakete durch mehrmaliges Umknicken der Folienränder fest verschließen. • Zuerst die Bohnen und den Spargel auf dem Rost 5 Minuten dicht unter den Grillstäben grillen. Dann die Möhren und den Kohlrabi 5 Minuten grillen, zuletzt die Erbsen noch auf den Grillrost legen und 10 Minuten mitgrillen. Jedes Gemüsepaket während des Grillens einmal wenden. Die Gemüsepäckchen vorsichtig öffnen, dabei eine Serviette zu Hilfe nehmen, damit man sich nicht verbrennt, und die einzelnen Gemüsesorten nebeneinander auf einer vorgewärmten Platte anrichten.

Das paßt dazu: junge kleine Pellkartoffeln, in der Schale gegart.

Eiweißreich · Schnell

Mexiko-Gemüse mit gebratenem Tofu

Bild Seite 168

400 g Tofu · 50 g Vollkornbrösel · 1½ Teel. Kräutersalz · 2 Messerspitzen Piccata · 4 Eßl. Sojaöl · 1 Zwiebel · 1 Zucchino oder 1 Salatgurke (etwa 600 g) · je 2 grüne und rote Paprikaschoten · 1 Dose Maiskörner (285 g Gemüseeinwaage) · ½ Teel. edelsüßes Paprikapulver · 1 Bund Schnittlauch
Pro Portion etwa 1675 Joule/400 Kalorien

Vorbereitungszeit: 10 Minuten
Garzeit: 25 Minuten

Den Tofu in etwa ½ cm dicke Scheiben und die Scheiben in 1½ cm große Würfel schneiden. Die Tofuwürfel auf Küchenkrepp legen und gut trockentupfen. Die Vollkornbrösel in einem Suppenteller mit ½ Teelöffel Kräutersalz und 1 Messerspitze Piccata mischen. Die Tofuwürfel darin wälzen (in zwei Partien), so daß sie ringsum mit Bröseln bedeckt sind. • Das Öl in einer großen Pfanne erhitzen und die Tofuwürfel darin in etwa 10 Minuten unter gelegentlichem Wenden bei mittlerer Hitze goldbraun braten. • Inzwischen die Zwiebel schälen und feinschneiden. Den Zucchino waschen oder die Gurke schälen (falls nicht aus biologischem Anbau), längs vierteln und quer in 1 cm dicke Würfel schneiden. • Den gebratenen Tofu aus der Pfanne nehmen. • Die feingeschnittene Zwiebel in der Pfanne im verbliebenen Fett glasig braten. Die Paprikaschoten längs achteln, waschen, vom Stengelansatz und den Kernen befreien und quer in etwa ½ cm breite Streifen schneiden. Das vorbereitete Gemüse zu den Zwiebelwürfeln geben und etwa 5 Minuten unter Wenden bei mittlerer Hitze rasch anbraten. • Die Maiskörner zufügen. 1 Teelöffel Kräutersalz, 1 Messerspitze Piccata und das Paprikapulver mischen, das Gemüse damit bestreuen und umrühren. Die Pfanne zudecken und das Gemüse in etwa 10 Minuten bei schwacher Hitze gar dünsten. • Die Tofuwürfel unter das Gemüse mischen und die Pfanne zugedeckt noch 5 Minuten stehenlassen, damit der Tofu sich wieder erwärmt und »durchzieht«. Mit feingeschnittenem Schnittlauch bestreuen.

Das paßt dazu: Weizenvollkornbrötchen.

Schnell · Ganz einfach

Umgedrehte Lauchtorte

Etwas Butter oder Öl · ¼ l Wasser · 500 g Lauch/Porree · 1 gestrichener Teel. gemahlener Kümmel · 1 gestrichener Teel. Salz · 150 g Weizen · 5 Eier · 2 Becher saure Sahne (400 g) · 2 gestrichene Teel. Salz · 1 gestrichener Teel. edelsüßes Paprikapulver · 1 Messerspitze Muskatblüte (Macis)
Pro Portion etwa 1585 Joule/375 Kalorien

Vorbereitungszeit: 10 Minuten
Garzeit: 10 Minuten

In einer großen Deckelpfanne etwas Butter oder Öl erwärmen, das Wasser dazugießen und zum Kochen bringen. • Währenddessen den Lauch längs halbieren, vom Wurzelende und unbrauchbaren Blättern befreien, gründlich waschen und in etwa 1 cm breite Stücke schneiden. Den Lauch in der Pfanne verteilen, mit dem Kümmel und dem Salz gleichmäßig bestreuen und zugedeckt 5 Minuten kochen. • Dann den Deckel abnehmen und bei starker Hitze kurz kochen, bis das meiste Wasser verdampft ist. • Inzwischen den Teig zubereiten: den Weizen mehlfein mahlen,

mit den Eiern, der sauren Sahne, dem Salz, dem Paprikapulver und dem Muskat gut verrühren, gleichmäßig über den Lauch gießen und zugedeckt in etwa 5–10 Minuten fest werden lassen. • Vorsichtig mit einem Bratenwender vom Boden lösen. Einen vorgewärmten großen Teller oder eine Servierplatte umgedreht auf die Pfanne legen, mit einer Hand festhalten und das Ganze umdrehen. Wie eine Torte in große Stücke schneiden.

Das paßt dazu: Tomatensalat.

Schnell · Ganz einfach

Pikante Gemüsefüllung 🔥

250 g Möhren · 250 g Lauch/Porree · 100 g Champignons · ⅛ l Sahne · ¼ l Wasser · 2 gestrichene Teel. Salz · 1 gestrichener Teel. Delikata · 1 Messerspitze weißer Pfeffer, frisch gemahlen · 3 gehäufte Eßl. Weizen · Petersilie oder andere frische Kräuter
Pro Portion etwa 810 Joule/195 Kalorien

Zubereitungszeit: 10 Minuten

Die Möhren und den Lauch putzen, waschen und grob zerkleinern. Die Champignons putzen, waschen und halbieren. • Das Gemüse zusammen mit der Sahne, dem Wasser und den Gewürzen in den Mixer füllen und fein zerkleinern. • Die Mischung in eine Pfanne oder einen weiten

Appetitanregend: Rotkohl mit Endivien in Meerrettichsauce. Rezept Seite 60. ▷

Topf gießen und etwa 2 Minuten kochen. • Währenddessen den Weizen mittelgrob mahlen und einrühren, weitere 2–3 Minuten unter Rühren kochen. Vom Herd nehmen und reichlich feingehackte Petersilie oder gemischte Kräuter unterrühren.

Paßt gut als: Füllung für Soja-Hirse-Omelette (Rezept Seite 145) oder Vollkornpfannkuchen (Rezept Seite 147) oder als Beigabe zu Pellkartoffeln oder Naturreis. Kalt ist diese Gemüsefüllung ein sehr guter vegetarischer Brotaufstrich.

Schnell · Preiswert

Junge Möhren

2 l Wasser · 2 Teel. Salz · 1 kg sehr junge Möhren · 75 g Butter · 2 Messerspitzen Salz · ½ Teel. Honig · 1 Messerspitze gemahlener Piment · 1 Messerspitze gemahlener Rosmarin · 1 Prise geriebener Ingwer · 1 Prise gemahlener Kardamom · 3 Eßl. Wasser · ½ Teel. gekörnte Gemüsebrühe · 2 Eßl. Zitronensaft · 4 Eigelbe · 1 Bund Petersilie, frisch gehackt
Pro Portion etwa 1175 Joule/280 Kalorien

Vorbereitungszeit: 10 Minuten
Garzeit: 15 Minuten

Das Wasser mit dem Salz zum Kochen bringen. • Die Möhren unter fließendem Wasser gründlich bürsten, die Stielansätze und Wurzelspitzen abschneiden. Die Möhren 5 Minuten im kochenden Salzwasser blanchieren, aus dem Wasser heben und abtropfen lassen. • Die Butter in einem Topf zerlassen. Die Möhren in der Butter wenden und mit dem Salz und den Gewürzen bestreuen. Die Möhren zugedeckt bei schwacher Hitze 5 Minuten in der Butter dünsten. • Das Wasser mit der gekörnten Brühe, dem Zitronensaft und den Eigelben verquirlen, über die Möhren gießen und die Masse zugedeckt bei mittlerer Hitze stocken lassen. In einer vorgewärmten Schüssel anrichten und mit der gehackten Petersilie bestreuen.

Das paßt dazu: neue Pellkartoffeln in der Schale, Kartoffelgratin (Rezept Seite 192) oder körnige Goldhirse (Rezept Seite 141).

Schnell · Ganz einfach

Spanische Gemüsecreme ☛

1 kleine Paprikaschote (etwa 100 g) · 1 kleine Salatgurke (etwa 200 g) oder Zucchino · 250 g Tomaten · 1 Zwiebel · 2 Knoblauchzehen · ¼ l Sahne · 2 gestrichene Teel. Salz · 1 gestrichener Teel. edelsüßes Paprikapulver · 1 Messerspitze schwarzer Pfeffer, frisch gemahlen · 2 gehäufte Eßl. Weizen · Dill, Petersilie und andere frische Kräuter
Pro Portion etwa 1100 Joule/260 Kalorien

Zubereitungszeit: 15 Minuten

Die Paprikaschote längs halbieren, Stengelansatz und Kerne entfernen. Die Schotenhälften waschen und grob zerkleinern. Die Gurke, wenn nötig, schälen. Gurke oder Zucchino grob zerkleinern. Die Tomaten waschen und halbieren. Die Zwiebel schälen und ebenfalls halbieren.

◁Ein erfrischendes Gericht für heiße Sommertage: Tomaten mit Rohkostfüllung. Rezept S. 32.

Die Knoblauchzehen schälen. • Alles Gemüse mit der Sahne in den Mixer füllen, fast fein mixen und in einen Topf gießen. 2 Minuten kochen und die Gewürze zufügen. • Den Weizen feinmahlen, langsam unter Rühren in die Gemüsecreme schütten und noch 2–3 Minuten kochen. Vom Herd nehmen und mit reichlich feingehackten Kräutern mischen.

Das paßt dazu: Vollkornnudeln oder Naturreis oder gebratener Mais (Rezept Seite 143). Die Gemüsecreme schmeckt auch kalt sehr gut als Brotaufstrich.

Unser Tip Manche Leute reagieren empfindlich auf Paprikaschoten, sie bleiben ihnen stundenlang »im Magen liegen«. Das Problem wird gelöst, wenn Sie die grob zerkleinerte Paprikaschote kurz in kochendem Wasser blanchieren bevor Sie sie weiterverarbeiten.

Ganz einfach

Auberginen im Tomaten-Bett

750 g Auberginen · 750 g Fleischtomaten · 2 Knoblauchzehen · gut ⅛ l Olivenöl · 2 Teel. Salz · 1 Teel. getrockneter Oregano · 1 Messerspitze schwarzer Pfeffer, frisch gemahlen · ⅛ l trockener Weißwein · 3 Eßl. Basilikumblättchen
Pro Portion etwa 1070 Joule/255 Kalorien

Vorbereitungszeit: 15 Minuten
Garzeit: 30 Minuten

Die Auberginen in Scheiben schneiden. Die Tomaten häuten und grobhacken. Die Knoblauchzehen schälen und kleinschneiden. • Das Öl in einer Pfanne erhitzen und die Auberginenscheiben darin anbraten. Die gebratenen Auberginenscheiben gut abtropfen lassen. • Die Tomaten und den Knoblauch im verbliebenen Öl in der Pfanne anbraten und mit dem Salz, dem Oregano und dem Pfeffer würzen. Den Wein zugießen und alles etwa 20 Minuten kochen lassen, bis eine dickliche Sauce entstanden ist. • Die Basilikumblättchen waschen, trockentupfen und feinhacken. Die Auberginenscheiben in der Sauce erhitzen und zuletzt das Basilikum unterrühren.

Das paßt dazu: körnig gekochter Naturreis (Rezept Seite 196).

Ganz einfach

Junge Erbsen mit Perlzwiebeln

1,5 kg junge Erbsen in den Schoten · 200 g Perlzwiebeln (kleine weiße Zwiebeln) oder Schalotten · 2 Eßl. Butter · ⅛ l Gemüsebrühe · je 1 Zweig Thymian und Basilikum · ½ Teel. Salz · weißer Pfeffer, frisch gemahlen · 1 Messerspitze Honig
Pro Portion etwa 630 Joule/150 Kalorien

Vorbereitungszeit: 35 Minuten
Garzeit: 25 Minuten

Die Erbsen aus den Schoten streifen, kurz kalt überbrausen und abtropfen lassen. • Die Zwiebeln oder Schalotten in einem Topf mit kochendem Wasser übergießen, in einem Durchschlag abtropfen lassen und schälen. • Die Butter zerlassen und die Erbsen und Zwiebeln bei mittlerer Hitze darin unter Wenden 3 Minuten braten, aber keine Farbe annehmen lassen. • Die Gemüsebrühe erhitzen, zugießen und den Thymian und das Basilikum auf die Erbsen legen. Das Gemüse zugedeckt bei schwacher Hitze in etwa 20 Minuten weich dünsten und mit dem Salz, dem Pfeffer und dem Honig würzen. Den Topf während der Garzeit immer wieder rütteln, damit das Gemüse nicht anbrennt.

Das paßt dazu: Kartoffelgratin (Rezept Seite 192).

Unser Tip Das zarte Gemüse mit 2 Teelöffeln Arrowroot (Pfeilwurzelmehl) in 4 Eßlöffeln Sahne verrührt binden.

Braucht etwas Zeit

Staudensellerie mit Kräutern und Nußbutter

50 g Haselnußkerne · 2 Stauden Bleichsellerie · ¼ l Gemüsebrühe oder Wasser und 2 Teel. gekörnte Gemüsebrühe · 1 Eßl. Öl · je ½ Teel. getrocknetes Liebstöckel, getrockneter Thymian, gemahlener Fenchel · 2 Teel. Pilzpulver · 500 g Tomaten · 2 Eßl. Zitronensaft · 1 Eßl. Hefeextrakt · 50 g frische Kräuter wie Liebstöckel, Petersilie, Pimpinelle, Ysop · 3 Eßl. Butter · 1 Eßl. Tekka (Gewürzmischung)
Pro Portion etwa 1200 Joule/285 Kalorien

Vorbereitungszeit: 20 Minuten
Garzeit: 20 Minuten

Die Haselnüsse mahlen. • Den Bleichsellerie in einzelne Stangen zerlegen, die Stangen waschen, in fingerlange Stücke schneiden und in einen Topf geben. Die Brühe mit dem Öl, den getrockneten Kräutern und dem Pilzpulver mischen, über den Sellerie gießen und zum Kochen bringen. Die Selleriestücke zugedeckt bei schwacher Hitze in etwa 15 Minuten nicht zu weich dünsten. • Inzwischen die Tomaten enthäuten, die Stiele entfernen und die Tomaten grobhacken. Die Tomatenstücke 5 Minuten vor Beendigung der Garzeit unter den Sellerie mischen. • Das Gemüse mit dem Zitronensaft und dem Hefeextrakt würzen, die gewaschenen, gehackten Kräuter untermengen und das Gemüse in einer vorgewärmten Schüssel anrichten. • Die Butter in einer Pfanne zerlassen, die gemahlenen Nüsse zufügen und bei schwacher Hitze unter ständigem Rühren in etwa 3 Minuten goldbraun braten. Etwas abkühlen lassen und mit Tekka würzen. Den Bleichsellerie mit der Haselnußbutter überziehen.

Das paßt dazu: Buchweizenklöße (Rezept Seite 205) oder Buchweizengrütze (Rezept Seite 137).

Unser Tip Tekka ist eine fast schwarze, lockere, feinkrümelige Gewürzmischung aus fermentiertem Soja, Möhren, Zwiebeln, Lotoswurzelpulver, Sesamöl und Meersalz. Tekka gibt es in Naturkostläden. Man kann damit Gemüse- und Getreidegerichte abrunden und Salate würzen. Gut schmeckt diese Würze auch auf gebuttertem Vollkornbrot. Tekka soll nicht mitgekocht oder erhitzt werden. Es enthält Vitamine, Mineralstoffe und Spurenelemente.

Ganz einfach

Fenchelschnitzel 🐟

2 große Fenchelknollen (etwa 750 g) · 1 Teel. Salz · Saft von 1 Zitrone · 150 g Emmentaler Käse · 60 g Weizenvollkornmehl · 1 Eßl. Sojamehl · ½ Teel. Salz · 1 Messerspitze weißer Pfeffer, frisch gemahlen · 1 Eßl. Öl · 5–8 Eßl. Sojamehl · ½ Teel. Salz · 1 Messerspitze weißer Pfeffer, frisch gemahlen · 1 Eßl. Öl · 5–8 Eßl. Mineralwasser · 2 Eßl. Weizenvollkornmehl · ⅛ l Sonnenblumenöl · 1 Zitrone
Pro Portion etwa 2015 Joule/480 Kalorien

Vorbereitungszeit: 20 Minuten
Garzeit: 20 Minuten

Die Fenchelknollen waschen und die Stiele abschneiden. Das zarte Fenchelgrün aufbewahren. Die Fenchelknollen in einem Topf, in den sie gerade nebeneinander hineinpassen, mit soviel schwach gesalzenem Wasser übergießen, bis sie knapp davon bedeckt sind und den Zitronensaft zufügen. Den Fenchel 15 Minuten kochen lassen. • Inzwischen den Käse in 4 Scheiben schneiden. Das Weizenmehl mit dem Sojamehl, dem Salz, dem Pfeffer und dem Öl verrühren; nach und nach soviel Mineralwasser zufügen, bis ein dickflüssiger Teig entsteht. Den Teig 10 Minuten quellen lassen. • Den Fenchel aus dem Kochwasser heben, abtropfen lassen und jede Knolle in 4 Scheiben schneiden. Jeweils 1 Käsescheibe zwischen 2 Fenchelscheiben legen und mit

> **Unser Tip** Den Kochsud vom Fenchel nicht weggießen, sondern mit gekörnter Gemüsebrühe nachwürzen und als Trinkbrühe reichen oder Getreidekörner für ein Getreidegericht am nächsten Tag darin einweichen.

2 Holzspießchen zusammenstecken. Die gefüllten Fenchelschnitzel in dem Mehl wenden. • Das Öl in einer tiefen Pfanne gut heiß werden lassen. Die Fenchelschnitzel durch den Ausbackteig ziehen und nacheinander bei mittlerer Hitze von jeder Seite in etwa 4 Minuten goldbraun braten. • Die gebratenen Fenchelscheiben abtropfen lassen und warm stellen, bis alle Schnitzel gebraten sind. Das Fenchelgrün feinhacken, die Fenchelscheiben damit überstreuen und mit Zitronenschnitzen garnieren.

Das paßt dazu: gemischter Salat.

Preiswert

Selleriepüree 🐟

1,5 kg junger Knollensellerie möglichst mit dem Blattgrün · 2 Knoblauchzehen · ⅜–½ l Gemüsebrühe oder Wasser und 2–3 Teel. gekörnte Brühe · 3 Eßl. feingemahlener Grünkern · ¼ l Milch · 2 Eßl. Zitronensaft · 1 Teel. Honig · ½ Teel. Selleriesalz · 1 Bund Petersilie · 1 Bund Pimpinelle · einige Liebstöckelblätter · Blattgrün der Sellerieknolle · 3 Eßl. Butter
Pro Portion etwa 1240 Joule/295 Kalorien

Vorbereitungszeit: 15 Minuten
Garzeit: 30 Minuten

Die Sellerieknollen unter fließendem Wasser gründlich bürsten. Das eventuell vorhandene Selleriegrün auch waschen und aufbewahren. Jungen Sellerie gar nicht oder nur sehr dünn schälen, älteren Sellerie schälen und von schlechten Stellen befreien. Die Knollen in Würfel schneiden. Die Knoblauchzehen schälen und grobhacken. • Den Sellerie und die Knoblauchzehen in einem Topf mit ⅜ l Gemüsebrühe übergießen, zum Kochen bringen und zugedeckt bei schwacher Hitze in etwa 20 Minuten weich dünsten. Wenn nötig, während des Dünstens noch wenig heiße Brühe nachfüllen. • Die weichen Selleriewürfel durch ein Sieb in einen anderen Topf streichen. Eßlöffelweise das Grünkernmehl über das Selleriepüree stäuben und unterrühren. • Die Milch erhitzen, mit dem Schneebesen unter Rühren bei schwacher Hitze zum Selleriepüree gießen und mit dem Zitronensaft, dem Honig und dem Selleriesalz würzen. Das Selleriepüree unter ständigem Schlagen mit dem Schneebesen noch etwas eindicken lassen. • Die Kräuter waschen, trockentupfen und feinhakken. Die Butter stückchenweise unterarbeiten und die gehackten Kräuter unterrühren.

Das paßt dazu: Getreidebratlinge (Rezept Seite 136).

Ballaststoffreich · Eiweißreich

Grünkohlpfanne 🐟

Ein kräftiges Essen für kalte Tage.

500 g Grünkohl · 1½ l Wasser · 2 gestrichene Teel. Salz · 4–5 Eßl. Öl · 1 große Zwiebel · 2 Eßl. Nackthafer · 2 Eßl. Roggen · 20 g Walnußkerne · 2 gestrichene Eßl. Vollsojamehl · 2 gestrichene Eßl. gekörnte Gemüsebrühe · 1 Messerspitze geriebene Muskatnuß · schwarzer Pfeffer, frisch gemahlen · 1 »Wurst« Hausmacherart von 200 g (pflanzlicher Brotaufstrich, Granovita)
Pro Portion etwa 1635 Joule/390 Kalorien

Vorbereitungszeit: 15 Minuten
Garzeit insgesamt: 25 Minuten

Den Grünkohl von den Strünken und den harten Blattrippen befreien und unter fließendem Wasser gründlich waschen. Inzwischen 1 l Wasser

mit dem Salz zum Kochen bringen und den Grünkohl darin in zwei Partien jeweils 1 Minute kochen, dann auf einem Sieb oder Durchschlag abtropfen lassen. • Das Öl in einer großen Pfanne erhitzen. Die Zwiebel schälen und grob zerkleinern. Die Zwiebelwürfel im heißen Öl glasig werden lassen. • Den Hafer und den Roggen mittelgrob schroten, die Nüsse grobreiben. • Den Hafer- und Roggenschrot, die geriebenen Nüsse und das Sojamehl zu den Zwiebeln geben und alles zusammen unter gelegentlichem Umrühren goldbraun anrösten. • Inzwischen den abgetropften Grünkohl feinschneiden. Die Kohlstreifen in die Pfanne geben und unter Rühren noch ganz kurz mit anrösten. Mit ½ l Wasser übergießen, die gekörnte Brühe darüberstreuen, etwas Muskatnuß darüberreiben und schwarzen Pfeffer nach Geschmack darübermahlen. Das Gemüse 10 Minuten bei nicht zu kleiner Hitze zugedeckt dünsten, dann alles gut mischen. • Die »Wurst« in Scheiben schneiden und obenauflegen, das Gericht noch weitere 5 Minuten zugedeckt garen lassen.

Preiswert · Ganz einfach

Chinakohl mit Äpfeln und Zwiebeln

1 kg Chinakohl · 250 g weiße Zwiebeln · 250 g mürbe Äpfel wie Cox-Orange oder Roter Boskop · 1 Knoblauchzehe · 4 Eßl. Sesamöl oder Sonnenblumenöl · 1 Teel. getrockneter Salbei · 1 Teel. Salz · knapp ⅛ l Gemüsebrühe · 2 Eßl. Sesamsamen · 1 Eßl. Zitronensaft · 1 Eßl. Tekka (Gewürzmischung)
Pro Portion etwa 1010 Joule/240 Kalorien

Vorbereitungszeit: 25 Minuten
Garzeit: 20 Minuten

Den Chinakohl in einzelne Blätter zerlegen, den Kohl waschen und abtropfen lassen. Die dicken Blattrippen herausschneiden und in etwa 2 cm breite Stücke, die Blätter in Streifen schneiden.

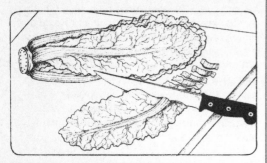

Chinakohlstauden in einzelne Blätter zerlegen und die gewaschenen Blätter in Streifen schneiden.

Die Zwiebeln schälen, halbieren und in Scheiben schneiden. Die Äpfel waschen, vierteln, vom Kerngehäuse befreien und die Apfelviertel quer in Scheiben schneiden. Die Knoblauchzehe schälen und kleinschneiden. • Das Öl in einem flachen Topf mit großem Durchmesser erhitzen und die Zwiebeln darin goldbraun braten. Den Knoblauch mit den Kohlrippen zufügen und bei mittlerer Hitze unter Wenden 3 Minuten anbraten. Die Kohlstreifen und dann die Apfelscheiben untermischen und mit dem Salbei und dem Salz würzen. Ein wenig Brühe zugießen und bei mittlerer Hitze im offenen Topf knapp 10 Minuten dünsten. Wenn die Flüssigkeit verdampft ist, noch etwas Brühe nachgießen, damit der Kohl nicht anbrennt. Chinakohl gart rascher als Weißkohl. Die Kohlstreifen sind gut, wenn sie fast weich, aber noch knackig sind. • Während das Gemüse gart, eine kleine Pfanne ohne Fett heiß werden lassen und den Sesamsamen darin unter ständigem Rühren goldgelb rösten. Sobald er nußartig duftet, aus der Pfanne schütten, damit er nicht verbrennt. • Den Zitronensaft unter den

Kohl rühren, das Gemüse in einer vorgewärmten Schüssel anrichten und mit dem Sesam und dem Tekka bestreuen.

Das paßt dazu: Kartoffelschmarrn (Rezept Seite 192) oder Buchweizengrütze (Rezept Seite 137).

Braucht etwas Zeit · Preiswert

Rotkohlrollen ſ mit Grünkernfüllung

1 große Zwiebel · 2 Eßl. Distelöl · 150 g Grünkernschrot · ¼ l Wasser · 2 Teel. gekörnte Gemüsebrühe · 2 Eßl. Sonnenblumenkerne · 1 Rotkohl (etwa 1 kg) · 2 Bund Kerbel oder Petersilie · 250 g trockener Magerquark · ½ Teel. gemahlener Koriander · 1 Teel. Salz · 3 Eßl. Sonnenblumenöl · ⅛ l Apfelsaft
Pro Portion etwa 1195 Joule/285 Kalorien

<u>Vorbereitungszeit:</u> 35 Minuten
<u>Garzeit:</u> insgesamt 50 Minuten

Die Zwiebel schälen, würfeln und im Distelöl glasig braten. • Den Grünkernschrot zufügen und unter Rühren 3 Minuten mitbraten. Das Wasser mit der gekörnten Gemüsebrühe zugießen und den Grünkern zugedeckt bei schwacher Hitze in etwa 15 Minuten ausquellen lassen. • Inzwischen die Sonnenblumenkerne in einer Pfanne ohne Fettzugabe unter Rühren goldgelb rösten. • Einen großen Topf mit Wasser zum Kochen bringen. Vom Rotkohl das Stielende kürzen und den ganzen Kohlkopf etwa 5 Minuten im kochenden Wasser blanchieren, bis sich die äußeren Blätter lösen. Den Kohl aus dem Wasser heben. Von 8 großen Blättern die dicken Mittelrippen flachschneiden. Den übrigen Kohl kühl aufbewahren und am nächsten Tag zu einem anderen Gericht verwenden. • Den Kerbel oder die Petersilie waschen, trockenschleudern und feinhacken. Den Quark in einer Schüssel mit dem Grünkern, dem Kerbel oder der Petersilie, dem Koriander und dem Salz glattrühren. • Die Grünkernfüllung auf die Rotkohlblätter verteilen. Die Blätter aufrollen, die Seiten dafür über der Füllung zusammenschlagen und die Enden mit Holzstäbchen feststecken. • Die Kohlrouladen im Sonnenblumenöl rundherum braun anbraten. Den Apfelsaft zugießen und die Rouladen zugedeckt bei schwacher Hitze in etwa 30 Minuten weich schmoren. Wenn nötig, noch etwas Apfelsaft nachgießen.

Das paßt dazu: Kartoffelpüree (Rezept Seite 189), dickes Preiselbeerkompott oder Apfelmus.

Braucht etwas Zeit

Spitzkohl in Wein-Sahne-Sauce

1,5 kg Spitzkohl · 2 Eßl. Öl · 1 Teel. Salz · schwarzer Pfeffer, frisch gemahlen · 1 Messerspitze gemahlener Koriander · je ½ Teel. getrockneter Thymian und Beifuß · ⅛ l trockener Weißwein · ⅛ l Wasser · 1 Bund Petersilie · ⅛ l Sahne · 1 Teel. Apfeldicksaft
Pro Portion etwa 880 Joule/210 Kalorien

Vorbereitungszeit: 20 Minuten
Garzeit: 40 Minuten

Den Kohl putzen, vierteln und den Strunk herausschneiden. Die Kohlviertel kurz überbrausen und abtropfen lassen. • Den Backofen auf 220° vorheizen. • Das Öl in einer großen, flachen, feuerfesten Form mit Deckel auf der Herdplatte erhitzen. Die Kohlviertel darin wenden, mit der Schnittfläche nach oben nebeneinander in die Form legen und mit dem Salz und den Gewürzen bestreuen. Den Wein mit dem Wasser mischen und über den Kohl gießen. Den Spitzkohl zugedeckt – notfalls die Form mit Alufolie verschließen – in etwa 35 Minuten auf der zweiten Schiene von oben im Backofen garen. • Die Petersilie waschen, trockenschleudern und feinhacken. • Die Dünstflüssigkeit in einen kleinen Topf gießen. Den Kohl im abgeschalteten Backofen warm halten. Die Flüssigkeit im Topf mit der Sahne verrühren, aufkochen lassen und mit dem Apfeldicksaft abrunden. Die Sahnesauce über den Spitzkohl gießen und die Petersilie darüberstreuen.

Das paßt dazu: Dreikorngrütze (Rezept Seite 134).

Nicht ganz einfach · Braucht etwas Zeit

Wirsingwickel

Für die Füllung:
1½ Scheiben Vollkornbrot (50 g) · 3 Scheiben Vollkorntoastbrot (50 g) · knapp ¼ l Milch · 1 Eßl. getrocknete Pilze · 1 Zwiebel · 1 Knoblauchzehe · 1 Eßl. Butter · 1 Eßl. frisch geriebener Greyerzer Käse · 2 Eier · ½ Teel. Salz · 1 Messerspitze frisch geriebene Muskatnuß · 2 Eßl. frisch gehackte Petersilie
Für den Wirsingkohl:
1 Kopf Wirsingkohl · Salz · 1 Zwiebel · 250 g Tomaten · 1 Eßl. Butter · 1 Teel. getrocknetes Basilikum · ½–¾ l Gemüsebrühe · 3 Eßl. saure Sahne · 2 Messerspitzen frisch geriebene Muskatnuß
Pro Portion etwa 1030 Joule/245 Kalorien

Vorbereitungszeit: 50 Minuten
Garzeit: 40 Minuten

Für die Füllung das Brot mit der Milch übergießen und 30 Minuten weichen lassen. • Die Pilze in lauwarmem Wasser einweichen. • Inzwischen den Wirsingkohl in kochendem Salzwasser blanchieren, bis sich die Blätter lösen. Den Kohl aus dem Wasser heben und 16-20 Blätter ablösen. • Das Brot ausdrücken und mit den abgetropften Pilzen durch den Fleischwolf drehen. • Die Zwiebel und die Knoblauchzehe schälen, hacken und in der Butter goldgelb braten. Die gebratene Zwiebel in einer Schüssel mit dem durchgedrehten Brot, dem Käse, den Eiern, dem Salz, dem Muskat und der Petersilie zu einer glatten Farce verarbeiten. • Für die Wirsingwickel je nach Größe 2-3 Blätter aufeinanderlegen und 1-2 Eßlöffel der Füllung daraufgeben. Die Blätter aufrollen und dicht nebeneinander in eine flache feuerfeste Form legen. • Den Backofen auf 200° vorheizen. • Die Zwiebel schälen und würfeln. Die Tomaten häuten und hacken und mit den Zwiebelwürfeln 5 Minuten in der Butter braten. Mit dem Basilikum würzen. Die Mischung auf den Wirsingwickeln verteilen, mit Gemüsebrühe umgießen. Die Wickel im Backofen auf der zweiten Schiebeleiste von oben in 30-40 Minuten weich schmoren. Vor dem Servieren die saure Sahne unter die Garflüssigkeit rühren. Die Sauce mit dem Muskat würzen.

Das paßt dazu: Kartoffelpüree (Rezept Seite 189) oder Pellkartoffeln.

Eiweißreich · Ganz einfach

Rosenkohl mit Käsesahne

1,5 kg Rosenkohl · 60 g Butter · 2 Teel. gekörnte Gemüsebrühe · 4 Eßl. Wasser · 1 Teel. getrockneter Salbei · 2 Messerspitzen geriebene Muskatnuß · 1 Messerspitze weißer Pfeffer, frisch gemahlen · 62,5 g Doppelrahm-Frischkäse (1 kleine Packung) · 3 Eßl. saure Sahne · 125 g mittelalter Bergkäse oder Goudakäse · 2 Teel. mildes Paprikapulver · 1/8 l Sahne · 1 Bund Petersilie
Pro Portion etwa 2330 Joule/550 Kalorien

Vorbereitungszeit: 25 Minuten
Garzeit: 20 Minuten

Den Rosenkohl waschen, die Stielenden abschneiden, welke Blätter und schlechte Stellen entfernen. • Die Butter in einem großen Topf zerlassen und den Rosenkohl darin wenden. Die gekörnte Gemüsebrühe im Wasser auflösen und über den Rosenkohl gießen. Den Salbei zwischen den Fingern über dem Rosenkohl zerreiben. Das Gemüse mit Muskat und Pfeffer würzen und zugedeckt bei schwacher Hitze in 15-20 Minuten weich dünsten. Die Kohlröschen dürfen aber nicht zerfallen. Den Topf während der Garzeit ab und zu rütteln, damit der Rosenkohl nicht anbrennt und, wenn nötig, ein wenig heißes Wasser zugießen. • Während der Kohl gart, den Frischkäse mit der sauren Sahne schaumig rühren. • Den Käse feinreiben, in die Käsecreme rühren und mit dem Paprikapulver würzen. • Die Sahne schlagen, bis sie fast steif ist und sorgfältig unter die Käsecreme ziehen. • Die Petersilie waschen, trockenschleudern, feinschneiden und unter den Rosenkohl mischen. Die Käsesahnecreme gesondert dazu reichen.

Das paßt dazu: Kartoffelgratin (Rezept Seite 192).

Unser Tip Reichen Sie übriggebliebene Käsecreme zum Abendbrot als Brotaufstrich oder machen Sie einen Rohkostsalat damit an. Geben Sie dann eine Handvoll geriebene Haselnüsse in die Sauce.

Ganz einfach · Preiswert

Apfel-Rotkohl

1 kg Rotkohl · 500 g säuerliche Äpfel ·
1 Zwiebel · 2 Nelken · 4 Eßl. Öl ·
2 Teel. Salz · ½ Teel. gemahlener Piment ·
1 Teel. Senfkörner · ¼ l Apfelsaft · 2 Eßl.
Apfeldicksaft · 2 Eßl. Distelöl
Pro Portion etwa 1260 Joule/300 Kalorien

Vorbereitungszeit: 15 Minuten
Garzeit: 30–40 Minuten

Den Rotkohl waschen, vierteln und die Viertel
mit dem Strunk fein hobeln oder schneiden. Die
Äpfel waschen, ungeschält vierteln, vom Kerngehäuse befreien und die Apfelviertel in Scheiben
schneiden. Die Zwiebel schälen und mit den
Nelken bestecken. • Das Öl in einem Topf erhitzen, den Rotkohl und die Apfelscheiben ins Öl
geben, die gespickte Zwiebel zufügen und das
Salz und die Gewürze darüberstreuen. Den Apfelsaft auf den Rotkohl gießen und zum Kochen
bringen. • Den Kohl bei mittlerer Hitze im offenen Topf 5 Minuten dünsten und im geschlossenen Topf bei schwacher Hitze in 30–40 Minuten
weich schmoren. Zuletzt den Apfeldicksaft und
das Distelöl unterrühren. Den Rotkohl nicht
mehr kochen lassen.

Das paßt dazu: Kartoffelpüree (Rezept Seite 189)
oder gebratene neue Kartoffeln (Rezept Seite 190), aber auch Getreideauflauf (Rezept
Seite 209).

Variante: Rotkohl mit Kastanien
Bild Seite 150
500 g Eßkastanien (Maroni) am spitzen Ende
kreuzweise einschneiden und von Wasser bedeckt 20 Minuten kochen lassen. Die Kastanien
schälen, dabei auch die braune pelzige Haut abziehen. 1 gehackte Zwiebel in Sonnenblumenöl
glasig braten. Den feingehobelten Rotkohl zufügen und unter Wenden 10 Minuten anbraten.
Den Rotkohl mit ½ Teelöffel Nelkenpulver, je
2 Messerspitzen geriebener Muskatnuß und weißem Pfeffer, 2 Teelöffeln Salz und 2 Eßlöffeln
Apfelessig würzen. ⅛ l Wasser mit 1 Teelöffel gekörnter Gemüsebrühe und ⅛ l Apfelsaft zufügen
und bei schwacher Hitze 20 Minuten schmoren
lassen. Die geschälten Kastanien unterheben
und alles in weiteren 20 Minuten fertig garen.
Den Rotkohl mit 1 Eßlöffel Apfelkraut abrunden.

Unser Tip Einige Rotkohlblätter
zurückbehalten und vor dem Servieren
sehr fein geschnitten oder gehackt roh
unter den Apfel-Rotkohl mischen.

Schnell · Ganz einfach

Rosenkohl
in brauner Nußsauce

500 g Rosenkohl · ¼ l Wasser · 3 gehäufte Eßl.
Roggen · 40 g Walnußkerne · 50 g Butter ·
⅛ l Milch · ⅛ l Sahne · 100 g Goudakäse · 1 Messerspitze Muskatblüte (Macis) · Kräutersalz ·
2 Eßl. feingehackte frische Kräuter nach Wahl
Pro Portion etwa 1865 Joule/445 Kalorien

Vorbereitungszeit: etwa 10 Minuten
Garzeit: gut 15 Minuten

Den Rosenkohl putzen und waschen. Mit ⅛ l
Wasser in knapp 15 Minuten gar dämpfen. •
Inzwischen den Roggen mittelgrob mahlen und
die Nüsse grobreiben. • Die Butter in einem klei-

nen Topf erhitzen. Den Roggenschrot und die Nüsse ins heiße Fett schütten, unter Rühren etwas anrösten. • Mit ⅛ l Wasser, der Milch, der Sahne und der restlichen Kochflüssigkeit vom Rosenkohl ablöschen, umrühren und etwa 3 Minuten kochen lassen. • Den Käse grobreiben und mit dem Muskat zufügen. Die Sauce mit Kräutersalz abschmecken und mit den feingehackten Kräutern mischen. Den Rosenkohl in einer Schüssel anrichten und mit der Sauce übergießen.

Das paßt dazu: Kartoffelpüree (Rezept Seite 189). oder auch Salzkartoffeln oder Pellkartoffeln.

Ganz einfach

Feines Broccoligemüse

1,25 kg Broccoli · 2 Eßl. Distelöl · 1 Messerspitze Salz · 1 Messerspitze Muskatnuß, frisch gerieben · 1 Prise Cayennepfeffer · 60 g Butter · 2 Eßl. Zitronensaft · 2 Eßl. Mandelstifte · 1 Bund Petersilie
Pro Portion etwa 1240 Joule/295 Kalorien

Vorbereitungszeit: 15 Minuten
Garzeit: 15 Minuten

Den Broccoli waschen, die Stiele sorgfältig bis zu den Röschen schälen und den Broccoli in Röschen zerteilen. Die Stiele kreuzweise einschneiden. • Das Öl in einem flachen Topf mit großem Durchmesser erhitzen. Einige kleine Broccoliröschen zurückbehalten. Die anderen im Öl wenden, mit dem Salz, dem Muskat und dem Cayennepfeffer bestreuen und etwa 1 cm hoch mit Wasser bedecken. Das Wasser zum Kochen bringen und den Broccoli zugedeckt bei schwacher Hitze in 10–15 Minuten bißfest garen. • Die Butter zerlassen und den Zitronensaft und die Man-

delstifte unterrühren. • Die Petersilie waschen, abtropfen lassen, mit den zurückbehaltenen Broccoliröschen feinhacken und unter das Gemüse mischen. Den Broccoli in einer vorgewärmten Schüssel anrichten und mit der heißen Buttersauce übergießen.

Das paßt dazu: gebratene Polentascheiben (Rezept Seite 140).

Braucht etwas Zeit · Preiswert

Wirsingpudding

Bild Seite 185

2 l Wasser · 2 Teel. Salz · 1 kg Wirsingkohl · 100 g Hafergrütze · 2 Eier · 125 g Magerquark · je 1 Eßl. frisch gehacktes Bohnenkraut, Thymian und Kerbel · 2 große Möhren (200 g) · 2 Eßl. Hefeextrakt · 2 Teel. Salz · ½ Teel. schwarzer Pfeffer, frisch gemahlen
Für die Form: 1 Eßl. Butter
Pro Portion etwa 1775 Joule/280 Kalorien

Vorbereitungszeit: 1 Stunde
Garzeit: 1½ Stunden

Das Wasser mit dem Salz zum Kochen bringen. Vom Wirsing schlechte Blätter entfernen, den Strunk kürzen und den Wirsing im Salzwasser kochen, bis sich die äußeren großen Blätter vom Kohl lösen, aus dem Salzwasser heben und abtropfen lassen. Von den großen Blättern die dicken Rippen flachschneiden und beiseite legen. • Während der Wirsing kocht, die Hafergrütze im Topf ohne Fettzugabe unter Rühren rösten, bis sie sich goldgelb färbt und zu duften beginnt. Den Hafer mit der doppelten Menge Wasser übergießen, aufkochen lassen und zugedeckt bei schwacher Hitze 10 Minuten quellen und dann abkühlen lassen. • Den abgetropften Wirsingkohl mitsamt dem Strunk kleinhacken. • Die Eier unter die Hafergrütze rühren, den Quark, die frischen Kräuter und den gehackten Kohl zufügen. • Die Möhren unter fließendem Wasser gründlich waschen und grob dazureiben. Den Hefeextrakt, das Salz und den Pfeffer zufügen und alles zu einer geschmeidigen Masse verrühren. • Eine Puddingform und ihren Deckel mit der Butter ausstreichen und mit den beiseite gelegten großen Kohlblättern auskleiden. Die Hafergrützenmischung einfüllen und die überstehenden Kohlblätter darüber zusammenschlagen. Die Form schließen, den Wirsingpudding 1 Stunde und 30 Minuten im Wasserbad garen und anschließend auf eine vorgewärmte Platte stürzen.

Das paßt dazu: gebratene neue Kartoffeln (Rezept Seite 190) und Tomatensauce.

Schnell · Ganz einfach

Kräuterblumenkohl ☞

1 Kopf Blumenkohl · Salz · ⅛ l Wasser · knapp ¼ l Milch · 3 gehäufte Eßl. Weizen · 200 g Kräuterschmelzkäse · 1 Eigelb · ⅛ l Sahne · 1 Messerspitze Muskatblüte (Macis) · eventuell Kräutersalz · reichlich frische Kräuter nach Wahl Pro Portion etwa 1235 Joule/295 Kalorien

Vorbereitungszeit: knapp 10 Minuten
Garzeit: 10–15 Minuten

Den Blumenkohl in Röschen zerteilen, in Salzwasser waschen (wenn Zeit vorhanden ist, etwas im Salzwasser liegenlassen). In einem weiten Topf die Blumenkohlröschen mit dem Wasser in etwa 10–15 Minuten gar dämpfen. • Das übrigbleibende Dämpfwasser in einen kleineren Topf

abgießen und mit der Milch auf ¼ l ergänzen, aufkochen. • Inzwischen den Weizen mittelfein mahlen und mit dem Schneebesen in die kochende Flüssigkeit einrühren, gleichzeitig den etwas zerkleinerten Schmelzkäse zufügen, weiterrühren, bis sich der Käse aufgelöst hat (etwa 1–2 Minuten). Vom Herd nehmen. • Das Eigelb mit der Sahne und der Muskatblüte verquirlen, mit dem Schneebesen unter die Sauce rühren, abschmekken (eventuell mit Kräutersalz) und mit feingehackten Kräutern mischen. • Den Blumenkohl in einer Schüssel anrichten, mit der Sauce übergießen und sofort servieren.

Das paßt dazu: Nußkartoffeln (Rezept Seite 183) oder herzhafte Bratkartoffeln (Rezept Seite 187) oder Sahnekartoffeln (Rezept Seite 187) oder gebratener Mais (Rezept Seite 143).

Varianten: Die Sauce paßt auch gut zu Broccoli, Chicorée oder Mangoldstielen (Rippenmangold).

Ganz einfach

Pastinakenplätzli

500 g Pastinaken · 250 g Möhren · 250 g Pellkartoffeln · 1 Bund Petersilie · 2 Eier · 3–4 Eßl. Weizenvollkornmehl · 2 Teel. Salz · 1 Teel. Honig · ½ Teel. Fenchelsamen · ½ Teel. gemahlener Koriander · 3 Eßl. Sonnenblumenöl Pro Portion etwa 1325 Joule/315 Kalorien

Vorbereitungszeit: 35 Minuten
Garzeit: 4 Minuten

Die Pastinaken und die Möhren unter fließendem Wasser sehr gut bürsten, Wurzelenden, Stielansätze und, wenn nötig, schlechte Stellen abschneiden. Die Rüben feinreiben. Die Pellkartoffeln schälen, ebenfalls reiben und mit den Pastinaken und Möhren mischen. Die Petersilie waschen, trockentupfen und feinhacken. • Die Eier, das Mehl, das Salz, den Honig, den Fenchelsamen, den Koriander und die Petersilie zu den Pastinaken geben und alles sehr gut miteinander verrühren. Es soll ein gut formbarer, jedoch nicht zu fester Teig entstehen. Je nachdem, ob der Teig zu weich oder zu fest ist, noch etwas Mehl oder Wasser zufügen. • Aus dem Teig mit bemehlten Händen etwa 2 cm dicke und 8 cm lange Plätzchen formen. • Das Öl in einer Pfanne erhitzen und die Pastinakenplätzli darin bei schwacher Hitze von jeder Seite in etwa 4 Minuten goldbraun braten und sofort servieren.

Das paßt dazu: Blattspinat mit Pinienkernen (Rezept Seite 99).

Schnell · Preiswert

Mangold in heller Sauce

Für den Mangold:
1,5 kg Mangold · 4 Eßl. Öl · ¼ l Gemüsebrühe oder Wasser und 2 Teel. gekörnte Gemüsebrühe
Für die Sauce:
2 Eßl. Butter · 2 Eßl. feingemahlener Weizen ·
⅜ l Gemüsebrühe (Mangoldkochflüssigkeit mit Wasser und 1–2 Teel. gekörnte Gemüsebrühe auf ⅜ l Flüssigkeit ergänzt) · 8 Eßl. saure Sahne ·
½ Teel. Selleriesalz · 1 Messerspitze gemahlene Muskatblüte · 1 Teel. mildes Paprikapulver ·
1 Eßl. Zitronensaft · 2 Eßl. gehackte Mangoldblätter
Pro Portion etwa 1220 Joule/290 Kalorien

<u>Vorbereitungszeit</u>: 10 Minuten
<u>Garzeit</u>: 20 Minuten

Den Mangold waschen. Die Blätter von den Stielen und Rippen streifen. Einige Blätter beiseite legen, die übrigen in ein feuchtes Küchentuch wickeln und für ein Blattmangoldgericht kühl aufbewahren. Die Enden von den Mangoldstielen abschneiden und die Stiele und Blattrippen in fingerlange Stücke schneiden. • Das Öl mit der Brühe in einen flachen Topf mit großem Durchmesser gießen, die Mangoldstiele einlegen, zum Kochen bringen und zugedeckt bei schwacher Hitze in etwa 10 Minuten weich dünsten. • Für die Sauce die Butter zerlassen, das Mehl daraufstäuben und bei schwacher Hitze zu einer glatten Masse rühren. Unter ständigem

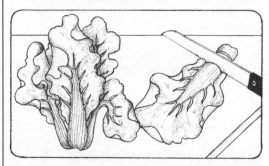

Vom Mangold die Blätter mit den Stielen kleinschneiden oder, wie im Rezept angegeben, von den Stielen streifen und hacken.

Rühren die Brühe zugießen und die Sauce 5 Minuten kochen lassen. • Die saure Sahne mit dem Selleriesalz, der Muskatblüte, dem Paprikapulver und dem Zitronensaft verquirlen und unter die Mehlsauce rühren. Die Sauce nicht mehr kochen lassen. • Die gehackten Mangoldblätter untermischen. Die Mangoldstiele abtropfen lassen, in eine vorgewärmte Schüssel füllen und mit der Sauce übergießen.

Das paßt dazu: Buchweizengrütze (Rezept Seite 137).

Nicht ganz einfach

Grüne Bohnen mit Schaumkrone

Für die Bohnen:
1,25 kg grüne Bohnen · 1 Teel. Salz · 1 Kräuter-
sträußchen, bestehend aus Salbei, Bohnenkraut,
Thymian oder auch nur Bohnenkraut
Für die Sauce:
3 Eigelbe · 1 Prise Salz · 1 Messerspitze Honig ·
1 Prise gemahlener Piment · 1 Eßl. Zitronensaft ·
⅛ l Gemüsebrühe · 100 g weiche Butter
Pro Portion etwa 1470 Joule/350 Kalorien

Vorbereitungszeit: 10 Minuten
Garzeit: 25 Minuten

Von den Bohnen die Stiel- und Blütenansätze abschneiden, die Bohnen waschen und in einen
Topf mit großem Durchmesser geben. Die Bohnen salzen, das Kräutersträußchen zufügen und
etwa 1 cm hoch Wasser einfüllen. Das Wasser
zum Kochen bringen und die Bohnen je nach
Größe in 20–25 Minuten bißfest garen. Wenn
nötig, ein wenig heißes Wasser nachfüllen. Den
Topf während des Garens ab und zu rütteln, da-

Die Eiersauce im heißen Wasserbad aufschlagen, damit das Eigelb nicht durch zu starke Hitzezufuhr gerinnt.

mit die Bohnen nicht anbrennen. • Inzwischen
für die Schaumsauce die Eigelbe mit dem Salz,
dem Honig, dem Piment und dem Zitronensaft
verrühren und im heißen Wasserbad mit dem
Schneebesen schlagen. Die Gemüsebrühe erwärmen und nach und nach zugießen. Dabei ständig
weiterschlagen. Wenn die Sauce dicklich zu werden beginnt, teelöffelweise die Butter unterrühren. • Das Kräutersträußchen aus den Bohnen
nehmen. Die abgetropften Bohnen in einer vorgewärmten Schüssel anrichten und mit der
Schaumsauce übergießen.

Das paßt dazu: Kartoffelpüree (Rezept Seite 189).

Ganz einfach · Preiswert

Wachsbohnen mit Tomaten

1 kg Wachsbohnen · 2 Eßl. Olivenöl ·
1 Teel. Salz · 1 Messerspitze gemahlener
Koriander · 1 Messerspitze gemahlener Ingwer ·
2 Zweige Bohnenkraut · 500 g Tomaten ·
1 Bund Petersilie · 2 Eßl. Butter
Pro Portion etwa 660 Joule/165 Kalorien

Vorbereitungszeit: 20 Minuten
Garzeit: 25 Minuten

Die Bohnen waschen, Stiele und Blütenansätze
abschneiden und die Bohnen in einen flachen
Topf mit großem Durchmesser geben. Mit dem
Öl, dem Salz, dem Koriander und dem Ingwer
bestreuen und etwa 1 cm hoch Wasser in den
Topf gießen. Das Bohnenkraut waschen und auf
die Bohnen legen. Das Wasser zum Kochen bringen und die Bohnen zugedeckt bei mittlerer Hitze in 20–25 Minuten bißfest kochen. Wenn nötig,
ein wenig heißes Wasser nachfüllen. Während

des Garens den Topf ab und zu rütteln, damit die Bohnen nicht anbrennen. • Die Tomaten enthäuten, grobhacken, dabei die Stielansätze entfernen und nach 15 Minuten Kochzeit unter die Bohnen mengen. • Die Petersilie waschen, abtropfen lassen und feinhacken. • Die Butter zum Gemüse geben und den geschlossenen Topf schwenken. Die Bohnen in einer Schüssel anrichten und mit der Petersilie bestreuen.

Das paßt dazu: Grünkernfrikadellen (Rezept Seite 136).

Eiweißreich · Braucht etwas Zeit

Peruanisches Maisgericht

Mais enthält von allen Getreidearten am wenigsten Eiweiß. Lange Zeit wunderten sich die weißen Medizinmänner in Amerika, wie die Indianer in Südamerika bei ihrer vorwiegend aus Mais bestehenden Ernährung gesund bleiben konnten, bis sie bemerkten, daß die Indianer stets Mais und Bohnen zusammen essen. Bohnenkerne enthalten reichlich das fehlende Eiweiß. Auf spanisch heißt das Gericht »Succotasch«.

150 g Azukibohnen (sehr kleine, dunkelbraune, getrocknete Bohnenkerne) · 350 g frische Maiskörner vom Kolben, ersatzweise tiefgefrorene · 1 Teel. Salz · 1 Teel. Koriander, grob gemahlen · 350 g junge grüne Bohnen · ⅛ l Gemüsebrühe · 1 Eßl. Öl · 1 Messerspitze Cayennepfeffer · ½ getrocknete Chilischote · 1 Teel. Salz · ¼ l Sahne · 2–3 Stengel Koriandergrün oder frische Pfefferminze
Pro Portion etwa 1975 Joule/470 Kalorien

Quellzeit: 12 Stunden
Vorbereitungszeit: 30 Minuten
Garzeit: 1 Stunde

Die Bohnen 12 Stunden – am besten über Nacht – in kaltem Wasser einweichen und im Einweichwasser 30 Minuten kochen. Den Mais, das Salz und den Koriander zufügen und alles weitere 30 Minuten kochen lassen. • Inzwischen von den grünen Bohnen die Spitzen und Stielenden abschneiden und die Bohnen waschen. Die Brühe mit dem Öl erhitzen und die grünen Bohnen bei mittlerer Hitze in etwa 15 Minuten darin bißfest dünsten. • Wenn die Azukibohnen und der Mais weich sind, die grünen Bohnen zufügen. • Das Gericht mit dem Cayennepfeffer, der Chilischote und dem Salz würzen. Die Sahne unterrühren und die Flüssigkeit bei mittlerer Hitze im offenen Topf noch etwas einkochen lassen. Das Koriandergrün oder die Pfefferminze waschen, abtropfen lassen und feinhacken. Das Maisgericht in eine vorgewärmte Schüssel füllen und mit den Kräutern bestreuen.

Das paßt dazu: Gefüllte Bataten in der Folie (Rezept Seite 189).

Ganz einfach · Preiswert

Glasierte Teltower Rübchen

1 kg Teltower Rübchen · 60 g Butter · 2 Eßl. helle Melasse (Naturkostladen) · ¼ l Gemüsebrühe oder ¼ l Wasser und 2 Teel. Salz
Pro Portion etwa 965 Joule/230 Kalorien

Vorbereitungszeit: 10 Minuten
Garzeit: 40 Minuten

Die Rübchen unter fließendem Wasser bürsten, sanft schaben, größere Rübchen halbieren oder vierteln, kleine im ganzen lassen. • Die Butter in einem Topf zerlassen und die Melasse unterrühren. Die Rübchen zufügen und bei mittlerer Hitze darin unter Wenden anbraten, bis die Rübchen ganz mit der karamelisierten Masse überzogen sind und schön glänzen. • Die Gemüsebrühe oder das Wasser und das Salz zufügen und die Rübchen bei schwacher Hitze in etwa 35 Minuten weich dünsten. Die Flüssigkeit ist bei Ende der Garzeit fast völlig verdampft.

Das paßt dazu: Kartoffelgratin (Rezept Seite 192) und ein Salat aus Kresse und Radieschen.

Preiswert · Ganz einfach

Kürbisgemüse mit Nudeln

Squash ist eine kleine Kürbisart mit harter, dikker, weißer Schale und festem, hellem Fruchtfleisch. Wegen seiner flachrunden und leicht nach außen gewölbten Formen mit sanftgebogter Kante heißt er bei uns »fliegende Untertasse«. Squash schmeckt auch gut in Stücke geschnitten, in Olivenöl gebraten, leicht gesalzen und mit Zitronensaft beträufelt.

1 kg Gartenkürbis oder Squash · 1 Knoblauchzehe · 1 Zwiebel · 50 g Butter · 350 g kurze Vollkornnudeln · 3 l Wasser · 3 Teel. Salz · 1 Teel. Olivenöl · 1 Bund Basilikum · 1 Messerspitze Cayennepfeffer · Saft von 1 Zitrone · 60 g Emmentaler Käse oder Bergkäse, frisch gerieben
Pro Portion etwa 2980 Joule/710 Kalorien

Vorbereitungszeit: 15 Minuten
Garzeit: 25 Minuten

Den Gartenkürbis oder Squash schälen. Bei Gartenkürbis das weiche Innere mit den Kernen herauskratzen. Das Kürbisfleisch in kleine Würfel schneiden. • Die Knoblauchzehe und die Zwiebel schälen und hacken. • Die Butter in einer

großen tiefen Pfanne mit Deckel zerlassen und die Zwiebel mit dem Knoblauch in der Butter goldgelb braten. Die Kürbiswürfel zufügen und bei mittlerer Hitze zugedeckt 10–15 Minuten nicht zu weich dünsten. Das Kürbisfleisch soll noch Biß haben. • Während der Kürbis gart, für die Nudeln das Wasser mit 2 Teelöffeln Salz und dem Öl zum Kochen bringen. Die Nudeln zufügen und im offenen Topf bei mittlerer Hitze in 8–10 Minuten »al dente« kochen. • Das Basilikum waschen, trockentupfen und feinhacken. Das Gemüse mit dem restlichen Salz und dem Cayennepfeffer würzen, den Zitronensaft und das Basilikum zufügen. Das Gemüse warm stellen. Die Nudeln abschütten und abtropfen lassen, in den Topf zurückgeben und mit dem Kürbisgemüse und dem Käse gründlich mischen.

Nicht ganz einfach

Topinambur mit holländischer Sauce

Für die Topinambur:
800 g Topinambur · 1 Zwiebel · 1 Eßl. Butter · 2 Teel. gekörnte Gemüsebrühe · 1 Bund Basilikum
Für die Sauce:
1 kleine Zwiebel · 1 Zweig Estragon · 6 Eßl. Wasser · 2 Eßl. Zitronensaft · ½ Lorbeerblatt · 1 Nelke · 3 Eigelbe · 160 g Butter · ½ Teel. Salz · 1 Prise Cayennepfeffer
Pro Portion etwa 2055 Joule/485 Kalorien

Vorbereitungszeit: 20 Minuten
Garzeit: 30 Minuten

Die Topinambur unter fließendem Wasser gründlich bürsten und wie Pellkartoffeln kochen oder dämpfen und abgießen. Die Garzeit beträgt 15–20 Minuten, je nach Dicke der Knollen. Die

Knollen wie Pellkartoffeln schälen und in nicht zu dünne Scheiben schneiden. • Die Zwiebel schälen und in kleine Würfel schneiden. Die Butter in einer großen Pfanne zerlassen und die Zwiebelwürfel darin goldgelb braten. Die Topinamburscheiben zufügen, mit der gekörnten Gemüsebrühe würzen. Die Topinambur unter Wenden bei mittlerer Hitze von allen Seiten leicht bräunen. • Das Basilikum waschen, trockenschleudern, hacken und unterrühren. • Für die holländische Sauce die Zwiebel schälen und sehr klein würfeln. Die Zwiebelwürfel mit dem Estragon, dem Wasser, dem Zitronensaft, dem Lorbeerblatt und der Nelke in einem kleinen Topf so lange einkochen lassen, bis nur noch etwa 3 Eßlöffel Flüssigkeit übrig sind. • Die Flüssigkeit durch ein Sieb gießen und abkühlen lassen. Die Eigelbe mit der kalten Flüssigkeit verquirlen, im heißen, nicht kochenden Wasserbad so lange schlagen, bis die Masse cremig geworden ist. • Währenddessen die Butter zerlassen. Die Schüssel aus dem Wasserbad nehmen und die nicht zu heiße Butter zuerst tropfen-, dann teelöffelweise unter die Eicreme rühren. Die Sauce mit dem Salz und dem Cayennepfeffer würzen und extra zum Gemüse reichen.

Variante: Topinambur mit Zucchini

500 g Topinambur nicht ganz weich kochen, abgießen, schälen und in nicht zu dünne Scheiben schneiden. 500 g kleine Zucchini 3 Minuten in kochendem Wasser blanchieren, in einem Sieb kalt überbrausen, abtropfen lassen und ebenfalls in Scheiben schneiden, die Stiele entfernen. Eine flache Auflaufform dick mit Butter ausstreichen und lagenweise die Topinambur- und Zucchinischeiben einschichten. Jede Lage mit etwas Kräutersalz und Piment bestreuen und mit Zitronensaft beträufeln. Frisch geriebenen Emmentaler Käse darüberstreuen und Butterflöckchen darauf verteilen. Das Gemüse auf der zweiten Schiebeleiste von oben im vorgeheizten Backofen (230°) 10 Minuten überbacken.

Schnell · Ganz einfach

Bananengemüse

Bild Seite 276

2 Eßl. Butter · 1 mittelgroße Zwiebel · 4 Bananen · 1 gestrichener Teel. Salz · 1 Messerspitze schwarzer Pfeffer, frisch gemahlen · 1 Eßl. Zitronensaft · 1 Eßl. feingehackte Petersilie Pro Portion etwa 835 Joule/200 Kalorien

Vorbereitungszeit: 5 Minuten
Garzeit: 15 Minuten

Die Butter in einer Pfanne zerlaufen lassen, inzwischen die Zwiebel schälen und feinschneiden. Die Zwiebel in der Butter glasig oder goldgelb braten. • Die Bananen schälen und in Scheiben schneiden, zur Zwiebel geben und auf kleiner Hitze unter öfterem Umrühren in knapp 10 Minuten gar dünsten. • Mit dem Salz bestreuen und mit dem Pfeffer bestäuben, den Zitronensaft gleichmäßig darübergießen. Alles mischen und mit feingehackter Petersilie bestreut servieren.

Das paßt dazu: kalifornischer Reis (Rezept Seite 197) oder Pommes Duchesse (Rezept Seite 188) und ein beliebiger Salat.

Eine raffinierte Reissuppe, die allen schmeckt, die Gerichte aus der fernöstlichen Küche schätzen. Rezept Seite 78.

Schnell · Ganz einfach

Tofu-Gurken-Haschee

1 kleine Zwiebel · 1 Eßl. Butter · 1 Salatgurke (etwa 500 g) · etwa 1 Teel. Salz · 400 g Tofu · ½ Teel. Curry · 2 Eßl. feingehackter Dill · eventuell etwa 1 Messerspitze weißer Pfeffer, frisch gemahlen · 200 g saure Sahne oder Crème fraîche
Pro Portion etwa 630 Joule/150 Kalorien

Vorbereitungszeit: 10 Minuten
Garzeit: 20 Minuten

Die Zwiebel schälen und feinschneiden. Die Butter in einem weiten Topf zerlaufen lassen und die Zwiebelwürfel darin glasig braten. • Inzwischen die Gurke waschen und eventuell schälen. Die Gurke längs vierteln oder achteln und quer in dünne Scheiben schneiden. Die Gurkenstücke in den Topf geben, mit ½ Teelöffel Salz bestreuen und zugedeckt 10 Minuten bei kleiner Hitze dünsten. • Inzwischen den Tofu mit einer großen Gabel in einem Suppenteller zerdrücken. ½ Teelöffel Salz mit dem Curry mischen. Den zerdrückten Tofu in den Topf geben und mit dem Curry-Salzgemisch bestreuen, alles vorsichtig, doch gründlich mischen. Das Ganze in etwa 10 Minuten bei kleiner Hitze fertig garen. • Den Topf vom Herd nehmen. Den Dill unter das Gericht mischen. Eventuell mit weißem Pfeffer und Salz abschmecken. Die saure Sahne oder Crème fraîche nach Belieben unter das Haschee rühren oder getrennt dazu servieren.

◁ Als Dicke Schottische Gerstensuppe ist diese gute Gemüsesuppe bekannt. Rezept Seite 80.

Schnell · Ganz einfach · Preiswert

Sprossengemüse

Zutaten für 2 Personen:
300 g frische Sojasprossen · 1–2 Eßl. Butter oder Sojaöl · 1–2 Eßl. Sojasauce
Pro Portion etwa 190 Joule/45 Kalorien

Zubereitungszeit: 15 Minuten

Die Sojasprossen mehrmals gründlich waschen und auf einem Sieb gut abtropfen lassen. • Das Fett in einer geräumigen Pfanne erhitzen, die Sprossen hineingeben und in gut 5 Minuten unter häufigem Wenden bei mittlerer Hitze zusammenfallen lassen. Die Sojasauce darübergießen und das Gemüse sofort servieren.

Paßt gut zu: Getreidebratlingen (Rezept Seite 136).

Preiswert · Ganz einfach

Steckrübentopf ☞

Steckrüben, die mancher von schlechten Zeiten in schlechter Erinnerung haben mag, sind ein wohlschmeckendes Gemüse, wenn man sie liebevoll würzt. Unbedingt brauchen sie etwas Süße. Dunkle Melasse oder Rübensirup passen gut zu der robusten Rübenart.

1 kg Steckrüben · 500 g Kartoffeln · 2 Zwiebeln · 60 g Butter · 2 Eßl. Melasse · 1 l Wasser · 1 Eßl. gekörnte Gemüsebrühe · 1 Teel. Senfpulver · ½ Teel. schwarzer Pfeffer, frisch gemahlen · ½ Teel. gemahlener Kümmel · 2 Teel. getrockneter Majoran · 1 Lorbeerblatt · 2 Eßl. Nackthaferschrot · 1 Teel. Salz · 1 Bund Petersilie
Pro Portion etwa 1410 Joule/335 Kalorien

Vorbereitungszeit: 15 Minuten
Garzeit: 45 Minuten

Die Steckrüben unter fließendem Wasser bürsten, dünn schälen und schadhafte Stellen abschneiden. Die Rüben in etwa 2 cm lange Stifte schneiden. Die Kartoffeln schälen, waschen und in nicht zu kleine Würfel schneiden. Die Zwiebeln schälen und würfeln. • Die Butter in einem Topf zerlassen und die Melasse darin auflösen.

Von den Kohlrüben das Wurzel- und Stielende abschneiden und die Knollen möglichst dünn schälen.

Die Steckrüben darin unter Wenden 3 Minuten anbraten. Die Kartoffelwürfel und die Zwiebeln zufügen. Das Wasser daraufgießen, mit der gekörnten Brühe, dem Senfpulver, dem Pfeffer, dem Kümmel, dem Majoran und dem Lorbeerblatt würzen und zum Kochen bringen. Das Gemüse zugedeckt bei schwacher Hitze in etwa 40 Minuten weich kochen. • 5 Minuten vor Beendigung der Garzeit den Haferschrot gleichmäßig auf die Steckrüben und Kartoffeln streuen, umrühren und die Flüssigkeit damit binden. • Das Gemüse mit Salz abschmecken. Die Petersilie waschen, trockenschleudern, feinhacken und die Steckrüben damit bestreuen.

Das paßt dazu: Feldsalat.

Variante: Finnische Steckrüben
1 kg Steckrüben schälen, kleinwürfeln und in ½ l Wasser mit 2 Teelöffeln Salz und 2 Teelöffeln Rübensirup in etwa 30 Minuten weich dünsten. Die Steckrübenwürfel durch ein Sieb streichen. 50 g Vollkornbrösel mit 3–4 Eßlöffeln Sahne übergießen und einige Minuten weichen lassen. 2 Eier verquirlen und mit den eingeweichten Vollkornbröseln unter das Steckrübenpüree rühren. Die Masse mit frisch gemahlenem Pfeffer und geriebener Muskatnuß würzen. In eine flache gebutterte Auflaufform füllen, mit Butterflöckchen belegen und 45 Minuten im vorgeheizten Backofen (190°) backen.

Preiswert · Braucht etwas Zeit

Kohlrouladen 🛈

Daß die Füllung kein Fleisch enthält, schmecken Sie hier bestimmt nicht heraus.

100 g Naturreis · ¼ l Wasser · 2 gestrichene Teel. gekörnte Gemüsebrühe · 1½–2 l Wasser · 1 großer Kopf Weißkohl (mindestens 1500 g) · 80 g Butter · 2 Zwiebeln · 60 g gekörntes Sojamark · 1 gestrichener Teel. Pilzpulver · je 1 Teel. getrockneter, gerebelter Majoran und getrocknetes, gerebeltes Basilikum · 1 gestrichener Teel. Knoblauchsalz · 2 Messerspitzen schwarzer Pfeffer, frisch gemahlen · 2 Messerspitzen Piccata · 3 Eßl. Tomatenmark · 5 Eßl. Sojamilch oder saure Sahne · eventuell Kräutersalz
Für die Sauce: 1 gestrichener Eßl. frisch gemahlenes Grünkernmehl · 1 gestrichener Teel. Vollsojamehl · feingehackte Petersilie
Pro Portion etwa 1790 Joule/425 Kalorien

Zeit zum Einweichen: mindestens 3 Stunden
Vorbereitungszeit: 30 Minuten
Garzeit: 20 Minuten

Den Reis mit ¼ l Wasser und der gekörnten Brühe einmal aufkochen, dann zugedeckt mindestens 3 Stunden stehen- und quellen lassen. • Den vorgequollenen Reis in etwa 20 Minuten gar kochen. • In einem großen Topf 1½–2 l Wasser zum Kochen bringen. Den Weißkohl von unbrauchbaren Blättern befreien und mit einem scharfen Küchenmesser rings um den Strunk einschneiden. Den Kohlkopf ins kochende Wasser tauchen (blanchieren), dabei drehen, mit einem Schaumlöffel immer wieder herausnehmen und die blanchierten Blätter nach und nach ablösen. Von den blanchierten Kohlblättern die Rippen flachschneiden. • In einer Pfanne 50 g Butter erhitzen. Die Zwiebeln schälen, würfeln und in der Butter glasig braten. Das Sojamark zufügen und zusammen mit den Zwiebeln unter Rühren goldbraun braten. Das Gebratene unter den gegarten Reis (mit Kochwasser) mischen. Alle Gewürze und das Tomatenmark hinzufügen.

menrollen. Die Rouladen mit Garn (Heftfaden oder Küchengarn) zusammenbinden. Die restliche Butter in der Pfanne erhitzen und die Rouladen darin von allen Seiten anbraten, dann 1 Tasse Blanchierwasser zufügen. Die Kohlrouladen zugedeckt in 15–20 Minuten gar dünsten. Das Grünkern- und Sojamehl mit etwas Wasser anrühren und die Sauce damit binden. Das Gericht mit feingehackter Petersilie anrichten.

Unser Tip Etwas Zeit und Mühe können Sie sparen, wenn Sie »Kohlmäuse« machen, das heißt wenn Sie die Kohlblätter nur über der Füllung zusammenklappen, mit dieser Seite (also glatte Seite nach oben) in die Pfanne legen und anbraten, Blanchierwasser zufügen und wie oben zugedeckt gar dünsten. Die Oberfläche bleibt dann weiß.

Varianten: Auch Gemüsezwiebeln, Zucchini oder Auberginen schmecken, mit dieser Mischung gefüllt, gut.

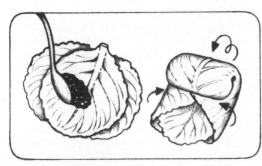

Die Rippen der Kohlblätter kann man heraus- oder nur flachschneiden. Dann werden sie fächerförmig aufeinandergelegt, gefüllt und aufgerollt.

Die Masse mit der Sojamilch oder sauren Sahne gründlich verrühren. Die Füllung eventuell mit Salz abschmecken. • Je 3 Kohlblätter übereinanderlegen und die Füllung darauf verteilen. Die Blätter seitlich einschlagen und von vorn zusam-

Schnell

Indische Okrapfanne

750 g kleine Okraschoten · 2 Knoblauchzehen · 1 getrocknete Chilischote · je 1 Teel. Curcuma (Gelbwurz), geriebene Ingwerwurzel, Kardamomkapseln, Kreuzkümmel, gemahlene Nelken, Pfefferkörner und gemahlener Zimt · 3 Eßl. Sesamsamen · 3 Eßl. Wasser · 75 g Butter · 180 g Sanoghurt · 1 Eßl. Zitronensaft · 1 Teel. Salz · 1 Eßl. frisches, gehacktes Koriandergrün und Ysopblätter oder Petersilie
Pro Portion etwa 1115 Joule/265 Kalorien

Vorbereitungszeit: 10 Minuten
Garzeit: 20 Minuten

Die Okraschoten mit einem trockenen Tuch abreiben und vorsichtig, ohne ins Fruchtfleisch zu
schneiden, die Stielenden und Blütenansätze abschneiden. Die Okraschoten waschen und abtropfen lassen. • Die Knoblauchzehen schälen
und grob kleinschneiden. Die Chilischote im
Mörser zerdrücken. • Den Knoblauch mit dem
Chili, dem Curcuma, dem Ingwer, den Kardo-
momkapseln, dem Kreuzkümmel, dem Nelkenpulver, dem Pfeffer, dem Zimt und den Sesam-

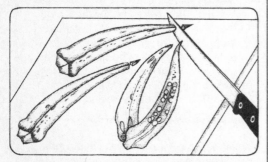

Von Okraschoten nur die äußerste Spitze und das Stielende abschneiden, dabei nicht ins Fruchtfleisch
schneiden.

samen im Mixer zerkleinern oder im Mörser
zerstoßen. Das Wasser zufügen und alles zu einer
dicken Paste mischen. • Die Butter in einer großen, tiefen Pfanne zerlassen und die Gewürz-
paste darin 5 Minuten anbraten. Die Okraschoten zufügen und unter Rühren leicht bräunen
lassen. Das Sanoghurt mit dem Zitronensaft und
dem Salz verquirlen, unter die Okraschoten mischen und diese bei schwacher Hitze in etwa
15 Minuten garen. Ab und zu umrühren. Kurz
vor dem Servieren die Kräuter hacken und unterrühren.

Ganz einfach · Schnell

Gurken mit Rahmdecke ☝

1 kg Schmorgurken · 6 Eßl. Öl · 1 Teel. Salz ·
schwarzer Pfeffer, frisch gemahlen · 1 Bund Dill ·
1 Bund Petersilie · 6 Salbeiblätter · 1 Tasse
Weizenvollkornschrot · 6 Eßl. saure Sahne ·
1 Teel. Kräutersalz · 1 Teel. mildes Paprikapulver
Pro Portion etwa 1760 1760 Joule/280 Kalorien

Vorbereitungszeit: 5 Minuten
Garzeit: 25 Minuten

Die Gurken waschen, wenn nötig schälen, die
Stiele entfernen, die Gurken vierteln und in fingerlange Stücke schneiden. • In einer großen,
tiefen Pfanne mit Deckel 2 Eßlöffel Öl und 4 Eßlöffel Wasser erhitzen. Die Gurkenstücke mit der
Kernseite nach oben in die Pfanne legen und mit
dem Salz und Pfeffer bestreuen. Die Gurken zugedeckt bei schwacher Hitze 10 Minuten dünsten. • Die Kräuter waschen, abtropfen lassen,
grobhacken, über die Gurkenstücke streuen und
den Weizenschrot darauf verteilen. Das restliche
Öl auf den Schrot träufeln. • Die saure Sahne
mit dem Kräutersalz und dem Paprikapulver
verrühren und löffelweise auf den Schrot setzen.
Die Gurken zugedeckt bei schwacher Hitze in etwa 15 Minuten fertig garen.

Variante: Gurken-Tomaten-Pfanne
2 Zwiebeln schälen und würfeln. 4 Fleischtomaten häuten, Stielansätze entfernen und die Tomaten grobhacken. 2 Schmorgurken in fingerlange
Stücke schneiden. Die Zwiebeln und das Tomatenfleisch in 3 Eßlöffeln Olivenöl anbraten, die
Gurkenstücke hinzufügen und mit 1 Teelöffel
Kräutersalz und 1 Messerspitze grob gemahlenem schwarzem Pfeffer würzen. 2 Eßlöffel Grünkernschrot darüberstreuen, vorsichtig umrühren

und das Gemüse zugedeckt bei schwacher Hitze in etwa 20 Minuten weich dünsten. 4 Eier mit 4 Eßlöffeln saurer Sahne, je 2 Eßlöffeln gehackter Petersilie und kleingeschnittenem Dill, 1 Teelöffel mildem Paprikapulver und 1 Messerspitze Kräutersalz verquirlen, über das Gurkengemüse gießen und zugedeckt bei mittlerer Hitze in etwa 10 Minuten stocken lassen.

Schnell · Ganz einfach · Preiswert

Rote Rüben in weißer Sauce

⅛ l Wasser · 500 g rote Rüben/rote Bete · 1 gestrichener Teel. Salz · 1 kleine Schalotte oder Zwiebel · 100 g Magerquark · 1 Becher Joghurt · 1 Eßl. Öl · 1 Teel. Senf · Saft von ½ Zitrone · frische Kräuter nach Wahl
Pro Portion etwa 460 Joule/110 Kalorien

Vorbereitungszeit: knapp 10 Minuten
Garzeit: 15-20 Minuten

Das Wasser zum Kochen bringen. Währenddessen die roten Rüben schälen und würfeln. Mit dem Salz ins kochende Wasser geben und in etwa 15-20 Minuten gar dämpfen. • Die Schalotte oder Zwiebel schälen und halbieren, zusammen mit allen übrigen Zutaten in den Mixer füllen und feinmixen. • Wenn die roten Rüben gar sind, den Topf vom Herd nehmen, eventuell noch vorhandenes Kochwasser abschütten. Die roten Rüben in einer Schüssel anrichten und leicht abgekühlt mit der Quarkcreme aus dem Mixer übergießen.

Das paßt dazu: Vollkorn-Kartoffelgemüse (Rezept Seite 190) oder Blini (Rezept Seite 140)

Braucht etwas Zeit

Zucchini mit Nußfüllung

4 Zucchini (1-1,25 kg) · Salz · 200 g gekochte Weizenkörner · 100 g Walnußkerne · 125 g Doppelrahm-Frischkäse · 2 Eier · ½ Teel. Salz · ½ Teel. gemahlener Koriander · 1 Messerspitze schwarzer Pfeffer, frisch gemahlen · frisch gehackte Pfefferminzblätter oder Zitronenmelisse · Saft von ½ Zitrone · 3 Eßl. Sonnenblumenöl · ⅛ l Gemüsebrühe oder ⅛ l Wasser und 1 Teel. gekörnte Gemüsebrühe
Pro Portion etwa 1930 Joule/460 Kalorien

Vorbereitungszeit: 20 Minuten
Backzeit: 40 Minuten

Die Zucchini waschen, von beiden Enden ein kleines Stück abschneiden. Reichlich Salzwasser zum Kochen bringen und die Zucchini darin 3-4 Minuten blanchieren, aus dem Wasser heben und etwas abkühlen lassen. • Die Zucchini längs halbieren und das Fleisch bis auf einen etwa ½ cm dicken Rand mit einem spitzen Teelöffel herauslösen. Das Zucchinifleisch hacken. • Die Weizenkörner durch den Fleischwolf drehen. Die Walnußkerne hacken. Das Zucchinifleisch mit dem Weizen, den Walnußkernen, dem Frischkäse, den Eiern, dem Salz, dem Koriander, dem Pfeffer, den Kräutern und dem Zitronensaft zu einer glatten Farce verrühren und die ausgehöhlten Zucchinihälften damit füllen. • Die gefüllten Zucchini in eine flache feuerfeste Form legen und die Füllung mit 1 Eßlöffel Öl beträufeln. Das restliche Öl in die Form geben und die

Unser Tip Noch besser schmeckt das Gericht, wenn man die Zucchinihälften in ein Bett von Tomatensauce legt.

Gemüsebrühe seitlich zugießen. Auf der mittleren Schiene in den kalten Backofen stellen, auf 225° schalten und etwa 40 Minuten backen.

Preiswert · Ganz einfach

Kürbiskraut

1,25 kg Kürbis · 2 Zwiebeln · 1 Knoblauchzehe ·
2 Eßl. Sonnenblumenöl · 2 Teel. gekörnte
Gemüsebrühe · 2 Teel. mildes Paprikapulver ·
2 Messerspitzen Cayennepfeffer · Saft von
1 Zitrone · 2 Eßl. gekochter Weizenschrot · 2 Eßl.
geschälte Kürbiskerne · 3 Eier · ⅛ l Sahne ·
2 Messerspitzen Salz
Für die Form: Butter
Pro Portion etwa 1575 Joule/375 Kalorien

Vorbereitungszeit: 30 Minuten
Backzeit: 45 Minuten

Den Kürbis schälen, die Kerne und das weiche Innere entfernen und das Kürbisfleisch grobraspeln. Die Zwiebeln und den Knoblauch schälen, würfeln und im Öl goldgelb braten. Die Kürbisraspel zufügen und 3 Minuten mitbraten. Die gekörnte Brühe, das Paprikapulver, den Cayennepfeffer, den Zitronensaft und den Weizenschrot unterrühren. • Die Kürbiskerne in einer eisernen Pfanne ohne Fettzugabe leicht rösten und unter die Kürbismischung rühren. • Den Backofen auf 220° vorheizen. • Eine flache Auflaufform mit Butter ausstreichen. • Die Eier in Eigelbe und Eiweiße trennen. Die Eiweiße steif schlagen, die Eigelbe mit der Sahne und dem Salz verquirlen und unter die Auflaufmasse rühren. Den Eischnee unterziehen und das Kürbiskraut im Backofen auf der mittleren Schiene etwa 45 Minuten backen. Nach etwa 30 Minuten Backzeit die Auflaufoberfläche mit Alufolie abdecken, damit der Auflauf nicht zu dunkel wird.

Ganz einfach · Braucht etwas Zeit

Cardy in Zitronensauce ☛

Für die Cardy:
1½ l Wasser · 2 Teel. Salz · 2 Eßl. Apfelessig ·
1 große Cardystaude · ½ l Gemüsebrühe
Für die Sauce:
2 Eßl. Butter · 1 Eßl. Weizenvollkornmehl · ¼ l
Gemüsebrühe von der Cardy · 3 Eigelbe · Saft
von 1 Zitrone
Pro Portion etwa 860 Joule/205 Kalorien

Vorbereitungszeit: 20 Minuten
Garzeit: 35 Minuten

Das Wasser mit dem Salz und dem Apfelessig zum Kochen bringen. Die Cardystaude in Stangen zerlegen. Das Blattgrün, die dünnen Stielenden und stachelige Stielkanten abschneiden. Die Fäden von den Stangen abziehen. Die Stangen in fingerlange Stücke schneiden, 10 Minuten im Essigwasser kochen und dann abtropfen lassen. • Die Gemüsebrühe zum Kochen bringen. • Die Cardystücke in etwa 20 Minuten weich kochen, abtropfen lassen und warm stellen. • Für die Sauce die Butter in einem Topf zerlassen, das Mehl darüberstäuben und zu einer glatten Masse rühren. Nach und nach unter Rühren die Brühe

Cardystauden in einzelne Stangen zerlegen, die harten Fäden abziehen und die Stangen in Stücke schneiden.

zugießen. Bei schwacher Hitze 5 Minuten kochen lassen. • Die Eigelbe in einem Topf mit dem Zitronensaft verquirlen und löffelweise die heiße Sauce in die Eigelbe rühren. Die Cardystücke in einer vorgewärmten Schüssel anrichten und mit der Zitronensauce übergießen.

Variante: Cardy mit Mandelmus

Die Cardy kochen, schälen und in Gemüsebrühe garen. 4 Eßlöffel Mandelmus in einem kleinen Topf vorsichtig erwärmen, bis es dickflüssig wird. Mit 1 Messerspitze Salz würzen. 2 Eßlöffel Sesamsamen in einer trockenen Pfanne unter ständigem Rühren goldgelb rösten. Das Cardygemüse in einer vorgewärmten Schüssel anrichten, mit dem erwärmten Mandelmus übergießen und mit dem gerösteten Sesam bestreuen.

Braucht etwas Zeit · Ganz einfach

Gurkenmussaka

200 g Sojamark · 2 Eßl. getrocknete Pilze · 1–2 Teel. Salz · 2 Messerspitzen gemahlener Piment · 1 Teel. getrocknetes Liebstöckel · 1 kg Schmorgurken · 2 Eßl. Butter · 2 Eßl. Zitronensaft · 2 Teel. gekörnte Gemüsebrühe · 250 g Magerquark · 2 Eßl. Sonnenblumenkerne · 2 Knoblauchzehen · 2 Bund Dill · 3 Eßl. Öl
Pro Portion etwa 1090 Joule/260 Kalorien

Quellzeit: 10–12 Stunden
Vorbereitungszeit: 20 Minuten
Backzeit: 40 Minuten

Das Sojamark mit den Pilzen, 1 Teelöffel Salz, dem Piment und dem Liebstöckel knapp mit Wasser bedeckt einmal kurz aufkochen und dann zugedeckt 10–12 Stunden weichen lassen. • Die Schmorgurken waschen, halbieren und die Gurkenhälften in fingerdicke Scheiben schnei-

den. • Die Butter in einer großen Pfanne zerlassen, die Gurken hineingeben, mit dem Zitronensaft und der Gemüsebrühe würzen und bei mittlerer Hitze unter Wenden goldgelb und glasig braten. • Den Backofen auf 220° vorheizen. • Die Pilze aus dem Einweichwasser nehmen,

> **Unser Tip** Mit der Soja-Quark-Mischung bedeckt können auch gehäutete halbierte Tomaten oder in dicke Scheiben geschnittene Zucchini gebacken werden. Diese Gemüsesorten brauchen jedoch nicht angebraten werden. Tomaten anstatt mit Zitronensaft mit Basilikum würzen und mit Kräutersalz bestreuen. Zucchini wie Gurken würzen.

kleinschneiden und wieder zum Sojamark geben. Das Sojamark, das jetzt ganz weich geworden ist, mit dem Quark und den Sonnenblumenkernen mischen und dabei zerdrücken. Die Knoblauchzehen schälen und durch die Knoblauchpresse auf die Sojamischung drücken. Die Masse mit Salz abschmecken und den frisch gehackten Dill unterrühren. • Eine flache feuerfeste Form mit etwas Öl einfetten und die Gurkenstücke einfüllen. Die Soja-Quark-Mischung darauf verteilen und mit dem restlichen Öl beträufeln. Den Auflauf im Backofen auf der mittleren Schiebeleiste 40 Minuten backen. Wenn die Oberfläche zu rasch bräunt, mit Alufolie abdecken.

Feine Getreidegerichte

Wenn von Getreide die Rede war, dachten die meisten Menschen an Vollkornbrot, also an Brote aus den ganzen Körnern von Weizen und Roggen. Hafer kannten viele nur als Nahrungsmittel für Kinder oder als Bestandteil von Müsli und Gerste als Grundlage für die Bierherstellung. Dinkel und Hirse beispielsweise, beides Getreidearten, die auf eine jahrtausendalte Geschichte als Lebensmittel zurückblicken können, waren bei uns fast gänzlich in Vergessenheit geraten. Das alles hat sich in der letzten Zeit grundlegend geändert. Getreidearten wie Grünkern, Hirse, Dinkel und Naturreis sind plötzlich wieder modern und werden in den täglichen Speiseplan mit einbezogen. Diese »Rückentwicklung« ist aus gesundheitlicher Sicht sehr zu begrüßen, gibt es doch außer Getreide kein Lebensmittel, mit dem man sich so vollwertig ernähren kann. Getreide enthält Kohlenhydrate, darunter die so wichtigen Ballaststoffe, Eiweiß, Fett, Vitamine, Mineralstoffe und Spurenelemente.

Ballaststoffe machen satt, deshalb halten Getreidegerichte auch lange vor. Wer seinen Kalorienbedarf mit ballaststoffreichen Lebensmitteln deckt, läuft also nicht Gefahr, zu viel zu essen und kennt daher in der Regel keine Gewichtsprobleme. Getreide enthält relativ viel Eiweiß, im Durchschnitt etwa 12 Prozent. Besonders hochwertiges Eiweiß hat der Keim und die Randschichten; ein weiterer Grund, Getreide als Vollkorn zu verzehren und nicht als Auszugsmehl. Getreide ist eine sehr gute Quelle für Vitamine der B-Gruppe und Vitamin E sowie für Mineralstoffe wie Calcium und Eisen. Und das im Getreidekorn vorhandene Fett besteht zur Hälfte aus den besonders hochwertigen, mehrfach ungesättigten Fettsäuren, der Grund dafür, daß gemahlenes Vollkorn schnell ranzig wird. Vollkornmehl- oder -schrot sollte man deshalb nie lange lagern, sondern nach Bedarf jeweils frisch mahlen.

Es gibt nur wenige Stoffe, die dem Getreidekorn fehlen (Vitamin C) oder in sehr geringer Menge vorhanden sind (Calcium). Deshalb ist es auch verständlich, daß Getreide für einen großen Teil der Menschheit auch heute noch die wichtigste und beste Nahrungsquelle darstellt. Auch wir sollten Getreide wieder in den Mittelpunkt unserer Ernährung stellen. Damit Sie Getreide nicht nur als Müsli, Vollkornbrot oder Vollkorngebäck verzehren müssen, was auf die Dauer vielleicht etwas langweilig wäre, geben wir Ihnen in diesem Kapitel Rezepte für süße und herzhafte Getreidegerichte aus vollem Korn. Es gibt Rezepte für Gerichte aus ganzem Korn, die uns zu kräftigem Kauen anregen und auch unsere Verdauung in Schwung bringen, und solche aus fein- oder grobgemahlenem Korn, die leichter und bekömmlicher sind für den, der sich erst noch an die Getreidekost gewöhnen muß. Ganze Getreidekörner sollten 6 bis 10 Stunden eingeweicht werden, damit sie beim Garen auch richtig weich werden. Getreidekörner haben eine Garzeit von etwa 1 Stunde und brauchen danach noch 1 Stunde zum Ausquellen. Gerichte aus geschrotetem Getreide sind schneller gar und brauchen vor dem Kochen auch nicht eingeweicht zu werden. Je nach Getreideart benötigt der Schrot 25 bis 60 Minuten zum Garen und etwa 15 Minuten zum Nachquellen. Zum Ausquellen ist eine »Kochkiste« (Styroporbox mit dazu passendem Edelstahltopf) ideal. Oder Sie machen es so, wie unsere Großmütter es schon gemacht haben: Sie packen den Topf einfach in ein paar Decken ein und stellen ihn ins Bett.

Durch Darren wird Getreide schmackhafter und leichter bekömmlich. Besonders für Buchweizen, Hafer und Hirse empfiehlt sich das Darren. Aus Buchweizen und Hirse werden die Bitterstoffe entfernt und das Getreide wird beim Kochen nicht so klebrig. Das Darren kann nach dem Einweichen erfolgen. Man gibt die gut abgetropften Getreidekörner auf ein Backblech, breitet sie aus und läßt sie im Backofen bei etwa 100° 30 bis 60 Minuten trocknen, bis die Körner angenehm zu duften anfangen.

Ganz einfach · preiswert · Ballaststoffreich

Roggen in saurer Sahne

*2 Teel. Kümmel · 1 Teel. Fenchelsamen ·
200 g Roggen · 1 gestrichener Eßl. gekörnte
Gemüsebrühe · ¾ l Wasser · 1 Bund Schnittlauch
oder Petersilie · 2 Becher saure Sahne (400 g) ·
2 Teel. frisches, feingehacktes oder getrocknetes,
gerebeltes Basilikum · 2 gestrichene Teel. edelsüßes Paprikapulver · 2 gestrichene Teel.
Kräutersalz · 1 Messerspitze schwarzer Pfeffer,
frisch gemahlen*
Pro Portion etwa 1210 Joule/290 Kalorien

Vorbereitungszeit: 5 Minuten
Quellzeit: etwa 12 Stunden
Garzeit: 20 Minuten

Den Kümmel und den Fenchel in der Getreidemühle oder in einer Gewürzmühle feinmahlen
oder gemahlene Gewürze verwenden. Den Roggen mit dem gemahlenen Kümmel und Fenchel,
der gekörnten Brühe und dem Wasser einmal
aufkochen. Zugedeckt etwa 12 Stunden quellen
lassen. • Am nächsten Tag die Körner im Einweichwasser in etwa 20 Minuten gar kochen. •
Inzwischen den Schnittlauch oder die Petersilie
waschen und feinschneiden. Die saure Sahne mit
dem Schnittlauch oder der Petersilie, dem Basilikum, dem Paprikapulver, dem Kräutersalz und
dem Pfeffer verrühren. Die Roggenkörner, sobald sie gar sind, auf einem Sieb kurz abtropfen

> **Unser Tip** Die Servierschüssel soll-
> te gut vorgewärmt sein, da die Körner in
> der kalten Rahmsauce sonst rasch ab-
> kühlen. Stellen Sie eine Edelstahl-Ser-
> vierschüssel auf den umgedrehten Topf-
> deckel, solange der Roggen kocht.

lassen, in eine gut vorgewärmte Schüssel schütten und mit der sauren Sahne übergießen.

Das paßt dazu: Apfel-Sellerie-Salat (Rezept
Seite 73).

Ballaststoffreich · Ganz einfach

Weizengrütze ☞

*250 g grob geschrotete Weizenkörner · 1 Eßl. Öl ·
0,4 l warmes Wasser · 1 Teel. Salz oder 3 Teel.
gekörnte Gemüsebrühe · ¼ Teel. gemahlener
Koriander · ½ Teel. getrockneter Majoran ·
1 Eßl. Butter*
Pro Portion etwa 840 Joule/200 Kalorien

Garzeit: 1¼ Stunden

Vom Weizenschrot etwa 50 g Mehl absieben. Dadurch wird die Grütze lockerer und hat mehr
»Biß«. • Das Öl in einen Topf gießen, den Weizenschrot darin wenden und unter Rühren erwärmen. Das Wasser unter Rühren mit dem
Schneebesen zufügen, zum Kochen bringen und
die Grütze etwa 15 Minuten zugedeckt bei
schwacher Hitze kochen lassen, bis kein Wasser
mehr über der Grütze steht. • Das Salz oder die
gekörnte Gemüsebrühe, den Koriander und den
Majoran zufügen und die Grütze bei ganz
schwacher Hitze (Drahtuntersetzer) etwa 1 Stunde ausquellen lassen. Vor dem Servieren die Butter unterrühren.

Paßt gut: als Beilage zu Gemüsegerichten.

Variante: Roggengrütze
Von 250 g grob geschrotetem Roggen etwa 50 g
Mehl absieben und die Grütze in ¼ l Wasser
1–2 Stunden quellen lassen. Die Grütze dann unter Rühren erwärmen und trocknen lassen. Das

Öl zufügen, die Grütze darin wenden, mit ⅜ l Wasser übergießen und zum Kochen bringen. Nach 15 Minuten je ½ Teelöffel getrockneten Estragon und getrockneten Thymian sowie ¼ Teelöffel gemahlenen Kümmel zufügen. Die Grütze salzen und bei ganz schwacher Hitze 1 Stunde ausquellen lassen. Nach Belieben vor dem Servieren 1 Eßlöffel Butter unterrühren.

Variante: Grünkerngrütze

Von 250 g grob geschrotetem Grünkern etwa 50 g Mehl absieben. 1 gehackte Zwiebel in 2 Eßlöffeln Öl glasig braten, den Grünkern zufügen und 3 Minuten unter Rühren mitbraten. Knapp ½ l warmes Wasser zugießen, umrühren und den Schrot 15 Minuten kochen lassen. Die Grütze mit je ½ Teelöffel getrocknetem Basilikum und Estragon würzen, salzen und 30 Minuten nachquellen lassen.

Variante: Dreikorngrütze

In Naturkostläden und Reformhäusern gibt es Thermogrütze zu kaufen. Diese Grütze wird besonders schonend mit Wärme behandelt und bekommt dadurch einen leicht malzigen Geschmack. Thermogrütze gart rasch und ist besonders leicht verdaulich. In ½ l kochendes Wasser 250 g Thermo-Dreikorngrütze und 1 Eßlöffel ge-

---

Unser Tip Getreidegrütze schmeckt fein mit gehackten frischen Kräutern, die erst nach dem Garen und Ausquellen untergerührt werden. Zu Weizen passen gut Basilikum, Majoran und Rosmarin, zu Roggen Rosmarin und Thymian, zu Gerste Liebstöckel, Salbei und Thymian, zu Grünkern Basilikum und Estragon und zu Hafer Bohnenkraut und Ysop. Petersilie ist für alle Getreidearten geeignet.

---

körnte Gemüsebrühe einrühren. Die Grütze etwa 3 Minuten kochen lassen, bis kein Wasser mehr darübersteht. Die Grütze dann 30 Minuten ausquellen lassen, 2 Eßlöffel Butter zufügen und die Grütze mit einer Gabel auflockern. Mit Tekka bestreuen und/oder Basilik (fertige Gewürzmischungen) dazu reichen.

Ballaststoffreich · Eiweißreich

Weizenküchle

300 g Weizen · gut ½ l Wasser · 1 gehäufter Eßl. getrocknetes Suppengrün · 2 gestrichene Teel. Salz · 1 Teel. frisches, feingehacktes oder getrocknetes, gerebeltes Basilikum · 40 g Walnußkerne · 150 g Goudakäse · 3 Eier · 150 g Vollkornbrösel (Graham-Paniermehl) · 2 gehäufte Eßl. Edelhefeflocken · 1 Messerspitze schwarzer Pfeffer, frisch gemahlen · Butter zum Braten
Pro Portion etwa 2360 Joule/560 Kalorien

Vorbereitungszeit: 20 Minuten
Quellzeit: etwa 12 Stunden
Garzeit: 20 Minuten

Den Weizen, das Wasser, das Suppengrün, das Salz und das Basilikum zusammen in einen Topf geben und 2 Minuten kochen. Zugedeckt etwa 12 Stunden quellen lassen. • Nach dem Quellen den Weizen wieder aufkochen lassen und in etwa 10 Minuten weich kochen. • Während der Weizen kocht, die Nüsse und den Käse grobreiben. • Die Weizenkörner auf einem Sieb abtropfen lassen. Das Kochwasser auffangen und nach Wunsch als Trinkbrühe zum Essen servieren. Die Körner mit den Nüssen, dem Käse, den Eiern, den Vollkornbröseln, den Hefeflocken und dem Pfeffer in eine Schüssel geben und gut mischen (geht am schnellsten und besten mit der Hand). • Inzwischen Butter in einer Pfanne heiß werden lassen. Mit einem Eßlöffel Häufchen vom Küchleteig in die Pfanne geben, zugedeckt bei mittlerer Hitze 5 Minuten braten, vorsichtig wenden, nochmals 5 Minuten zugedeckt braten.

Das paßt dazu: Apfel-Sellerie-Salat (Rezept Seite 73) oder grüne Salate (Rezept Seite 40), Tomatensalat oder Gurkensalat.

> **Unser Tip** Die Küchle schmecken auch kalt, zum Beispiel bei Wanderungen oder bei der Arbeit; auch fürs kalte Buffet sind sie gut geeignet.

Variante: Gefülltes Gemüse

Gurken, Zucchini oder Auberginen längs halbieren, mit einem Eßlöffel aushöhlen, etwas gekörnte Brühe und Pfeffer hineinstreuen. Mit der ausgehöhlten Seite nach oben in eine große Deckelpfanne legen, etwas Wasser oder Kochwasser von den Körnern auf den Boden der Pfanne gießen. Das Gemüse zugedeckt 5-10 Minuten vordünsten. Die Körnermasse einfüllen, nochmals 5-10 Minuten zugedeckt dünsten. Mit feingehackten Kräutern bestreut servieren. Oder von Tomaten einen Deckel abschneiden, das Fruchtfleisch mit einem Teelöffel herausnehmen, die Körnermasse einfüllen. Die Tomaten wie oben in etwa 10 Minuten zugedeckt gar dünsten. Das ausgelöste Fruchtfleisch der Tomaten kann man als Sauce mitgaren.

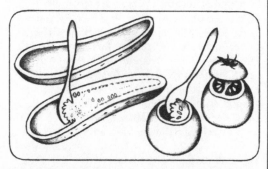

Gurken oder Tomaten höhlt man je nach Größe mit einem Tee- oder Eßlöffel (mit scharfer Kante) aus.

Preiswert · Ganz einfach

Haferburger

150 g feine Haferflocken · 2 gestrichene Eßl. Vollsojamehl · 2 gehäufte Eßl. Weizenkeime · 2 gehäufte Eßl. Edelhefeflocken · 1 Eßl. Butter · 1 Eßl. Honig · ¼ l Milch · 200 g Möhren · 1 große Zwiebel · 1 Eßl. feingehackte Petersilie · 150 g Goudakäse · 2 Eier
Zum Braten: etwa 2 Eßl. Öl · 2 Eßl. Butter
Pro Portion etwa 2300 Joule/500 Kalorien

Vorbereitungszeit: 20 Minuten
Bratzeit: 20 Minuten

Die Haferflocken mit dem Sojamehl, den Weizenkeimen und den Hefeflocken mischen. Die Butter und den Honig obenauf geben. Die Milch erhitzen und über die Flockenmischung gießen, alles verrühren und quellen lassen. • Inzwischen die Möhren waschen, putzen und feinreiben. Die Zwiebel schälen und feinschneiden. Oder Möhren und Zwiebel mit der elektrischen Küchenmaschine zerkleinern. Den Käse grobreiben. Das zerkleinerte Gemüse und die Petersilie, den geriebenen Käse sowie die Eier gründlich unter die Haferflockenmischung rühren. • In zwei Pfannen je 1 Eßlöffel Öl und 1 Eßlöffel Butter erhitzen. Vom Teig mit einem Eßlöffel Häufchen in die Pfanne geben und etwas plattdrücken. Die Haferburger von beiden Seiten je 10 Minuten bei schwacher Hitze zugedeckt braten.

Das paßt dazu: beliebige grüne Salate.

Preiswert · Ganz einfach

Grünkernfrikadellen ⋆

200 g Grünkern · ½ Bund Suppengrün · gut ½ l Wasser · 1 gestrichener Teel. Pilzpulver · 1 gestrichener Eßl. gekörnte Gemüsebrühe · 1 Teel. frisches, feingehacktes oder getrocknetes, gerebeltes Basilikum · 1 Messerspitze schwarzer Pfeffer, frisch gemahlen · 1 kleine Zwiebel · ½ Bund Petersilie · 2–3 Eier · 150 g Vollkornbrösel (Graham-Paniermehl) · 2 gehäufte Eßl. Edelhefeflocken · Öl und Butter zum Braten
Pro Portion etwa 1775 Joule/420 Kalorien

Vorbereitungszeit: 10 Minuten
Garzeit: 30 Minuten

Den Grünkern mittelgrob bis grob schroten. • Das Suppengrün putzen, waschen und zerkleinern. Alle Zutaten von Grünkern bis Pfeffer in einen Topf geben und 5–10 Minuten kochen lassen, dabei gelegentlich umrühren. • Inzwischen die Zwiebel schälen und feinschneiden, die Petersilie waschen und feinhacken. Die Eier, die Vollkornbrösel, die Hefeflocken, die gehackte Zwiebel und Petersilie zu dem Schrotbrei geben und alles gründlich mischen. • Butter und Öl in einer Pfanne erhitzen. Mit nassen Händen aus dem Teig Frikadellen formen und im heißen Fett knapp 10 Minuten bei nicht zu starker Hitze zugedeckt braten, wenden und in knapp 10 Minuten fertig braten.

Das paßt dazu: beliebige Blattsalate.

Unser Tip Die Küchle schmecken auch kalt. Sie sind gut geeignet zum Mitnehmen.

Varianten: Die Schrotmasse eignet sich auch sehr gut zum Füllen von Gurken und Zucchini; dann die feingehackte Zwiebel vorher in etwas Butter braten und zur Grünkernmasse geben.

Ballaststoffreich · Preiswert

Getreidebratlinge ⋆

¾ l Gemüsebrühe oder Wasser und 1½ Eßlöffel gekörnte Gemüsebrühe · 75 g feingeschrotetes Getreide (Gerste, Weizen, Roggen, Grünkern) · 75 g Haferflocken · 1 Zwiebel · 1 Eßl. Öl · 2 Eßl. Sojamehl · 75 g gemahlene Haselnußkerne · 1 Teel. Salz · 3 Eßl. frische, gehackte Petersilie oder gemischte frische Kräuter · 2 Eßl. Sonnenblumenöl
Pro Portion etwa 1050 Joule/250 Kalorien

Vorbereitungszeit: 15 Minuten
Garzeit: 30 Minuten

Die Gemüsebrühe oder das Wasser mit der gekörnten Brühe zum Kochen bringen. Den Schrot und die Haferflocken unter Rühren mit dem Schneebesen einrieseln lassen. Die Herdplatte abschalten und den Schrot und die Haferflocken 20 Minuten ausquellen, jedoch nicht mehr kochen lassen. • Inzwischen die Zwiebel schälen und würfeln und im Öl goldgelb braten. Die gebratenen Zwiebelwürfel mit dem Sojamehl, den Haselnüssen, dem Salz und der Petersilie unter den Schrotbrei rühren und flache, etwa handtellergroße Bratlinge daraus formen. • In einer Pfanne das Sonnenblumenöl erhitzen und die Bratlinge bei mittlerer Hitze in etwa 10–12 Minuten von beiden Seiten goldbraun braten.

Das paßt dazu: Rohkostplatte.

Ballaststoffreich · Braucht etwas Zeit

Buchweizengrütze

Der Name täuscht: Buchweizen ist kein Weizenverwandter und gehört auch nicht zum Getreide.
Botanisch gesehen handelt es sich um ein Knöterichgewächs.

¾ l Wasser · 300 g grob gemahlene
Buchweizengrütze · 1 Teel. Salz · 4 Eßl. Butter
Pro Portion etwa 1615 Joule/385 Kalorien

Vorbereitungszeit: 15 Minuten
Garzeit: 1¾ Stunden

Das Wasser zum Kochen bringen. • Den Backofen auf 150° vorheizen. • Die Buchweizengrütze in einer Pfanne ohne Fettzugabe unter Rühren
rösten, bis sie angenehm duftet. • Die Grütze mit
dem Salz mischen, in eine feuerfeste Form füllen
und mit dem kochendheißen Wasser übergießen.
Die Buchweizengrütze im Backofen auf der mittleren Schiebeleiste 1 Stunde und 45 Minuten
ausquellen lassen und vor dem Auftragen die
Butter unterrühren.

Unser Tip Alle Grützen schmecken
auch süß sehr gut. Man läßt sie dafür nur
in schwach gesalzenem Wasser quellen
und süßt die fertige Grütze mit Honig,
Ahornsirup, beliebigen frischen oder
gedünsteten Früchten und Milch oder
Sahne.

Ballaststoffreich · Braucht etwas Zeit

Gekochte Getreidekörner

250 g Getreidekörner (Weizen, Grünkern, Roggen,
Gerste, Hafer, Reis) · ½ l Wasser zum
Einweichen · Gewürze und frische Kräuter ·
¼–½ l Wasser zusätzlich zum Garen · 1 Teel.
Salz · 2 Eßl. kaltgepreßtes Pflanzenöl oder Butter
Pro Portion etwa 1195 Joule/285 Kalorien

Quellzeit: 6–10 Stunden
Garzeit: 1 Stunde
Zeit zum Nachquellen: 1 Stunde

Das Getreide unter fließendem Wasser waschen
und in der doppelten Menge Wasser – bei 250 g
Getreidekörnern in etwa ½ l – 6–10 Stunden einweichen. • Die Getreidekörner im Einweichwasser zum Kochen bringen und bei schwacher Hitze wallend, jedoch nicht sprudelnd kochen
lassen. Immer, wenn das Kochwasser fast aufgesogen ist, etwas Wasser nachgießen. • Etwa nach
der Hälfte der Garzeit mit Salz, Gewürzen und
getrockneten Kräutern würzen. • Nach Beendigung der Garzeit im Wasserbad oder in einer
Kochkiste mindestens 1 Stunde nachquellen lassen. • Erst kurz vor dem Auftragen Fett und frische Kräuter unterrühren.

Paßt gut zu: gedünsteten oder überbackenen Gemüsegerichten.

Braucht etwas Zeit · Ganz einfach · Ballaststoffreich

Bunter Körnersalat

Dieses herzhafte Gericht kann an heißen Tagen eine vollständige Mittagsmahlzeit sein oder sonst ein Abendessen. Vom Winter bis zum Frühjahr nehmen Sie besser Tomatenmark statt der zu dieser Jahreszeit geschmack- und wertlosen Tomaten. Mit Tomatenmark schmeckt der Salat auch warm.

200 g Grünkern · gut ½ l Wasser · 3 gestrichene Teel. gekörnte Gemüsebrühe · 500 g frische oder tiefgefrorene grüne Bohnen · 500 g Tomaten, ersatzweise 50 g Tomatenmark · 4 Schalotten oder kleine Zwiebeln · 2 Eßl. geschmacksneutrales Öl · Saft von ½–1 Zitrone · etwa 1 Teel. Kräutersalz · schwarzer Pfeffer, frisch gemahlen · 2 Eßl. feingeschnittener Schnittlauch · je 1 Teel. feingehacktes Basilikum und Bohnenkraut oder je ½ Teel. getrocknete, gerebelte Kräuter
Pro Portion etwa 1235 Joule/295 Kalorien

Vorbereitungszeit: 5 Minuten (12 Stunden zuvor) und 10 Minuten
Quellzeit: etwa 12 Stunden
Garzeit: 30 Minuten

Den Grünkern mit dem Wasser und der gekörnten Brühe in einem großen Topf einmal aufkochen und 12 Stunden zugedeckt stehenlassen. • Nach dem Quellen den Grünkern mit dem Einweichwasser wieder zum Kochen bringen. Frische grüne Bohnen waschen, putzen und in etwa 3 cm lange Stücke schneiden. Die frischen oder tiefgefrorenen Bohnen auf die Körner schütten und alles zusammen in etwa 30 Minuten garen. Wenn keine frischen Kräuter zur Verfügung stehen, das getrocknete Basilikum und Bohnenkraut mitkochen. • Inzwischen die Tomaten waschen, vom Stielansatz befreien und in Spalten oder Scheiben schneiden. Die Schalotten oder Zwiebeln schälen und quer in dünne Scheiben schneiden. Von den fertig gegarten Körnern und Bohnen eventuell noch vorhandene Kochflüssigkeit abgießen. • Die Körner und das Gemüse in eine Schüssel füllen, dazu die zerkleinerten Tomaten (oder das Tomatenmark und ½ Tasse Wasser) und die Zwiebelringe. Frisches Basilikum und Bohnenkraut sowie den Schnittlauch zufügen. Das Öl, den Zitronensaft, das Kräutersalz und etwas Pfeffer nach Geschmack unter den Salat mischen. • Den Körnersalat mindestens 5 Minuten durchziehen lassen.

Schnell · Ballaststoffreich

Roggenschmarrn ☛

100 g Roggen · 100 g Weizen · 3 Teel. Kümmel · ½ Teel. Koriander · ½ Teel. Fenchelsamen · 4 Eier · gut ¼ Flüssigkeit wie Wasser, Molke oder Buttermilch · 2 gestrichene Teel. Salz · 1 Stange Lauch/Porree · Öl zum Braten
Pro Portion etwa 1050 Joule/250 Kalorien

Vorbereitungszeit: 10 Minuten
Garzeit: 10 Minuten

Den Roggen und den Weizen zusammen mit dem Kümmel, dem Koriander und dem Fenchel mehlfein mahlen oder gemahlene Gewürze verwenden. Das Mehl mit den Eiern, der Flüssigkeit und dem Salz zu einem weichen Teig verrühren. • Die Lauchstange einmal längs durchschneiden, von der Wurzel und unbrauchbaren Blättern befreien, gründlich waschen und in dünne Ringe schneiden. Öl in einer geräumigen Pfanne erhitzen, den Lauch hineingeben und kurz anbraten. Den Teig daraufgießen und etwa 2–3 Minuten stocken lassen. Dann mit einem Bratenwender oder Pfannenmesser in Stücke zerteilen und wenden. Während des Bratens immer wieder zerteilen und wenden, bis alles gar ist.

Das paßt dazu: Rote-Rüben-Salat (Rezept Seite 65) oder Spinat mit Äpfeln und Möhren (Rezept Seite 58).

Ganz einfach · Preiswert

Käsesoufflé 🍴

Mit frisch gemahlenem Vollweizenmehl und in einer Deckelpfanne kann man sogar schnell ein Soufflé zaubern.

100 g Goudakäse · 50 g Weizen · 1 Becher Sahne (200 g) · 6 Eier · 2 Teel. Salz · 1 gestrichener Teel. Delikata · 2 Messerspitzen Muskatblüte (Macis) · 1 Messerspitze weißer Pfeffer, frisch gemahlen · etwas Butter
Pro Portion etwa 1925 Joule/460 Kalorien

Vorbereitungszeit: 20 Minuten
Garzeit: 20 Minuten

Den Käse feinreiben. Den Weizen mehlfein mahlen. • Das Mehl mit der Sahne, dem geriebenen Käse, den Eigelben und den Gewürzen gut verrühren. Die Eiweiße steif schlagen und vorsichtig unter den Teig ziehen. • Etwas Fett in einer Deckelpfanne gleichmäßig zerlaufen lassen. Den Teig hineingießen. Den Deckel schließen.

> **Unser Tip** Statt 100 g Gouda 200 g feingeriebenen Emmentaler Käse nehmen, dann wird das Soufflé noch herzhafter.

Das Soufflé in etwa 15–20 Minuten bei mittlerer Hitze fest werden lassen.

Das paßt dazu: Spargelsalat mit Nüssen (Rezept Seite 56).

Eiweißreich · Ballaststoffreich

Würzige Roggenkörner

200 g Roggen · 100 g Azukibohnen · 2 Teel. Kümmel · 1 gestrichener Eßl. gekörnte Gemüsebrühe · ¾ l Wasser · 3 große Zwiebeln · 50 g Butter · 200 g Emmentaler Käse · etwas Salz · schwarzer Pfeffer, frisch gemahlen · 1 Bund Petersilie · 1 Bund Schnittlauch
Pro Portion etwa 2160 Joule/515 Kalorien

Vorbereitungszeit: 5 Minuten
Quellzeit: etwa 12 Stunden
Garzeit: 25 Minuten

Den Roggen, die Azukibohnen, den Kümmel und die gekörnte Brühe mit dem Wasser einmal aufkochen. Zugedeckt etwa 12 Stunden quellen lassen. • Den Roggen und die Bohnen im Einweichwasser in etwa 20 Minuten gar kochen. • Inzwischen die Zwiebeln schälen, längs halbieren und quer in dünne Scheiben schneiden. Die halben Zwiebelringe in der Butter goldbraun braten. • Den Käse grobreiben. • Den Roggen, wenn er gar ist, auf einem Sieb kurz abtropfen lassen und in eine vorgewärmte Schüssel schütten. Mit den gebratenen Zwiebeln mischen, mit Salz und Pfeffer abschmecken. Kurz vor dem Servieren den geriebenen Käse und feingeschnittene Kräuter untermischen.

Das paßt dazu: ein beliebiger Blattsalat oder Tomatensalat.

Schnell

Blini

Diese russische Spezialität ist ein schnelles und gesundes Essen, das Auge und Gaumen erfreut. Wer Kalorien sparen will, nimmt statt Crème fraîche saure Sahne oder mit Milch verrührten Magerquark.

175 g Buchweizen · ½ Würfel Hefe (20 g) · reichlich ¼ l Milch · 4 Eier · 1 gestrichener Teel. Salz · 100 g Emmentaler Käse · 1 Becher Crème fraîche (200 g) · Öl zum Braten · schwarzer Pfeffer, frisch gemahlen
Pro Portion etwa 2880 Joule/685 Kalorien

Vorbereitungszeit: 15 Minuten
Garzeit: 10 Minuten

Den Buchweizen mehlfein mahlen. • Das Mehl in eine Schüssel schütten und mit der zerbröckelten Hefe, der lauwarmen Milch, 2 Eiern und dem Salz mit einem Schneebesen gut verrühren. • Den Käse feinreiben und mit der Crème fraîche mischen. • 2 Eier 8 Minuten kochen und abschrecken. • Inzwischen Öl in einer Pfanne erhitzen, den Teig so hineingießen, daß pro Pfanne 4 Küchle gebraten werden. Die Blinis auf jeder Seite in etwa 2 Minuten knusprig braten. • Inzwischen die gekochten Eier schälen und hakken. Die Eiwürfel unter die Crème fraîche mit dem Käse mischen und mit etwas frisch gemahlenem Pfeffer abschmecken. • Diese Creme streicht man bei Tisch auf die Blinis. Die Blinis müssen schön heiß serviert werden.

Das paßt dazu: Rote-Rüben-Salat (Rezept Seite 65).

Variante: Die Blinis schmecken auch gut und etwas milder, wenn sie aus ½ Weizen und ½ Buchweizen zubereitet werden.

Variante: Die Crème fraîche, den geriebenen Käse und die gehackten Eier in getrennten Schälchen auf den Tisch stellen. Von jedem etwas auf den Teller nehmen und abwechselnd zu den Blinis essen. Eigentlich gehört noch ein Schälchen mit Kaviar dazu und ein Gläschen Wodka.

Ganz einfach

Polenta

1½ l Wasser · 1 Eßl. gekörnte Gemüsebrühe · je 1 Teel. getrockneter Majoran und Rosmarin oder Salbei · 400 g grober Maisgrieß · 2 Messerspitzen frisch geriebene Muskatnuß · 3 Eßl. Butter · 60 g frisch geriebener Parmesankäse oder Pecorinokäse
Pro Portion etwa 2205 Joule/525 Kalorien

Garzeit: 45 Minuten

Das Wasser mit der gekörnten Gemüsebrühe und den getrockneten Kräutern zum Kochen bringen. Unter Rühren mit dem Schneebesen den Maisgrieß einrieseln lassen und bei schwacher Hitze 20 Minuten kochen lassen. • Dabei ständig umrühren. Den Muskat unterrühren und den Maisgrießbrei auf der abgeschalteten Kochplatte, besser noch in einer Kochkiste, 20 Minuten nachquellen lassen. • Vor dem Servieren die Butter und den geriebenen Käse unterarbeiten.

Variante: Gebratene Polentascheiben
Die Polenta kochen, würzen und ausquellen lassen, jedoch weder Butter noch Käse unterrühren. Den Maisbrei etwa 1 cm dick auf eine mit Wasser abgespülte Platte streichen und erkalten lassen. Die Polenta in gleich große Rechtecke oder Quadrate schneiden und diese zuerst in Vollkornweizenmehl, dann in verquirltem Ei und zuletzt in Vollkornbröseln wenden und in Olivenöl

von beiden Seiten goldbraun braten.
Oder jeweils zwischen 2 Polentascheiben gleich große dicke Scheiben Greyerzer Käse legen. Die gefüllten Polentascheiben panieren und braten.

Braucht etwas Zeit · Ganz einfach

Körnige Goldhirse

Hirse und Buchweizen garen rascher als andere Getreidesorten. Damit sie körnig kochen, können sie vor dem Garen gedarrt werden. Sie verlieren beim Darren auch ihren sonst leicht bitteren Geschmack.

250 g Hirse · ½ l Wasser · 1 Teel. Salz ·
2 Eßl. Butter · 2 Eßl. frisch gehackte Kräuter
(wie Basilikum, Petersilie, Pimpinelle und etwas
Thymian)
Pro Portion etwa 1115 Joule/265 Kalorien

Zeit zum Darren: 30–60 Minuten
Garzeit: 15 Minuten
Zeit zum Nachquellen: 40 Minuten

Die Hirse erst kalt und dann heiß in einem Sieb gründlich waschen, sehr gut abtropfen lassen und auf einem Backblech ausbreiten. Die Hirse im Backofen bei höchstens 80° 30–60 Minuten darren. Dabei ab und zu umrühren, damit alle Hirsekörner gleichmäßig darren können. • Das Wasser zum Kochen bringen. Die Hirse einstreuen und wallend 15 Minuten kochen lassen. • Die Hirse salzen, die Butter unterrühren und die Hirse bei ganz schwacher Hitze 40 Minuten ausquellen lassen. Vor dem Auftragen mit einer Gabel auflockern und die Kräuter unterrühren.

Variante: Gekochter Buchweizen
250 g Buchweizen erst kalt, dann heiß gründlich waschen und wie Hirse darren. Den gedarrten

Buchweizen in ½ l kochendes Wasser schütten, 15 Minuten wallend kochen lassen und während des Kochens bis zu ¼ l Wasser nachgießen. Den Buchweizen salzen, gut würzen, 2 Eßlöffel Öl oder Butter unterrühren und zugedeckt bei ganz schwacher Hitze 30 Minuten nachquellen lassen.

Paßt gut: als Beilage zu vielen Gemüsegerichten.

Preiswert · Ganz einfach

Hirsotto

¾ l Wasser oder Gemüsebrühe · 1 gestrichener
Eßl. gekörnte Gemüsebrühe · 250 g Möhren ·
200 g Hirse · 200 g enthülste frische oder tiefgefrorene grüne Erbsen · eventuell 4 Eier · 200 g
Goudakäse · Petersilie · 1 Eßl. frisches feingehacktes Basilikum · 2 Eßl. Butter · Salz
Pro Portion etwa 1445 Joule/345 Kalorien

Vorbereitungszeit: 15 Minuten
Garzeit: 20 Minuten

Das Wasser oder die Gemüsebrühe mit der gekörnten Brühe in einem großen Topf zum Kochen bringen. • Die Möhren putzen, waschen und feinwürfeln. Die Möhrenwürfel und die Hir-

Unser Tip Falls kein frisches Basilikum zu bekommen ist, 1 Eßlöffel getrocknetes gerebeltes Kraut von Anfang an mitkochen. Sollte sich das Essen verzögern, dann stellen Sie den geriebenen Käse, die Kräuter und die Butter bereit und mischen sie erst ganz kurz vor dem Servieren unter das fertige Gericht. Das schmeckt in diesem Fall besser.

se in den Topf schütten und alles 10 Minuten zugedeckt kochen. • Dann die Erbsen zufügen und noch knapp 10 Minuten zugedeckt bei schwacher Hitze weiterkochen. • Inzwischen eventuell die Eier 6–8 Minuten kochen und abschrecken. • Den Käse grobreiben, Petersilie waschen und feinhacken. • Sobald die Hirse und das Gemüse gar sind, den Topf vom Herd nehmen. Den geriebenen Käse, Petersilie, das Basilikum und die Butter vorsichtig unter die Hirse mischen. Mit Salz abschmecken. Die Eier schälen, längs halbieren und dazu servieren.

Das paßt dazu: grüne Salate (Rezept Seite 40).

Braucht etwas Zeit

Bulgarische Hirtenvesper

Bild Seite 186

200 g Buchweizen · ¾ l Wasser · 1 kleine Zwiebel oder Schalotte · ½ Bund Schnittlauch · 200 g gesalzener Schafkäse · 1 gestrichener Teel. edelsüßes Paprikapulver · 3 Eier · Öl zum Braten Pro Portion etwa 2260 Joule/540 Kalorien

Vorbereitungszeit: 15 Minuten
Quellzeit: mindestens 2 Stunden (oder über Nacht)
Garzeit: 10 Minuten

Am Vorabend oder spätestens 2 Stunden vor dem Kochen den Buchweizen mit dem Wasser 2 Minuten kochen und zugedeckt quellen lassen. • Wenn die Körner gequollen sind, die Zwiebel oder Schalotte schälen und feinschneiden, den Schnittlauch waschen und feinschneiden. • Den Schafkäse in einer Schüssel mit einer großen Gabel zerdrücken. Den Buchweizen zufügen und mitzerdrücken. Die zerkleinerte Zwiebel und den Schnittlauch, das Paprikapulver und die Eier zur Körnermasse geben und alles zusammen mit der Gabel gut verkneten. • Öl in einer Pfanne erhitzen. Mit nassen Händen große Frikadellen formen. 5 Minuten zugedeckt braten, wenden und nochmals 5 Minuten zugedeckt braten.

Das paßt dazu: Rohkostsalat.

Schnell

Kascha mit Rahmguß

200 g Kascha (gerösteter Buchweizen aus dem Naturkostladen) · knapp ¾ l Wasser · 1 gestrichener Teel. Salz · 2 Eier · 1–2 Schalotten oder 1 kleine Zwiebel · 3 Eßl. Öl · 25 g Butter · 2 Becher saure Sahne (400 g) · 2 gestrichene Teel. Salz · 1 Bund Schnittlauch Pro Portion etwa 1445 Joule/345 Kalorien

Vorbereitungszeit: 20 Minuten
Garzeit: 10 Minuten

Die Kascha mit dem Wasser und dem Salz 5 Minuten kochen und 10 Minuten zugedeckt stehen lassen. • Inzwischen die Eier 6 Minuten kochen, abschrecken und schälen. • Die Schalotten oder die Zwiebel schälen und halbieren. • Das Öl und die Butter in einer Pfanne erhitzen. Die Kascha eßlöffelweise in das Fett geben und unter häufigem Wenden goldbraun braten (etwa 5–10 Minuten). • Inzwischen die Eier und Zwiebeln, die saure Sahne und das Salz im Mixer feinmixen. Oder die Eier und Zwiebeln feinhacken, mit der sauren Sahne und dem Salz gut mischen. • Den Schnittlauch feinschneiden und unter die Sahnesauce mischen. In eine Glaskanne füllen und zur Kascha servieren. Beim Essen wird die Sauce über die Kascha gegossen.

Das paßt dazu: Salzgurken (milchsaure Gurken) oder Sauerkrautsalat und echter russischer Tee (mit dem rauchigen Geschmack).

Variante: Statt Kascha können Sie auch Buchweizengrütze oder ganze Buchweizenkörner nehmen. Grütze wie bei Kascha beschrieben kochen. Ganze Körner 5 Minuten kochen, 1 Stunde zugedeckt quellen lassen oder 10 Minuten kochen und 15 Minuten quellen lassen.

Ganz einfach

Grünkern-Pilz-Topf

200 g Grünkern · 2 Päckchen oder 4 Eßl. getrocknete Steinpilze · 1¼ l Wasser oder Gemüsebrühe · 1 Bund Suppengrün · 1 Bund Petersilie · 2 Teel. Salz · 1 Messerspitze schwarzer Pfeffer, frisch gemahlen · etwa 150 g Crème fraîche · ½ Teel. Delikata · eventuell 1 Zwiebel und etwas Butter
Pro Portion etwa 1800 Joule/430 Kalorien

Quellzeit: etwa 12 Stunden
Vorbereitungszeit: 10 Minuten
Garzeit: 20 Minuten

Den Grünkern, die Steinpilze und das Wasser oder die Gemüsebrühe in einen großen Topf geben und etwa 12 Stunden (eventuell über Nacht) zugedeckt quellen lassen. • Nach dem Quellen alles zusammen zum Kochen bringen. Die Pilze noch einmal mit einem Schaumlöffel herausnehmen (sie schwimmen oben), etwas zerschneiden und wieder in den Topf zurückgeben. • Das Suppengrün putzen, waschen und zerkleinern. Die Petersilie hacken. Das Suppengrün, die Hälfte der Petersilie, das Salz und den Pfeffer zufügen. Alles in etwa 20 Minuten gar kochen. • Den Topf vom Herd nehmen. Die Crème fraîche mit dem Delikata verquirlen und in die Suppe gießen, abschmecken und die restliche Petersilie unterrühren. • Nach Wunsch (während der Eintopf kocht) die Zwiebel schälen, grob zerkleinern, in Butter goldbraun braten und unter das fertige Gericht mischen.

Schnell · Ganz einfach

Würziger Mais

¾ l Wasser · 2 Teel. Salz · 1 gestrichener Teel. Delikata · 1 gestrichener Teel. Knoblauchsalz · 1 Messerspitze Muskatblüte (Macis) · 200 g grober Maisgrieß · etwas Butter
Pro Portion etwa 1030 Joule/245 Kalorien

Garzeit: 20 Minuten

In einer großen Deckelpfanne das Wasser mit den Gewürzen zum Kochen bringen. Den Maisgrieß einstreuen und umrühren. 10 Minuten zugedeckt kochen lassen. Die Herdplatte ausschalten und den Maisgrieß bis kurz vor dem Essen (mindestens jedoch 10 Minuten) stehenlassen. • Dann Butterflöckchen auf dem Mais verteilen, nochmals auf starke Hitze schalten. Den Grieß mit einem Bratenwender vom Boden lösen und mit einer großen Gabel lockern.

Das paßt dazu: Chicorée in Nußcreme (Rezept Seite 98).

Variante: Gebratener Mais
Den Mais wie oben zubereiten, jedoch ohne Knoblauchsalz und mit 2 Messerspitzen Muskatblüte. Den fertigen Mais in Butter goldgelb braten. Während des Bratens häufig wenden. So zubereitet, jedoch nicht gebraten, ist der Mais eine gute Beilage zu Spanischer Gemüsecreme (Rezept Seite 107).

Braucht etwas Zeit · Preiswert

Vollkorn-Chapatis ☞

Die dünnen Brotfladen, im Ursprungsland
»Chapati« genannt, erobern von Indien aus die
westliche Welt. Man ißt sie dort mit »Ghee«, das
ist geklärte Butter.

*200 g Weizenvollkornmehl · 1 Teel. Meersalz ·
2 Eßl. Öl · knapp ¼ l lauwarmes Wasser
Für die Pfanne: 1 Teel. Öl*
Pro Portion etwa 800 Joule/190 Kalorien

Vorbereitungszeit: 40 Minuten
Garzeit: 30 Minuten

Das Mehl mit dem Salz mischen. Das Öl und
nach und nach so viel lauwarmes Wasser unterkneten, daß ein fester, jedoch geschmeidiger Teig
entsteht. Den Teig sehr gründlich, etwa 20 Minuten lang, kneten. • Mit einem feuchten Tuch bedeckt 10 Minuten ruhen lassen und anschließend
nochmals 5 Minuten durchkneten. Den Teig in
4 gleichgroße Portionen teilen. • Eine schwere
Bratpfanne ganz dünn mit Öl einfetten und sehr
heiß werden lassen. • Die Teigstücke mit nassen
Händen rund formen und wie Fladen flachdrük-
ken. Die Fladen nacheinander von beiden Seiten

Unser Tip Geklärte Butter, die
man in Indien zu Vollkorn-Chapatis
reicht, kann man selbst herstellen. 60 g
Butter zerlassen, aufschäumen und dann
etwas abkühlen lassen. Dabei setzt sich
am Boden eine weißliche Schicht ab.
Das ist Milcheiweiß. Die obere Schicht,
das Butterfett, vorsichtig abgießen und
die heißen Vollkorn-Chapatis damit bestreichen.

---

in insgesamt etwa 8 Minuten braten, dabei jeweils mit einem feuchten Tuch etwas andrücken,
bis die Unterseite braune Bläschen aufweist. Die
Fladen heiß servieren.

Paßt gut zu: verschiedenen Gemüsegerichten.

Ganz einfach

Bulgur mit Zwiebeln und Kräutern

Dieses in den arabischen Ländern beliebte Ge-
treideprodukt darf in der Vollwertküche seinen
Platz beanspruchen, obwohl es – schonend –
vorbehandelt wurde. Bulgur ist bereits gegarter
Hartweizengrieß, getrocknet und gemahlen. Bulgur gart rasch, braucht nicht nachzuquellen und
ist gut verträglich. Diesen »Vollwert-Instant-
grieß« gibt es in Naturkostläden zu kaufen oder
in Geschäften, die Balkanspezialitäten führen.

*1 große Zwiebel · 2 Eßl. Öl · 1 l Gemüsebrühe ·
200 g Bulgur · 1 Teel. Salz · ¼ Teel. geriebene
Muskatnuß · etwa 3 Eßl. gemischte frische
Kräuter (Basilikum, Bohnenkraut, Oregano,
Salbei und Thymian oder je ½ Teel. dieser Kräu-
ter, getrocknet)*
Pro Portion etwa 945 Joule/225 Kalorien

Vorbereitungszeit: 5 Minuten
Garzeit: 25 Minuten

Die Zwiebel schälen, würfeln und in einem Topf
im Öl glasig braten. Werden getrocknete Kräuter
verwendet, diese jetzt zufügen. • Die Brühe erhitzen. • Den Bulgur zu den Zwiebelwürfeln geben und unter Rühren 3 Minuten mitbraten.
Nach und nach unter Rühren mit dem Schneebesen die Brühe zugießen. Den Bulgur kurz auf-

kochen lassen, salzen und bei ganz schwacher Hitze (Drahtuntersetzer) in etwa 20 Minuten ausquellen lassen. • Mit dem Muskat würzen. Frische Kräuter waschen, trockenschleudern, feinhacken und unter den Bulgur rühren.

Paßt gut zu: gedünsteten Gemüsegerichten.

Soja-Hirse-Omelette

Sie sind in der Konsistenz fester als die richtigen Omeletten, aber im Geschmack feiner.

200 g Hirse · gut ¼ l Wasser · 40 g Sojamehl · gut ⅛ l Milch · 4 Eier · 2 gestrichene Teel. Salz · 2 Messerspitzen geriebene Muskatnuß · Öl zum Braten
Pro Portion etwa 2205 Joule/525 Kalorien

Quellzeit: etwa 12 Stunden
Zubereitungszeit: 15 Minuten

Die Hirse mit dem Wasser einweichen und zugedeckt etwa 12 Stunden (eventuell über Nacht) quellen lassen. • Nach dem Quellen die Hirse mit dem Einweichwasser und allen übrigen Zutaten (bis auf das Öl) in den Mixer füllen und feinmixen; das dauert etwa 90 Sekunden (den Mixer zwischendurch ausschalten – Höchstlaufzeit beachten). • In einer beschichteten Pfanne Öl erhitzen. Jeweils so viel Teig hineingießen, daß hauchdünne Omeletten entstehen. 1–2 Minuten bräunen lassen, wenden und fertig braten. Zwischendurch den Teig im Mixer oder Gießgefäß umrühren, da sich die Hirse leicht absetzt.

Das paßt dazu: pikante Gemüsefüllung (Rezept Seite 104) oder Kräuterblumenkohl (Rezept Seite 117) oder auch beliebige Salate.

Variante: Falls Sie die Omelette nicht mit der pikanten Gemüsefüllung servieren, können Sie den Teig mit ½ Teelöffel Delikata verfeinern.

Schnell · Preiswert

Schnelle Vollkornpfannkuchen ☞

250 g Weizen · 4 Eier · ⅜ l Milch · ½ Teel. Salz · 1 Messerspitze geriebene Muskatnuß · Öl zum Braten
Pro Portion etwa 1805 Joule/430 Kalorien

Zubereitungszeit: 20 Minuten

Den Weizen mehlfein mahlen. • Das Mehl mit den Eiern, der Milch, dem Salz und dem Muskat gut verrühren. • Öl in einer Pfanne erhitzen und aus dem Teig dünne Pfannkuchen backen.

Das paßt dazu: Blattsalat oder Kompott.

Braucht etwas Zeit

Tortillas aus Körnermais

Tortillas kann man mit einem Hülsenfruchtpüree füllen und überbacken oder zu Hülsenfruchtgerichten, speziell zu braunen Bohnen, reichen.

250 g ungemahlene Maiskörner (Reformhaus) · ½ l Wasser · ½ Teel. Salz
Pro Portion etwa 920 Joule/220 Kalorien

Quellzeit: 24 Stunden
Vorbereitungszeit: 2¼ Stunden
Backzeit: 15 Minuten

Den Mais unter fließendem Wasser im Sieb waschen und in dem Wasser 24 Stunden quellen lassen. • Den Mais dann im Einweichwasser zugedeckt bei schwacher Hitze in etwa 2 Stunden weich kochen. • Die Körner mindestens dreimal durch die feinste Scheibe des Fleischwolfes drehen, bis sie eine geschmeidige Teigmasse ergeben. • Den Teig salzen, in 6–8 Portionen teilen und diese zu dünnen Fladen ausrollen. • Die Tortillas in einer heißen Eisenpfanne ohne Fettzugabe von beiden Seiten backen, jedoch nicht bräunen lassen. Tortillas sollen weich und pfannkuchenähnlich sein.

Paßt gut zu: Linsenpaste (Rezept Seite 36).

Braucht etwas Zeit · Ganz einfach

Apfelpfannkuchen mit Nüssen 🐾

Zutaten für 4–6 Personen:
Für den Teig: 200 g Weizen, fein gemahlen ·
100 g Buchweizen, fein gemahlen · 1 gestrichener
Eßl. Sojamehl · 3 Eier · ½ Teel. Salz · ½ l Milch ·
¼ l kohlensäurehaltiges Mineralwasser
Für die Füllung: 75 g Haselnußkerne · etwa 500 g
säuerliche Äpfel · ½ Teel. Zimt
Zum Ausbacken: Butterschmalz
Zum Beträufeln: Ahornsirup
Pro Portion etwa 2810 Joule/670 Kalorien bei
4 Portionen

Vorbereitungszeit: 15 Minuten
Ruhezeit: 30 Minuten
Backzeit insgesamt: 30 Minuten

Den Weizen, den Buchweizen und das Sojamehl mit den Eiern, dem Salz, der Milch und dem Mineralwasser mit den Quirlen des Handrührgerä-

tes verrühren und den Teig 30 Minuten ruhen lassen. • Während der Ruhezeit die Haselnüsse grobhacken. Die Äpfel schälen, von Stiel und Blüte befreien und grob in den Teig raspeln. Die Nüsse und den Zimt zugeben. • Dann wie gewöhnlich Pfannkuchen ausbacken und warm stellen, bis alle gebacken sind. Die Pfannkuchen auf vorgewärmten Tellern, mit Ahorsirup beträufelt, servieren.

Preiswert · Ganz einfach

Kaiserschmarrn 🐾

4 Eier · ¼ l Milch · 150 g Weizen, fein gemahlen ·
2 Prisen Salz · 2 Eßl. Sahne · 2 gehäufte Eßl.
ungeschwefelte Rosinen
Zum Ausbacken: Butterschmalz
Pro Portion etwa 1450 Joule/345 Kalorien

Vorbereitungszeit: 30 Minuten
Backzeit: 15 Minuten

Die Eier trennen. • Die Eiweiße steif schlagen und kühl stellen. • Die Eigelbe mit der Milch, dem Mehl, dem Salz und der Sahne verrühren. Den Teig 15 Minuten zugedeckt ruhen lassen. Dann den steifen Eischnee unterziehen. • In zwei größeren Pfannen gleichzeitig Butterschmalz erhitzen. Den Teig einfüllen und die Rosinen auf der Oberfläche verteilen. Bei mittlerer Hitze die Pfannkuchen backen, bis seitlich schwacher Dampf hochsteigt. Dabei die Pfanne öfters rütteln. Dann die Kuchen wenden, an den Rand der Pfanne nochmals Butterschmalz geben. Die gebackenen Pfannkuchen mit zwei Gabeln in Stücke reißen. • Die Herdplatte abschalten und den Kaiserschmarrn zugedeckt noch 3–4 Minuten ziehen lassen. Dann sofort servieren.

Braucht etwas Zeit · Ganz einfach · Preiswert

Vollkornpfannkuchen ☞

Zutaten für 4–6 Personen:
200 g Weizen, fein gemahlen · 100 g Buchweizen,
fein gemahlen · 1 gestrichener Eßl. Sojamehl ·
3 Eier · ½ Teel. Salz · ½ l Milch · ¼ l kohlensäure-
haltiges Mineralwasser
Zum Ausbacken: Butterschmalz
Pro Portion etwa 1995 Joule/475 Kalorien

Vorbereitungszeit: 5 Minuten
Ruhezeit: 30 Minuten
Backzeit insgesamt: 30 Minuten

Den Weizen, den Buchweizen und das Sojamehl
mit den Eiern, dem Salz, der Milch und dem Mineralwasser mit den Quirlen des Handrührgerätes verrühren und den Teig 30 Minuten ruhen
lassen. • In einer beschichteten Pfanne Butterschmalz erhitzen. Mit einem Schöpflöffel wenig
Teig in der Pfanne verteilen. Die Pfannkuchen
von beiden Seiten knusprig backen, dann warm
stellen, bis alle gebacken sind.

Braucht etwas Zeit · Preiswert

Allgäuer Topfenschmarrn ☞

Zutaten für 4–6 Personen:
4 Eßl. ungeschwefelte Rosinen · 3 Eßl. Rum ·
500 g Magerquark · etwa ½ l Milch · 4 Eier ·
1 Prise Salz · 2 Messerspitzen Vanillepulver ·
2 Eßl. flüssiger Honig · 175 g Weizen, fein
gemahlen
Zum Ausbacken: Butterschmalz
Pro Portion etwa 2140 Joule/510 Kalorien bei
4 Portionen

Vorbereitungszeit: 20 Minuten
Ruhezeit: 30 Minuten
Backzeit insgesamt: 20 Minuten

Die Rosinen im heißen Rum quellen lassen. •
Den Quark mit der Milch verrühren; bei feuchtem Quark weniger Milch verwenden. Die Eier
trennen. Die Eigelbe, das Salz, die Vanille und
den Honig unter den Quark rühren, dann das
Mehl zugeben. Den Teig 30 Minuten zugedeckt
ruhen lassen. • Die Eiweiße steif schlagen. Den
Eischnee und die Rumrosinen unter den Teig mischen. • Butterschmalz in der Pfanne erhitzen,
die Teigmasse ½ cm hoch einfüllen und von beiden Seiten goldgelb backen. Dann den Kuchen
mit zwei Gabeln in Stücke reißen und auf einer
vorgewärmten Platte servieren.

Das paßt dazu: Zwetschgen- oder Kirschkom-
pott.

Braucht etwas Zeit

Überbackene Pfannkuchen ☞

Für den Teig: 200 g Weizen, fein gemahlen ·
100 g Buchweizen, fein gemahlen · 1 gestrichener
Eßl. Sojamehl · 3 Eier · ½ Teel. Salz · ½ l Milch ·
¼ l kohlensäurehaltiges Mineralwasser
Für die Füllung und den Guß: 200 g ungeschwefel-
te Kurpflaumen ohne Kern · 75 g ungeschälte
Mandeln · nach Belieben 2 Eßl.
Zwetschgenwasser · 1 Messerspitze
Vanillepulver · ¼ Teel. Zimt · ⅛ l Sahne · 2 Eier
Zum Ausbacken und für die Form: Butterschmalz
Pro Portion etwa 3675 Joule/875 Kalorien

Vorbereitungszeit: 35 Minuten
Backzeit insgesamt: 25 Minuten

Die Pflaumen 12 Stunden in so viel warmem Wasser einweichen, daß sie eben bedeckt sind. • Nach dem Einweichen den Weizen, den Buchweizen und das Sojamehl mit den Eiern, dem Salz, der Milch und dem Mineralwasser mit den Quirlen des Handrührgerätes verrühren und den Teig 30 Minuten ruhen lassen. • Die Mandeln mit kochendem Wasser überbrühen, schälen und grobhacken. • Die Pflaumen mit etwas Einweichwasser und nach Wunsch mit dem Zwetschgenwasser pürieren, bis das Mus die Konsistenz einer Marmelade hat. Mit den Gewürzen abschmecken. • In einer beschichteten Pfanne Butterschmalz erhitzen. Mit einem Schöpflöffel wenig Teig in der Pfanne verteilen. Die Pfannkuchen von beiden Seiten knusprig braun backen und warm stellen. • Den Backofen auf 230° vorheizen. • Eine Auflaufform einfetten. Die Pfannkuchen mit dem Pflaumenmus bestreichen, aufrollen und nebeneinander in die Form legen. • Die Sahne mit den Eiern und den Mandeln verrühren, über die Pfannkuchen gießen. Auf der mittleren Schiene des Backofens in 10 Minuten goldgelb überbacken.

Braucht etwas Zeit

Gebackene Topfenpalatschinken ☛

Sie sind eine Wiener Mehlspeise. Der Begriff »Palatschinke« stammt aus dem Tschechischen.

Für den Teig: 80 g Butter · 150 g Dinkel, fein gemahlen · knapp ½ Teel. Salz · 4 Eier · 300 ml Milch · 4 Eßl. kohlensäurehaltiges Mineralwasser (oder Bier, Weinbrand, Rum, Orangenlikör) Für die Füllung: 70 g weiche Butter · 2 Eßl. flüssiger Honig · 125 g Magerquark · 1 gehäufter Eßl. ungeschwefelte Rosinen · 2 Eier · ⅛ l saure

Sahne · 1 Prise Salz · 2 Messerspitzen Vanillepulver · abgeriebene Schale von ½ Zitrone (Schale unbehandelt) Zum Begießen: ½ l Milch · 2 Eßl. Honig · 2 Eier Zum Ausbacken und für die Form: Butterschmalz Pro Portion etwa 3610 Joule/860 Kalorien

Vorbereitungszeit: 10 Minuten
Ruhezeit: 1 Stunde
Backzeit: insgesamt 50 Minuten

Die Butter schmelzen und wieder abkühlen lassen. Die Butter, den Dinkel, das Salz, die Eier, die Milch und das Mineralwasser mit den Quirlen des Handrührgerätes verrühren, dann 1 Stunde zugedeckt kühl stellen. • In dieser Zeit die Butter schaumig rühren. Den Honig, den Quark, die Rosinen, die Eier, die saure Sahne, das Salz, die Vanille und die abgeriebene Zitronenschale mit der Butter verrühren. • Für den Guß die Milch erwärmen, mit dem Honig und den Eiern verrühren. • Nun aus dem Eierkuchenteig hauchdünne Palatschinken ausbacken und warm stellen. • Den Backofen auf 200° vorheizen. • Jeden Eierkuchen mit Quarkcreme füllen und aufrollen, dann in der Mitte quer auseinanderschneiden. In eine gefettete Auflaufform dachziegelartig die halbierten Palatschinken legen, das heißt jede Reihe liegt zur Hälfte auf der vorherigen. • Nun so viel Eiermilch darübergießen, daß die oberen Ränder noch herausragen. Die Topfenpalatschinken auf der mittleren Schiene überbacken, bis die Eiermilch gestockt und goldbraun ist; das dauert etwa 35 Minuten.

So gelingt die schmackhafte Spinattorte leicht. Rezept ▷ Seite 97.

Herzhaftes mit Hülsenfrüchten

Hülsenfrüchte wie Bohnen, Erbsen oder Linsen waren vor rund einhundert Jahren ein Volksnahrungsmittel. Dann sind sie nach und nach ein wenig in Vergessenheit geraten. Inzwischen werden sie wieder mehr geschätzt und man findet sie daher in größerer Sortenvielfalt besonders in Naturkostläden. Neben den gelben und grünen Erbsen gibt es die Kichererbsen, außer den bekannten weißen Bohnen findet man Lima-, Canneli-, rote und schwarze Bohnen, Sojabohnen und die kleinen, süßen Azukibohnen, wohl die feinste Bohnensorte. Bei Linsen kann man unter braunen, kleinen roten aus Südfrankreich oder indischen Puy-Linsen mit dunkelgrüner, fester Schale wählen.

Hülsenfrüchte verdienen einen festen Platz in der Vollwertküche, denn sie gehören zu den eiweißreichsten pflanzlichen Lebensmitteln. Das in ihnen enthaltene Eiweiß ist zwar nicht so hochwertig wie zum Beispiel tierisches Eiweiß, doch durch geschickte Kombinationen kann man das Hülsenfruchteiweiß so aufwerten, daß es hochwertiger als Fleischeiweiß ist. Gut ergänzt wird Hülsenfruchteiweiß durch Milch und Milchprodukte, Eier, Getreide, Mais und Nüsse. Servieren Sie also nach einem Gericht aus Hülsenfrüchten zum Beispiel eine Quarkspeise, ei-

nen Joghurt oder eine feine Creme mit Eiern. Wollen Sie zum Beispiel Getreide mit Hülsenfrüchten kombinieren, wären Vollkornspätzle und Linsen eine Möglichkeit. Oder man ißt ein Vollkornbrötchen zu einer herzhaften Bohnensuppe.

Neben viel pflanzlichem Eiweiß enthalten Hülsenfrüchte auch eine Menge an Vitaminen, vor allem der B-Gruppe und Vitamin E. Auch der Mineralstoffgehalt kann sich sehen lassen. Besonders Eisen ist reichlich vertreten, aber auch Kalium und Phosphor. Daneben sind es vor allem Ballaststoffe, von denen Hülsenfrüchte mehr als andere Gemüse haben, weshalb sie besonders wichtig für unsere Verdauung sind. Die Ballaststoffe stecken in der Samenschale und haben den Hülsenfrüchten den Ruf eingebracht, schwer verdaulich zu sein. Bekömmlicher werden sie, wenn man sie über Nacht einweicht, ohne Salz und Säure garen läßt und sie nach dem Garen noch 1 bis 2 Stunden quellen läßt. Erst nach dem Garen mit Salz, Essig oder Zitronensaft zu würzen ist deshalb wichtig, weil die Säure das Weichwerden verhindert. Andere Gewürze können Sie aber schon während des Garens hinzugeben. Kümmel, Fenchel, Koriander und Kreuzkümmel passen recht gut zu Hülsenfrüchten und tragen auch zur besseren Bekömmlichkeit bei. Auch frische Küchenkräuter wie Bohnenkraut, Liebstöckel, Thymian, Majoran oder Beifuß harmonieren mit Hülsenfrüchten. Sind diese frisch, gibt man sie allerdings erst zum Schluß dazu. So bleiben die wertvollen Inhaltsstoffe besser erhalten. Getrocknete Kräuter lassen Sie mindestens 15 Minuten mitkochen, erst dann entfalten sie nämlich ihre volle Würzkraft.

Die reizvollen Rezepte dieses Kapitels sollen Sie davon überzeugen, daß Hülsenfrüchte auch ohne fettes und damit kalorienreiches Fleisch oder scharfe Würste schmecken. Weitere Rezepte mit Hülsenfrüchten finden Sie im Kapitel »Aufläufe, Pies und Pizzen« sowie bei »Suppen und Eintöpfe«.

◁ Bei Groß und Klein beliebt ist Rotkohl mit Kastanien. Die mehligen, schwach süßen Maroni sättigen, ohne zu belasten. Rezept Seite 115.

Braucht etwas Zeit · Preiswert

Erbsenpüree

Pürees aus Hülsenfrüchten haben sogar in der internationalen Küche ihren Platz, in der andere Hülsenfruchtgerichte wegen ihrer »Derbheit« kaum zu finden sind. Es ist üblich, die gekochten Hülsenfrüchte für ein Püree durch ein Sieb zu streichen. Außerdem werden gern geschälte Erbsen oder Linsen verwendet. Besser ist es jedoch, die Hülsenfrüchte durch die feinste Scheibe des Fleischwolfes zu drehen, da gerade die Schalen dafür sorgen, daß sie leichter verdaulich sind. Man kann sie auch im Mixer pürieren. Die Schalen werden dabei so zerkleinert, daß sie im Püree nicht mehr stören.

400 g grüne oder gelbe ungeschälte Erbsen · 1½ l Wasser · 1 Lorbeerblatt · 1 Kräutersträußchen, bestehend aus Majoran, Thymian, Salbei oder je 1 Teel. dieser Kräuter getrocknet · je 2 Messerspitzen gemahlener Koriander, Kümmel, Piment · 2–3 Teel. Salz · 1 große Zwiebel · 2 Eßl. Öl · 2 Eßl. Butter · 2 Eßl. Zitronensaft · 2 Eßl. frisch gehackte Petersilie
Pro Portion etwa 1995 Joule/475 Kalorien

Quellzeit: 8–12 Stunden
Vorbereitungszeit: 15 Minuten
Garzeit: 1–1½ Stunden

Die Erbsen waschen und 8–12 Stunden, am besten über Nacht, in dem Wasser quellen lassen. • Die Erbsen dann mit dem Lorbeerblatt, dem Kräutersträußchen oder den getrockneten Kräutern zum Kochen bringen und zugedeckt bei schwacher Hitze in 1–1½ Stunden weich kochen. • Das Lorbeerblatt und das Kräutersträußchen entfernen und die Erbsen durch die feinste Scheibe des Fleischwolfes drehen oder portionsweise im Mixer pürieren. • Das Püree in den Topf zurückgeben und mit dem Koriander, dem Kümmel, dem Piment und dem Salz würzen. Bei ganz schwacher Hitze warm halten. • Die Zwiebel schälen, würfeln und im Öl goldgelb braten. • Die Butter in Flöckchen unter das Püree arbeiten und den Zitronensaft unterrühren. • Das Erbsenpüree anrichten, die gebratene Zwiebel darauf verteilen und mit der Petersilie bestreuen.

Das paßt dazu: Einfache Getreidegrütze (Rezepte Seite 321).

Unser Tip 250 g frisches Sauerkraut kleinschneiden und zuletzt unter das Erbsenpüree rühren. Oder 1 Tasse gehackte Brunnenkresse oder 1 Handvoll sehr fein gewiegte rohe Brennesselblätter unterrühren. Das sorgt für farblichen Kontrast, schmeckt gut und ist gesund.

Variante: Linsenpüree
400 g Tellerlinsen mit 1 Kräutersträußchen aus Basilikum, Estragon und etwas Liebstöckel weich kochen, im Mixer pürieren oder passieren. Das Püree mit gekörnter Gemüsebrühe, gemahlenem Anis, gemahlenem Fenchel und gemahlenem Macis würzen. 4 Eßlöffel Vollkornbrösel in 2 Eßlöffel Butter kurz braten und 3 Eßlöffel Apfelessig unterrühren.

Variante: Püree aus weißen Bohnen
Bild Seite 240
350 g weiße Bohnen mit 1 Zweig Bohnenkraut, 1 Zweig Thymian und 1 großem Blatt Liebstöckel oder etwas Selleriegrün weich kochen, passieren oder pürieren und salzen. Das Püree mit gemahlenem Koriander, Kümmel und Piment würzen. 250 g Tomaten nach Belieben häuten oder ungehäutet grobhacken und mit 1 gewürfelten Zwiebel und 1 zerdrückten Knoblauchzehe

in 2 Eßlöffeln Öl weich dünsten. Die Tomaten mit dem Bohnenpüree mischen, Apfelessig sowie 1–2 Teelöffel Honig unterrühren. Reichlich frisch gehackte Gartenkräuter, im Winter Petersilie, und in etwas Butter gebratene Vollkorntoastwürfel unterrühren.

Variante: Kichererbsenpüree

450 g Kichererbsen mit 1 Lorbeerblatt und 2 Stengeln Bohnenkraut weich kochen. Das Lorbeerblatt und das Bohnenkraut entfernen und die Kichererbsen durchdrehen oder pürieren. 3 Knoblauchzehen hacken, mit etwas Salz zerdrücken und in 2 Eßlöffeln Olivenöl kurz anbraten. 3 Eßlöffel Tahin (Sesammus) unterrühren und 3 Minuten braten. Die Mischung aus der Pfanne mit dem Kichererbsenbrei verrühren, mit Gomasio (Sesamsalz), Zitronensaft und 1 Messerspitze Chilipulver würzen und mit goldgelb geröstetem Sesam bestreuen.

Das paßt dazu: getoastes Weizenvollkornbrot und schwarze Oliven.

Eiweißreich · Ballaststoffreich · Braucht etwas Zeit

Pilaw mit Azukibohnen

Bild Seite 239

Ein recht mächtiges, aber sehr wohlschmeckendes Bohnengericht. Der Duft der Gewürze läßt an Genüsse des Orients denken. Dieser Bohnenpilaw begeistert auch Nichtvegetarier.

200 g Azukibohnen · ¾ l Wasser · 200 g Naturreis · ¾ l Wasser · 4 Knoblauchzehen · 1 Stück frische Ingwerwurzel oder 1 Teel. Ingwerpulver · 4 Eßl. frisch gehackte Petersilie · 1 Teel. gemahlenes Curcuma (Gelbwurz) · 1 Teel. Kreuzkümmel ·

1 Teel. scharfes Paprikapulver · 1–2 getrocknete rote Chilischoten (Peperoni) · 5 Pimentkörner · 1 Zwiebel · 2 Fleischtomaten · 3 Eßl. ungeschwefelte Korinthen · 3 Eßl. Pinienkerne · 2–3 Teel. Salz · 3 Eßl. Öl
Pro Portion etwa 2330 Joule/555 Kalorien

Quellzeit: 8–12 Stunden
Vorbereitungszeit: 15 Minuten
Garzeit: 1 Stunde 20 Minuten

Die Bohnen und den Reis waschen und getrennt in jeweils ¾ l Wasser 8–12 Stunden quellen lassen. • Die Bohnen im Einweichwasser zum Kochen bringen und zugedeckt bei schwacher Hitze etwa 1 Stunde garen. • Den Reis ebenfalls im Einweichwasser zum Kochen bringen und zugedeckt bei schwacher Hitze garen. • Die Knoblauchzehen und den Ingwer schälen und hacken. • 2 Eßlöffel Petersilie mit dem Knoblauch, dem Ingwer und den Gewürzen im Mörser fein zerstoßen und beiseite stellen. • Die Zwiebel schälen und würfeln. Die Tomaten waschen oder nach Belieben häuten, den Stielansatz entfernen und die Tomaten grobhacken. • Die Korinthen in einem Sieb unter fließendem Wasser waschen, gut abtropfen lassen und mit den Pinienkernen nach 15 Minuten Garzeit zum Reis geben. Den Reis ausquellen lassen (die Garzeit beträgt insgesamt 30–40 Minuten). Mit ½ Teelöffel Salz würzen und warm halten. • Inzwischen die Gewürzmischung im Öl 5 Minuten braten, die Zwiebel und die Tomaten zufügen und bei schwacher Hitze weitere 10 Minuten braten. Diese Mischung behutsam unter die Bohnen heben, sobald diese weich sind. • Den Reis ebenfalls zufügen. • Den Pilaw bei schwacher Hitze noch 20 Minuten durchziehen lassen. Die restliche Petersilie über den angerichteten Bohnenpilaw streuen.

Das paßt dazu: Endiviensalat.

Braucht etwas Zeit · Preiswert

Kräuter-Erbsen

*¾ l Wasser · 1 Lorbeerblatt · 5 Pimentkörner ·
je 2 Teel. ungemahlener Anis, Koriander und
Kümmel · 400 g grüne Erbsen · je 2 Teel. getrocknetes Liebstöckel, getrockneter Majoran und getrockneter Salbei · 2 Eßl. Öl · 2 Eßl. gekörnte
Gemüsebrühe · 1 Prise Cayennepfeffer · 50–100 g
frische Gartenkräuter (Basilikum, Kerbel, Petersilie, Pimpinelle, etwas Thymian und/oder Wildkräuter wie Brennesselspitzen, Brunnenkresse,
Melde, Sauerampfer) · 2 Eßl. Butter · 5 Eßl. Vollkornbrösel*
Pro Portion etwa 2060 Joule/490 Kalorien

Quellzeit: 8–12 Stunden
Vorbereitungszeit: 40 Minuten
Garzeit: 1½–2 Stunden

Das Wasser mit dem Lorbeerblatt, den Piment-
körnern, dem Anis, dem Koriander und dem
Kümmel 30 Minuten kochen lassen. Anschließend durch ein Sieb gießen und abkühlen lassen. • Die Erbsen waschen und in dem Gewürz-
sud 8–12 Stunden, am besten über Nacht, quellen lassen. • Die Erbsen im Einweichwasser zum
Kochen bringen und zugedeckt in 1½–2 Stunden
weich kochen. Wenn nötig, noch etwas heißes
Wasser zugießen. • Etwa 20 Minuten vor Beendigung der Garzeit den Liebstöckel, den Majoran und den Salbei 3 Minuten im Öl braten und

> **Unser Tip** Es gibt leider nicht zu
> allen Jahreszeiten so viele frische Kräu-
> ter. Man kann statt dessen auch reichlich
> frisch gehackte Petersilie, feingeriebene
> rohe Möhren und dünn gehobelten
> Knollenfenchel mit den Erbsen mischen.

unter die Erbsen rühren. Die Erbsen mit der gekörnten Gemüsebrühe und dem Cayennepfeffer
würzen. • Die frischen Kräuter waschen, trok-
kenschleudern, feinhacken und unter die Erbsen
mischen. • Die Butter zerlassen, die Vollkornbrösel darin goldbraun braten und auf die angerichteten Erbsen geben.

Das paßt dazu: gebackene Kümmelkartoffeln
(Rezept Seite 191).

Braucht etwas Zeit

Bohneneintopf aus Oberägypten

*350 g rote Kidneybohnen · 1¼ l Wasser ·
1 Eßl. Koriander · 2 Gemüsezwiebeln ·
6 Knoblauchzehen · 2 Bund Dill oder entsprechend viel Koriandergrün · 250 g Mangoldblätter · 2 Teel. gemahlener Kreuzkümmel ·
1 zerdrückte Chilischote · 2 Teel. Salz ·
2 Eßl. Butter · 3 Stengel frische Minze oder
Zitronenmelisse · 2 Eßl. Öl*
Pro Portion etwa 1785 Joule/425 Kalorien

Quellzeit: 8–12 Stunden
Vorbereitungszeit: 30 Minuten
Garzeit: 1¼–1¾ Stunden

Die Bohnen waschen und in dem Wasser
8–12 Stunden, am besten über Nacht, quellen
lassen. • Den Koriander in ein Mullsäckchen
binden und zufügen. Die Zwiebeln und die
Knoblauchzehen schälen. 1 Zwiebel und
3 Knoblauchzehen hacken und zu den Bohnen
geben. Die Bohnen zugedeckt bei schwacher
Hitze in 1–1½ Stunden weich kochen. • Kurz bevor die Bohnen weich sind, den Dill oder das
Koriandergrün waschen, trockenschleudern und

feinhacken. Den Mangold waschen, gut abtropfen lassen und kleinschneiden. • Das Mullsäckchen mit dem Koriander aus den weichen Bohnen entfernen und die Bohnen mit einem Kartoffelstampfer zerdrücken. Es soll ein noch etwas flüssiger Brei entstehen, gegebenenfalls noch etwas heißes Wasser zugießen. • Die Kräuter, den Mangold, den Kreuzkümmel und die zerdrückte Chilischote zufügen. Den Bohnenbrei noch 5–10 Minuten bei schwacher Hitze köcheln lassen, bis er eine festere Konsistenz bekommen hat. Die Bohnen salzen und die Butter unterarbeiten. • Die Minze oder Zitronenmelisse waschen, trockenschleudern, feinhacken und unter den Bohnenbrei rühren. • Die zweite Gemüsezwiebel und den restlichen Knoblauch in Scheiben schneiden, im Öl goldgelb braten, die Hälfte davon unter den Eintopf rühren und den Rest auf die angerichteten Bohnen geben.

Das paßt dazu: Salat aus gegarten Weizenkörnern (Rezept Seite 72).

Unser Tip Mangold gibt es nicht immer und überall. Statt dessen junge Weißkohl- oder Wirsingkohlblätter recht klein schneiden und 10–15 Minuten mitgaren. Zusätzlich mit ½ Teelöffel gemahlenem Fenchelsamen würzen.

Eiweißreich · Ganz einfach · Braucht etwas Zeit

Buntes Bohnenragout

150 g gelbe Sojabohnen · 1 l Wasser · ½ Teel. Salz · 1 Eßl. Öl · 1 Eßl. Butter · 1 Zwiebel · 200 g frische Champignons · 250 g Möhren · 250 g Bleichsellerie · ⅜ l Wasser · 150 g enthülste frische oder tiefgefrorene grüne Erbsen · etwa 2 Eßl. gekörnte Gemüsebrühe · 3 Eßl. Weizen · 1 Becher Crème fraîche (150–200 g) · 2–3 Messerspitzen schwarzer Pfeffer, frisch gemahlen · je 1 Eßl. feingeschnittene Petersilie und Schnittlauch
Pro Portion etwa 2240 Joule/535 Kalorien

Quellzeit: 12 Stunden
Garzeit für die Sojabohnen: 2 Stunden oder 30 Minuten im Schnellkochtopf
Vorbereitungszeit: 15 Minuten
Garzeit: 15 Minuten

Die Sojabohnen in 0,7 l Wasser einweichen und 12 Stunden, am besten über Nacht, quellen lassen. • Nach dem Quellen das Einweichwasser abgießen und die Bohnen mit frischem Wasser spülen. Im Einweichwasser sind Stoffe (Oligosaccharide), die Blähungen verursachen würden. Die gequollenen Bohnen mit 0,3 l Wasser, dem Salz und dem Öl (es verhindert das Hochkochen der Bohnen und ist unbedingt nötig) 2 Stunden kochen lassen; im Dampfdrucktopf 30 Minuten. Die Bohnen sollen so weich sein, daß sie sich leicht mit der Zunge zerdrücken lassen. Abtropfen lassen. • Die Butter in einem Topf zerlaufen lassen. Die Zwiebel schälen, feinschneiden und in der Butter glasig braten. • Inzwischen die Champignons waschen, putzen und je nach Größe halbieren, vierteln oder ganz lassen. Die Möhren waschen, putzen, längs vierteln oder achteln und quer in etwa 4 cm lange Stifte schneiden. Den Bleichsellerie waschen, putzen und quer in dünne Streifen schneiden. Das vorbereitete Gemüse zur Zwiebel in den Topf geben und gut 5 Minuten unter gelegentlichem Umrühren braten. • Das Wasser, die Erbsen, die Sojabohnen und 1 Eßlöffel gekörnte Brühe zufügen. Alles zusammen gut 5 Minuten kochen lassen. Prüfen, ob das Gemüse gar ist (es soll noch einen »Biß« haben, also nicht zerkocht sein). • Den Weizen mittelfein mahlen und mit wenig Wasser anrühren. Das Angerührte in den Topf gießen, umrühren und noch etwa 3 Minuten kochen lassen. • Den Topf vom Herd nehmen, die Crème fraîche zufügen. Das Ragout mit etwa 1 Eßlöffel gekörnter Brühe und schwarzem Pfeffer abschmecken. Die feingeschnittenen Kräuter daruntermischen.

Das paßt dazu: Kartoffelpüree (Rezept Seite 189), Vollkornnudeln oder Naturreis.

Varianten: Schmecken Sie zur Abwechslung das Ragout einmal mit zusätzlich 1–2 Teelöffeln Delikata oder 1–2 Teelöffeln edelsüßem Paprikapulver ab.

Braucht etwas Zeit

Indischer Bohnen-Kürbis-Curry

Bild Seite 204

300 g Azukibohnen · 1 l Wasser · 1 Stück Ingwerwurzel, frisch oder getrocknet · 3 Knoblauchzehen · 1 getrocknete rote Peperone · 1 Teel. gemahlenes Curcuma (Gelbwurz) · 1 Teel. Kreuzkümmel · 2 Nelken · 5 Pimentkörner · 1 Stückchen Zimtstange · 500 g Kürbis oder Zucchini · 1 große Zwiebel · 1 frische grüne Peperone · 3 Eßl. Öl · ⅛ l Tomatensaft · Saft von ½ Zitrone · 2 Eßl. Butter · 2 Teel. Salz · 2 Eßl. Sesamsamen oder 2 Eßl. Kokosflocken
Pro Portion etwa 2270 Joule/540 Kalorien

Quellzeit: 8–12 Stunden
Vorbereitungszeit: 15 Minuten
Garzeit: 1–1½ Stunden

Die Bohnen waschen und in dem Wasser 8–12 Stunden, am besten über Nacht, quellen lassen. • Die Bohnen im Einweichwasser mit dem Ingwer zum Kochen bringen und zugedeckt in 1–1½ Stunden garen. • Inzwischen die Knoblauchzehen schälen und grobhacken. Die Hälfte vom gehackten Knoblauch mit den Gewürzen von roter Peperone bis Zimtstange im Mörser fein zerstoßen. • Den Kürbis schälen und in Würfel schneiden oder die Zucchini waschen und in Scheiben schneiden. Die Zwiebel schälen und würfeln. Die grüne Peperone waschen und kleinschneiden. • Den Kürbis oder die Zucchini mit den Zwiebelwürfeln, dem restlichen Knoblauch und der grünen Peperone im Öl unter Wenden kurz anbraten. Den Tomatensaft und den Zitronensaft zugießen und alles zugedeckt bei schwacher Hitze 15 Minuten dünsten. • Die Butter in einer Pfanne zerlassen, die Gewürzmischung aus dem Mörser zufügen und bei mittlerer Hitze unter Rühren 5 Minuten braten. • Die Bohnen und die Gewürzmischung behutsam mit dem Kürbis mischen, salzen und alles 5 Minuten bei schwacher Hitze durchziehen lassen. • Den Sesam oder die Kokosflocken ohne Fettzugabe unter Wenden goldgelb braten und zuletzt über den angerichteten Bohnencurry streuen.

Das paßt dazu: Tortillas aus Körnermais (Rezept Seite 145).

Eiweißreich · Ganz einfach

Bohnen-Mais-Topf

300 g weiße Bohnen · 1 l Wasser · 2 Teel. getrocknetes Bohnenkraut · 250 g frische Maiskörner vom Kolben oder tiefgefrorene Maiskörner · ½ Teel. gemahlener Fenchelsamen · 2 Teel. mildes Paprikapulver · 1 Messerspitze Cayennepfeffer · 2–3 Teel. Kräutersalz · 2 Eßl. Butter · 1 Bund Petersilie
Pro Portion etwa 1640 Joule/390 Kalorien

Quellzeit: 8-12 Stunden
Garzeit: 2-2½ Stunden

Die Bohnen waschen und in dem Wasser 8-12 Stunden, am besten über Nacht, quellen lassen. • Das Bohnenkraut zufügen und die Bohnen zugedeckt bei schwacher Hitze in 1½-2 Stunden weich kochen. Wenn nötig, noch etwas heißes Wasser zugießen. • Etwa 20 Minuten bevor die Bohnen weich sind, frischen Mais von den Kolben schaben und zu den Bohnen geben; tiefgefrorene Maiskörner 10 Minuten vor Beendigung der Garzeit zu den Bohnen geben. Den Fenchel, das Paprikapulver und den Cayennepfeffer zufügen und alles bei schwacher Hitze noch 10-20 Minuten kochen lassen, bis die Bohnen und der Mais weich sind. • Den Eintopf mit dem Kräutersalz würzen, die Butter in Flöckchen untermischen. Die Petersilie waschen, trockenschleudern, feinwiegen und über das fertige Gericht streuen.

Das paßt dazu: geröstetes Weizenvollkornbrot.

Ganz einfach · Preiswert

Kreolisches Bohnengericht

350 g Limabohnen · 1½ l Wasser · 1 Lorbeerblatt · 3 Zwiebeln · 2 Knoblauchzehen · 2 grüne Peperoni · 500 g Tomaten · 5 Eßl. Öl · ½ Teel. gemahlener Piment · 1 Teel. frisch gemahlene Senfkörner · 2 Teel. Kräutersalz · 1 Eßl. Weizenvollkornmehl · 1 Eßl. Rübensirup · ½-1 Teel. Salz
Pro Portion etwa 1975 Joule/470 Kalorien

Quellzeit: 8-12 Stunden
Vorbereitungszeit: 20 Minuten
Garzeit: 1½-2 Stunden

Die Bohnen waschen und in dem Wasser mit dem Lorbeerblatt 8-12 Stunden, am besten über Nacht, quellen lassen. • Die Bohnen im Einweichwasser zum Kochen bringen und zugedeckt bei schwacher Hitze in 1½-2 Stunden weich kochen. • Etwa 30 Minuten vor Beendigung der Garzeit für die Bohnen die Zwiebeln und den Knoblauch schälen und kleinschneiden. Die Peperoni waschen und feinhacken. Die Tomaten waschen und achteln, dabei die Stielansätze entfernen. • Die Zwiebeln, den Knoblauch und die Peperoni in einer großen Pfanne in etwa 10 Minuten bei schwacher Hitze im Öl weich braten. Den Piment, die gemahlenen Senfkörner und das Kräutersalz unterrühren. Das Mehl darüberstreuen und unter Rühren weitere 5 Minuten braten. Den Sirup unterrühren und die Tomaten zufügen. • Das Lorbeerblatt aus den Bohnen entfernen. • Die Mischung aus der Pfanne zu den weichen Bohnen geben und behutsam unterrühren. Alles bei schwacher Hitze noch 10 Minuten durchziehen lassen und mit Salz abschmecken.

Das paßt dazu: Weizengrütze (Rezept Seite 133).

Eiweißreich · Ganz einfach · Braucht etwas Zeit

Bohnenküchle

Diese Küchle sind sehr nahrhaft, denn sie sind eine Komposition aus vier eiweiß- und fettreichen Zutaten: Sojabohnen, Eiern, Käse und Nüssen.

150 g gelbe Sojabohnen · 1 l Wasser · 1 Eßl. Öl · 100 g Walnußkerne · 200 g Goudakäse · 100 g Vollkornbrösel · 1 gestrichener Teel. Salz · 1 gestrichener Teel. Delikata · 1 Teel. frisches, feingehacktes oder getrocknetes, gerebeltes Basilikum · 2 Messerspitzen geriebene

Muskatnuß · etwa 3 Messerspitzen schwarzer
Pfeffer, frisch gemahlen · 4 Eier
Zum Braten: Butter, Öl oder Butterschmalz
Pro Portion etwa 3235 Joule/770 Kalorien

Quellzeit: 12 Stunden
Garzeit für die Sojabohnen: 2 Stunden
oder 30 Minuten im Schnellkochtopf
Vorbereitungszeit: 15 Minuten
Bratzeit: 15 Minuten

Die Sojabohnen mit 0,7 l Wasser einweichen und
12 Stunden, am besten über Nacht, quellen lassen. • Nach dem Quellen das Einweichwasser
abgießen und die Bohnen mit frischem Wasser
spülen. Im Einweichwasser sind Stoffe (Oligosaccharide), die Blähungen verursachen würden.
Die gequollenen Bohnen mit 0,3 l Wasser und
dem Öl (es verhindert das Hochkochen der Bohnen und ist unbedingt nötig) 2 Stunden kochen
lassen; im Dampfdrucktopf 30 Minuten. Die
Bohnen sollen so weich sein, daß sie sich leicht
mit der Zunge zerdrücken lassen. Abtropfen lassen. • Die Nüsse und den Käse grobreiben, dann
in einer Schüssel mit den Vollkornbröseln und
den Gewürzen mischen. Die Sojabohnen und die
Eier zufügen und alles gründlich verkneten – am
besten mit der Hand. • Das Fett in einer Pfanne
erhitzen. Aus dem Teig mit nassen Händen kleine Frikadellen formen und im heißen Fett bei
schwacher Hitze auf beiden Seiten in jeweils
7–8 Minuten knusprig und goldbraun braten.

Das paßt dazu: grüne Salate.

Unser Tip Die Küchle schmecken
auch kalt sehr gut und sind wegen ihres
hohen Nährwertes zum Mitnehmen gut
geeignet.

Braucht etwas Zeit

Brasilianischer Bohnenpfannkuchen

Die Indianer in den tropischen Regenwäldern
Südamerikas machten das Stärkemehl der blau-
säurehaltigen Maniokwurzel für die Ernährung
nutzbar. Sie stampften die Wurzeln und preßten
aus dem Brei den giftigen Saft aus. Was übrig-
blieb, wurde getrocknet und im Mörser zerstoßen. Es war die Urform des Tapiokas, wie wir es
heute kennen. Man streut sie in das Gericht und
läßt sie unter Rühren quellen. Sie lösen sich auf
und binden Flüssigkeit, ohne sie zu trüben.

350 g braune oder schwarze Bohnen · 1¾ l Was-
ser · 1 Lorbeerblatt · 2 Teel. Kreuzkümmel · 3 ge-
trocknete rote Peperoni · 2 große rote Zwiebeln ·
2 Knoblauchzehen · 5 Eßl. Öl · 2 Eßl. gekörnte
Gemüsebrühe · 6 Eßl. Tapioka · ¼ Teel. gemahle-
ner Kümmel · ¼ Teel. gemahlener Piment
Pro Portion etwa 1785 Joule/425 Kalorien

Quellzeit: 8–12 Stunden
Vorbereitungszeit: 10 Minuten
Garzeit: 1½–2 Stunden

Die Bohnen waschen und in dem Wasser
8–12 Stunden, am besten über Nacht, quellen
lassen. • Die Bohnen mit dem Lorbeerblatt, dem
Kreuzkümmel und den unzerkleinerten Peperoni zum Kochen bringen und zugedeckt bei
schwacher Hitze in 1–1¼ Stunden fast weich kochen. Das Lorbeerblatt und die Peperoni entfernen. • Kurz vor Beendigung der Garzeit der
Bohnen die Zwiebeln und den Knoblauch schälen, hacken und in 2 Eßlöffeln Öl goldgelb braten. • Die Bohnen mit dem Kartoffelstampfer
zerdrücken, die gebratenen Zwiebeln mit dem
Knoblauch und die gekörnte Brühe unterrühren.
Das Tapioka über die Bohnen streuen, unterrüh-

ren und bei schwacher Hitze in etwa 20 Minuten ausquellen lassen, bis es sich völlig aufgelöst hat und der Bohnenbrei fest geworden ist. Den Kümmel und den Piment zufügen. • Das restliche Öl in zwei großen Pfannen erhitzen, den dikken Bohnenbrei in den Pfannen verteilen und langsam bei schwacher Hitze von beiden Seiten in 15 Minuten kroß braten.

Das paßt dazu: Rohkostplatte.

Unser Tip Während die Bohnen garen, die Tapiokakörner in kaltem Wasser quellen lassen. Sie lösen sich beim Kochen dann etwas rascher auf.

Ballaststoffreich · Ganz einfach

Curry-Linsen mit Äpfeln

400 g Puylinsen · 1 Lorbeerblatt · 2 Teel. unbehandelte abgeriebene Orangenschale · 1½ l Wasser · 6 Eßl. ungeschwefelte Rosinen · Saft von 1 Orange · 2 säuerliche Äpfel · 2 große Zwiebeln · 2 Knoblauchzehen · 3 Eßl. Öl · 2 Eßl. Currypulver · 2–3 Teel. Salz · 2–3 Eßl. Zitronensaft
Pro Portion etwa 2245 Joule/535 Kalorien

Vorbereitungszeit: 15 Minuten
Garzeit: 45 Minuten

Die kleinen Puylinsen brauchen nicht eingeweicht zu werden. Die Linsen waschen, mit dem Lorbeerblatt und der Orangenschale in dem Wasser zum Kochen bringen und bei schwacher Hitze in etwa 45 Minuten weich kochen. • Inzwischen die Rosinen waschen, abtropfen lassen und im Orangensaft quellen lassen. • Die Äpfel waschen, vierteln, vom Kerngehäuse befreien und schlechte Stellen abschneiden. Die Äpfel ungeschält in Spalten schneiden. Die Zwiebeln schälen, halbieren und die Hälften in dünne Scheiben schneiden. Die Knoblauchzehen schälen und feinhacken. • Die Äpfel, die Zwiebeln und den Knoblauch im Öl 5 Minuten braten, jedoch nicht bräunen lassen. Die Apfel-Zwiebel-Mischung unter die gegarten Linsen rühren. • Die Rosinen mit dem Orangensaft zufügen, mit dem Currypulver und dem Salz würzen und mit dem Zitronensaft abschmecken.

Das paßt dazu: Salat aus gegarten Weizenkörnern (Rezept Seite 72).

Ballaststoffreich · Ganz einfach · Preiswert

Ackerbohnen in Sahnesauce

Acker- oder Feldbohnen werden in der biologisch-organischen Landwirtschaft oft als Zwischenfrucht angebaut. Sie reichern wie alle Leguminosen den Boden mit Stickstoff an. Aus den Bohnenpflanzen mit den Samen, den Bohnenkernen, wird hochwertiges Silagefutter. In Naturkostläden gibt es die aromatischen Bohnenkerne auch für uns zu kaufen. Sie erinnern im Geschmack an dicke Bohnen und werden am besten ähnlich wie diese zubereitet. Die Sahne kann durch 3 Eßlöffel »Tahin« oder Nußmus ersetzt werden.

400 g Ackerbohnen · 1½ l Wasser · 6 Wacholderbeeren · 8 Pimentkörner · ½ Teelöffel Koriander · ½ Teel. Kümmel · 1 Lorbeerblatt · ½ Eßl. getrocknete Sellerieblätter oder 1 großes Blatt frisches

*Liebstöckel oder 1 Teel. getrockneter Liebstöckel ·
2 große Zwiebeln · 3 Eßl. Butter · 1–2 Eßl. gekörnte Gemüsebrühe · ⅛ l Sahne · 3 Eßl. frisch
gehackte Petersilie*
Pro Portion etwa 2290 Joule/545 Kalorien

Quellzeit: 24 Stunden
Vorbereitungszeit: 10 Minuten
Garzeit: 2¼ Stunden

Die Bohnenkerne haben eine dicke Schale und
benötigen deshalb eine längere Einweichzeit.
Die Bohnen waschen und im Wasser 24 Stunden
quellen lassen. Die Wacholderbeeren und die Pimentkörner zerdrücken, mit dem Koriander und
dem Kümmel in ein Mullsäckchen binden und
dieses während der Quellzeit in den Topf mit den
Bohnen hängen. • Das Lorbeerblatt, die Sellerieblätter oder den Liebstöckel zufügen, die Bohnen im Einweichwasser zum Kochen bringen
und zugedeckt bei schwacher Hitze in etwa
2 Stunden weich kochen. • Das Mullsäckchen
und das Lorbeerblatt entfernen. • Die Bohnen
abtropfen lassen und das Kochwasser auffangen. • Die Zwiebeln schälen, würfeln und in der
Butter im Bohnentopf goldgelb braten. Die Bohnen, eine Tasse vom Bohnenkochwasser und die
gekörnte Gemüsebrühe zufügen. Die Flüssigkeit
einkochen lassen und die Sahne und die gehackte Petersilie unterrühren.

Das paßt dazu: gebackene Kümmelkartoffeln
(Rezept Seite 191).

Variante: Linsen russische Art
Statt der Bohnen Linsen weich kochen. Die Gewürze von den Ackerbohnen passen auch zu
Linsen gut. Zuletzt statt süßer saure Sahne unterrühren und die Linsen mit reichlich Schnittlauch
bestreuen.

Braucht etwas Zeit

Kichererbsen-Koteletts

*400 g Kichererbsen · 1½ l Wasser · 2 Zwiebeln ·
3 Knoblauchzehen · 1 Stück frische Ingwerwurzel
(etwa 50 g, ersatzweise 3 Teel. getrocknete, geriebene Ingwerwurzel) · 2 Teel. Korianderkörner ·
5 Gewürznelken · 2 Teel. Kardamomkapseln oder
gemahlener Kardamom · 10 Pimentkörner ·
½ Teel. Kreuzkümmel, ersatzweise 1 Teel.
Kümmel · 1 Stück Zimtstange (etwa 3 cm) ·
je 1 Teel. gemahlener Macis und geriebene
Muskatnuß · 1 Teel. Chilipulver · 2 grüne
Peperoni · 1½ Teel. Salz · 3–4 Eßl.
Buchweizenmehl · 5–6 Eßl. Öl · 1 Zitrone*
Pro Portion etwa 2435 Joule/605 Kalorien

Quellzeit: 10–12 Stunden
Vorbereitungszeit: 2–2½ Stunden
Bratzeit: 15 Minuten

Die Kichererbsen waschen und in dem Wasser
10–12 Stunden, am besten über Nacht, quellen
lassen. • Die Zwiebeln und die Knoblauchzehen
schälen und 1 Zwiebel und 2 Knoblauchzehen
grobhacken. Die frische Ingwerwurzel schälen
und feinreiben. • Die Kichererbsen mit der ge-

Geheimtip Nummer 1 aus der Gewürzküche ist der
Mörser; denn frisch zerrieben entfalten die Gewürze
ihr volles Aroma.

hackten Zwiebel und dem gehackten Knoblauch und der Hälfte vom Ingwer im Einweichwasser zum Kochen bringen und zugedeckt bei schwacher Hitze in 1½–2 Stunden weich kochen. • Inzwischen den Koriander, die Nelken, den Kardamom, den Piment, den Kreuzkümmel, den Zimt, den Macis, die Muskatnuß und das Chilipulver im Mörser zerstoßen. • Die Peperoni waschen und kleinschneiden. Die zweite Zwiebel kleinwürfeln. • Die weichen Kichererbsen durch die grobe Scheibe des Fleischwolfes drehen und portionsweise im Mixer grob zerkleinern. Dabei eventuell übriggebliebene Kochbrühe oder etwas heißes Wasser zufügen. Die Gewürzmischung, die Peperoni, das Salz und die gewürfelte Zwiebel und so viel Buchweizenmehl zufügen, daß alle Flüssigkeit gebunden wird und ein formbarer Teig entsteht. • 16 runde Plätzchen daraus formen und diese portionsweise im heißen Öl von jeder Seite in 7–8 Minuten knusprig braun braten. Die Zitrone waschen, abtrocknen, in Spalten schneiden und die Kichererbsen-Koteletts damit garnieren.

Braucht etwas Zeit

Linsen-Haferflocken-Bratlinge

Zutaten für 4–6 Personen:
200 g beliebige ungeschälte Linsen · ¾–1 l Wasser · 1 Teel. getrockneter Thymian · 1 Stück unbehandelte Zitronenschale · 2 Zwiebeln · 1 Knoblauchzehe · ⅛ l Öl · 150 g feine Haferflocken · 5 Eßl. Haselnußmus · Saft von ½–1 Zitrone · 1–2 Eßl. Apfeldicksaft · 2 Teel. getrocknetes Basilikum · 1 Messerspitze gemahlener Piment · 2 Teel. Salz · 2 Eßl. frisch gehackte Petersilie
Bei 4 Portionen pro Portion etwa 3045 Joule/ 725 Kalorien

Vorbereitungszeit einschließlich Ruhezeit: 1¼ Stunden
Bratzeit: 15–20 Minuten

Die Linsen waschen, mit ¾ l Wasser, dem Thymian und der Zitronenschale zum Kochen bringen und in etwa 45 Minuten sehr weich kochen. Wenn nötig, während des Kochens noch etwas heißes Wasser nachfüllen. • Inzwischen die Zwiebeln und die Knoblauchzehe schälen, in sehr kleine Würfel schneiden und in 2 Eßlöffeln Öl glasig braten. • Die Zitronenschale aus den gegarten Linsen entfernen. Die gebratenen Zwiebeln mit dem Knoblauch und die Haferflocken zufügen. Bei schwacher Hitze nach und nach das Nußmus unterrühren. Wenn die Masse zu fest ist, noch etwas heißes Wasser zugießen. • Den Linsenteig mit dem Zitronensaft, dem Apfeldicksaft, dem Basilikum, dem Piment und dem Salz würzen, vom Herd nehmen und 30 Minuten stehenlassen. • Die Petersilie unterrühren. Mit nassen Händen flache, 6–8 cm große Frikadellen aus dem Linsenteig formen und diese im restlichen Öl 15–20 Minuten knusprig braun braten. Dabei zweimal wenden.

Das paßt dazu: gedünstete Tomaten.

Eiweißreich · Ballaststoffreich · Braucht etwas Zeit

Malaysische Linsen

Das Eiweiß aus Hülsenfrüchten und Naturreis ergänzt sich besonders gut und ist außerdem sehr hochwertig.

250 g beliebige ungeschälte Linsen · 200 g Naturreis · ⅜ l Wasser · 2 Bund Frühlingszwiebeln · 5 Eßl. Öl · ¾–1 l Gemüsebrühe · 2 Teel. frische geriebene Ingwerwurzel oder 1 Teel. Ingwerpulver ·

5 Gewürznelken · 1 Stück Zimtstange · 1 Messer-
spitze Cayennepfeffer · 1-2 Teel. Salz ·
1 rote Paprikaschote · 1 Banane · 100 g frische
enthülste Erbsen · 1 Bund Petersilie · 1 Zitrone
Pro Portion etwa 2375 Joule/565 Kalorien

Quellzeit: 2 Stunden
Vorbereitungszeit: 15 Minuten
Garzeit: 50 Minuten

Die Linsen und den Reis waschen und zusammen in dem Wasser 2 Stunden quellen lassen. •
Die Frühlingszwiebeln waschen und mit dem
Grün in Scheiben schneiden. • Die Zwiebeln
dann in einem flachen Topf mit breitem Durchmesser im Öl braten, aus dem Fett nehmen und
beiseite stellen. • Die Linsen mit dem Reis abtropfen lassen und unter Wenden im verbliebenen Öl im Topf 5 Minuten braten. • Inzwischen
die Gemüsebrühe erhitzen und etwa ½ l Gemüsebrühe zum Reis und den Linsen gießen. Den
Ingwer, die Gewürznelken und den Zimt zufügen und den Reis und die Linsen zugedeckt bei
schwacher Hitze in etwa 40 Minuten garen. Zwischendurch nach Bedarf immer etwas heiße Brühe nachgießen. Die Linsen und der Reis werden
zur gleichen Zeit gar. Zuletzt soll die Flüssigkeit
fast ganz aufgesogen sein. • Den Linsenreis mit
dem Cayennepfeffer und dem Salz würzen. •
Die Paprikaschote waschen, vierteln und von
Rippen und Kernen befreien. Die Viertel in dünne Streifen schneiden. Die Banane schälen und
in Scheiben schneiden. Die Paprikaschote, die
Banane und die Erbsen mit den Linsen und dem
Reis mischen und bei schwacher Hitze noch
10 Minuten mitgaren. Die noch im Topf verblie-
bene Flüssigkeit verdampft dabei völlig. Damit
nichts am Topfboden ansetzt, ab und zu vorsichtig mit einem Bratenwender umrühren. • Den
Linsenreis anrichten, die gebratenen Zwiebeln
daraufhäufen. Die Petersilie waschen, trockenschleudern, feinhacken und auf die angerichteten Linsen streuen. Die Zitrone achteln und das

Gericht damit umlegen. Jeder würzt sich die Ma-
layischen Linsen nach eigenem Geschmack mit
Zitronensaft.

Braucht etwas Zeit · Nicht ganz einfach

Hülsenfruchtpastete

Zutaten für 4-6 Personen:
Für den Teig: 300 g Weizenmehl der Type 1050
oder Weizenvollkornmehl, Kleie abgesiebt ·
¼ Teel. Salz · je ½ Teel. gemahlener Koriander
und gemahlener Piment · 150 g gekühlte Butter ·
6-8 Eßl. Schwedendickmilch
Für die Füllung: 150 g frische Pilze (Zuchtegerlinge
oder würzige Wildpilze wie Hallimasch, Rotkappe,
Tintling) · 1 Zwiebel · 1 Bund Frühlingszwiebeln
mit dem Grün · 2 Eßl. Butter · ½ Teel. gemahle-
ner Rosmarin · 1 Teel. getrockneter Thymian ·
350 g gegarte rote oder schwarze Bohnen oder Lin-
sen (etwa 100 g rohe Hülsenfrüchte) · etwa ½ l
Gemüsebrühe · abgeriebene Schale von ½ unbe-
handelten Zitrone · 2 Eßl. Zitronensaft · 2 Teel.
Salz · 1-2 Bund Petersilie · 200 g Crème fraîche
Für die Form: 1 Teel. Butter
Bei 6 Portionen pro Portion etwa 1920 Joule/
460 Kalorien

Vorbereitungszeit: 50 Minuten
Backzeit: 45-50 Minuten

Das Mehl in einer Schüssel mit dem Salz, dem
Koriander und dem Piment mischen. Die Butter
in Flöckchen darauf verteilen, locker mit den
Fingerspitzen mit dem Mehl mischen und dann
rasch verkneten. Dabei so viel Schwedenmilch
zugießen, bis ein weicher, glatter Mürbeteig entsteht. Den Teig zugedeckt 30 Minuten bei Raumtemperatur ruhen lassen. • Inzwischen die Pilze
putzen, waschen und blättrig schneiden. Die
Zwiebel schälen und würfeln. Die Frühlings-

zwiebeln waschen und mit dem Grün in Ringe schneiden. Die Butter in einem flachen Topf mit breitem Durchmesser zerlassen, die gesamten Zwiebeln unter Wenden darin goldgelb braten und den Rosmarin und den Thymian zugeben. Die gekochten Bohnen oder Linsen, die Pilze und so viel Brühe zufügen, daß das Gericht die Konsistenz eines dicken Eintopfs erhält. Die Bohnen oder Linsen mit der abgeriebenen Zitronenschale, dem Zitronensaft und dem Salz würzen und 5 Minuten bei schwacher Hitze kochen lassen. Die Petersilie waschen, trockenschleudern, feinhacken, unter die Hülsenfrüchte rühren und diese abkühlen lassen. • Den Backofen auf 200° vorheizen. • Eine Springform von 24 cm Durchmesser mit etwas Butter einfetten. ⅔ des Teiges rund ausrollen, den Boden der Springform damit belegen und einen 2 cm hohen Rand formen. Die Hülsenfrüchte einfüllen. Aus dem restlichen Teig in Größe der Form einen Pastendeckel ausrollen, auf die Hülsenfrüchte legen und die Teigränder fest zusammendrücken. In die Mitte vom Teigdeckel ein Loch schneiden, durch das der Dampf während des Backens abziehen kann. Die Pastete 45–50 Minuten eine Schiene unter der Mitte im Backofen goldgelb und knusprig backen. • Die Pastete 5 Minuten stehen lassen und dann vorsichtig den Springformrand abnehmen. Die Pastete auf eine Platte stellen – notfalls auch auf dem Springformboden – mit einem scharfen Sägemesser den Pastetendeckel abschneiden. Die Crème fraîche auf der

Unser Tip Statt Pilzen 250 g gewaschene, von Keimansätzen befreite, gehobelte Kartoffeln mit den Hülsenfrüchten mischen und 5 Minuten mitkochen lassen. Die Pastetenfüllung dann statt mit Rosmarin und Thymian mit Bohnenkraut und Majoran würzen.

Füllung verteilen, den Deckel wieder auflegen und die Pastete möglichst heiß servieren.

Das paßt dazu: reichlich grüner oder gemischter Salat.

Braucht etwas Zeit

Linsen-Frühlingstorte

100 g Hirse · 0,3 l Wasser · 1 Bund Frühlingszwiebeln · 50 g Brennesselspitzen oder Sauerampfer · 50 g Spinat · 4 Eßl. Öl · 400 g gegarte beliebige Linsen (etwa 160 g rohe Linsen) · 50 g Haferflocken · 150 g Magerquark · 2 Möhren · 2 Eßl. Zitronensaft · 50 g Haselnußkerne · je 2 Teel. getrocknetes Basilikum und getrocknete Pfefferminzblätter · je 1 Messerspitze gemahlener Ingwer, gemahlener Macis und Piment · 2 Teel. Salz · ½ Bund Petersilie
Für die Form: 2 Teel. Öl
Pro Portion etwa 2160 Joule/510 Kalorien

Vorbereitungszeit: 50 Minuten
Backzeit: 45–50 Minuten

Die Hirse in einem Sieb erst kalt waschen und dann kochendheiß überbrühen. Das Wasser zum Kochen bringen, die Hirse hineinschütten und zugedeckt bei schwacher Hitze in etwa 20 Minuten garen. • Inzwischen die Frühlingszwiebeln waschen und in Ringe schneiden. Die Brennesseln oder den Sauerampfer und den Spinat waschen, grobhacken und mit den Frühlingszwiebeln zusammen im Öl 5 Minuten dünsten. Die Linsen mit der gegarten Hirse, den Brennesseln oder dem Sauerampfer, dem Spinat, den Haferflocken und dem Magerquark in eine Schüssel geben. • Den Backofen auf 180° vorheizen. • Die Möhren unter fließendem Wasser gründlich bürsten, putzen und auf einer feinen Reibe in die

Schüssel reiben. Den Zitronensaft zufügen. Die Haselnüsse grobhacken und darüberstreuen. Die getrockneten Kräuter, den Ingwer, den Macis, den Piment und das Salz zufügen. Die Petersilie waschen, trockenschleudern, feinwiegen und mit den Zutaten in der Schüssel sehr gründlich verrühren. • Eine Springform von 24 cm Durchmesser mit dem Öl einfetten, die Masse einfüllen und auf der mittleren Schiene in 45–50 Minuten bakken. Warm servieren.

Das paßt dazu: Rohkostsalat.

Unser Tip Statt Hirse 125 g Weizenkörner 8–10 Stunden in Wasser quellen lassen und in ½ l Wasser weich kochen. Durch den Fleischwolf drehen und wie im Rezept mit den übrigen Zutaten mischen. Die Linsentorte wird locker und saftig.

Braucht etwas Zeit · Nicht ganz einfach

Frühlingsrolle mit Sojasprossen ☝

Für den Teig: 200 g mehlfein gemahlener Weizen · 1 Messerspitze Salz · gut ⅛ l lauwarmes Wasser · 3 Eßl. Öl
Für die Füllung: 2 Möhren · 1 Bund Petersilie · einige Zweige würzige Gartenkräuter wie Thymian, Basilikum, Bohnenkraut · frisches Zwiebelgrün oder 1 Bund Schnittlauch · 50 g Haselnußkerne · 250 g bereits gegarte Mungobohnen · 2 Teel. Kräutersalz · 1 Teel. Currypulver · 1 Eßl. Zitronensaft · 2 Eßl. Tamari (dunkle Sojasauce) · 2 Handvoll Sojasprossen

Zum Bestreichen: 2 Eßl. Butter
Für das Backblech: 1 Teel. Butter
Pro Portion etwa 2080 Joule/495 Kalorien

Vorbereitungszeit: 1¼ Stunden
Backzeit: 20–30 Minuten

Für den Teig vom Mehl etwa 50 g Kleie absieben. Das Mehl mit dem Salz mischen und mit dem Wasser und dem Öl in 15–20 Minuten zu einem geschmeidigen, glatten Teig verkneten. Je länger der Teig geknetet wird, desto besser läßt er sich später ausrollen. Eine Kugel daraus formen und unter einer angewärmten Schüssel 1 Stunde ruhen lassen. • Wenn der Teig etwa 40 Minuten geruht hat, für die Füllung die Möhren unter fließendem Wasser gründlich bürsten, putzen und grobraspeln. Die Kräuter und das Zwiebelgrün waschen, trockenschleudern und kleinschneiden. Die Haselnüsse grobhacken. Die Mungobohnen, die Möhren, die Kräuter und die Nüsse mischen, mit dem Kräutersalz, dem Curry, dem Zitronensaft und dem Tamari würzen und die Sojasprossen unterheben. Den Teig nochmals durchkneten und auf einem schwach bemehlten Tuch hauchdünn zu einem Rechteck ausrollen. • Den Backofen auf 180° vorheizen. Ein Backblech mit etwas Butter einfetten. • Die Füllung auf eine Hälfte der Teigplatte geben, dabei darauf achten, daß ein freier Teigrand von etwa 2 cm bleibt. Die andere Teighälfte darüberklappen und die Teigränder festdrücken. • Die Butter schmelzen lassen. Die Frühlingsrolle auf das Kuchenblech legen, dick mit der geschmolzenen

Unser Tip Der Teig kann auch in 4 Rechtecke geschnitten und gefüllt werden. Die kleinen Frühlingsrollen können in etwa 180° heißem Kokosfett rundherum in 10 Minuten fritiert werden.

Butter bestreichen und auf der mittleren Schiene 20-30 Minuten im Backofen goldbraun backen.

Das paßt dazu: Kopfsalat oder Endiviensalat.

Braucht etwas Zeit · Preiswert

Überbackene Linsenhappen

300 g beliebige Linsen · 1¼ l Wasser · 2-3 Blätter frischer Liebstöckel oder 1 Teel. getrockneter Liebstöckel · 1 Stück unbehandelte Zitronenschale · 1 Eßl. gekörnte Gemüsebrühe · 1 Teel. Kräutersalz · 1 Prise Cayennepfeffer · 2-3 Eßl. Zitronensaft · 4 Eßl. Sahne · 1-2 Eßl. Butter · 8 Scheiben Weizenvollkornbrot, Grahambrot oder Vollkorntoast · 8 dünne Scheiben Greyerzer oder Emmentaler Käse in der Größe der Brotscheiben · 2-3 Tomaten
Für das Backblech: 1 Teel. Öl
Pro Portion etwa 3065 Joule/730 Kalorien

Quellzeit: 2 Stunden
Vorbereitungszeit: 1 Stunde
Backzeit: 10-15 Minuten

Die Linsen waschen und in dem Wasser 2 Stunden quellen lassen. • Den Liebstöckel und die Zitronenschale zufügen und die Linsen zugedeckt bei schwacher Hitze 30 Minuten kochen lassen. • Die Zitronenschale entfernen und die Linsen mit der gekörnten Gemüsebrühe, dem Kräutersalz, dem Cayennepfeffer und dem Zitronensaft würzen. Die Sahne unterrühren und die Linsen noch 10 Minuten köcheln lassen. • ½ Eßlöffel Butter erhitzen und die Brotscheiben nacheinander darin von beiden Seiten goldbraun braten. Dabei immer wieder etwas frische Butter in der Pfanne schmelzen lassen. • Den Backofen

auf 220° vorheizen. • Den Linsenbrei auf die Brote streichen. Jedes Brot mit 1 Scheibe Käse bedecken und diagonal durchschneiden. • Die Tomaten waschen, abtrocknen, in Scheiben schneiden und jeweils 2 Tomatenscheiben auf eine Brotscheibe legen. Die Linsenhappen auf einem mit Öl eingefettetem Backblech auf der zweiten Schiene von oben 10-15 Minuten im Backofen überbacken, bis der Käse geschmolzen ist. Heiß servieren!

Braucht etwas Zeit

Kichererbsen mit Joghurt

350 g Kichererbsen · 1½ l Wasser · 1 Teel. Kreuzkümmel oder Kümmel · 3 Nelken · 1 kleines Stück Zimtstange · 1 Teel. Koriandersamen · 4 Knoblauchzehen · 2 Zwiebeln · 1 Teel. gemahlene Curcuma (Gelbwurz) · 1 Teel. geriebene Ingwerwurzel · 1 Bund Frühlingszwiebeln mit dem Grün · 5 Eßl. geklärte Butter (siehe Tip Seite 144) oder Öl · 150 g Sanoghurt · ¼ l Gemüsebrühe · 1 Eßl. Zitronensaft · 1-2 Teel. Meersalz
Pro Portion etwa 2080 Joule/495 Kalorien

Quellzeit: 10-12 Stunden
Vorbereitungszeit: 25 Minuten
Garzeit insgesamt: 2 Stunden

Die Kichererbsen waschen und in dem Wasser 10-12 Stunden, am besten über Nacht, quellen lassen. • Den Kreuzkümmel oder Kümmel zufügen und die Erbsen im Einweichwasser zugedeckt bei schwacher Hitze weich kochen. • Inzwischen die Nelken, den Zimt und den Koriander in einer Gewürzmühle mahlen. • Die Knoblauchzehen und die Zwiebeln schälen, feinhakken und mit den frisch gemahlenen Gewürzen, dem Curcuma und dem Ingwer im Mörser zu einer Paste zerstoßen. Die Gewürzmischung zugedeckt stehenlassen. • Etwa 20 Minuten bevor die Kichererbsen weich werden, die Frühlingszwiebeln waschen, abtropfen lassen und kleinschneiden. • Die Hälfte der gegarten Kichererbsen im Mixer grob pürieren oder durch den Fleischwolf drehen. • Die geklärte Butter oder Öl in einem flachen Topf mit breitem Durchmesser erhitzen. Die Gewürzmischung aus dem Mörser und die Frühlingszwiebeln darin 5 Minuten unter Wenden anbraten. • Die gesamten Kichererbsen, den Sanoghurt und die Gemüsebrühe zufügen und alles bei schwacher Hitze noch 20 Minuten kochen lassen. Den Zitronensaft unterrühren und mit dem Salz würzen.

Das paßt dazu: Reisschrot-Backlinge (Rezept Seite 198).

> **Unser Tip** Sanoghurt gibt es im Reformhaus zu kaufen. Es kann ebensogut ein Naturjoghurt ohne Bindemittel verwendet werden; dieser Joghurt hat eine dickflüssige Konsistenz.

Eiweißreich · Nicht ganz einfach

Sojamilch

Bild Seite 222

Diese Anleitung ist das Ergebnis einer langen »Versuchsreihe«. Sie brauchen folgende Geräte: eine Schüssel und eine dazu passende Edelstahlseihe (Durchschlag) von mindestens 2 l Fassungsvermögen (die Seihe muß ringsum Löcher haben), einen Topf oder Wasserkessel mit 3 l Fassungsvermögen, einen elektrischen Mixer aus Glas, einen großen Topf mit mindestens 5 (besser 6–7) l Fassungsvermögen, einen Sack aus feinem, dünnem, dichtgewebtem Baumwollstoff, in die Seihe passend, oder ein Geschirrtuch mit mittlerer Fadenstärke, einen großen Holzlöffel und einen Kartoffelstampfer oder einen Becher (zum Pressen).

Zutaten für etwa 2½ l Sojamilch: 300 g gelbe Sojabohnen · Wasser

Quellzeit: etwa 12 Stunden
Vorbereitungszeit: 30 Minuten
Garzeit: 5 Minuten

Die Seihe in die Schüssel stellen. Die Sojabohnen hineinfüllen und 1½ l Wasser darübergießen. Zugedeckt 12 Stunden, am besten über Nacht, quellen lassen. • Am nächsten Tag die Seihe mit den Bohnen aus der Schüssel heben, das Einweichwasser weggießen und die Bohnen in der Seihe gründlich abspülen. • Den Topf oder Kessel mit 3 l Wasser zum Kochen bringen. Inzwischen den großen Topf auf den Herd stellen, die Seihe hineinhängen und mit dem Sack (den Sack über den Rand der Seihe stülpen) oder dem Geschirrtuch auslegen (Vorsicht beim Gasherd, daß das Tuch nicht Feuer fängt). • ¾ l kochendheißes Wasser in den Mixer füllen (wenn das für Ihren Mixer zuviel ist, müssen Sie in 4 Partien mixen),

Zum Füllen wie geschaffen sind die dicken Gemüsezwiebeln. Gartenkräuter geben ihnen die richtige Würze. Rezept Seite 100.   ▷

⅓ der gequollenen Bohnen zufügen und 2 Minuten mixen (zwischendurch ausschalten – je nach Anweisung des Herstellers). • Den Inhalt des Mixers in die ausgelegte Seihe gießen, den Topfdeckel obenauf legen (damit es nicht abkühlt), wieder ¾ l kochendheißes Wasser und das 2. Drittel der Bohnen im Mixer feinmixen und in die Seihe gießen. Noch einmal wiederholen, bis alle Bohnen verbraucht sind. Den Mixer mit dem restlichen heißen Wasser ausspülen, langsam unter Rühren in die Seihe mit dem Sojapüree gießen. • Die Herdplatte unter dem Topf auf mittlere Hitze einschalten. Das Püree in der Seihe rühren, bis es etwa die Konsistenz von weichem Grießbrei hat. • Dann das Tuch oder den Sack zusammendrehen und von außen mit einem Kartoffelstampfer oder einem Becher ausdrücken und auspressen, so gut es geht. Die Seihe mit dem Rückstand herausheben. Den Topfdeckel wieder auflegen. • Während Sie jetzt aufpassen, bis die Milch kocht und ab und zu umrühren (Vorsicht, sie kocht noch leichter über als Kuhmilch!), können Sie den Mixer, die Seihe und den Löffel kalt abspülen. Sobald die Milch kocht, auf kleine Hitze schalten (beim Elektroherd eventuell für kurze Zeit den Topf vom Herd nehmen), den Deckel schließen und die Milch 5 Minuten kochen lassen (ungekocht enthält sie einen giftigen Enzymhemmer, der durch das Kochen zerstört wird). • Die Milch entweder sofort zu Tofu weiterverarbeiten oder im Wasserbad kühlen. • Für Trinkmilch mit 2 Eßlöffeln Honig

oder braunem Zucker, 1 Prise Salz und 3 Messerspitzen Vanillepulver aromatisieren und im Kühlschrank aufbewahren (wenn sie schnell gekühlt wird, hält sie sich 5 Tage frisch).

Variante: Dicke, cremige Sojamilch wird genauso hergestellt, nur mit je ½ l Wasser pro Arbeitsgang.

Tips zur Herstellung von Sojamilch

● Wenn Sie einen Mixer aus Kunststoff besitzen, müssen Sie bei der Sojamilch-Herstellung etwas anders vorgehen, da Sie den Mixer nicht mit kochendheißer Flüssigkeit füllen dürfen. Sie brauchen 2 Töpfe von je 5–7 l Fassungsvermögen. Im ersten bringen Sie ¾ l Wasser zum Kochen. Währenddessen mixen Sie die Sojabohnen, wie im Rezept beschrieben, fein, und zwar in 3 Partien mit je ¾ l warmem statt kochendheißem Wasser. Die pürierten Bohnen gießen Sie nacheinander in den Topf mit dem kochenden Wasser und erhitzen alles zusammen auf 90 °C. Dabei häufig umrühren, denn die Masse kocht sehr leicht über! Dann das heiße Bohnenpüree auf einmal in die mit dem Sack oder Tuch ausgelegte Seihe auf dem zweiten Topf gießen. Weiter verfahren wie im Rezept.
● Wenn Sie keinen elektrischen Mixer haben, können Sie die Bohnen auch in einem Fleischwolf (Hand- oder Elektrobetrieb) zerkleinern: zweimal durch die feine Scheibe drehen. Das Püree mit 2 l kochendheißem Wasser gründlich verrühren, in die mit Tuch oder Sack ausgelegte Seihe gießen, das Gefäß vom Sojapüree mit dem restlichen Liter kochendheißem Wasser ausspülen, weiterverfahren wie in der obigen Anleitung.
● Spülen Sie alles gebrauchte Geschirr sofort oder recht bald, zuerst kalt, dann in heißem Wasser zum Beispiel mit Tofu-Molke oder dem

◁ Mexiko-Gemüse (dazu gehören Mais und Paprikaschoten) mit gebratenem Tofu ist ein ausgesprochen herzhaftes und köstliches Gericht. Rezept Seite 103.

gewohnten Spülmittel. Wenn Sie das Geschirr nicht rasch abspülen, verstehen Sie, warum Soja-eiweiß für Klebstoffe verarbeitet wird!

● Quälen Sie sich nicht ab, um aus dem Tuch oder Sack mit dem Sojapüree auch noch den letzten Tropfen Milch herauszupressen.

● Sollte sich auf dem Boden des großen Topfes eventuell etwas weißer Belag gebildet haben, hilft Einweichen mit Tofu-Molke oder Auskochen mit Waschpulver.

● Damit sich der Aufwand lohnt kann man die 2–3fache Menge Milch hintereinander machen. Das kostet im Verhältnis weniger Zeit. Ein Teil wird zu Tofu verarbeitet, der Rest als Milch verwendet, je nach Bedarf.

Eiweißreich · Ganz einfach

Tofu – Sojaquark oder -käse

Bild Seite 221

Wenn die heiße Sojamilch fertig auf dem Herd steht, ist das Tofumachen nur noch ein Kinderspiel. Sie brauchen dazu das (traditionelle japanische) Gerinnungsmittel Nigari und einen Tofu-Preßkasten oder eine Seihe mit einem passenden Deckel (der Deckel muß *in* die Seihe passen, nicht auf sie). Wenn Sie eine Kartoffelpresse wie auf dem Farbfoto (Seite 221) haben, können Sie auch diese benützen. Außerdem brauchen Sie ein in den Preßkasten oder die Seihe passendes Stück locker gewebten Baumwollstoffes, zum Beispiel Käseleinen.

Zutaten für etwa 700 g Tofu:
2½ l frische, heiße Sojamilch · 2 gestrichene Teel.
Nigari · gut ⅛ l Wasser
100 g Tofu etwa 450 Joule/110 Kalorien

Zubereitungszeit: 15 Minuten
Preßzeit: 15 Minuten

Während die Milch noch kocht, das Nigari in dem Wasser auflösen. Sobald die Milch nicht mehr kocht, ⅓ des flüssigen Nigari mit 2–3 langsamen Rührbewegungen (mit dem großen Holzlöffel) einrühren, eine halbe Rührbewegung

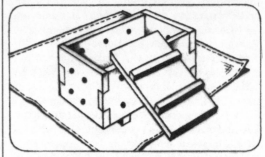

Den Tofu-Preßkasten mit Baumwollsack gibt es als Set im Reformhaus und Naturkostladen.

Schüssel mit passendem Siebeinsatz und Deckel zum Aufbewahren von Tofu. Das Sieb mit dem Tofu wird herausgehoben, das Wasser frisch eingefüllt.

rückwärts machen, damit die Milch »stehenbleibt«. ● Den Deckel auflegen und 3 Minuten warten. Das 2. Drittel Nigari langsam mit wenigen Rührbewegungen in die »obere Hälfte« der Milch im Topf einrühren. Den Deckel auflegen, wieder 3 Minuten warten. Das letzte Drittel Nigari ebenfalls ganz vorsichtig einrühren, den Deckel auflegen, 3 Minuten warten. Alles noch einmal ganz vorsichtig umrühren. Spätestens jetzt haben Sie große weiße Flocken und klare grünliche Molke im Topf. • Den Preßkasten oder die Seihe auf ein passendes Gefäß zum Auffangen der Molke stellen. Das Tuch anfeuchten und den Kasten oder die Seihe damit auslegen. Den Inhalt des Topfes mit einem Schöpflöffel vorsichtig in die ausgelegte Seihe oder den Preßkasten schöpfen. Das Tuch über den Tofuflocken zusammenschlagen und den Deckel des Preßkastens oder einen passenden Deckel (eventuell ein Holzbrett) in die Seihe legen. Ein Gewicht (zum Beispiel ein Glas mit 1 l Wasser) obenaufstellen. So wird der Tofu 15 Minuten gepreßt. • Vorsichtig aus dem Kasten oder der Seihe heben, das Tuch entfernen und den Tofu in ein Gefäß mit frischem kaltem Wasser gleiten lassen. Dort sollte er auch (im Kühlschrank) aufbewahrt werden; er hält sich 5–7 Tage. • Das Wasser muß jeden Tag erneuert werden. Deshalb ist eine Schüssel mit Siebeinsatz zum Aufbewahren praktisch.

Unser Tip Die Molke ist ein herrliches Geschirrspülmittel (mit viel Wasser verdünnt) oder pur ein Schönheits-Waschmittel für die Haut. In Japan und China macht man noch ganz andere Sachen damit. Man benutzt sie als Viehfutter, als Poliermittel für Holz, als Shampoo und zum Gießen der Zimmerpflanzen. Nur zum Trinken benutzt man sie nicht und das ist auch nicht empfehlenswert (trotz des Lezithingehaltes), denn sie schmeckt nicht.

Schnell · Ganz einfach

Feine Kräuter-Tofu-Frikadellen

2 Teel. Butter · 400 g Tofu · 2 gestrichene Teel. gekörnte Gemüsebrühe · ½ Teel. Schabzigerklee · 1 Messerspitze Muskatblüte (Macis) · eventuell ¼ Teel. gemahlene Dillsamen · 1 Möhre (etwa 100 g) · 2 mittelgroße Zwiebeln · 1 Eßl. feingehackte Kräuter (Petersilie, Dill, Schnittlauch und eventuell wenig Salbei) · 4 Eßl. Vollkornbrösel · 1 Ei · etwa 1 Teel. Salz
Zum Braten: Öl
Pro Portion etwa 1050 Joule/250 Kalorien

Vorbereitungszeit: 15 Minuten
Bratzeit: 10 Minuten

Die Butter in einer Pfanne zerlaufen lassen. • Inzwischen den Tofu in einem Suppenteller mit einer großen Gabel zerdrücken. Den zerdrückten Tofu zusammen mit der gekörnten Brühe in die Pfanne schütten und rasch bei starker Hitze unter häufigem Wenden etwa 2 Minuten anbraten. • Währenddessen den Schabzigerklee, das Macis und eventuell den Dillsamen zufügen; alles gründlich mischen. Die Pfanne vom Herd nehmen. • Die Möhre waschen und putzen. Die Zwiebeln schälen. Beides zusammen in der Moulinette fein zerkleinern oder reiben. • Das zerkleinerte Gemüse, die Kräuter, die Vollkornbrösel und das Ei zum gewürzten Tofu geben und alles gründlich mischen. Mit Salz abschmecken. • In einer anderen Pfanne das Öl erhitzen. Mit nassen Händen aus der Tofumasse kleine Frikadellen formen und im heißen Öl goldbraun braten, auf jeder Seite gut 5 Minuten.

Das paßt dazu: Naturreis, körnige Goldhirse (Rezept Seite 141), Vollkornnudeln oder Kartoffelpüree (Rezept Seite 189) und Salate.

Eiweißreich

Sojamark in Pilzsahne

Für das Sojamark:
50 g Vollsojamehl · 50 g Sojamehl fettarm ·
2 Eier · 2 Eßl. Sojasauce · 1 Eßl. Wasser ·
1 l Wasser · 1 gestrichener Teel. Salz
Für die Pilzsahne:
1 Eßl. Butter · 1 Zwiebel · 200 g frische
Champignons · etwa 2 Messerspitzen schwarzer
Pfeffer, frisch gemahlen · ½ Teel. Salz · Saft von
½ Zitrone · 1 Eßl. feingehackte Petersilie · 1 Be-
cher saure Sahne (200 g) · 1 Eßl. Pilz-Sojasauce ·
1 Eßl. Friate (Apfeldicksaft) · 3 Messerspitzen
edelsüßes Paprikapulver
Pro Portion etwa 795 Joule/190 Kalorien

Vorbereitungszeit: 25 Minuten
Garzeit: 13 Minuten

Das Sojamehl, die Eier, die Sojasauce und 1 Eßlöffel Wasser zu einem festen, glatten Teig verrühren, eventuell noch Wasser zugeben. • 1 l Wasser mit dem Salz zum Kochen bringen. Mit 2 Teelöffeln vom Teig kleine Klößchen abstechen und
diese in 10 Minuten bei kleiner Hitze gar kochen.
Die Klößchen mit einem Schaumlöffel herausnehmen und in kleine Würfel schneiden. • Die
Butter in einem Topf zerlaufen lassen. Die Zwiebel schälen, feinschneiden und in der Butter glasig braten. • Die Champignons waschen, putzen
und in Scheiben schneiden. Die vorbereiteten
Pilze in den Topf schütten und mit Pfeffer sowie
dem Salz bestreuen. Den Zitronensaft darübergießen und die Hälfte der feingehackten Petersilie darüberstreuen, umrühren. Die Pilze 10 Minuten zugedeckt bei schwacher Hitze garen. •
Die Sojamarkwürfel zufügen. • Die saure Sahne
mit der Pilz-Sojasauce, der Friate und dem Paprikapulver verquirlen, über Pilze und Sojamark
gießen und das Ganze zugedeckt 2-3 Minuten
durchziehen lassen. Mit Sojasauce, Pfeffer aus

der Mühle und Paprikapulver abschmecken. Die
restliche Petersilie untermischen und daraufstreuen.

Variante: Sojamark in Paprikasahne
1 feingeschnittene Zwiebel in 2 Eßlöffeln Öl glasig braten. 1 rote und 1 grüne Paprikaschote
längs vierteln, waschen, von Kernen und Stengelansatz befreien und die Stücke quer in feine
Streifen schneiden. Die Paprikastreifen zur
Zwiebel geben, unter Rühren im heißen Fett
2-3 Minuten anbraten. 4 Eßlöffel vom Soja-
mark-Kochwasser zufügen und das Ganze zugedeckt in 10 Minuten bei schwacher Hitze gar
dünsten. Das in Würfel geschnittene Sojamark
zufügen. 1 Becher saure Sahne mit ½-1 Teelöffel
edelsüßem Paprikapulver, 1 Eßlöffel Friate und
1 Eßlöffel Sojasauce verquirlen und über Gemüse und Sojamark gießen. Feingeschnittenen
Schnittlauch daruntermischen.

Schnell · Eiweißreich

Helles Sojamark

Wichtig für die Zubereitung des Sojamarks ist,
daß Sie wirklich nur feinpudriges Sojamehl verwenden und nicht feinen Schrot, der häufig auch
als Sojamehl verkauft wird.

Zutaten für etwa 400 g fertiges Sojamark:
50 g Vollsojamehl · 50 g Sojamehl fettarm ·
1 gestrichener Teel. Salz · ½ Teel. Delikata ·
1 Messerspitze Muskatblüte (Macis) · 2 Eier ·
3 Eßl. Wasser · 1 l Wasser · 1 gestrichener Teel.
Salz
Pro Portion etwa 605 Joule/145 Kalorien

Vorbereitungszeit: 5 Minuten
Garzeit: 10 Minuten

Die beiden Sojamehle mit dem Salz und den Gewürzen mischen. Die Eier und 3 Eßlöffel Wasser zufügen und alles zu einem glatten, festen Teig verrühren. • 1 l Wasser mit dem Koch- oder Meersalz zum Kochen bringen. Vom Teig mit zwei Teelöffeln kleine Klößchen abstechen oder formen (die Klößchen werden nach dem Kochen mindestens doppelt so groß sein!). Die Sojaklößchen zugedeckt 10 Minuten bei schwacher Hitze gar kochen. • Mit einem Schaumlöffel herausheben. Das Kochwasser (etwa ½ l bleibt übrig) für eine Suppe verwenden.

> **Unser Tip** Die Klößchen schmecken besonders gut in feinen Gemüsesuppen.

Eiweißreich · Ganz einfach · Schnell

Sojaküchle

Diese Sojaküchle sind richtige »Proteinbomben«, denn sie enthalten besonders viel wertvolles Eiweiß.

100 g gekörntes Sojamark (Hackfleischart) · ⅜ l Wasser · 2 große Zwiebeln · 3 Knoblauchzehen · 2 gehäufte Eßl. Miso (Sojapaste) · 50 g zarte Haferflocken · 3 gestrichene Eßl. Sojamehl · 3 gestrichene Eßl. Edelhefeflocken · 2 Eier · 1 Teel. frisches, feingehacktes oder getrocknetes, gerebeltes Basilikum · Öl zum Braten
Pro Portion etwa 1480 Joule/350 Kalorien

Vorbereitungszeit: 10 Minuten
Bratzeit: 10 Minuten

Das Sojamark in eine Schüssel geben und mit ¼ l kochendem Wasser übergießen. • Die Zwiebeln und die Knoblauchzehen schälen und in der Moulinette zerkleinern oder mit dem Messer feinschneiden. • Das Miso in einem Schüsselchen mit ⅛ l heißem Wasser übergießen, mit einer Gabel zerdrücken, glattrühren. Die zerkleinerten Zwiebeln und Knoblauchzehen, das angerührte Miso, die Haferflocken, das Sojamehl, die Hefeflocken, die Eier und das Basilikum zu dem Sojamark in die Schüssel geben und alles gut mischen. • Öl in einer Pfanne erhitzen. Mit einem Eßlöffel Häufchen vom Teig in das heiße Fett setzen und die Küchle auf jeder Seite in etwa 5 Minuten knusprig braun braten.

Das paßt dazu: Gurkensalat oder bunter Salat.

Variante: Die Sojamasse eignet sich auch gut zum Füllen von Gurken oder Zucchini. Sie werden ausgehöhlt und mit der Sojamasse gefüllt. Mit wenig Wasser in eine Deckelpfanne setzen und in etwa 15 Minuten zugedeckt gar dünsten. Das fertige Gericht mit Butterflöckchen belegen und mit feingehackten Kräutern bestreuen.

> **Unser Tip** Falls kein Miso zur Verfügung steht, bereiten Sie den Teig mit Kräutersalz nach Geschmack zu. Dann aber noch mit etwas Pfeffer und Paprikapulver nachwürzen.

Eiweißreich

Ragoût fin mit Sojamark

Für das Sojamark:
50 g Vollsojamehl · 50 g Sojamehl fettarm ·
1 gestrichener Teel. Salz · ½ Teel. Delikata ·
1 Messerspitze Muskatblüte (Macis) · 2 Eier ·

3 Eßl. Wasser · 1 l Wasser · 1 gestrichener Teel.
Salz
Für die Sauce:
150 g frische Champignons · Salz · Saft von
1 Zitrone · 2 gestrichene Eßl. Arrowroot, ersatz-
weise Maisstärkepuder · ½ Becher Sahne (100 g) ·
2 Eigelbe · etwa 2 Messerspitzen weißer Pfeffer,
frisch gemahlen · 1 Eßl. feingehackte Petersilie
Pro Portion etwa 1240 Joule/295 Kalorien

Vorbereitungszeit: 25 Minuten
Garzeit: 10 Minuten

Die beiden Sojamehle mit dem Salz und den Gewürzen mischen. Die Eier und 3 Eßlöffel Wasser
zufügen und alles zu einem glatten, festen Teig
verrühren. 1 l Wasser mit dem Salz zum Kochen
bringen. Vom Teig mit 2 Teelöffeln kleine Klößchen formen. Die Sojaklößchen zugedeckt bei
schwacher Hitze in 10 Minuten gar kochen. Mit
einem Schaumlöffel aus des Kochbrühe nehmen. • Die restliche Brühe abmessen, ½ l soll im
Topf sein. • Die Pilze waschen, putzen und je
nach Größe halbieren, vierteln oder ganz lassen.
10 Minuten in wenig leicht gesalzenem Wasser
mit etwas Zitronensaft gar kochen, dann mit einem Schaumlöffel herausheben und in den Topf
mit der Sojamarkbrühe geben. • Das Arrowroot
mit etwas Wasser anrühren. Die Brühe mit den
Pilzen wieder zum Kochen bringen. Das angerührte Arrowroot hineingießen, umrühren und
ein paarmal aufkochen lassen. • Den Topf vom
Herd nehmen. Die Sahne mit den Eigelben, Zitronensaft und dem Pfeffer verquirlen und unter
die Sauce rühren. • Das Sojamark in etwa 1 cm
große Würfel schneiden und zusammen mit der
Petersilie unter die Sauce mischen. Das Ragout
mit weißem Pfeffer, Zitronensaft und eventuell
etwas Salz abschmecken.

Das paßt dazu: Kartoffelpüree (Rezept Seite 189), oder körnige Goldhirse oder Naturreis
(Rezepte Seite 141 und 196).

Variante: Wenn Sie 2 Teelöffel feingehackte Kapern und 1 sehr fein gehacktes Sardellenfilet unter das Ragoût fin mischen, schmeckt es etwas
kräftiger und »originaler«.

Unser Tip Sie können das Ragoût
fin auch in selbstgebackene Blätterteig-
pastetchen füllen. Vollkornblätterteig erhalten Sie im Reformhaus.

Ganz einfach · Eiweißreich

Klopse nach Königsberger Art

1 Zwiebel · 1 Eßl. Butter · 50 g Vollsojamehl ·
50 g Sojamehl fettarm · 2 Messerspitzen weißer
Pfeffer, frisch gemahlen · 2 Teel. Kapern ·
2 Eßl. Sojasauce · 3 Eier · ¾ l Wasser · 3 Eßl.
Weißwein · 2 gestrichene Teel. Arrowroot, ersatz-
weise Maisstärkepulver · 100 g Crème fraîche ·
1 Eßl. Apfelessig · 1 gestrichener Teel. Salz ·
je 1 Eßl. feingehackte Petersilie und Dill
Pro Portion etwa 1275 Joule/305 Kalorien

Vorbereitungszeit: 15 Minuten
Garzeit: 10 Minuten

Die Zwiebel schälen, feinschneiden und in der
Butter glasig braten. Die beiden Sojamehle mit
1 Messerspitze Pfeffer mischen. Die Kapern
feinhacken und die Hälfte zur Mehlmischung
geben. Die vorbereitete Zwiebel, 1 Eßlöffel Sojasauce, 2 Eier und 1 Eiweiß (das Eigelb beiseite-
stellen) hinzufügen und alles zu einem glatten,
festen Teig verrühren. • Das Wasser mit 2 Eßlöffeln Wein und 1 Eßlöffel Sojasauce zum Kochen

bringen. • Aus dem Teig mit nassen Händen walnußgroße Kugeln formen und im Wasser 10 Minuten bei schwacher Hitze zugedeckt garen. • Das Arrowroot mit wenig Wasser anrühren, in die kochende Brühe gießen, umrühren und ein paarmal aufkochen lassen. Den Topf vom Herd nehmen. Die Crème fraîche mit dem zurückbehaltenen Eigelb, dem Essig, dem Salz und 1 Eßlöffel Wein verquirlen und unter die Sauce rühren. Die feingehackten Kräuter einmischen. Die Sauce eventuell noch mit etwas weißem Pfeffer abschmecken und das Gericht sofort servieren.

Das paßt dazu: Salzkartoffeln und grüner Salat.

Unser Tip Wenn Sie wollen, können Sie noch 2–3 ganz fein gehackte Sardellen unter die Sauce mischen.

Braucht etwas Zeit

Soja-Backlinge

Backlinge und Bratlinge mögen alle Vegetarier gern. Ist das etwa so, weil sie wie die vielgeliebten Hackfleischfrikadellen aussehen? Im Geschmack können es Backlinge aus Hülsenfrüchten in der Tat mit diesen aufnehmen. Viele interessante Zutaten machen sie saftig und lecker. Auch Reste von Hülsenfruchtgerichten lassen sich auf diese Art schmackhaft »verbraten«.

200 g gelbe Sojabohnen · 1¼ l Wasser · 2 Teel. getrocknetes Liebstöckel · 150 g mittelfeiner Grünkernschrot · 1 Stange Lauch/Porree · 1 Möhre · 1 kleines Stück Sellerieknolle · 1 kleine Zwiebel · 3 Eßl. Öl · 1–2 Teel. Salz · 1 Messerspitze Cayennepfeffer · 1 Eßl. mildes Paprikapulver · 3 Eßl. Sojamehl · 3 Eßl. Vollkornzwiebackmehl
Für das Backblech: Öl
Pro Portion etwa 2035 Joule/485 Kalorien

Quellzeit: 8–12 Stunden
Zubereitungszeit: 1¾ Stunden

Die Sojabohnen waschen und in ½ l Wasser 8–12 Stunden, am besten über Nacht, quellen lassen. • Die Sojabohnen mit dem Liebstöckel im Einweichwasser zum Kochen bringen und zugedeckt bei schwacher Hitze in etwa 1 Stunde garen. • Inzwischen den Grünkernschrot mit ¼ l Wasser übergießen und 30 Minuten einweichen. Vom Lauch die harten Blattspitzen abschneiden und welke Blätter entfernen. Den Lauch zweimal der Länge nach aufschlitzen, unter fließendem Wasser sehr gründlich waschen und in dünne Scheiben schneiden. Die Möhre und den Sellerie unter fließendem Wasser gründlich bürsten, schlechte Stellen entfernen und beides in sehr kleine Würfel schneiden. Die Zwiebel schälen und ebenfalls kleinwürfeln. Das Öl erhitzen. Das kleingeschnittene Gemüse und die Zwiebel unter Wenden im Öl braten, bis die Würfel fast weich sind, jedoch nicht bräunen lassen. • Für den Grünkernschrot den restlichen ½ l Wasser zum Kochen bringen. Den Grünkern einrühren, aufkochen, bei schwacher Hitze 5 Minuten köcheln und dann bei ganz schwacher Hitze (Drahtuntersatz) 30 Minuten ausquellen lassen. • Die gegarten Sojabohnen durch die feinste Scheibe des Fleischwolfes drehen und mit dem gebratenen Gemüse und dem Grünkernschrotbrei mischen. Die Masse mit dem Salz, dem Cayennepfeffer und dem Paprikapulver würzen und so viel Sojamehl unterarbeiten, daß ein formbarer, nicht zu fester Teig entsteht. • Den Backofen auf 180° vorheizen. • Ein Backblech dünn mit Öl einfetten. Aus dem Sojateig mit nassen Händen Backlinge wie Frikadellen formen und einzeln im Zwiebackmehl wenden. Die Backlinge auf das

Blech legen und in etwa 30 Minuten im Backofen goldgelb backen. Nach 20 Minuten Backzeit einmal wenden.

Das paßt dazu: Rohkostsalate.

Unser Tip Die Backlinge können
auch in der Pfanne gebraten werden;
bei schwacher Hitze von jeder Seite
8–10 Minuten. Statt Zwiebackmehl
goldgelb gerösteten Sesam verwenden.
Das verleiht den Backlingen ein köstliches Nußaroma. Doch Backlinge sind
gesünder als Bratlinge, da beim Backen
weniger Fett benötigt wird.

Ganz einfach

Soja-Chapatis

*150 g Sojamehl · 150 g Weizenmehl der Type
1050 · ¼ Teel. Salz · etwa ½ l Wasser · 50 g
Butter*
Pro Portion etwa 1240 Joule/295 Kalorien

Vorbereitungszeit: 15 Minuten
Bratzeit: 15 Minuten

Das Sojamehl mit dem Weizenmehl und dem
Salz mischen und nach und nach so viel Wasser
unterkneten, daß ein fester Teig entsteht. Den
Teig so lange kneten, bis er glatt und geschmei-
dig ist, zur Rolle formen und in 8 gleichgroße
Stücke teilen. • Die Teigportionen auf einer
leicht bemehlten Arbeitsplatte kreisrund und
dünn ausrollen. • Eine beschichtete Bratpfanne
ohne Fettzugabe gut heiß werden lassen und die
Chapatis darin von beiden Seiten etwa 30 Sekun-

den backen. Dabei die Oberfläche jeweils mit einem sauberen Küchentuch leicht anpressen, bis
die Unterseite braune Stellen aufweist. Die fertigen Chapatis warm halten, bis alle gebacken
sind. Zuletzt die Butter zerlassen und die Chapatis damit beträufeln.

Paßt gut zu: Gerichten aus Linsen und dunklen
Bohnen.

Ganz einfach · Preiswert · Eiweißreich

Pikantes Ragout

*2 große Zwiebeln · 2 Knoblauchzehen · 4 Eßl.
Olivenöl · 100 g gekörntes Sojamark ·
1 Fenchelknolle · je 1 grüne und rote
Paprikaschote · 500 g Tomaten · ⅛ l Wasser ·
2 Eßl. Sojasauce · 1 Teel. getrockneter Oregano ·
2 Messerspitzen Piccata · 100 g Crème fraîche ·
1 Bund Schnittlauch*
Pro Portion etwa 1430 Joule/340 Kalorien

Vorbereitungszeit: 25 Minuten
Garzeit: 15 Minuten

Die Zwiebeln und die Knoblauchzehen schälen
und würfeln beziehungsweise feinschneiden.
Das Olivenöl in einem Topf erhitzen und die
Zwiebeln sowie den Knoblauch darin glasig braten. Das Sojamark hinzufügen und unter Wenden noch 2–3 Minuten anbraten. • Die Fenchelknolle waschen, putzen und feinschneiden. Die
Paprikaschoten längs achteln, waschen, von den
Stengelansätzen und den Kernen befreien und
quer in 3–4 mm breite Streifen schneiden. Die
Tomaten waschen und achteln. Das vorbereitete
Gemüse zum Sojamark und den Zwiebeln geben. Ebenfalls 2–3 Minuten unter gelegentlichem Wenden anbraten. Das Wasser und die Gewürze zufügen. Den Deckel schließen und das

Ragout in etwa 15 Minuten gar dünsten. • Den Topf vom Herd nehmen. Die Crème fraîche und den feingeschnittenen Schnittlauch unter das fertige Gericht mischen. Mit Sojasauce abschmekken.

Das paßt dazu: Naturreis oder Vollkornnudeln.

Variante: Fenchel ist nicht immer erhältlich. Das Ragout schmeckt auch ohne die Fenchelknolle, muß dann aber mit etwas frisch gemahlenem Pfeffer abgeschmeckt werden.

Variante: Pikante Pizza

Das Ragout ist auch ein vorzüglicher Pizzabelag. Das Ragout bereiten Sie nur mit 4 Eßlöffeln Wasser zu (den Schnittlauch für später aufheben) und mischen 200 g geriebenen Emmentaler Käse darunter, streichen die Masse auf den Teig und backen die Pizza 30–40 Minuten bei starker Hitze. Oder Sie lassen den geriebenen Käse weg, backen wie oben angegeben, belegen die fertige Pizza mit Käsescheiben und lassen sie dann noch im Ofen, bis der Käse zerlaufen ist. Den feingeschnittenen Schnittlauch streuen Sie kurz vor dem Servieren auf die Pizza. Ganz ohne Käse haben Sie einen feinen Gemüsekuchen.

Braucht etwas Zeit

Linsen in Auberginen

300 g braune Linsen · 1 l Wasser · 1 Knoblauchzehe · 1 Lorbeerblatt · 1 altbackenes Vollkornbrötchen · 1 Möhre · 100 g Stangensellerie (2 Stangen) · 1 Zwiebel · 2 Eßl. Öl · 1 Eßl. gekörnte Gemüsebrühe · 1 Teel. Selleriesalz · 2 Eßl. Apfelessig · 2 Eßl. Tahin (Sesampaste) oder Nußmus · 2 mittelgroße Auberginen · 1 Teel. Salz · ½ l naturreiner Tomatensaft · ½ Teel. gemahlener Piment · 1 Teel. mildes Paprikapulver

Pro Portion etwa 1930 Joule / 460 Kalorien

Quellzeit: 2 Stunden
Zubereitungszeit: 1½ Stunden

Die Linsen waschen und in dem Wasser 2 Stunden quellen lassen. • Die Knoblauchzehe schälen, mit dem Lorbeer zu den Linsen geben und diese im Einweichwasser zugedeckt bei schwacher Hitze 30 Minuten kochen lassen. • Inzwischen das Brötchen von Wasser bedeckt weichen lassen. Die Möhre unter fließendem Wasser sehr gründlich bürsten und putzen. Die Möhre in kleine Würfel schneiden. Den Sellerie waschen und in dünne Streifen schneiden. Die Zwiebel schälen und würfeln. • Das Öl in einem flachen Topf mit breitem Durchmesser erhitzen und das zerkleinerte Gemüse darin unter Wenden anbraten. • Das Lorbeerblatt aus den Linsen entfernen, die Linsen zum Gemüse geben und mit der gekörnten Gemüsebrühe, dem Selleriesalz und dem Apfelessig würzen. Das Tahin oder das Nußmus unterrühren, etwas Wasser hinzufügen und alles bei schwacher Hitze im offenen Topf 20 Minuten köcheln lassen. • Den Backofen auf 220° vorheizen. • Die Auberginen waschen, abtrocknen, längs halbieren und auf einem leicht eingefetteten Backblech 10 Minuten im Backofen backen. Die Auberginenhälften bis auf einen 1–2 cm dicken Rand aushöhlen. Das herausgelöste Auberginenfleisch feinhacken und zu den Linsen geben. • Das Brötchen ausdrücken, zerpflücken und sorgfältig unter die Linsenmischung rühren. Die ausgehöhlten Auberginenhälften innen mit Salz bestreuen und mit der Linsenmasse füllen. Die gefüllten Auberginen in eine flache feuerfeste Form legen. • Den Tomatensaft mit dem Piment und dem Paprikapulver würzen, über die Auberginen gießen und diese etwa 30 Minuten auf der mittleren Schiene bei 200° im Backofen garen.

Braucht etwas Zeit

Fritierte Kichererbsenbällchen

Sie werden im ganzen Vorderen Orient geliebt und wie bei uns die heißen Würstchen auf den Straßen feilgeboten. Reichen Sie sie einmal als Partysnack statt der sonst üblichen gebratenen Fleischbällchen. Sie werden sicher viel Lob dafür ernten. Für die hier beschriebene Version wird ein elektrischer Mixer benötigt. Wenn ein solcher nicht vorhanden ist, müssen die Kichererbsen zuvor weich gekocht und anschließend durch den Fleischwolf gedreht werden.

300 g Kichererbsen · ¾ l Wasser · 1 altbackenes Vollkornbrötchen · 3 Zwiebeln · je 1 Bund Dill, Petersilie und Schnittlauch · 2 Teel. frische oder 1 Teel. getrocknete Pfefferminzblätter · 2 Eßl. Weizenvollkornmehl · 2 Eßl. gemahlener Koriander · 1 Eßl. gemahlener Kreuzkümmel oder Kümmel · 2 Messerspitzen Cayennepfeffer · 2–3 Teel. Salz · 3 Eßl. Sesamkörner · ½ l Öl
Pro Portion etwa 1870 Joule/445 Kalorien

Quellzeit: 24 Stunden
Zubereitungszeit: 1¾ Stunden

Die Kichererbsen waschen und in dem Wasser 24 Stunden quellen lassen. • Am Tag der Zubereitung das Brötchen in Wasser einweichen. Die Kichererbsen portionsweise im Mixer pürieren. • Die Zwiebeln schälen und in sehr kleine Würfel schneiden. Die Kräuter waschen, trockenschleudern und feinschneiden. • Das Kichererbsenpüree mit dem Mehl, den Zwiebeln, den Kräutern, dem Koriander, dem Kümmel, dem Cayennepfeffer und dem gut ausgedrückten Brötchen mischen und mit dem Salz abschmekken. Die Masse 1 Stunde ruhen lassen. • Mit nassen Händen 2–3 cm große Bällchen daraus for-

men und diese in den Sesamkörner wälzen. Das Öl in einer Friteuse oder in einem Topf auf 200° erhitzen. Es hat die richtige Temperatur, wenn ein etwa 1 cm großer Brotwürfel darin in etwa 30 Sekunden rundherum goldbraun wird. Die Kircherbsenbällchen portionsweise im heißen Öl rundherum in etwa 3 Minuten goldbraun fritieren und auf saugfähigem Papier abtropfen lassen.

Das paßt dazu: Tahin (Sesampaste) und hartgekochte geviertelte Eier.

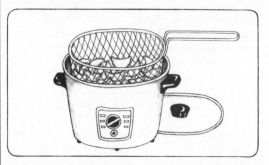

Beim Backen in der Friteuse muß das Fritiergut stets genügend Platz haben, damit es frei schwimmend ausgebacken werden kann.

Braucht etwas Zeit · Ballaststoffreich

Linsentorte

300 g Linsen · 2 Möhren · 1 Stück Sellerieknolle · 1 große Zwiebel · 2 Gewürznelken · 1 Lorbeerblatt · 1 Stück unbehandelte Zitronenschale · 2 Eßl. Butter · 2 Eier · 3–5 Eßl. Vollkornbrösel · Saft von ½ Zitrone · 1–2 Teel. Salz
Für die Form: 2 Teel. Öl
Pro Portion etwa 1745 Joule/415 Kalorien

Quellzeit: 2 Stunden
Vorbereitungszeit: 1¼ Stunden
Backzeit: 30 Minuten

Die Linsen waschen, verlesen und von Wasser bedeckt 2 Stunden weichen lassen. • Die Möhren und den Sellerie waschen, putzen und kleinschneiden. Die Zwiebel schälen, mit den Nelken und dem Lorbeerblatt bestecken, und mit der Zitronenschale, den Möhren und dem Sellerie zu den Linsen geben. Die Linsen zugedeckt bei schwacher Hitze in etwa 1 Stunde weich kochen, wenn nötig, noch wenig Wasser nachfüllen. Die Flüssigkeit soll zuletzt völlig aufgesogen sein. • Die Zwiebel und die Zitronenschale entfernen und die Linsen durch ein Sieb in eine Schüssel streichen. • Den Backofen auf 180° vorheizen. • Die Butter unter das Linsenpüree rühren. Die Eier verquirlen und unter den Linsenbrei mischen. So viel Vollkornbrösel unterrühren, daß ein nicht allzu fester Brei entsteht. Den Zitronensaft und das Salz hinzufügen. Eine Springform von 22 cm Durchmesser einölen, die Linsenmasse einfüllen und im Backofen 30 Minuten backen.

Das paßt dazu: ein grüner Salat oder Sauerkrautsalat und Tomatensauce.

Unser Tip Für die Tomatensauce vollreife Früchte kleinschneiden, 3 Minuten bei starker Hitze andünsten und durch ein Sieb streichen. Mit wenig Salz, etwas Honig, gemahlenem Piment und frischen, gehackten Kräutern (Basilikum, Thymian) würzen. Im Winter können dazu auch Tomaten aus der Dose verwendet werden, die zu dieser Jahreszeit von besserer Qualität als frische Tomaten sind.

Braucht etwas Zeit · Ballaststoffreich

Ägyptisches Bohnengericht

Dieses Gericht, das in Ägypten »Fuhl medames« genannt wird, verdankt seinen würzigen Geschmack dem Knoblauch, der Peperone, dem Kreuzkümmel und dem Cayennepfeffer.

400 g braune Bohnen · 1½ l Wasser · 3 Knoblauchzehen · 2 Fleischtomaten · 2 rote Paprikaschoten · 1 Bund Frühlingszwiebeln · 1 rote Peperone, frisch oder getrocknet · 2 Eßl. Butter · 4 Eßl. Tahin (Sesampaste) · 2 Teel. Kreuzkümmel · 2 Teel. Salz · 1 Messerspitze Cayennepfeffer
Pro Portion etwa 2540 Joule/605 Kalorien

Quellzeit: 8–12 Stunden
Zubereitungszeit: 1½–2 Stunden

Die Bohnen waschen und in dem Wasser 8–12 Stunden, am besten über Nacht, quellen lassen. • Die Knoblauchzehen schälen. Die Bohnen mit 2 Knoblauchzehen im Einweichwasser zum Kochen bringen und zugedeckt bei schwacher Hitze in 1–1½ Stunden weich kochen. Wenn nötig, noch etwas heißes Wasser nachfüllen. • Die Tomaten waschen, nach Belieben häuten und grobhacken. Die Paprikaschoten waschen, vierteln und die Viertel in dünne Streifen schneiden. Die Frühlingszwiebeln waschen und mit dem Grün sehr fein schneiden. Die frische Peperone waschen und sehr fein hacken, getrocknete im Mörser zerstoßen oder zerreiben. • Die Butter unter die gegarten Bohnen rühren. • Das Tahin in einem flachen Topf bei schwacher Hitze unter Rühren weich werden lassen. Wenn die Sesampaste sehr fest ist, etwas heißes Wasser zugeben. Das zerkleinerte Gemüse hinzufügen und alles bei schwacher Hitze 10 Minuten dünsten. Dabei hin und wieder umrühren. Die Mischung zu den Bohnen geben. • Das Gericht mit dem Kreuzkümmel, dem Salz und dem Cayennepfeffer würzen. Die dritte Knoblauchzehe darüber auspressen und unterrühren. Vor dem Servieren noch 5 Minuten bei schwacher Hitze ziehen lassen.

Das paßt dazu: Bulgur mit Zwiebeln und Kräutern (Rezept Seite 144) und Kresse-Salat (Rezept Seite 40)

Ganz einfach · Preiswert

Süßes indisches Erbsenpüree

Das Originalrezept schreibt geschälte Erbsen vor. In diesem Fall können auch wir einmal von der Regel abweichen und für dieses geschmacklich sehr feine Gericht Schälerbsen verwenden. Will man ungeschälte Erbsen verwenden, muß man sie im Mixer sehr fein pürieren.

350 g Schälerbsen · 75 g ungeschwefelte Rosinen · 1¼ l Wasser · 3 Eßl. Butter · 2 Messerspitzen gemahlener Anis · 1 Teel. gemahlener Koriander · je 1 Messerspitze gemahlene Nelken und gemahlener Caneel (indischer Zimt) · 1–2 Teel. Salz · 1 Eßl. Honig · ⅛ l Sahne · 3 Eßl. Kokosraspel
Pro Portion etwa 2500 Joule/595 Kalorien

Zubereitungszeit: 1–1¼ Stunde

Die Schälerbsen waschen und sehr gut abtropfen lassen. Die Rosinen ebenfalls waschen, abtropfen lassen und anschließend in einem Küchentuch trockentupfen. • Die Erbsen in einem Topf ohne Fettzugabe rösten, bis sie angenehm duften, mit dem Wasser übergießen, zum Kochen

bringen und in 45–60 Minuten zugedeckt bei schwacher Hitze weich kochen. • Die Rosinen inzwischen bei schwacher Hitze in der Butter braten, bis sie aufquellen. • Die Erbsen pürieren und mit den Gewürzen, dem Salz und dem Honig würzen. Die Rosinen unterrühren. Die Sahne cremig schlagen und unter das Püree ziehen. Die Kokosraspel in einer Pfanne ohne Fett goldgelb rösten und das Erbsenpüree damit bestreuen.

Braucht etwas Zeit · Ballaststoffreich

Schwarze Bohnen mit Spinat

350 g schwarze Bohnen · 1¼ l Wasser · 1 Teel. Curcuma (Gelbwurz) · 2 Teel. frisch geriebene Ingwerwurzel · 1 Stück unbehandelte Zitronenschale · 500 g frischer Spinat · 1 Prise Cayennepfeffer · 2–3 Teel. Salz · 6 Knoblauchzehen · 5 Frühlingszwiebeln mit dem Grün oder 1 große Zwiebel · 1 Teel. Kreuzkümmel · 3 Eßl. Öl · 2 Eßl. Butter
Pro Portion etwa 1955 Joule/465 Kalorien

Quellzeit: 8–12 Stunden
Zubereitungszeit: 1¾–2¼ Stunden

Die Bohnen waschen und in dem Wasser 8–12 Stunden, am besten über Nacht, quellen lassen. • Die Bohnen mit dem Curcuma, dem Ingwer und der Zitronenschale im Einweichwasser zum Kochen bringen und zugedeckt bei schwacher Hitze etwa 1½ Stunden köcheln lassen. Gegebenenfalls noch etwas heißes Wasser nachfüllen. • Wenn die Bohnen fast weich sind, den Spinat verlesen, gründlich waschen und, falls die Blätter grob sind, etwas kleinschneiden. Bei zarten Blättern ist das nicht nötig. Den Spinat unter die Bohnen mischen, den Cayennepfeffer und das Salz hinzufügen und alles zugedeckt weitere 10 Minuten kochen lassen. • Inzwischen die Knoblauchzehen schälen und feinhacken. Die Frühlingszwiebeln waschen, abtropfen lassen und kleinschneiden oder die Zwiebel schälen und würfeln. Den Knoblauch und die Zwiebeln mit dem Kreuzkümmel im Öl goldgelb braten und unter die Bohnen und den Spinat mischen. • Die Butter in einer Pfanne schmelzen, aber nicht braun werden lassen und zuletzt auf das Bohnengericht träufeln.

Das paßt dazu: Reisschrot-Backlinge (Rezept Seite 198).

Braucht etwas Zeit

Grüne-Erbsen-Pudding

400 g getrocknete grüne Erbsen · 1½ l Wasser · 1 Teel. Koriander · ½ Teel. Fenchelsamen · 3 Eßl. Buchweizenmehl · 50 g Butter · 1 Eßl. gekörnte Gemüsebrühe · 2 Teel. Salz · 2 Teel. getrockneter Majoran · 1 Teel. Honig · ¼ Teel. gemahlener Piment · 1 Bund Petersilie · 3 Eßl. Vollkornbrösel Pro Portion etwa 2310 Joule/550 Kalorien

Quellzeit: 8–12 Stunden
Zubereitungszeit: 3 Stunden

Die Erbsen waschen und in dem Wasser 8–12 Stunden, am besten über Nacht, quellen lassen. • Die Erbsen im Einweichwasser mit dem Koriander und dem Fenchelsamen zum Kochen bringen und zugedeckt bei schwacher Hitze in 1½–2 Stunden weich kochen. Wenn nötig, noch etwas heißes Wasser nachfüllen. Die Erbsen dann mit dem Rest des Kochwassers portionsweise im Mixer nicht zu fein pürieren oder durch den Fleischwolf drehen. • Das Buchweizenmehl unterrühren und die Butter - bis auf 1 Teelöffel -

in Flöckchen unterarbeiten. In einem großen Topf Wasser für ein Wasserbad zum Kochen bringen. Das Püree mit der gekörnten Brühe, dem Salz, dem Majoran, dem Honig und dem Piment würzen. • Die Petersilie waschen, trockenschleudern, sehr fein hacken und unterrühren. • Eine Puddingform mit Deckel mit der restlichen Butter ausstreichen und mit den Vollkornbröseln ausstreuen. Das Erbsenpüree einfüllen. Die Form verschließen, den Erbsenpudding 1 Stunde im fast kochenden Wasserbad garen und anschließend aus der Form auf eine Platte stürzen.

Das paßt dazu: gebackene Kümmelkartoffeln (Rezept Seite 191).

Soll ein Gericht schonend gegart werden, stellt man den Topf in einen Topf mit Wasser. Beim Wasserbad darf das Wasser nur bis kurz vor den Siedepunkt erhitzt werden, also nicht kochen.

Kartoffel-Delikatessen

Die Urheimat der Kartoffel liegt in den Hochtälern Südamerikas. Dort wurde sie schon in den ersten Jahrhunderten nach Christi Geburt von den Indianern angepflanzt. Spanische Seefahrer brachten die Kartoffel dann im 16. Jahrhundert nach Europa. Doch nicht die Knolle schätzte man, sondern die hübsche Blüte, weswegen sie in den Gärten als Zierpflanze gehalten und als botanische Seltenheit bestaunt wurde.

Daß die Kartoffel schließlich auch als Lebensmittel akzeptiert wurde, ist unter anderem ein Verdienst Friedrich des Großen. Weil seine preußischen Bauern trotz Hungersnot die Knolle nicht verzehren wollten, bediente er sich einer List. Er ließ die Kartoffelfelder durch Soldaten bewachen, so daß die Bauern annahmen, es handle sich um etwas besonders Kostbares. Bei Diebstählen drückten dann die Bewacher beide Augen zu und so fand die Kartoffel ihren Weg auf die Felder der Bauern. Manche Hungersnot wurde durch die Kartoffel gelindert.

Heute schätzen wir die Kartoffel wegen ihrer Vielseitigkeit und ihres guten Geschmacks. Man kann sie kochen, braten, dämpfen und gratinieren, allein oder zusammen mit anderen Lebensmitteln. Neue Pellkartoffeln mit einem Stückchen Butter oder einem würzigen Käse sind für sich allein schon ein besonderer Genuß. In der Vollwertküche können wir die Kartoffel gut verwenden, denn sie enthält hochwertiges Eiweiß, viele Vitamine, insbesondere Vitamin C, zahlreiche Mineralstoffe und wertvolle, mehrfach ungesättigte Fettsäuren. Und weil sich Mineralstoffe und Fett direkt unter der Schale befinden, sollten Kartoffeln nicht geschält werden. Schält man rohe Kartoffeln, werden Fett und Mineralstoffe fast vollständig entfernt, bei gekochten Pellkartoffeln teilweise. Dazu dürfen die Kartoffeln aber nicht mit Keimhemmungsmitteln behandelt worden sein, und sie sollten auch noch nicht keimen. Wissen Sie nicht sicher, ob die Kartoffeln mit chemischen Keimhemmern behandelt worden sind oder nicht, dann ist es besser, sie zu schälen. Kartoffeln aus biologischem Anbau sind wegen ihres guten Geschmacks ohnehin die bessere Grundlage für Kartoffel-Delikatessen. Damit Mineralstoffe und Vitamine nicht ausgelaugt werden, kocht man Kartoffeln in nur ganz wenig Wasser und nicht, wie früher üblich, knapp bedeckt.

Kartoffeln gehören übrigens auch in der Vollwertküche zu den wenigen Gemüsen, die man nicht roh verzehren sollte. Rohe Kartoffelstärke kann vom Körper nicht ausgenutzt werden und ist daher schlecht bekömmlich. Gekochte Kartoffelstärke ist dagegen leicht verdaulich, der Anteil der Stärke (Kohlenhydrate) liegt bei 16 bis 20 Prozent. 100 g Kartoffeln haben nur 72 Kalorien, ihr Ruf als Dickmacher ist also auf keinen Fall gerechtfertigt. Das trifft nur für Pommes frites zu, doch sind es dabei nicht die Kartoffeln, die dick machen, sondern das von ihnen aufgesogene Fett.

Ganz einfach · Schnell

Dämpfkartoffeln

1 kg Kartoffeln · gut ⅛ l Wasser · 2 gestrichene Eßl. gekörnte Gemüsebrühe · 1 Teel. Knoblauchsalz oder Knoblauchgranulat (Geschmack etwas intensiver) · 1 Teel. Kümmel · 1 Eßl. feingeschnittener Schnittlauch oder 1 Eßl. feingehackte Petersilie
Pro Portion etwa 750 Joule/180 Kalorien

<u>Vorbereitungszeit:</u> 5–10 Minuten
<u>Garzeit:</u> 10–15 Minuten

Die Kartoffeln gut bürsten und mit der Schale in Scheiben schneiden. • Inzwischen das Wasser in einer Deckelpfanne erhitzen. Die Hälfte der Kartoffelscheiben gleichmäßig in der Pfanne verteilen, mit der Hälfte der gekörnten Brühe, des Knoblauchsalzes und des Kümmels gleichmäßig bestreuen. Die zweite Hälfte Kartoffelscheiben einfüllen und mit dem Rest der Gewürze bestreuen. Den Deckel schließen. Die Kartoffeln in etwa 10–15 Minuten gar dünsten. Mit feingeschnittenen Kräutern bestreut servieren.

Das paßt dazu: grüne Salate (Rezept Seite 40) oder Chicorée in Nußcreme (Rezept Seite 98).

Variante: Zwiebel-Dämpfkartoffeln
Zuerst 1–2 zerkleinerte Zwiebeln in Butter oder Öl goldgelb braten und dann darauf die Dämpfkartoffeln bereiten, wie oben beschrieben.

Variante: Majorankartoffeln
Wie Zwiebel-Dämpfkartoffeln. Als Gewürz, das über die beiden Kartoffellagen gestreut wird, nur jeweils 1 leicht gehäuften Eßlöffel gekörnte Gemüsebrühe und 1 gehäuften Teelöffel getrockneten, gerebelten Majoran nehmen. Majorankartoffeln passen gut zu allem Herzhaften.

Schnell · Preiswert · Ganz einfach

Delikate Kartoffelpfanne

Bild Seite 258

1 kg Kartoffeln · gut ⅛ l Wasser · 1 gestrichener Eßl. gekörnte Gemüsebrühe · 2 Eßl. Sojasauce · 100 g enthülste frische oder tiefgefrorene grüne Erbsen · 500 g Tomaten · 5 Eier · 1 Becher Sahne (200 g) · 2 gehäufte Eßl. Edelhefeflocken · 1 Teel. Salz · 1 gestrichener Teel. Delikata · 2 Messerspitzen schwarzer Pfeffer, frisch gemahlen · 2 Messerspitzen Piccata · 1 Bund Schnittlauch
Pro Portion etwa 1850 Joule/440 Kalorien

Vorbereitungszeit: 10 Minuten
Garzeit: 20 Minuten

Die Kartoffeln gut bürsten und mit der Schale in Würfel schneiden. Mit dem Wasser in eine große Deckelpfanne geben. Die gekörnte Brühe darüberstreuen, die Sojasauce gleichmäßig daraufträufeln. Die Erbsen obenauf verteilen. Den Deckel schließen und die Kartoffeln und Erbsen in etwa 10–15 Minuten garen. • Inzwischen die Tomaten waschen und in Scheiben schneiden. • Die Eier mit der Sahne, den Hefeflocken und den Gewürzen verquirlen. • Wenn die Kartoffeln gar sind, die Tomatenscheiben darüberschichten. Die Eimasse gleichmäßig darübergießen. Den Deckel wieder schließen und die Eimasse in etwa 5 Minuten bei schwacher bis mittlerer Hitze stocken (fest werden) lassen. Das fertige Gericht mit dem feingeschnittenen Schnittlauch bestreuen. In der Pfanne servieren.

> **Unser Tip** Sollten Sie für dieses und das folgende Rezept keine Deckelpfanne benutzen, sondern eine einfache Pfanne, mit einem Topfdeckel oder einem Teller zugedeckt, dann müssen Sie sicher während der Garzeit Wasser nachgießen.

Schnell · Ganz einfach

Nußkartoffeln

1 kg Kartoffeln · ¼ l Wasser · 1 gehäufter Eßl. gekörnte Gemüsebrühe · etwas schwarzer Pfeffer, frisch gemahlen · 50 g Walnußkerne · 2 Eßl. Butter · Schnittlauch
Pro Portion etwa 1360 Joule/325 Kalorien

Vorbereitungszeit: 10 Minuten
Garzeit: 15–20 Minuten

Die Kartoffeln gut bürsten und mit der Schale in kleine Würfel schneiden. • Währenddessen das Wasser in einer Deckelpfanne erhitzen. Die Kartoffelwürfel gleichmäßig in der Pfanne verteilen und mit der gekörnten Brühe und schwarzem Pfeffer gleichmäßig bestreuen. Den Deckel schließen. Die Kartoffeln in etwa 10–15 Minuten gar dünsten. • Die Walnüsse grobreiben und mit der Butter auf die Kartoffeln geben, umrühren und noch 5 Minuten zugedeckt weiterdünsten. Mit feingeschnittenem Schnittlauch bestreut servieren.

Das paßt dazu: Apfel-Sellerie-Salat (Rezept Seite 73). Nußkartoffeln passen auch gut zu Kräuterblumenkohl (Rezept Seite 117).

Variante: Kartoffelschmarrn mit Käse
Die Nüsse und die Butter weglassen. Stattdessen 3 Eier, ⅛ l Sahne und 1 Messerspitze geriebene Muskatnuß miteinander verquirlen, 100 g Emmentaler Käse in Würfel schneiden. Die Kartoffeln, sobald sie gar sind, mit der Eimasse übergießen, die Käsewürfel darüberstreuen. Mit einem Pfannenmesser oder Bratenwender unter häufigem Wenden in Stücke teilen und stocken lassen (etwa 2–3 Minuten). Mit Schnittlauch bestreut servieren.

Ganz einfach · Preiswert · Schnell

Kräuterkartoffeln

Die hier verwendeten Dillsamen geben den Kartoffeln einen feinen aromatischen Geschmack. Dillsamen wirken leicht anregend auf Leber und Galle. Leider sind sie als Gewürz noch schwer zu bekommen (am ehesten bei Naturkost-Versandfirmen oder von Brecht im Reformhaus). Notfalls nehmen Sie grobzerkleinertes Dillkraut mit Stengeln.

1 kg kleinere Kartoffeln · ¼ l Wasser · 2 gestrichene Teel. Salz · 1 gehäufter Teel. Dillsamen · ½ Teel. Kümmel · etwas Butter · reichlich frische Kräuter wie Dill, Petersilie, Schnittlauch
Pro Portion etwa 730 Joule / 175 Kalorien

Vorbereitungszeit: 5–10 Minuten
Garzeit: 15 Minuten

Die Kartoffeln gut bürsten und halbieren. • Währenddessen das Wasser mit dem Salz in einem weiten Topf zum Kochen bringen. Die Kartoffeln hineinschütten und mit den Dillsamen und dem Kümmel bestreuen. In etwa 15 Minuten gar kochen. • Das überschüssige Kochwasser abgießen und die Kartoffeln mit gehackten Kräutern und etwas Butter mischen.

Das paßt dazu: Rettichsalat oder Spargelsalat mit Nüssen (Rezept Seite 56). Kräuterkartoffeln passen auch gut zu Chicorée in Nußcreme (Rezept Seite 98).

Variante: Kümmelkartoffeln
Sie werden genauso zubereitet, nur statt Dillsamen 2 gehäufte Teelöffel Kümmel über die rohen Kartoffeln verteilen und statt der gemischten Kräuter nur ein Gartenkraut über die fertigen Kartoffeln streuen (wenn vorhanden, zarte Blätter einer Kümmelpflanze).

Das paßt dazu: grüne Salate (Rezept Seite 40). Kümmelkartoffeln passen auch gut zu Möhrengemüse.

Hier entsteht ein Wirsingpudding. Mit den weichen   ▷
Wirsingblättern läßt sich die Form leicht auskleiden. Rezept Seite 116.

Schnell · Ganz einfach

Sahnekartoffeln

800 g Kartoffeln · 1 Eßl. Öl · ½ l Sahne, eventuell einen Teil der Sahne durch Milch ersetzen, bis zur Hälfte der Menge · 50 g Blauschimmelkäse · 2–3 gestrichene Teel. Kräutersalz · 1 gestrichener Teel. Knoblauchsalz · 1 gestrichener Teel. edelsüßes Paprikapulver · 1 Teel. Kümmel · 2 Messerspitzen weißer Pfeffer, frisch gemahlen
Pro Portion etwa 1510 Joule/360 Kalorien

Vorbereitungszeit: 10 Minuten
Garzeit: 13 Minuten

Die Kartoffeln gut bürsten und mit der Schale schnitzeln oder in dünne Scheiben schneiden. • Das Öl in einer großen kunststoffbeschichteten Pfanne erhitzen. Die Kartoffelschnitzel oder -scheiben gleichmäßig in der Pfanne verteilen. Die Sahne mit dem kleingeschnittenen Käse und den Gewürzen verquirlen und über die Kartoffeln gießen. Zugedeckt etwa 10 Minuten bei mittlerer Hitze kochen lassen, dann die Kartoffeln wenden und noch 2–3 Minuten in der offenen Pfanne weiterdämpfen, bis die meiste Flüssigkeit verdampft ist.

Das paßt dazu: Weißkohlsalat oder ein anderer Salat. Sahnekartoffeln passen auch gut zu Kräuterblumenkohl (Rezept Seite 117).

◁ Ein Gericht aus dem Osten Europas ist die bulgarische Hirtenvesper mit Buchweizen und Schafkäse. Rezept Seite 142.

Preiswert · Schnell · Ganz einfach

Herzhafte Bratkartoffeln

1250 g Kartoffeln · Öl zum Braten (etwa 4 Eßl.) · 2 Teel. Kümmel · 1 Teel. frischer, feingehackter oder getrockneter, gerebelter Majoran · Salz · eventuell etwas Butter
Pro Portion etwa 1255 Joule/300 Kalorien

Vorbereitungszeit: 10 Minuten
Bratzeit: 20 Minuten

Die Kartoffeln gut bürsten und mit der Schale in Stifte schneiden (wie zu Pommes frites). • Währenddessen das Öl in einer großen Pfanne erhitzen. Die Kartoffelstifte in das heiße Fett schütten, mit dem Kümmel und dem Majoran bestreuen und etwa 10 Minuten bei starker Hitze unter häufigem Wenden braten. • Dann einen Deckel auflegen und die Kartoffeln bei mittlerer Hitze in etwa 10 Minuten fertig braten, dabei noch gelegentlich wenden. Die fertigen Kartoffeln salzen und eventuell ein paar Butterflöckchen darauf zergehen lassen.

Das paßt dazu: Spiegeleier oder Rührei und ein beliebiger Salat. Die Bratkartoffeln passen auch gut zu Kräuterblumenkohl (Rezept Seite 117).

Braucht etwas Zeit

Bratkartoffeln mit Kräutern

750 g Kartoffeln · 2 Zwiebeln · 3 Eßl. Öl · 1 Teel. Salz · 2 Eier · 4 Eßl. saure Sahne · je 1 Bund Petersilie und Schnittlauch · 1 Handvoll Kerbel (etwa 50 g)
Pro Portion etwa 1250 Joule/300 Kalorien

Vorbereitungszeit: 20 Minuten
Garzeit insgesamt: 35 Minuten

Die Kartoffeln unter fließendem Wasser sehr gründlich bürsten, Keimansätze entfernen und die Kartoffeln von Wasser bedeckt in etwa 25 Minuten weich kochen oder über kochendem Wasser gar dämpfen. Die Kartoffeln dann etwas auskühlen lassen. • Inzwischen die Zwiebeln schälen und würfeln. Die Zwiebeln im Öl glasig braten. Die Kartoffeln ungeschält in Scheiben auf die Zwiebeln schneiden, mit dem Salz bestreuen und unter Wenden bei mittlerer Hitze 5 Minuten braten, jedoch nicht bräunen lassen. • Die Eier mit der sauren Sahne verquirlen. Die Kräuter waschen, trockenschleudern, feinhakken und unter die Eiersahne rühren. Die Mischung über die Kartoffeln gießen. Die Eiersahne bei schwacher Hitze stocken lassen; dabei nicht mehr umrühren.

Das paßt dazu: ein bunter Rohkostsalat.

Ganz einfach · Preiswert

Pommes Duchesse

Je mehr Zeit Sie zum langsamen Braten der Kartoffeln haben, desto besser schmecken sie. Pommes Duchesse sind daher eine praktische Beilage, wenn Sie Besuch erwarten. Man kann sie bis kurz vor dem Servieren braten lassen und hat dann eine heiße und feine Beilage, auch wenn sich die Gäste verspäten sollten.

1 kg Kartoffeln · ¼ l Wasser · 2 gestrichene Teel. Salz · 50 g Butter
Pro Portion etwa 1135 Joule/270 Kalorien

Vorbereitungszeit: 10 Minuten
Garzeit: 20 Minuten

Die Kartoffeln gut bürsten und mit der Schale vierteln. Währenddessen das Wasser mit dem Salz in einem weiten Topf zum Kochen bringen. Die Kartoffeln darin in etwa 10–15 Minuten gar kochen. • Das Kochwasser abgießen. • Die Butter in einer Pfanne erhitzen, die gegarten Kartoffeln hineinschütten und bei nicht zu starker Hitze unter gelegentlichem Wenden goldgelb braten. Eventuell zum Schluß noch salzen.

Das paßt dazu: Spargelsalat mit Nüssen (Rezept Seite 56). Pommes Duchesse passen auch gut zu Bananengemüse (Rezept Seite 112) und Apfel-Sellerie-Salat (Rezept Seite 73) oder zu Rührei und einem beliebigen Salat.

> **Unser Tip** Wenn Sie die Kartoffeln nicht ungeschält verwenden können, dann kochen Sie Pellkartoffeln (kleine sind schneller gar), schälen sie heiß, vierteln sie und braten sie in der Butter goldgelb.

Preiswert · Ganz einfach

Kartoffelpuffer ⬝

750 g Kartoffeln · 1 große Zwiebel · 1 Knoblauchzehe · 200 g Magerquark · 3 Eßl. Buchweizenmehl · 2 Teel. getrockneter Majoran · 1 Teel. Salz · 1 Bund Petersilie · 3 Eßl. Öl
Pro Portion etwa 1385 Joule/330 Kalorien

Vorbereitungszeit: 20 Minuten
Bratzeit: 5–6 Minuten

Die Kartoffeln unter fließendem Wasser gründlich bürsten, Keimansätze herausschneiden und die Kartoffeln ungeschält feinreiben. • Die Zwiebel schälen und zu den Kartoffeln reiben. Den Knoblauch schälen und durch die Knoblauchpresse auf die Kartoffeln und die Zwiebel drücken. • Den Quark und das Buchweizenmehl sowie den Majoran und das Salz zugeben und alles gut miteinander verrühren. • Die Petersilie waschen, trockenschleudern, feinhacken und unter den Kartoffelpufferteig mischen. • In einer großen Bratpfanne Öl heiß werden lassen und aus dem Teig portionsweise jeweils 3-5 Puffer in heißem Öl von beiden Seiten knusprig braun braten. Pro Puffer dauert das 5-6 Minuten. • Die gebratenen Kartoffelpuffer warm stellen, bis alle gebraten sind; jedoch dabei nicht zudecken, sonst wird die Kruste weich. Am besten sind die Puffer, wenn sie gleich aus der Pfanne auf den Teller wandern und ganz frisch gebraten verzehrt werden.

Das paßt dazu: bunt gemischter Salat.

Braucht etwas Zeit · Nicht ganz einfach

Gefüllte Bataten in der Folie

4 große Bataten (Süßkartoffeln, etwa 750 g) · 60 g Walnußkerne · 1 Bund Petersilie · 2 Eßl. Ahornsirup oder Apfeldicksaft · ½ Teel. Salz · 1 Messerspitze frisch geriebene Ingwerwurzel · 1 Messerspitze schwarzer Pfeffer, frisch gemahlen · 2 Eigelbe · 2 Eßl. Sahne · 1 Eßl. Distelöl
Pro Portion etwa 1385 Joule/330 Kalorien

Vorbereitungszeit: 50 Minuten
Grillzeit: 20 Minuten

Die Bataten unter fließendem Wasser sehr gut bürsten und ungeschält von Wasser bedeckt

20 Minuten kochen lassen. Das Wasser abgießen, die Bataten etwas auskühlen lassen. • Die Walnußkerne hacken. Von jeder Batate an einer Längsseite eine Kappe abschneiden und die Bataten mit einem spitzen Teelöffel aushöhlen, jedoch dabei einen etwa 1 cm dicken Rand stehen lassen. • Die Petersilie waschen, trockentupfen und feinhacken. • Den Grill vorheizen. • Das Batatenfleisch zerdrücken und mit den gehackten Walnußkernen, dem Ahornsirup oder Apfeldicksaft, dem Salz, dem Ingwer, dem Pfeffer, den Eigelben, der Sahne und der Petersilie verrühren. Die ausgehöhlten Bataten damit füllen, die Kappen daraufsetzen. • 4 Stück Alufolie auf einer Seite mit dem Öl bestreichen. Die Bataten daraufsetzen, die Folie über den Bataten zusammenschlagen und die Ränder durch Umknicken fest verschließen. Die Bataten auf den Grillrost setzen und 20 Minuten grillen. Nach 10 Minuten Grillzeit die Bataten einmal wenden.

Paßt gut zu: Getreidebratlingen (Rezept Seite 136).

Ganz einfach · Preiswert

Kartoffelpüree

Flockenpüree gehört natürlich nicht zur Vollwertküche. Geschälte, zerkleinerte Kartoffeln, in wenig Wasser gekocht, sind schnell gar. Ein selbstgemachtes Kartoffelpüree zählt daher auch zu den Schnellgerichten, es schmeckt außerdem köstlich und ist leicht verdaulich.

1 kg Kartoffeln · ⅛ l Wasser · ½ gestrichener Eßl. Salz · ¼ l Milch · 1 Messerspitze geriebene Muskatnuß · 1 Eßl. Butter · 2 gestrichene Teel. Salz · frische Kräuter wie Petersilie, Dill, Schnittlauch
Pro Portion etwa 1020 Joule/240 Kalorien

Vorbereitungszeit: 10 Minuten
Garzeit: 20 Minuten

Die Kartoffeln schälen und in Stücke schneiden. • Inzwischen das Wasser und das Salz in einem großen Topf zum Kochen bringen. Darin die Kartoffelstücke in etwa 20 Minuten gar kochen. Die Herdplatte ausschalten. • Die Milch erhitzen. Die Kartoffeln mit einem Kartoffelstampfer zerstampfen. Die Milch, das Muskat und die Butter zufügen und alles mit dem Schneebesen zu Püree schlagen. • Noch schneller geht es, wenn Sie die Milch, die Butter, das Muskat und das Salz zu den Kartoffeln geben und heiß werden lassen. Mit einem Kartoffelstampfer oder mit dem Schneebesen eines Handrührgerätes zu Püree schlagen. Mit Salz abschmecken. Die Kräuter feinhacken und daruntermischen.

Paßt gut zu: Rosenkohl in brauner Nußsauce (Rezept Seite 115) oder auch zu Soja- oder Getreidefrikadellen und beliebigen Salaten.

Braucht etwas Zeit · Ganz einfach

Gebratene
neue Kartoffeln

1,25 kg kleine, neue Kartoffeln · 2 Eßl. Olivenöl · 100 g Butter · 1 Teel. Salz · 1 Teel. gemahlener Kümmel · 2 Messerspitzen weißer Pfeffer, frisch gemahlen
Pro Portion etwa 2290 Joule/545 Kalorien

Vorbereitungszeit: 10 Minuten
Bratzeit: 30–40 Minuten

Die Kartoffeln unter fließendem warmem Wasser sehr gut bürsten, abtropfen lassen und trok-

kentupfen. • Das Öl mit der Butter in einer großen Pfanne oder einem flachen Topf mit großem Durchmesser gut heiß werden lassen. Die rohen Kartoffeln ins Fett geben und mit dem Salz, dem Kümmel und dem Pfeffer bestreuen. Die Kartoffeln zugedeckt bei schwacher Hitze 30–40 Minuten braten. Die Pfanne dabei öfter rütteln, damit die Kartoffeln nicht anbrennen. Die Kartoffeln sollen innen weich, außen goldbraun und knusprig gebraten werden.

Paßt gut zu: allen gedünsteten oder überbackenen Gemüsegerichten.

Ganz einfach · Schnell

Vollkorn-
Kartoffelgemüse 🕳

500 g Kartoffeln · 1 Bund Suppengrün · ½ l Wasser · 1 gestrichener Eßl. gekörnte Gemüsebrühe · 2 gehäufte Eßl. Weizen · 2 gehäufte Eßl. Grünkern · 1 Teel. Kümmel · ½ Teel. Koriander · ⅛ l Sahne · 2 Eigelbe · 2 Messerspitzen Muskatblüte (Macis) · 1 Messerspitze weißer Pfeffer, frisch gemahlen · Salz · Liebstöckel · Petersilie · Schnittlauch
Pro Portion etwa 1080 Joule/250 Kalorien

Vorbereitungszeit: 15 Minuten
Garzeit: 15 Minuten

Die Kartoffeln gut bürsten und mit der Schale in Scheiben schneiden. Das Suppengrün zerkleinern. • Währenddessen das Wasser mit der gekörnten Brühe in einem weiten Topf zum Kochen bringen. Die Kartoffelscheiben und das Suppengrün im Wasser in etwa 10 Minuten gar kochen. • Inzwischen den Weizen, den Grünkern, den Kümmel und den Koriander feinmahlen (oder gemahlene Gewürze verwenden) und langsam in die kochende Flüssigkeit einrühren, die Kartoffelscheiben dabei mit einem Löffel etwas zur Seite schieben. 2 Minuten kochen, dann vom Herd nehmen. • Die Sahne mit den Eigelben, der Muskatblüte und dem Pfeffer verquirlen, in die Kartoffelspeise einrühren. • Mit Salz abschmecken. Zum Schluß feingehackte Kräuter einmischen und aufstreuen.

Das paßt dazu: Glasierte Teltower Rübchen (Rezept Seite 120) oder auch ein anderes Gemüsegericht.

Braucht etwas Zeit · Ganz einfach

Gebackene Kümmelkartoffeln

Das ist eine sehr einfache Art, Kartoffeln wohlschmeckend und bekömmlich zuzubereiten. Der Duft, der nach einiger Zeit aus dem Backofen dringt, ist sehr verlockend. Die glänzenden Schalen der gebackenen Kartoffeln sehen besonders appetitlich aus. Das ganze erinnert ein wenig an die herbstlichen Kartoffelfeuer auf den Feldern, in denen früher nach der Ernte die letzten Kartoffeln gebacken wurden.

750 g mittelgroße, längliche Kartoffeln (8–10 Stück) · 2 Eßl. Sonnenblumenöl · 2 Teel. Kümmel · 1 Teel. Salz
Pro Portion etwa 775 Joule/185 Kalorien

Vorbereitungszeit: 5 Minuten
Backzeit: 45–55 Minuten

Die Kartoffeln unter fließendem Wasser sehr gründlich bürsten, trockenreiben und quer halbieren. • Den Backofen auf 180° vorheizen. •

Ein Backblech dünn mit Öl einfetten. • Den Kümmel mit dem Salz mischen und jede Kartoffelhälfte mit der Schnittfläche in die Kümmelmischung drücken. Die Kartoffeln mit der Schnittfläche nach unten auf das Backblech setzen und die Schalen der Kartoffeln mit dem restlichen Öl bestreichen. Die Kartoffeln auf der zweiten Schiene von oben 45–55 Minuten im Backofen garen.

Das paßt dazu: Pikant angemachter Quark.

Braucht etwas Zeit

Kartoffelpudding

800 g Kartoffeln · 2 Teel. Salz · 3 Eier · 60 g frisch geriebener Emmentaler Käse · 1 Messerspitze gemahlene Muskatblüte (Macis) · 75 g Butter · 2 Eßl. frische, gehackte Kräuter wie Kerbel, Petersilie, Pimpinelle · 100 g Vollkornbrösel
Pro Portion etwa 1995 Joule/475 Kalorien

Vorbereitungszeit: 40 Minuten
Garzeit: 50 Minuten

Die Kartoffeln schälen, in Stücke schneiden, von Wasser bedeckt mit dem Salz in etwa 15 Minuten weich kochen. Das Wasser abgießen und die Kartoffeln durch die Kartoffelpresse drücken oder durch ein Sieb streichen. • Den Backofen auf 200° vorheizen. • Die Eier in Eigelbe und Eiweiße trennen. Die Eigelbe mit dem geriebenen Käse, der Muskatblüte, 2 Eßlöffeln Butter und den Kräutern unter den Kartoffelschnee rühren. • Die Eiweiße steif schlagen und unter die Kartoffelmasse heben. • Eine Puddingform und ihren Deckel mit 1 Eßlöffel Butter ausstreichen und mit 2 Eßlöffeln Vollkornbröseln ausstreuen. Die Puddingmasse einfüllen, die Form schließen und im kochendem Wasserbad in 50 Minuten garen. • Die restliche Butter schmelzen, die übrigen Vollkornbrösel darin anbraten. Den Pudding aus der Form auf eine vorgewärmte Platte stürzen und mit den gebräunten Vollkornbröseln gleichmäßig bestreichen.

Paßt gut zu: allen gedünsteten und überbackenen Gemüsegerichten.

Ganz einfach · Preiswert

Kartoffelschmarrn

750 g Kartoffeln · 75 g Vollsojamehl · ½–1 Teel. Salz · 1 Messerspitze Muskatblüte (Macis) · 1 Ei Zum Braten: 50 g Butter
Pro Portion etwa 1190 Joule/285 Kalorien

Vorbereitungszeit: 45 Minuten
Bratzeit: 15 Minuten

Die Kartoffeln in der Schale mit wenig Wasser gar kochen (etwa 30 Minuten), mit kaltem Wasser abschrecken und sofort schälen. • Heiß durch eine Kartoffelpresse drücken. • Das Sojamehl, das Salz (½ Teelöffel, wenn der Schmarrn zu Kompott serviert wird, 1 Teelöffel, wenn er zum salzigen Hauptgericht gehört) und den Muskat zu den durchgedrückten Kartoffeln geben. Das Ei hinzufügen. Alles zusammen mit einem großen Holzlöffel oder noch besser mit der Hand zu einem krümeligen Teig verkneten. • Das Fett in einer großen Pfanne erhitzen, den Teig mit den Fingern hineinkrümeln und den Schmarrn bei mittlerer Hitze unter häufigem Wenden in etwa 15 Minuten goldbraun braten.

Das paßt dazu: Kompott oder eine herzhafte Sauce, zum Beispiel herzhafte Zwiebelsauce (Rezept Seite 233), und Salat.

Braucht etwas Zeit

Kartoffelgratin

1,25 kg mehlig kochende Kartoffeln · 50 g Butter · 2 Teel. Salz · 1 Messerspitze weißer Pfeffer, frisch gemahlen · 1 Messerspitze frisch geriebene Muskatnuß · 200 g Sahne · 3 Eigelbe
Pro Portion etwa 2140 Joule/510 Kalorien

Vorbereitungszeit: 40 Minuten
Backzeit: 25 Minuten

Die Kartoffeln waschen und ungeschält in etwa 25 Minuten weich dämpfen oder kochen. • Die Kartoffeln schälen und noch heiß durch eine Kartoffelpresse drücken oder feinreiben. Die Butter bis auf 2 Teelöffel für die Form mit dem Salz, dem Pfeffer und dem Muskat unterrühren. Die Sahne unterarbeiten und die Masse etwas auskühlen lassen. • Den Backofen auf 200° vorheizen, eine feuerfeste Form mit der restlichen Butter ausstreichen. Die Eigelbe unter das Kartoffelpüree rühren. Die Masse in die Form füllen und im Backofen auf der mittleren Schiebeleiste in etwa 25 Minuten goldbraun backen.

Paßt gut zu: gedünsteten Gemüsegerichten oder auch zu Salaten.

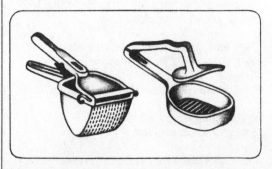

Solche Pressen sind zum Durchtreiben gekochter Kartoffeln sehr geeignet.

Schnell · Ganz einfach

Kartoffeln und Äpfel

*750 g Kartoffeln · gut ¼ l Wasser · 2 gestrichene
Teel. Salz · 1 Lorbeerblatt · 1 Messerspitze
schwarzer Pfeffer, frisch gemahlen · 1 Messerspit-
ze Piment · 500 g säuerliche Äpfel · 2 Eßl. Friate
(Apfeldicksaft) · ½ Bund Petersilie*
Pro Portion etwa 710 Joule/170 Kalorien

Vorbereitungszeit: 10 Minuten
Garzeit: 15 Minuten

Die Kartoffeln gut bürsten und mit der Schale
längs in Viertel, größere in Achtel schneiden. •
Währenddessen das Wasser mit dem Salz und
dem Lorbeerblatt in einem Topf zum Kochen
bringen. Die Kartoffeln in den Topf geben, den
Pfeffer und das Piment gleichmäßig darüberstreuen. Die Kartoffeln 10 Minuten kochen lassen. • Währenddessen die Äpfel vierteln, schälen, das Kerngehäuse entfernen. Die Apfelviertel
auf die Kartoffeln geben und noch etwa 5 Minuten mitkochen, bis Kartoffeln und Äpfel gar
sind. Die Friate darübergießen, alles vorsichtig
mischen und das Lorbeerblatt entfernen. Das
Gericht mit feingehackter Petersilie überstreuen.

Paßt gut zu: Weizenküchle (Rezept Seite 134,
½ Menge) oder Grünkernfrikadellen (Rezept
Seite 136, ½ Menge).

Braucht etwas Zeit · Ganz einfach · Preiswert

Kartoffelplätzchen

*750 g mehlige Kartoffeln · 50 g Butter ·
100 g feingeriebener Gouda- oder Emmentaler
Käse · 2 Eier · 3 gestrichene Eßl. Vollsojamehl ·
2 Teel. Kümmel · ½ Teel. Kräutersalz · ½ Teel.*

*Schabzigerklee (Brecht) · 1 Messerspitze gerie-
bene Muskatnuß
Für das Backblech: etwas Butter*
Pro Portion etwa 1630 Joule/390 Kalorien

Vorbereitungszeit: 20 Minuten
Garzeit: etwa 30 Minuten
Backzeit: 30 Minuten

Die Kartoffeln mit der Schale in wenig Wasser
oder in Dampf weich kochen, mit kaltem Wasser
abschrecken und heiß schälen. Die heißen Kartoffeln sofort durch eine Kartoffel- oder Spätzlepresse drücken. • Die durchgedrückten Kartoffeln mit der Butter in Flöckchen und allen
übrigen Zutaten gründlich mischen. Ein Backblech gut einfetten. Aus dem Kartoffelteig mit
angefeuchteten Händen etwa hühnereigroße
Kugeln formen. • Die Kugeln auf das Blech setzen und plattdrücken, so daß die Plätzchen etwa
1 cm dick sind. Das Blech auf die mittlere Schiene in den kalten Backofen schieben und die Kartoffelplätzchen bei 180° 30 Minuten backen.
Heiß servieren.

Das paßt dazu: Erbsen mit Möhren oder Spargel.

Braucht etwas Zeit · Preiswert

Käsetaschen 🔥

*Für den Teig: 400 g mehlig kochende Kartoffeln ·
30 g Butter · 1 Prise Salz · abgeriebene Schale
von ½ Zitrone (Schale unbehandelt) ·
30 g Vollweizengrieß · etwa 125 g Weizen, fein
gemahlen
Für die Füllung: 50 g weiche Butter · 2 Eßl. flüssiger Honig · 1 Ei · 1 Eßl. saure Sahne · Salz ·
abgeriebene Schale von ½ Zitrone (Schale
unbehandelt) · 150 g Magerquark · 1 Eigelb*
Pro Stück etwa 920 Joule/390 Kalorien

Vorbereitungszeit: 55 Minuten
Garzeit: 1 Stunde

Die Kartoffeln in der Schale weich kochen, schälen und sofort durch die Kartoffelpresse drücken. Die Kartoffelmasse mit der Butter, 1 Prise Salz, der Zitronenschale und dem Grieß verrühren. Dann soviel Mehl zugeben, daß ein formbarer Teig entsteht. Den Teig zugedeckt 30 Minuten ruhen lassen. • Inzwischen für die Füllung die Butter schaumig rühren. Mit dem Honig, dem Ei, der Sahne, 1 Prise Salz, der abgeriebenen Zitronenschale und dem Quark verrühren. • Schwach gesalzenes Wasser in einem Topf mit großem Durchmesser zum Kochen bringen. • Den Kartoffelteig auf der bemehlten Arbeitsfläche ausrollen. Mit einem Glas Kreise von etwa 8 cm Durchmesser ausstechen. Das Eigelb verquirlen und die Ränder der Teigkreise damit bestreichen. In die Mitte etwas Quarkfüllung verteilen, dann jeden Kreis zusammenklappen, so daß ein Halbkreis entsteht. Die Ränder andrücken. • Die »Taschen« in das kochende Salzwasser legen und 15 Minuten ziehen lassen. Heiß servieren.

Das paßt dazu: Kompott.

Eiweißreich · Schnell · Ganz einfach

Kartoffelpfanne mit Tofu

Ein unkompliziertes und schnelles Gericht, das nicht nur köstlich schmeckt, sondern auch so aussieht.

1 große Zwiebel · etwa 1 Eßl. Butter oder Öl · 1 kg Kartoffeln · schwarzer Pfeffer, frisch gemahlen · 300 g enthülste frische oder tiefgefrorene grüne Erbsen · 400–500 g Tofu · ¼ l warmes Wasser · 2 gestrichene Eßl. gekörnte Gemüse-brühe · 1 Teel. frisches, feingehacktes oder getrocknetes, gerebeltes Basilikum · 1 gestrichener Teel. Delikata · 1 Bund Schnittlauch
Pro Portion etwa 1750 Joule/415 Kalorien

Vorbereitungszeit: 10 Minuten
Garzeit: 20 Minuten

Die Zwiebel schälen und würfeln. Das Fett in einer großen Deckelpfanne erhitzen. Die Zwiebelwürfel im Fett glasig braten. • Inzwischen die Kartoffeln dünn schälen oder gründlich bürsten und in Scheiben schneiden. • Die Kartoffelscheiben gleichmäßig über den Zwiebeln verteilen und schwarzen Pfeffer darübermahlen. Die Erbsen auf die Kartoffeln streuen. • Den Tofu in etwa ½ cm dicke Würfel schneiden und auf den Erbsen verteilen. • Das Wasser, die gekörnte Brühe, das Basilikum und das Delikata verquirlen und gleichmäßig über den Tofu gießen. Den Deckel schließen und alles zusammen in etwa 15–20 Minuten garen. Den feingeschnittenen Schnittlauch kurz vor dem Servieren über das Gericht streuen.

Ganz einfach · Schnell

Kartoffelpuffer ohne Ei

750 g vorbereitete Kartoffeln (geschält oder sauber gebürstet) · 1 große Zwiebel · ½ Bund Petersilie · 50 g Vollsojamehl · ⅛ l warmes Wasser · 3 gestrichene Teel. gekörnte Gemüsebrühe · 1–2 Teel. Delikata nach Geschmack · 1 Teel. getrockneter, gerebelter Majoran · ½ Teel. Curcuma (Gelbwurz) Zum Braten: Sojaöl
Pro Portion etwa 670 Joule/160 Kalorien

Vorbereitungszeit: 15 Minuten
Bratzeit: 15 Minuten

Die vorbereiteten Kartoffeln abwiegen. Die Zwiebel schälen, die Petersilie waschen. Die Kartoffeln, die Zwiebel und die Petersilie zusammen in der Moulinette zerkleinern oder die Kartoffeln feinreiben, die Zwiebel und die Petersilie feinschneiden und dann alles mischen. • Das Sojamehl mit dem Wasser, der gekörnten Brühe und den Gewürzen verrühren und zur Kartoffelmischung geben. Alles gründlich verrühren. • Das Öl in einer Pfanne erhitzen und den Teig mit einem kleinen Schöpflöffel so hineingeben, daß pro Pfanne 5–6 Puffer entstehen. Die Kartoffelpuffer von beiden Seiten bei mittlerer Hitze in jeweils knapp 5 Minuten knusprig goldbraun braten.

Das paßt dazu: Salate oder ein mit frischem Ingwer und Rosinen gewürztes Apfelkompott.

Unser Tip Natürlich können Sie auch ein anderes Öl oder Bratfett verwenden, aber mit Sojaöl werden diese Puffer ohne Ei besonders knusprig.

Ganz einfach

Soja-Kartoffelpfanne

Dieses Gericht sollte in einer großen Deckelpfanne oder einem sehr weiten Topf zubereitet werden, damit alle Zutaten »Berührung« haben und gut durchziehen können.

100 g Sojamarkwürfel · knapp ½ l heißes Wasser · 1 gehäufter Eßl. gekörnte Gemüsebrühe · 1 Eßl. Honig · 1 leicht gehäufter Eßl. getrockneter, geriebelter Majoran · 2–3 Teel. Delikata · 2 Sellerieknollen (etwa 800 g) · 1 kg Kartoffeln · 750 g säu-

erliche Äpfel · 2 Eßl. Petersilie · 3 Zweige Liebstöckel · 1 Eßl. Butterflöckchen
Pro Portion etwa 1790 Joule/425 Kalorien

Quellzeit: 12 Stunden
Vorbereitungszeit: 10 Minuten
Garzeit: 15 Minuten

Am Vorabend das Sojamark mit dem Wasser, der gekörnten Brühe, dem Honig, dem Majoran und 1 Teelöffel Delikata einweichen und etwa 12 Stunden (über Nacht) zugedeckt quellen lassen. • Am nächsten Tag das Sojamark mit dem gewürzten Einweichwasser in einer großen Dekelpfanne oder einem weiten Topf aufkochen. • Inzwischen die Sellerieknollen schälen und in Würfel schneiden. Die Selleriewürfel auf dem kochenden Sojamark verteilen und 5 Minuten zugedeckt kochen lassen. • Inzwischen die Kartoffeln gut bürsten und mit der Schale in Würfel schneiden. Die Kartoffelwürfel über dem Sellerie verteilen und weitere 5 Minuten zugedeckt kochen. • Währenddessen die Äpfel vierteln, schälen, das Kerngehäuse entfernen. Die Apfelviertel auf die Kartoffeln geben und zugedeckt kochen lassen, bis sie leicht zerfallen und Kartoffeln und Sellerie gar sind (noch etwa 5 Minuten). • 1–2 Teelöffel Delikata, feingehackte Petersilie und Liebstöckel über das Gericht streuen und alles vorsichtig, doch gründlich mischen. Butterflöckchen obenaufsetzen, restliche feingehackte Petersilie und Liebstöckel aufstreuen.

Variante: Wer das Curry noch schärfer mag, ersetzt einen Teil des Delikata durch Currypulver.

Reis, Teigwaren und Klöße

Reis ist heute neben Weizen die wichtigste Getreideart. Reis ist eine uralte asiatische Kulturpflanze, die schon vor Jahrtausenden in Ostasien angebaut wurde. Im Gegensatz zu Weizen, der hauptsächlich zur Viehfütterung verbraucht wird, ist Reis für die Hälfte der Menschheit Hauptnahrungsmittel. Reisanbau verlangt mittlere Wärme und reichliche Bewässerung. Hauptanbaugebiete für biologisch angebauten Reis sind in Europa die Po-Ebene in Italien und das Rhône-Delta in der Camargue. Hier wird der biologisch angebaute Reis vorwiegend künstlich bewässert, wobei es besonders auf die Wasserqualität ankommt.

Ähnlich wie dem Weizenkorn, das vor der Vermahlung zu weißem Mehl zum Zweck der besseren Haltbarkeit von Keim und Randschichten befreit wird, geht es dem Reis. Das sogenannte Silberhäutchen und der Keimling werden in der Regel nach der Ernte entfernt. Damit gehen aber auch fast alle Vitamine der B-Gruppe, Mineralstoffe, Spurenelemente, Fett und ein Teil des Eiweißes verloren. Reis, bei dem das Silberhäutchen noch vorhanden ist, nennt man Naturreis. Bei ihm wird nur die harte Samenschale, ähnlich wie bei Hafer und Gerste, entfernt. Das wertvolle Silberhäutchen und der Keim bleiben erhalten. Daher hat Naturreis auch nur eine begrenzte Haltbarkeit von etwa 2 Monaten. Danach wird er ranzig. Man sollte Naturreis daher nicht zu lange lagern.

In der Vollwertküche verwenden wir den wertvolleren Naturreis, denn er ist gesünder, schmeckt viel würziger und hält länger satt. Naturreis ist als Langkorn- und als Rundkornreis im Handel. Er ist hellbraun und schimmert etwas silbrig auf der Oberfläche. Die Kochzeit ist etwa doppelt so lang wie bei weißem Reis. Läßt man ihn 10 bis 12 Stunden vorquellen, beträgt die Garzeit etwa 30 Minuten.

Nudeln werden in der Vollwertküche nach Möglichkeit aus frisch gemahlenem Vollkornmehl selbst gemacht. Mit einer elektrischen Küchenmaschine ist der Teig rasch geknetet. Wenn es schnell gehen muß, kann man auch fertige Vollkornnudeln aus dem Reformhaus oder Naturkostladen nehmen. Teilweise sind diese auch schon im Lebensmittelhandel erhältlich. Vollkornnudeln schmecken kerniger und ein wenig nussig.

Auch Klöße, Knödel oder Nockerl passen in die Vollwertküche, wenn wir für ihre Zubereitung vollwertige Zutaten nehmen. Mit Vollweizengrieß, Buchweizenmehl oder frisch gemahlenem Vollkornmehl schmecken Klöße und Knödel noch einmal so gut. Mit gedünstetem Gemüse zu herzhaften Klößen oder einer bunt gemischten Rohkostplatte als Vorspeise bei süßen Knödeln werden daraus vollwertige Mahlzeiten.

Braucht etwas Zeit · Ganz einfach

Naturreis

250 g Naturreis · 1 l Wasser oder Gemüsebrühe · 1–2 Teel. Salz oder 1 Eßl. gekörnte Gemüsebrühe · 1 Eßl. Butter oder Distelöl oder ein Keimöl · reichlich frische Kräuter wie Kerbel, Petersilie, Pimpinelle, Schnittlauch, Sellerieblätter, Zwiebelgrün
Pro Portion etwa 1050 Joule/250 Kalorien

Quellzeit: 10–12 Stunden
Garzeit: 30–40 Minuten

Den Reis in einem Sieb unter fließendem Wasser gründlich waschen und in dem Wasser oder der Gemüsebrühe 10–12 Stunden quellen lassen. • Den Reis im Einweichwasser zum Kochen bringen und zugedeckt bei schwacher Hitze in 30–40 Minuten ausquellen lassen. Falls die Flüssigkeit aufgesogen, der Reis aber noch nicht weich ist, noch etwas heißes Wasser oder heiße Brühe zugießen. • Kurz vor Beendigung der

Garzeit mit dem Salz oder der gekörnten Gemüsebrühe würzen. Die Butter oder das Öl an den gegarten Reis geben. Die Kräuter waschen, trockenschleudern, feinhacken und unterrühren.

Unser Tip Statt frischer können Sie auch getrocknete Kräuter wie Basilikum, Liebstöckel oder Thymian verwenden. Sie sollten jedoch mindestens 15 Minuten mitkochen, damit sie ihr Aroma voll entfalten können.

Ganz einfach

Kalifornischer Reis

Bild Seite 276

200 g Naturreis · gut ½ l Wasser · 100 g Sojamarkwürfel · 1 gehäufter Teel. Pilzpulver · ¼ l Wasser · 3 säuerliche Äpfel · 100 g ungeschwefelte Rosinen · 1½ Teel. Salz · 1 gestrichener Teel. Curry · eventuell etwas Butter · ½ Bund Petersilie
Pro Portion etwa 1505 Joule/360 Kalorien

Quellzeit: etwa 12 Stunden
Vorbereitungszeit: 5 Minuten
Garzeit: 20 Minuten

Am Vorabend den Reis mit dem Wasser in einen weiten Topf geben und zugedeckt etwa 12 Stunden, am besten über Nacht, quellen lassen. Das Sojamark mit dem Pilzpulver und ¼ l Wasser in einem getrennten Gefäß quellen lassen. • Nach dem Quellen das Sojamark mit der Einweichflüssigkeit zum Reis in den Topf schütten und alles zusammen 10 Minuten kochen lassen. • Inzwischen die Äpfel vierteln, schälen, das Kerngehäuse entfernen und die Apfelviertel grobwürfeln. • Die Rosinen waschen. Äpfel und Rosinen zum Reis geben und alles noch etwa 10 Minuten kochen, bis der Reis gar ist. Eventuell überschüssige Kochflüssigkeit abgießen. • Das Gericht mit dem Salz und dem Curry abschmecken, eventuell etwas Butter zufügen. Den Reis mit feingehackter Petersilie bestreut servieren.

Das paßt dazu: Bananengemüse (Rezept Seite 122) oder Chinakohlsalat oder Apfel-Sellerie-Salat (Rezept Seite 73).

Ganz einfach · Preiswert

Frischer Reissalat

Dieser Reissalat ist bereits eine vollständige Mahlzeit. Wenn Sie wollen, können Sie aber noch Grünkernfrikadellen (Rezept Seite 136) dazu servieren.

200 g Naturreis · gut ½ l Wasser · 4 Eier · 1 kleine Salatgurke (etwa 400 g) · 1 Zwiebel · 4 Tomaten · 1 Apfel · 1 Teel. Senf · Saft von 1 Zitrone · 3 Eßl. Öl · 3 gestrichene Teel. Kräutersalz · 1 gestrichener Teel. Curry · Dill · Schnittlauch
Pro Portion etwa 1170 Joule/280 Kalorien

Quellzeit: etwa 12 Stunden
Zubereitungszeit: 25 Minuten

Den Reis mit dem Wasser in einen Topf geben und zugedeckt etwa 12 Stunden, am besten über Nacht, quellen lassen. • Nach dem Quellen den Reis mit dem Einweichwasser in etwa 20 Minuten gar kochen. • Gleichzeitig die Eier in einem zweiten Topf mit Wasser bedeckt etwa 8 Minuten kochen und dann kalt abschrecken. • Inzwischen die Gurke, wenn nötig, schälen und in Würfel schneiden. Die Zwiebel schälen und feinschneiden. Die Tomaten waschen und in Achtel schneiden. Den Apfel waschen, vierteln, das Kerngehäuse entfernen und die Apfelviertel würfeln. Die gekochten Eier schälen und in Achtel schneiden. • Den Senf mit dem Zitronensaft verrühren. • Den Reis, sobald er gar ist, in eine Schüssel geben. Den Senf mit Zitronensaft, das Öl, das Kräutersalz und den Curry zufügen und mischen. Das vorbereitete Gemüse, die Apfelwürfel und feingeschnittene Kräuter zufügen und alles vorsichtig, doch gründlich mischen.

Ganz einfach · Preiswert

Sommer-Risotto

200 g Naturreis · ¼ l Wasser · 1 Zwiebel · 2 Eßl. geschmacksneutrales Öl · 500 g Zucchini · 500 g Tomaten · 2 gestrichene Teel. Salz · 1 Teel. feingehacktes oder getrocknetes, gerebeltes Basilikum · 300 g enthülste frische oder tiefgefrorene grüne Erbsen · ½ Teel. Curry · 100 g Doppelrahm-Frischkäse · 50 g geriebener Emmentaler Käse · 1 Eßl. Butter · je 1 Eßl. feingeschnittener Schnittlauch, Petersilie und Dill
Pro Portion etwa 2030 Joule/485 Kalorien

Quellzeit: etwa 12 Stunden
Vorbereitungszeit: 30 Minuten
Garzeit: 30 Minuten

Den Reis mit dem Wasser in ein Gefäß füllen und zugedeckt, am besten über Nacht, quellen lassen. (Falls es vergessen wurde, den Reis mindestens 1 Stunde vor dem Kochen mit dem Wasser einmal aufkochen und zugedeckt stehenlassen.) • Nach dem Quellen die Zwiebel schälen und würfeln. Das Öl in einem großen Topf erhitzen und die Zwiebelwürfel darin glasig braten. Die Zucchini waschen, je nach Größe längs halbieren oder vierteln und quer in etwa ½ cm große

Würfel schneiden. Die Zucchiniwürfel zur Zwiebel geben. Die Tomaten waschen, von den Stielansätzen befreien und je nach Größe vierteln oder achteln. Die Tomatenstücke, den Reis mit dem Einweichwasser, das Salz und das Basilikum in den Topf geben, umrühren und zugedeckt bei schwacher Hitze 15 Minuten kochen lassen. • Die frischen oder tiefgefrorenen Erbsen zufügen und weitere 5 Minuten zugedeckt mitkochen. Den Risotto dann noch 10 Minuten im offenen Topf bei mittlerer Hitze garen, bis die meiste Flüssigkeit verdampft ist; dabei gelegentlich umrühren. • Den Topf vom Herd nehmen. Den Curry, den Frischkäse in Flöckchen, den geriebenen Käse, die Butter und die Kräuter gründlich unter den Risotto rühren, bis der Frischkäse sich aufgelöst hat.

Braucht etwas Zeit · Ganz einfach

Reisschrot-Backlinge 🔥

*200 g Naturreis, mittelfein geschrotet · ¼ l kohlensäurehaltiges Mineralwasser · 100 g Magerquark · 2 Eßl. Buchweizenmehl · 50 g frisch geriebener Emmentaler Käse · 50 g geriebene Haselnußkerne · 1 Teel. Salz · ½ Eßl. Currypulver
Für das Backblech: 2 Teel. Öl*
Pro Portion etwa 1825 Joule/435 Kalorien

Quellzeit: 1 Stunde
Vorbereitungszeit: 10 Minuten
Bratzeit: 30 Minuten

Den Reisschrot mit dem Mineralwasser verrühren und 1 Stunde quellen lassen. • Den Quark unterrühren. Das Buchweizenmehl, den Käse, die Haselnüsse, das Salz und den Curry darüberstreuen und alle Zutaten gut miteinander mischen. Mit nassen Händen flache Frikadellen aus der Masse formen. • Ein Backblech mit dem

Öl einfetten. Die Reisplätzchen auf der mittleren Schiene in den kalten Backofen schieben, auf 200° schalten und die Backlinge in etwa 30 Minuten goldbraun backen; nach 20 Minuten Backzeit einmal wenden.

Das paßt dazu: ein gemischter Salat, gedünstetes oder überbackenes Gemüse.

Unser Tip Die Reisschrot-Backlinge können auch in etwa 20 Minuten bei mittlerer Hitze in Öl in der Pfanne gebraten werden. Die Bratlinge dann nach etwa 10 Minuten wenden und auf schwache Hitze schalten.

Braucht etwas Zeit

Paprikaschoten mit Reisfüllung

100 g Naturreis · 8 rote oder grüne Paprikaschoten (etwa 1 kg) · 150 g Spinat oder Sauerampfer · 1 Stange Lauch/Porree · 100 g Pfifferlinge · 1 Zwiebel · 3 Eßl. Sonnenblumenöl · 50 g frische, gemischte Kräuter (Dill, Estragon, Kresse, Liebstöckel, Zitronenmelisse) · 2 Eßl. Haselnußkerne · 2 Teel. Salz · 2 Teel. mildes Paprikapulver · 2 Eßl. Butter · ¼–⅜ l Gemüsebrühe · ⅛ l saure Sahne · 1–2 Teel. gekörnte Gemüsebrühe · 1 Messerspitze weißer Pfeffer, frisch gemahlen · 1 Teel. Birnendicksaft
Pro Portion etwa 1575 Joule/375 Kalorien

Quellzeit: 12 Stunden
Vorbereitungszeit: 30 Minuten
Garzeit: 1 Stunde

Den Reis unter fließendem Wasser gründlich waschen und knapp von Wasser bedeckt 12 Stunden, am besten über Nacht, einweichen. • Am nächsten Tag noch 1 Tasse Wasser zugießen und den Reis zugedeckt bei schwacher Hitze 20 Minuten kochen lassen. • Inzwischen die Paprikaschoten waschen, jeweils eine Kappe abschneiden und die Kerne und Rippen aus den Schoten herauskratzen. • Den Spinat oder Sauerampfer verlesen und mehrmals gründlich in handwarmem Wasser waschen. Den Lauch putzen, aufschlitzen, unter fließendem Wasser gründlich waschen und kleinschneiden. Den Spinat oder den Sauerampfer mit dem Lauch ohne weitere Wasserzugabe 5 Minuten zugedeckt dünsten, anschließend abtropfen lassen und hacken. • Die Pfifferlinge putzen, waschen, abtropfen lassen und ebenfalls hacken. Die Zwiebel schälen und würfeln. Das Öl erhitzen und die Zwiebelwürfel darin glasig braten. Die Pilze zufügen und 5 Minuten mitbraten. Die Pilz-Zwiebel-Mischung mit dem Spinat und dem Lauch in eine Schüssel geben. • Die Kräuter waschen und hacken. Den Reis und die frischen Kräuter zufügen. Die Haselnüsse hacken und mit dem Salz und dem Paprikapulver unterrühren. Alle Zutaten gut miteinander mischen und in die vorbereiteten Paprikaschoten füllen. • Die Butter in ei-

Links: Vorbereiten der Paprikaschoten zum Füllen.
Mitte und rechts: Zerschneiden der Schoten für Paprikagemüse.

nem flachen Topf mit großem Durchmesser zerlassen und die Schoten darin rundherum anbraten. Die Kappen auf die Schoten setzen. Die Paprikaschoten mit der Gemüsebrühe umgießen und im geschlossenen Topf 40–50 Minuten dünsten. Wenn nötig, noch etwas heiße Brühe nachfüllen. • Die gegarten Schoten aus dem Topf nehmen und warm stellen. Die saure Sahne zur Garflüssigkeit in den Topf gießen, umrühren, die Sauce mit der gekörnten Gemüsebrühe, dem Pfeffer und dem Dicksaft würzen und über die gefüllten Paprikaschoten gießen.

Ganz einfach · Preiswert

Bunter Reistopf

200 g Naturreis · 1 Päckchen oder 2 Eßl. getrocknete Steinpilze · 1½ l Wasser oder Gemüsebrühe · 1 gestrichener Eßl. gekörnte Gemüsebrühe · 1 Sellerieknolle (etwa 400 g) · 100 g frische enthülste oder tiefgefrorene grüne Erbsen · 2 Eßl. Tomatenmark · 3 gehäufte Eßl. Edelhefeflocken · 3 Eßl. Sojasauce · 1 gestrichener Teel. Delikata · reichlich Petersilie und Liebstöckel · eventuell etwas Butter oder Öl
Pro Portion etwa 730 Joule/175 Kalorien

Quellzeit: etwa 12 Stunden
Garzeit: 25 Minuten

Den Reis und die Pilze mit dem Wasser oder der Gemüsebrühe in einen Topf geben und zugedeckt etwa 12 Stunden, am besten über Nacht, quellen lassen. • Am nächsten Tag den Reis und die Pilze mit der Einweichflüssigkeit und der gekörnten Brühe 10 Minuten kochen lassen. • Inzwischen die Sellerieknolle schälen und zuerst in Scheiben, dann in dünne Streifen schneiden. Die Selleriestreifen zur kochenden Brühe geben. Nach 5 Minuten Kochzeit die Erbsen zufügen

und alles zusammen weitere 5 Minuten kochen. Prüfen, ob der Reis gar ist, dann die Herdplatte ausschalten. • Den Eintopf mit dem Tomatenmark, den Hefeflocken, der Sojasauce und dem Delikata abschmecken. Feingehackte Petersilie und Liebstöckel untermischen und aufstreuen. Eventuell etwas Butter oder Öl zufügen.

Ganz einfach · Preiswert

Vollkornspätzle mit Käse

Bild Seite 257

Die folgenden Mengenangaben bitte genau einhalten, sonst ist es für Ungeübte schwierig, die richtige Spätzleteig-Konsistenz herauszufinden. Der Teig soll zäh, aber doch noch weich und rührbar sein. Eventuell ganz wenig Wasser zufügen. Wenn Ihre Getreidemühle nicht staubfein mahlt, müssen Sie etwas mehr Getreide mahlen (etwa 300 g) und die Kleie aussieben.

250 g staubfeines oder ausgesiebtes Vollweizenmehl, frisch gemahlen · 5 große oder 6 kleine Eier · 1 gestrichener Teel. Salz · 1 Messerspitze Muskatblüte (Macis) · etwa 3 l Wasser · 2 gestrichene Eßl. Salz · 2 Zwiebeln · Butter und Öl zum Braten · 200 g Gouda- oder Emmentaler Käse · Petersilie · Schnittlauch
Pro Portion etwa 2465 Joule/590 Kalorien

Quellzeit: mindestens 10 Minuten
Zubereitungszeit: 20 Minuten

Das Mehl mit den Eiern, dem Salz und der Muskatblüte gut verrühren und etwas quellen lassen. • In zwei Töpfen je etwa 1½ l Wasser mit je 1 Eßlöffel Salz zum Kochen bringen. Die Spätzlepresse kurz ins kochende Wasser tauchen, halbvoll mit Teig füllen. Die Spätzle in das sprudelnd kochende Wasser des einen Topfes drücken. Wenn sie oben schwimmen, mit einem Schaumlöffel herausheben und in den zweiten Topf umfüllen (im zweiten Topf soll das Wasser nur kochendheiß sein). Dann die nächste Partie Spätzle herstellen, bis der ganze Teig verbraucht ist. • Zum Schluß die fertigen Spätzle aus dem zweiten Topf auf einen Durchschlag schütten und abtropfen lassen. • Inzwischen die Zwiebeln schälen, grob zerkleinern und in Butter und Öl goldbraun braten. • Den Käse grobreiben. Die Spätzle in einer Schüssel mit Zwiebeln und Käse mischen oder lagenweise übereinanderschichten. Mit reichlich feingeschnittener Petersilie und Schnittlauch bestreut servieren.

Das paßt dazu: grüner Salat oder buntgemischter Salat.

Braucht etwas Zeit · Ganz einfach

Hausgemachte Nudeln 🌿

200 g staubfein gemahlenes oder ausgesiebtes Weizenvollkornmehl · 50 g Vollsojamehl · Salz · ⅛ l lauwarmes Wasser · 1 Ei · 1 Eßl. Öl
Zum Ausrollen: etwas Weizenvollkornmehl
Pro Portion etwa 1085 Joule/260 Kalorien

Vorbereitungszeit: 20 Minuten
Ruhezeit: 30 Minuten
Trockenzeit: 30 Minuten
Garzeit: 5 Minuten

Das Vollkornmehl mit dem Sojamehl und 2 Messerspitzen Salz in einer Rührschüssel mischen. Das Wasser, das Ei und das Öl zufügen und alles

zusammen mit den Knethaken des elektrischen Handrührgerätes oder der Küchenmaschine gründlich zu einem geschmeidigen, festen Teig kneten. Oder das Mehlgemisch auf ein Backbrett schütten, in die Mitte eine Vertiefung drücken, dahinein das Ei und das Öl geben und mit einem Messer rasch mit etwas Mehl vermischen. Nach und nach das Wasser zufügen und alles gründlich zu einem geschmeidigen, festen Teig kneten. Den Teig zu einer Kugel formen, eine Schüssel (bei kalter Witterung angewärmt) darüberstülpen und den Teig so 30 Minuten ruhen lassen. • Den Nudelteig in 3–4 Stücke teilen, jedes messerrückendick ausrollen, mit einem Küchenmesser in Streifen schneiden und diese etwa 30 Minuten trocknen lassen. • Die fertigen Nudeln 5 Minuten in sprudelnd kochendem Salzwasser gar kochen.

Das paßt dazu: Champignonsauce (Rezept Seite 233) oder herzhafte Zwiebelsauce (Rezept Seite 233) und Salate.

Braucht etwas Zeit · Ganz einfach · Preiswert

Buchweizen-Soja-Spätzle 🌿

100 g Weizen · 100 g Buchweizen · 50 g Vollsojamehl · Salz · 1 Messerspitze Muskatblüte (Macis) · 2 Eier · etwa ⅛ l Wasser
Pro Portion etwa 1105 Joule/265 Kalorien

Vorbereitungszeit: 5 Minuten
Quellzeit: 30 Minuten
Garzeit: 10 Minuten

Den Weizen und den Buchweizen staub- oder mehlfein mahlen. • In einer Schüssel das Weizen-, das Buchweizen- und das Sojamehl, 1 gestrichenen Teelöffel Salz, das Muskat, die Eier und das Wasser gut miteinander verrühren. Es soll ein gerade noch rührbarer Teig entstehen, eventuell noch ganz wenig Wasser zufügen. Den Teig 30 Minuten ruhen lassen. • Zwei Töpfe mit je etwa 1½ l Wasser und je 2–3 Teelöffeln Salz zum Kochen bringen. ⅓ des Teiges in eine Spätzlepresse füllen und in das sprudelnd kochende Wasser des ersten Topfes drücken. Die Spätzle, sobald sie oben schwimmen, mit einem Schaumlöffel herausnehmen und in das nur eben siedende Wasser des zweiten Topfes geben. So weiter verfahren, bis der Teig verbraucht ist. Die Spätzle auf einem Sieb oder Durchschlag abtropfen lassen.

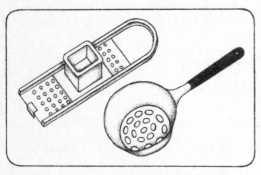

Sie können den Teig von einem angefeuchteten Brett ins Wasser schaben. Einfacher geht es mit einer Spätzlepresse oder einem Spätzlesieb.

Schnell · Ganz einfach

Spaghetti mit Soja »bolognese«

2 l Wasser · 1 gestrichener Eßl. Salz · 250 g Vollkornspaghetti · 3 Eßl. Olivenöl · 2 große Zwiebeln · 1 Bund Suppengrün · 2–3 Knoblauchzehen · 100 g gekörntes Sojamark (Hackfleisch-

art) · 1 Dose Tomatenmark (70 g) · ⅛ l Sahne · Salz · je 1 Teel. frischer, feingehackter oder getrockneter, gerebelter Thymian, Majoran, Liebstöckel und Basilikum · 1 gestrichener Teel. edelsüßes Paprikapulver · 2 Messerspitzen schwarzer Pfeffer, frisch gemahlen · ½ Teel. Piccata · 1 Becher saure Sahne (200 g) oder Saft von 1 Zitrone · Schnittlauch · Petersilie
Pro Portion etwa 2740 Joule/650 Kalorien

Vorbereitungszeit: 10 Minuten
Garzeit insgesamt: 10–15 Minuten

Das Wasser mit dem Salz aufkochen. Die Spaghetti hineinlegen und in etwa 10–15 Minuten gar kochen, dabei ein- bis zweimal vorsichtig umrühren. • Gleichzeitig das Olivenöl in einer großen Pfanne erhitzen. Die Zwiebeln schälen, grob zerkleinern und im Öl glasig braten. • Inzwischen das Suppengrün putzen, waschen und zerkleinern. Die Knoblauchzehen schälen und zerdrücken (Knoblauchpresse). Wenn die Zwiebeln glasig sind, das Sojamark, das Suppengrün und den Knoblauch in die Pfanne geben. Alles zusammen etwa 5 Minuten bei mittlerer Hitze weiterbraten, dabei gelegentlich umrühren. • Inzwischen das Tomatenmark mit der Sahne, dem Salz, dem Thymian, dem Majoran, dem Liebstöckel und dem Basilikum, dem Paprikapulver, dem Pfeffer, dem Piccata und 2 großen Schöpflöffeln oder 2 Tassen Spaghetti-Kochwasser anrühren. In die Pfanne gießen und verrühren. Die Pfanne zudecken und ihren Inhalt noch etwa 5 Minuten kochen lassen. Vom Herd nehmen und die saure Sahne oder den Zitronensaft unterrühren. • Nochmals mit Piccata und eventuell

Niemand wird Fleisch vermissen, wenn Sie köstlich gefüllte Zucchini servieren. Rezept Seite 129. ▷

mit Salz abschmecken. Feingeschnittenen Schnittlauch und Petersilie untermischen. • Die Spaghetti auf einem großen Sieb (Durchschlag) abtropfen lassen, in eine weite Schüssel geben und die Sauce in die Mitte gießen. Mit Schnittlauch und Petersilie bestreuen.

Das paßt dazu: grüner Salat.

Eiweißreich

Samtklöße 🖙

750 g Kartoffeln · etwa 1 l Wasser · etwas Salz · 100 g Buchweizen oder Buchweizenmehl · 50 g Vollsojamehl · 200 g Magerquark · 3 Eier · 2 gestrichene Teel. Salz · 1 Teel. frisches, feingehacktes oder getrocknetes, gereebeltes Basilikum · 1 Messerspitze geriebene Muskatnuß
Pro Portion etwa 1400 Joule/335 Kalorien

Vorbereitungszeit: 15 Minuten
Garzeit insgesamt: 45 Minuten

Die Kartoffeln mit der Schale gar kochen (etwa 30 Minuten), mit kaltem Wasser abschrecken und sofort schälen. Die vorbereiteten heißen Kartoffeln durch eine Kartoffelpresse oder – noch besser – eine Spätzlepresse drücken oder,

◁ Indischer Bohnen-Kürbis-Curry, Rezept Seite 156, der sein besonderes Gepräge durch die exotischen Gewürze erhält, eignet sich vorzüglich für ein sommerliches Gäste-Essen.

falls beides nicht vorhanden ist, mit dem Kartoffelstampfer zu Mus drücken. • Inzwischen in einem weiten Topf reichlich 1 l Wasser mit etwas Salz zum Kochen bringen. • Den Buchweizen mehlfein mahlen oder Buchweizenmehl verwenden. Die durchgedrückten Kartoffeln mit dem Buchweizen- und Sojamehl, dem Quark, den Eiern und den Gewürzen gut verkneten. Aus dem Teig mit nassen Händen etwa 10 Klöße formen, diese ins siedende Salzwasser legen und in etwa 15 Minuten bei schwacher Hitze ziehen lassen. • Die Klöße mit einem Schaumlöffel herausnehmen und in einer Schüssel anrichten, auf deren Boden ein umgedrehter kleiner Teller gelegt wird (damit die restliche Flüssigkeit ablaufen kann).

Das paßt dazu: zerlassene Butter und Möhren-, Blumenkohl-, Broccoli-, Erbsen- oder Sojasprossengemüse.

Braucht etwas Zeit · Preiswert

Buchweizenklöße

150 g Buchweizenschrot · gut ¼ l Wasser · 120–150 g Vollkornzwiebackmehl · 125 g Magerquark · 1–2 Teel. Kräutersalz · 1 Teel. Schabziger Klee · 1 Teel. getrockneter Majoran
Pro Portion etwa 965 Joule/230 Kalorien

Vorbereitungszeit: 1¼ Stunden
Garzeit: 10 Minuten

Den Buchweizenschrot 30 Minuten in dem Wasser einweichen, zum Kochen bringen und bei schwacher Hitze 30 Minuten kochen lassen. Dabei ab und zu umrühren und, wenn nötig, etwas kaltes Wasser nachgießen. Das Wasser soll zuletzt völlig aufgesogen sein. • Den Buchweizenschrot mit dem Zwiebackmehl, dem Quark, dem Kräutersalz und den getrockneten Kräutern zu einem glatten Teig verrühren und 10 Minuten stehenlassen. • Inzwischen reichlich Salzwasser zum Kochen bringen. Gegebenenfalls noch etwas Zwiebackmehl unter den Teig rühren. Mit einem nassen Löffel Klößchen vom Teig abstechen und portionsweise ins kochende Salzwasser legen. Die Hitze reduzieren und die Klöße 10 Minuten im heißen, jedoch nicht mehr kochenden Wasser ziehen lassen. • Die Klöße mit dem Schaumlöffel aus dem Wasser heben, abtropfen lassen und warm stellen, bis alle Buchweizenklöße gegart sind.

Paßt gut: als Beilage zu Gemüsegerichten wie Staudensellerie mit Kräutern und Nußbutter (Rezept Seite 109).

Variante: Getreide-Schöpfklöße
Diese leichten, lockeren Klöße können während des Dünstens auf Gemüse mitgegart werden oder man läßt sie in Gemüsebrühe gar ziehen. 100 g gekochte Getreidekörner mit 200 g gegartem Weizenschrot, 60 g Vollkornzwiebackmehl, 100 g trockenem Magerquark und 2 Eßlöffeln Distelöl mischen, mit Kräutersalz würzen und 4 Eßlöffel frische, gehackte Kräuter unterrühren. Die Masse 10 Minuten ziehen lassen, mit einem nassen Löffel Klößchen abstechen und 20 Minuten vor Beendigung der Garzeit des Gemüses auf das Gemüse setzen und gar ziehen lassen.

Braucht etwas Zeit · Ganz einfach

Aprikosenknödel 🥄

10–12 reife oder 16 ungeschwefelte getrocknete Aprikosen · 500 g Magerquark · 2 Eier · Salz · 1 Eßl. Honig · abgeriebene Schale von ½ Orange (Schale unbehandelt) · 150–200 g Weizen, fein gemahlen · 50 g Butter
Pro Portion etwa 2068 Joule/490 Kalorien

Einweichzeit eventuell: über Nacht
Vorbereitungszeit: 50 Minuten
Garzeit: 15 Minuten

Die frischen Aprikosen waschen, aufschneiden und entkernen oder die getrockneten Aprikosen über Nacht in Wasser einweichen, abgießen und abtropfen lassen. • Der Quark sollte trocken sein, eventuell muß er mit einem Tuch ausgepreßt werden. Den Quark mit den ganzen Eiern verrühren, 1 Prise Salz, den Honig und die abgeriebene Orangenschale zugeben. Zuletzt so viel Mehl zufügen, daß ein formbarer Teig entsteht. • Schwach gesalzenes Wasser in einem Topf mit großem Durchmesser zum Kochen bringen. •

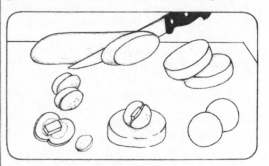

Den Knödelteig zur Rolle formen, diese in die gewünschte Anzahl Stücke teilen und dann jedes füllen.

Den Teig in 10–12 Teile für die frischen Aprikosen, in 16 Teile für die getrockneten Früchte einteilen. In jedes Teigstück eine Frucht geben und Knödel formen. Die Knödel in das kochende Wasser legen und etwa 15 Minuten ziehen lassen. • Die Butter zerlassen und leicht bräunen. Die Knödel auf vorgewärmten Tellern servieren und mit der heißen Butter übergießen.

Variante: Mit dem gleichen Teig lassen sich auch Zwetschgenknödel herstellen.

Braucht etwas Zeit · Nicht ganz einfach

Germknödel ☝

Eine Urlaubserinnerung an Österreich. Germ ist das österreichische Wort für Hefe.

Zutaten für 16-20 Stück:
Für den Teig: 500 g Weizen, fein gemahlen ·
1 Würfel Hefe · 200-220 ml Milch · 1 Ei · 1 Prise
Salz · 1 Eßl. Honig · 1 Messerspitze Vanillepulver
oder abgeriebene Schale von ½ Zitrone (Schale
unbehandelt) · 50 g weiche Butter
Für die Füllung: 200 g ungeschwefelte Kurpflau-
men ohne Kern · 2 Eßl. Zwetschgenwasser oder
Obstgeist · ½ Teel. Zimt · 1 Prise gemahlene
Nelken
Für das Kochwasser: Salz
Zum Beträufeln und Bestreuen: 150 g Butter ·
200 g frisch gemahlener Mohn · 3-4 Eßl. Ahorn-
sirup
Pro Knödel 1070 Joule/255 Kalorien bei
20 Knödeln

Einweichzeit: 12 Stunden
Vorbereitungszeit: 45 Minuten
Ruhezeit: 1 Stunde
Garzeit: 15 Minuten

Die Pflaumen 12 Stunden in warmem Wasser einweichen. • Für den Hefeteig sollten alle Zutaten zimmerwarm sein. Das Mehl in eine große Schüssel geben, in die Mitte eine Mulde drük-ken. Die Hefe zerbröckeln und mit etwas lauwar-mer Milch verrühren, bis sie aufgelöst ist. Diesen Vorteig in die Mulde gießen und mit ein wenig Mehl bestäuben. Die Schüssel, mit einem Kü-chentuch zugedeckt, an einem warmen, zugfrei-en Platz gehen lassen, bis der Vorteig Bläschen bildet. • Nun die restliche Milch, das Ei, das Salz, den Honig, die Vanille oder die Zitronen-schale und die Butter unter Rühren zugeben. Jetzt den Teig mit einem Holzlöffel kräftig schla-gen oder mit der Küchenmaschine kneten. Den Teig zudecken und gehen lassen, bis sich das Vo-lumen verdoppelt hat. • Die Pflaumen abgießen, mit dem Alkohol, den Gewürzen und nach Be-darf etwas Einweichwasser pürieren; das Püree sollte die Konsistenz von Marmelade haben. • Aus dem gegangenen Hefeteig 2 gleichmäßige Rollen formen und diese in je 8-10 Stücke schneiden. Jedes Teigstück mit der Hand breit-drücken, in die Mitte etwa 1 Teelöffel Pflaumen-mus geben, den Teig zusammendrücken und ei-nen Knödel formen. Die Knödel zugedeckt etwa 10 Minuten gehen lassen. • In einem weiten Topf schwach gesalzenes Wasser zum Kochen bringen. Alle Knödel auf einmal in das Wasser geben und aufkochen, dann in etwa 15 Minuten gar ziehen lassen. • Die Butter schmelzen und leicht bräunen lassen. Die Knödel mit dem Schaumlöffel auf vorgewärmte Teller geben, mit der heißen Butter übergießen, mit dem Mohn be-streuen und mit dem Sirup beträufeln.

Braucht etwas Zeit

Kirschenknödel ☝

400 g mehlig kochende Kartoffeln · 30 g Butter ·
Salz · abgeriebene Schale von ½ Zitrone (Schale
unbehandelt) · 30 g Vollweizengrieß · etwa
125 g Weizen, fein gemahlen · 500 g Kirschen
Zum Beträufeln und Bestreuen nach Belieben:
Zimt und Ahornsirup oder Butter · Vollkornbrösel
Pro Portion etwa 1510 Joule/360 Kalorien

Vorbereitungszeit: 35 Minuten
Ruhezeit: 30 Minuten
Garzeit insgesamt: 60 Minuten

Die Kartoffeln in der Schale weich kochen, schä-len und sofort durch die Kartoffelpresse drük-ken. • Die Kartoffelmasse mit der Butter, 1 Prise

Salz, der abgeriebenen Zitronenschale und dem Grieß verrühren. Dann so viel Mehl zugeben, daß ein formbarer Teig entsteht. Den Teig zugedeckt 30 Minuten ruhen lassen. • Die Kirschen waschen und auf Küchenpapier trocknen lassen. • Schwach gesalzenes Wasser in einem Topf mit großem Durchmesser zum Kochen bringen. Den Teig in 15 gleich große Stücke teilen. Aus jedem Teigstück ein Bällchen formen und dabei jeweils eine Kirsche in die Mitte des Knödels geben. Die Knödel in das kochende Wasser legen und 15 Minuten ziehen lassen. • Man kann die Kirschenknödel mit Zimt und Ahornsirup servieren, oder mit Zimt und gebräunter Butter oder mit in Butter gerösteten Vollkornbröseln.

Variante: Ebenso fein schmecken Zwetschgen- und Aprikosenknödel aus diesem Kartoffelteig.

Braucht etwas Zeit · Preiswert

Zwetschgenknödel nach böhmischer Art

1 kg mehlig kochende Kartoffeln, am Vortag gekocht · etwa 15 Zwetschgen · 60 g Butter · 4 Eigelbe · Salz · Weizen, fein gemahlen, nach Bedarf · 1 Eßl. Honig · 2 Eßl. Vollkornbrösel · Zimtpulver
Pro Portion etwa 1280 Joule/305 Kalorien

Vorbereitungszeit: 35 Minuten
Garzeit: 12 Minuten

Die Kartoffeln schälen und reiben. • Die Zwetschgen waschen und entkernen. • 30 g Butter mit den Eigelben und 1 Prise Salz verrühren, die Kartoffeln zugeben und so viel Mehl, daß der Teig nicht mehr klebt und sich ausrollen läßt. • Einen weiten Topf mit leicht gesalzenem Wasser

zum Kochen bringen. • Den Teig ausrollen und in 12–15 Quadrate schneiden. Auf jedes eine Zwetschge geben und Klöße daraus formen. Alle auf einmal in das kochende Wasser geben und 12 Minuten ziehen lassen. • Die restliche Butter und den Honig zusammen leicht erwärmen. Die Brösel mit etwas Zimt mischen. • Die Knödel mit einem Schaumlöffel auf vorgewärmte Teller geben, mit der süßen Butter beträufeln und mit den Bröseln bestreuen.

Braucht etwas Zeit · Ganz einfach

Quarknockerl

100 g Butter · 4 Eier · Salz · 500 g Magerquark · 125 g Vollweizengrieß
Zum Beträufeln und Bestreuen: Ahornsirup · nach Belieben Butter · Zimtpulver
Pro Portion etwa 1680 Joule/400 Kalorien

Vorbereitungszeit: 10 Minuten
Quellzeit: 30 Minuten
Garzeit: 15 Minuten

Die Butter schaumig rühren. Die ganzen Eier und 1 Prise Salz, dann den Quark zugeben. Nun den Grieß unterrühren und den Teig zugedeckt 30 Minuten quellen lassen. • In einem Topf mit großem Durchmesser schwach gesalzenes Wasser zum Kochen bringen. Mit einem Eßlöffel aus dem Teig Nockerl (Klößchen) formen, in das kochende Wasser einlegen, aufkochen und 15 Minuten ziehen lassen. • Die Nockerl auf vorgewärmten Tellern servieren. Mit Ahornsirup oder einem Gemisch aus heißer Butter und Sirup beträufeln, mit Zimt bestreuen.

Das paßt dazu: Kompott.

Aufläufe, Pies und Pizzen

Aufläufe, Pies und Pizzen sind bei fast allen Menschen beliebt. Sie bereichern den Speisezettel mit würzigen oder süßen Gerichten aus nährstoffreichem Vollgetreide, Gemüse, Hülsenfrüchten und Kartoffeln. Ob süß oder herzhaft, sie stellen meist ein eigenständiges Hauptgericht dar, doch sollten sie noch durch einen passenden Rohkostsalat als Vorspeise und/oder frisches Obst als Nachspeise ergänzt werden. Was jedoch nicht heißen soll, daß Aufläufe, Pies und Pizzen keine vollwertigen Gerichte sind, denn wir verwenden keine Reste, wie das sonst manchmal üblich ist; in der Vollwertküche werden immer frische und einwandfreie Zutaten hergenommen.

Um Zeit zu sparen, empfiehlt es sich bei Aufläufen aus Hülsenfrüchten, diese bereits am Tag vor der Zubereitung zu garen. Das kann während des täglichen Kochens nebenbei geschehen und macht so keine besondere Mühe. Man benötigt dann nicht mehr so lange Kochzeiten.

Ganz einfach

Auberginen-Auflauf mit Tomaten

750 g Auberginen · 750 g Tomaten · 3 Knoblauchzehen · 1–2 Bund Petersilie · 60 g Vollkornbrösel · 1 Eßl. abgeriebene unbehandelte Zitronenschale · 100 g frisch geriebener Emmentaler Käse oder Pecorino · 1 Eßl. Olivenöl · 1 Teel. Salz · 1 Teel. getrockneter Oregano · 1 Eßl. Butter
Pro Portion etwa 1175 Joule/280 Kalorien

Vorbereitungszeit: 30 Minuten
Backzeit: 30 Minuten

Die Auberginen waschen, abtropfen lassen und quer in etwa 1 cm dicke Scheiben schneiden. Die Tomaten häuten, die Stiele entfernen und feinhacken. Den Knoblauch schälen, hacken und mit den Tomaten mischen. Die Petersilie waschen, trockentupfen und feinhacken. • Die Vollkornbrösel mit der Zitronenschale, dem Käse und der Petersilie mischen. • Den Backofen auf 200° vorheizen. • Eine große, flache Auflaufform mit etwas Olivenöl ausstreichen. Auf den Boden der Form die Hälfte der Auberginenscheiben legen, mit Salz bestreuen und mit etwas Olivenöl beträufeln. Die gehackten Tomaten darauf verteilen, salzen und mit dem Oregano bestreuen. Die restlichen Auberginenscheiben auf die Tomatenschicht legen, salzen, das restliche Öl daraufträufeln und mit der Vollkornbrösel-Käse-Mischung bedecken. Die Butter in Flöckchen daraufsetzen und den Auflauf 30 Minuten auf der mittleren Schiebeleiste backen.

Das paßt dazu: einfache Getreideschrotgerichte (Rezepte Seite 133), Dreikorngrütze oder Polenta oder geröstete Weizenvollkornbrotscheiben.

Ballaststoffreich · Eiweißreich · Braucht etwas Zeit

Getreideauflauf 🐟

100 g Getreide (Weizen, Roggen, Gerste, Hafer, Grünkern) · knapp ¼ l Wasser zum Einweichen · ½ Teel. Salz · 70 g grob geschrotetes Getreide · ⅛ l Wasser · ¼ Teel. Salz · 125 g Magerquark · 75 g Haferflocken oder Vollkornzwiebackmehl · 3 Eßl. saure Sahne · 3 Eßl. Distelöl · 1 Teel. Salz · je 1 Teel. getrocknetes Basilikum und getrockneter Salbei · 3 Eßl. Sonnenblumenkerne · je 2 Eßl. frisch gehackte Petersilie und Schnittlauchröllchen
Für die Form: 2 Teelöffel Butter
Pro Portion etwa 1470 Joule/350 Kalorien

Quellzeit: 6–10 Stunden
Vorbereitungszeit: 1¼ Stunden
Backzeit: 45 Minuten

Das Getreide unter fließendem Wasser waschen und in knapp ¼ l Wasser 6–10 Stunden einweichen. • Die Getreidekörner im Einweichwasser zum Kochen bringen und bei schwacher Hitze 1 Stunde kochen lassen. Immer, wenn das Wasser aufgesogen ist, etwas Wasser nachgießen. Nach der Hälfte der Garzeit mit dem Salz würzen. • Gleichzeitig den Schrot in ⅛ l Wasser 30 Minuten einweichen, zum Kochen bringen und bei schwacher Hitze 30 Minuten kochen lassen. Dabei ab und zu umrühren und, wenn nötig, etwas kaltes Wasser nachgießen. Das Wasser soll zuletzt ganz aufgesogen sein. Den gegarten Schrot mit dem Salz würzen. • Die Getreidekörner mit dem Schrotbrei, dem Quark, den Haferflocken oder dem Zwiebackmehl, der sauren Sahne, dem Öl, dem Salz, dem Basilikum und dem Salbei mischen. • Die Sonnenblumenkerne in einer Pfanne ohne Fettzugabe unter Rühren goldgelb rösten und mit der Petersilie und dem Schnittlauch unterrühren. • Eine Auflaufform mit der Butter ausstreichen, die Auflaufmasse einfüllen und auf der mittleren Schiebeleiste in den kalten Backofen stellen. Den Backofen auf 250° schalten und den Auflauf 45 Minuten backen.

> **Unser Tip** Die Auflaufmasse abwechselnd mit nicht ganz weich gedünstetem Gemüse einschichten, mit geriebenem Käse bestreuen und mit Butterflöckchen belegen. Der Auflauf kann auch in einer eingefetteten Puddingform im Wasserbad gegart werden. Die Kochzeit beträgt dann 1 Stunde.

Preiswert

Mangold-Pfannkuchen-Auflauf 🝰

Für die Pfannkuchen:
5 Eßl. Weizenvollkornmehl · 3 Eier · ⅛ l Milch ·
je 1 Messerspitze Salz und geriebene Muskatnuß ·
3 Eßl. Sonnenblumenöl · 60 g frisch geriebener
Emmentaler oder Greyerzer Käse
Für den Mangold:
1 kg Mangold · 1 Knoblauchzehe ·
3 Eßl. Sonnenblumenöl · 1 Teel. Salz ·
1 kleiner Zweig Liebstöckel oder ½ Teel. getrocknetes Liebstöckel · je 2 Teel. frischer, feingehackter Majoran und frisches Bohnenkraut oder je ½ Teel. der getrockneten Kräuter
Für die Form und zum Belegen: 1 Eßl. Butter
Pro Portion etwa 1615 Joule/385 Kalorien

Vorbereitungszeit: 40 Minuten
Zeit zum Überbacken: 15 Minuten

Das Mehl mit den Eiern, der Milch, dem Salz und dem Muskat zu einem glatten, ziemlich dünnflüssigen Teig verrühren und diesen ruhen lassen. • Inzwischen den Mangold verlesen, in reichlich kaltem Wasser gründlich waschen, abtropfen lassen und die Stielenden abschneiden. Die Mangoldstiele in etwa 2 cm lange Stücke und die Blätter grob kleinschneiden. Die Knoblauchzehe schälen und sehr fein hacken. • Das Öl in einem flachen, großen Topf erhitzen und zuerst die Mangoldstiele darin unter Wenden etwa 3 Minuten dünsten. Dann die Blätter, den Knoblauch, das Salz und gegebenenfalls die getrockneten Kräuter zufügen, umrühren und das Gemüse ohne Flüssigkeitszugabe zugedeckt bei schwacher Hitze 8–10 Minuten dünsten. • Inzwischen aus dem Teig in dem Öl nacheinander dünne Pfannkuchen backen und übereinandergeschichtet aufbewahren. • Den Backofen auf

180° vorheizen. • Eine runde feuerfeste Form mit etwas Butter einfetten. Die gehackten frischen Kräuter unter das Gemüse mischen. • Einen Pfannkuchen in die Form legen, etwas Mangoldgemüse darauf verteilen und mit geriebenem Käse bestreuen. Die übrigen Pfannkuchen, das Gemüse und den Käse genauso einschichten. Mit einem Pfannkuchen abschließen. Die restliche Butter in Flöckchen daraufsetzen und den Auflauf 15 Minuten im Backofen auf der mittleren Schiebeleiste überbacken.

Das paßt dazu: Tomatensalat oder Möhrenrohkost und etwas gut gekühlte, geschlagene saure Sahne.

Ganz einfach · Preiswert

Sauerkraut in Eier-Sahne

1 kg rohes Sauerkraut · 1 Zwiebel · 5 Wacholderbeeren · 2 Eßl. Sonnenblumenöl · 350 g Kartoffeln · 3 Eßl. Apfeldicksaft · 2 Messerspitzen Pfeffer, frisch gemahlen · 50 g Butter · ½ l saure Sahne · 3 Eier · 1 Messerspitze Salz · 2 Teel. mildes Paprikapulver
Pro Portion etwa 1660 Joule/395 Kalorien

Vorbereitungszeit: 30 Minuten
Backzeit: 40 Minuten

Das Sauerkraut nicht waschen, mit einer Gabel auflockern und etwas kleiner schneiden. Die Zwiebel schälen und würfeln. Das Kraut mit den Zwiebelwürfeln und den Wacholderbeeren bei schwacher Hitze 10 Minuten in dem Öl dünsten, dabei ab und zu umrühren. • Inzwischen die Kartoffeln unter fließendem Wasser gründlich bürsten, die Keimansätze entfernen, die Kartoffeln mit der Schale grobraspeln. • Den Backofen auf 220° vorheizen. • Die Kartoffelraspeln mit dem Sauerkraut mischen, den Apfeldicksaft, den Pfeffer und die Butter bis auf etwa 2 Teelöffel für die Form unterrühren. • Die saure Sahne mit den Eiern, dem Salz und dem Paprikapulver verquirlen und die Eiersahne mit der Sauerkraut-Kartoffelmischung gut verrühren. • Eine große, flache, feuerfeste Form mit der restlichen Butter ausstreichen, die Auflaufmasse einfüllen und im Backofen auf der mittleren Schiebeleiste in etwa 40 Minuten knusprig braun backen.

Braucht etwas Zeit · Preiswert

Kohlrabi-Kartoffel-Gratin

750 g Kohlrabi · 750 g neue Kartoffeln · 4 Zwiebeln · 2 Eßl. Butter · einige frische Liebstöckelblätter · 1 Bund Petersilie · 1 Teel. getrockneter Thymian · 2 Teel. Salz · 1 Messerspitze Muskatnuß, frisch gerieben · ⅛ l saure Sahne · 2 Eier · 1 Teel. mildes Paprikapulver · 1 Messerspitze Salz · 2 Eßl. Vollkornbrösel · 50 g Emmentaler Käse, frisch gerieben · 2 Eßl. Öl
Pro Portion etwa 1700 Joule/405 Kalorien

Vorbereitungszeit: 40 Minuten
Backzeit: 40 Minuten

Von den Kohlrabiknollen die Stiele abschneiden. Zarte Blätter waschen und aufbewahren. Die Kohlrabi schälen, vierteln und die Viertel hobeln. Die Kartoffeln unter fließendem Wasser gründlich bürsten und ebenfalls hobeln. Die Zwiebeln schälen, halbieren und die Zwiebelhälften in dünne Scheiben schneiden. • Eine feuerfeste Form mit etwas Butter einfetten. • Den Backofen auf 220° vorheizen. • Die Kohlrabiblätter und den Liebstöckel sehr fein wiegen und mit den Kohlrabischeiben und der frisch gehackten Petersilie mischen. • Die Zwiebeln in 1 Eßlöffel Butter goldgelb braten. • ⅓ der Kartoffelscheiben in die Form füllen und mit etwas Thymian und Salz bestreuen. Die Hälfte der Zwiebelscheiben darauf verteilen und die Hälfte vom Kohlrabi daraufgeben. Die Kohlrabi mit Salz und etwas Muskat würzen. Die restlichen Kartoffeln, Zwiebeln und Kohlrabischeiben ebenso einschichten und würzen. Mit einer Lage Kartoffelhobel abschließen. • Die saure Sahne mit den Eiern, dem Paprikapulver und dem Salz verquirlen und über die eingeschichteten Zutaten gießen. Die Vollkornbrösel mit dem geriebenen Käse mischen und den Auflauf damit bestreuen. Das Öl darüberträufeln und den Gratin auf der mittleren Schiebeleiste im Backofen etwa 40 Minuten backen, bis die Eier-Sahne gestockt ist.

Braucht etwas Zeit · Nicht ganz einfach

Sellerie-Apfel-Auflauf

200 g Nackthafer (ganze Körner) · ½ l Wasser · 2 Teel. gekörnte Gemüsebrühe · 400 g Knollensellerie · 2 Eßl. Öl · ½–1 Tasse Wasser · Saft von ½ Zitrone · 250 g säuerliche Äpfel · 2 Eßl. grobgehackte Haselnußkerne · ⅛ l Sahne · je 1 Teel. getrockneter Oregano und getrockneter Thymian · 1 Teel. Selleriesalz · ½ Teel. Salz
Für die Form und zum Belegen: 1 Eßl. Butter
Pro Portion etwa 1995 Joule/475 Kalorien

Quellzeit: 3–5 Stunden
Garzeit: 1 Stunde
Zeit zum Nachquellen: 2 Stunden
Vorbereitungszeit: 40 Minuten
Backzeit: 20 Minuten

Die Haferkörner am Vortag 3–5 Stunden im Wasser einweichen und anschließend im Einweichwasser zugedeckt bei schwacher Hitze 1 Stunde kochen. Die gekörnte Gemüsebrühe zu-

fügen und die Körner 2 Stunden bei ganz schwacher Hitze ausquellen lassen. • Am nächsten Tag die Haferkörner durch den Fleischwolf drehen. • Vom Sellerie die Stiele und Blätter abschneiden und für eine Gemüsebrühe aufbewahren. Die Knollen unter fließendem Wasser gründlich bürsten, schlechte Stellen abschneiden und den Sellerie in dünne Streifen schneiden. Die Selleriestreifen in einem Topf in dem Öl wenden, das Wasser und den Zitronensaft zufügen und den Sellerie zugedeckt bei schwacher Hitze 10 Minuten dünsten. • Die Selleriestreifen zum Hafer geben. • Den Backofen auf 180° vorheizen. • Die Äpfel waschen und mit der Schale und dem Kerngehäuse grob auf den Hafer und den Sellerie raspeln. Die Haselnüsse, die Sahne, die Gewürze und das Salz unterrühren. • Eine flache Auflaufform mit etwas Butter einfetten, die Masse einfüllen und die restliche Butter in Flöckchen darauf verteilen. Den Auflauf im Backofen auf der mittleren Schiebeleiste 20 Minuten überbacken.

Das paßt dazu: Rapunzel- oder Endiviensalat.

Braucht etwas Zeit

Tomaten mit Schafkäse auf Kichererbsen

100 g Kichererbsen · 1 große Zwiebel · 2 Knoblauchzehen · 3 Eßl. Olivenöl · 3 Eßl. Vollkornbrösel · 1 Eßl. Zitronensaft · ½ Teel. Salz · 2 Messerspitzen schwarzer Pfeffer, frisch gemahlen · 1 kg Tomaten · 200 g Schafkäse · 75 g schwarze Oliven · ½ Teel. Salz · je 1 Teel. getrocknetes Basilikum und getrockneter Oregano · 1 Eßl. Distelöl
Für die Form: Öl
Pro Portion etwa 2690 Joule/640 Kalorien

Quellzeit: 12 Stunden
Vorbereitungszeit: 40 Minuten
Backzeit: 35 Minuten

Die Kichererbsen unter fließendem Wasser gründlich waschen und von Wasser bedeckt 12 Stunden, am besten über Nacht, einweichen. • Am nächsten Tag die Kichererbsen im Einweichwasser 30–40 Minuten lang zugedeckt bei schwacher Hitze kochen und anschließend abtropfen lassen. • Die Zwiebel und die Knoblauchzehen schälen und feinhacken. Das Olivenöl in einer Pfanne erhitzen und die Zwiebel mit dem Knoblauch darin goldgelb braten. • Die Kichererbsen und die Vollkornbrösel unterrühren und mit dem Zitronensaft, dem Salz und dem Pfeffer würzen. • Während die Erbsen garen, die Tomaten waschen und mit dem Schafkäse in fingerdicke Scheiben schneiden, dabei von den Tomaten die Stielansätze entfernen. Die Oliven entkernen. • Eine flache feuerfeste Form mit etwas Öl einfetten. Die Erbsenmischung in der Form verteilen. Die Tomaten- und Käsescheiben abwechselnd schuppenartig einschichten. Die Tomaten mit dem Salz bestreuen und das Basilikum und den Oregano zwischen den Fingern über dem Auflauf zerkrümeln. Das Distelöl darüberträufeln. Die Form auf der mittleren Schiebeleiste in den kalten Backofen schieben, auf 220° schalten und den Auflauf 25 Minuten bakken. • Erst jetzt die Oliven auf den Auflauf streuen und diesen weitere 5–10 Minuten goldbraun überkrusten lassen.

> **Unser Tip** Auf der Kichererbsenunterlage gebacken schmecken fast alle Fruchtgemüse gut. Probieren Sie das Rezept mit gebratenen Auberginenscheiben und trockenem Tofu (Sojaquark) oder mit Zucchini und Mozzarella aus.

Nicht ganz einfach · Braucht etwas Zeit

Spinatsoufflé

1,25 kg Spinat · 1 Bund Frühlingszwiebeln mit dem Grün · 1 Knoblauchzehe · 1 Eßl. Distelöl · 3 Eßl. frisch gehackter Dill · 1 Eßl. Zitronensaft · 1 Eßl. Pilzpulver · ⅛ l Milch · 60 g Butter · 3 Eßl. Weizenvollkornmehl · 2 Eßl. Buchweizenmehl · 1 Messerspitze geriebene Muskatnuß · 1 Teel. Salz · 5 Eier · 60 g Parmesan, frisch gerieben
Pro Portion etwa 1510 Joule/360 Kalorien

Vorbereitungszeit: 40 Minuten
Backzeit: 40–50 Minuten

Den Spinat verlesen und grobe Stiele entfernen. Den Spinat mehrmals gründlich in handwarmem Wasser waschen, etwas abtropfen lassen und bei mittlerer Hitze im geschlossenen Topf etwa 3 Minuten dünsten, bis er zusammengefallen ist. Den Spinat in einem Sieb abtropfen lassen und noch etwas ausdrücken, im Mixer pürieren oder feinhacken. • Die Frühlingszwiebeln waschen und mit dem Grün kleinschneiden. Die Knoblauchzehe schälen und sehr fein hacken. Das Öl in einem Topf erhitzen und die Zwiebeln mit dem Knoblauch darin glasig braten. Den Spinat, den Dill, den Zitronensaft und das Pilzpulver unterrühren und den Topf vom Herd nehmen. • Die Milch erhitzen. 50 g Butter in einem Topf zerlassen, das Mehl mit dem Buchweizenmehl darüberstäuben und rühren, bis eine glatte, goldgelbe Masse entstanden ist. Unter Rühren mit dem Schneebesen die Milch zufügen. Die dicke Sauce aufkochen und 3 Minuten quellen lassen; mit dem Muskat und dem Salz würzen. Die Sauce etwas abkühlen lassen. • Die Eier in Eigelbe und Eiweiße trennen. Den Topf vom Herd nehmen und die Eigelbe nacheinander unter die Sauce rühren. Das Spinatgemisch und dann den geriebenen Käse unterrühren. • Den Backofen auf 180° vorheizen. • Die Eiweiße steif schlagen. Eine hohe, feuerfeste Form mit der restlichen Butter ausstreichen. Den Eischnee unter die Spinatmischung ziehen, die Soufflémasse in die Form füllen und das Soufflé auf der mittleren Schiebeleiste im Backofen 40–50 Minuten backen.

Das paßt dazu: In Olivenöl gebratene Vollkorntoastscheiben.

Variante: Sauerampfersoufflé
Statt 1 kg Spinat 500 g Sauerampferblätter und 500 g Spinat verwenden. Den Zitronensaft weglassen und mit 1 Prise Cayennepfeffer würzen. Zusätzlich zum Dill 1 Eßlöffel frisch gehackte Zitronenmelisse verwenden.

Nicht ganz einfach

Zucchinisoufflé

1 kg Zucchini · 1 große Zwiebel · 2 Eßl. Olivenöl · je ½ Teel. getrockneter Salbei, getrocknete Rosmarinnadeln und Basilikum · 1 Messerspitze schwarzer Pfeffer, frisch gemahlen · 1 Eßl. Zitronensaft · 2 Teel. gekörnte Gemüsebrühe · 200 g Mozzarellakäse · 2 Eßl. Weizenvollkornmehl · 3 Eier
Pro Portion etwa 1050 Joule/250 Kalorien

Vorbereitungszeit: 30 Minuten
Backzeit: 30 Minuten

Die Zucchini waschen und kleinschneiden. Die Zwiebel schälen und hacken und mit den Zucchini im Öl (1 Teelöffel davon zurückbehalten) anbraten. Das Gemüse mit dem Salbei, dem Rosmarin, dem Basilikum und dem Pfeffer würzen und in etwa 20 Minuten zugedeckt bei schwacher Hitze weich schmoren. • Die Zucchini im Mixer pürieren oder durch ein Sieb strei-

chen und den Zitronensaft und die gekörnte Gemüsebrühe unterrühren. Das Püree abkühlen lassen. • Den Backofen auf 200° vorheizen. • Den Käse mit einer Gabel zerdrücken und mit dem Mehl unter das Zucchinipüree rühren. • Die Eier in Eigelbe und Eiweiße trennen. Die Eigelbe unter das Zucchinipüree rühren, die Eiweiße steif schlagen und behutsam unterziehen. Eine hohe feuerfeste Form mit dem restlichen Öl ausstreichen. Die Soufflémasse einfüllen und im Backofen auf der mittleren Schiebeleiste in etwa 30 Minuten goldbraun backen.

Braucht etwas Zeit

Türkischer Reis

Für den Reis:
300 g Naturreis · gut ½ l Wasser · 1 Eßl. Butter · je 1 Teel. getrockneter Estragon und mildes Paprikapulver · 1 Teel. Salz
Für die Sauce:
⅛ l Milch · ⅛ l Wasser · 2 Eßl. Butter · ½ Teel. geriebene Ingwerwurzel · 1 Teel. Senfpulver · 1 Eßl. frischer, gehackter Dill · 2 Eßl. Weizenvollkornmehl · 2 Teel. gekörnte Gemüsebrühe · 60 g frisch geriebener alter Goudakäse · 1 Eigelb
Für die Tomaten:
1 kg Tomaten · 1 Teel. Salz · je 2 Eßl. frisches, gehacktes Basilikum und frische, gehackte Pfefferminze
Für die Form: 1 Teel. Öl
Pro Portion etwa 2270 Joule/540 Kalorien

Quellzeit: 12 Stunden
Vorbereitungszeit: 40 Minuten
Backzeit: 45–50 Minuten

Den Reis unter fließendem Wasser gründlich waschen, mit der doppelten Menge Wasser in einem Topf kurz aufkochen und 12 Stunden, am besten über Nacht, weichen lassen. • Am nächsten Tag die Butter zerlassen, mit dem Estragon und dem Paprikapulver würzen. Den Reis mit dem Einweichwasser und Salz zugedeckt bei schwacher Hitze 15–20 Minuten kochen lassen, bis die Flüssigkeit aufgesogen ist. • Inzwischen für die Sauce die Milch mit dem Wasser erhitzen. Die Butter zerlassen und den Ingwer, das Senfpulver und den Dill zufügen. Das Mehl darüberstäuben und zu einer glatten Masse rühren. Unter Rühren mit dem Schneebesen das Wasser-Milch-Gemisch zugießen. Die Sauce 5 Minuten bei schwacher Hitze kochen lassen, mit der gekörnten Gemüsebrühe würzen und den Käse unterrühren. Die Sauce etwas abkühlen lassen und das Eigelb unterziehen. • Den Backofen auf 200° vorheizen. • Die Tomaten häuten und in 1 cm dicke Scheiben schneiden. • Eine feuerfeste Form mit dem Öl ausstreichen, ⅓ vom Reis einfüllen, die Hälfte der Tomatenscheiben daraufleagen und diese mit ½ Teelöffel Salz und je 1 Eßlöffel gehacktem Basilikum und frischer Minze bestreuen. Den restlichen Reis und die Tomatenscheiben genauso einschichten und würzen. Die oberste Schicht ist Reis. Die Käsesauce daraufstreichen, und den Auflauf 45–50 Minuten auf der mittleren Schiebeleiste im Backofen backen. Wenn die Oberfläche zu stark bräunt, den Auflauf mit Alufolie abdecken.

Ballaststoffreich · Braucht etwas Zeit

Westfälisches Bohnengericht ☞

Die Westfalen lieben das Deftig-Kräftige; dazu gehören Hülsenfrüchte. Dieses Gericht bereiten sie ohne Speck und Schinken zu; deshalb ist es in der Vollwertküche willkommen.

375 g weiße Bohnen · 2 l Wasser · 1 Kräutersträußchen, bestehend aus Lorbeerblatt, Bohnenkraut, Thymian und Salbei · 500 g säuerliche Äpfel · 2 Teel. Rübensirup · 2 große Zwiebeln · 100 g Butter · 2 Eßl. Weizenvollkornmehl · ¼ l Bohnenkochwasser · 1 Messerspitze geriebene Muskatnuß · 1–2 Eßl. gekörnte Gemüsebrühe · 100 g Vollkornbrösel
Pro Portion etwa 2350 Joule/560 Kalorien

Quellzeit: 8–12 Stunden
Vorbereitungszeit einschließlich Garzeit für die Bohnen: 2 Stunden
Backzeit: 30 Minuten

Die Bohnen waschen und in dem Wasser 8–12 Stunden, am besten über Nacht, quellen lassen. • Die Bohnen mit dem Kräutersträußchen im Einweichwasser zum Kochen bringen und zugedeckt bei schwacher Hitze in 1–1½ Stunden weich kochen. • Etwa 30 Minuten bevor die Bohnen gar sind, die Äpfel waschen, vierteln, vom Kerngehäuse befreien und möglichst ungeschält in Spalten schneiden. Das Kräutersträußchen aus den Bohnen entfernen. Die Bohnen in einem Sieb abtropfen lassen und das Kochwasser auffangen. Die Bohnen mit den Apfelspalten und dem Sirup mischen. • Den Backofen auf 180° vorheizen. • Die Zwiebeln schälen, halbieren und die Hälften in dünne Scheiben schneiden. 2 Eßlöffel Butter zerlassen und die Zwiebeln darin glasig braten. Das Mehl über die Zwiebeln streuen und bei starker Hitze unter Rühren 3–5 Minuten braten, bis sich das Mehl hellbraun gefärbt hat. Das abgemessene Bohnenkochwasser unter Rühren zugießen. Die Zwiebelsauce bei schwacher Hitze 5 Minuten kochen lassen und mit dem Muskat und der gekörnten Gemüsebrühe würzen. Die Sauce mit den Bohnen und den Äpfeln mischen. • Eine flache feuerfeste Form mit etwas Butter ausstreichen und die Bohnenmischung einfüllen. • Die restliche Butter zerlassen. Die Vollkornbrösel darin unter Rühren 2 Minuten braten und dann auf den Bohnen verteilen. Den Auflauf auf der mittleren Schiebeleiste etwa 30 Minuten im Backofen backen, bis sich eine feste, braune Kruste gebildet hat.

Ballaststoffreich · Braucht etwas Zeit

Cassoulet mit roten Bohnen

Bild Seite 302

300 g rote Kidneybohnen · 1 l Wasser · 1 Teel. ge-
trocknetes Bohnenkraut · 2 Eßl. gekörnte
Gemüsebrühe · 500 g Auberginen · 2 Zwiebeln ·
2 Knoblauchzehen · 1 grüne Peperone ·
⅛ l Olivenöl · 2 Eßl. mildes Paprikapulver ·
1 Teel. Salz · 1 Eßl. Zitronensaft ·
6 Eßl. Vollkornbrösel
Für die Form: Öl
Pro Portion etwa 2120 Joule/505 Kalorien

Quellzeit: 8–12 Stunden
Vorbereitungszeit einschließlich Garzeit für die
Bohnen: 1½ Stunden
Backzeit: 30 Minuten

Die Bohnen in dem Wasser 8–12 Stunden, am besten über Nacht, quellen lassen. • Die Bohnen im Einweichwasser mit dem Bohnenkraut zum Kochen bringen und zugedeckt bei schwacher Hitze in 1–1½ Stunden weich kochen; mit der gekörnten Brühe würzen. • Während die Bohnen garen, die Auberginen waschen, abtrocknen und in ½ cm dicke Scheiben schneiden. Die Zwiebeln und die Knoblauchzehen schälen und in Würfel schneiden. Die Peperone waschen und sehr fein schneiden. • Die Auberginenscheiben portionsweise in insgesamt 4 Eßlöffeln Öl von beiden

Seiten goldgelb braten und auf Küchenkrepp abtropfen lassen. Im verbliebenen Fett in der Pfanne die Zwiebeln, den Knoblauch und die Peperone braten, bis die Zwiebeln goldgelb geworden sind. Das Paprikapulver und das Salz zufügen. Die Pfanne vom Herd nehmen. • Den Backofen auf 200° vorheizen. • Eine feuerfeste flache Form mit etwas Öl ausstreichen. Die Bohnen einfüllen, die Zwiebelmischung darauf verteilen und alles mit den gebratenen Auberginenscheiben bedecken. Die Auberginen mit dem Zitronensaft beträufeln. • Das restliche Öl erhitzen, die Vollkornbrösel darin unter Rühren bräunen und auf den Auberginen verteilen. Den Auflauf auf der zweiten Schiene von unten 30 Minuten im Backofen backen.

Das paßt dazu: ein beliebiger grüner Salat.

Ballaststoffreich · Braucht etwas Zeit

Polenta-Auflauf mit Azukibohnen

Bild Seite 319

350 g Azukibohnen · 1½ l Wasser · 1 Lorbeer-
blatt · 2 Teel. getrocknete Salbeiblätter · je 2 Teel.
getrockneter Thymian und Majoran ·
¾ bis 1 l Wasser · 4 Teel. Salz · 2 Teel. getrock-
netes Basilikum · 250 g Maisgrieß (Polenta) ·
4 Knoblauchzehen · 1 große Zwiebel · 3 Eßl. Öl ·
500 g Tomaten · 100 g geriebener Pecorino oder
Greyerzer Käse
Für die Form: 1 Teel. Butter
Pro Portion etwa 3275 Joule/780 Kalorien

Quellzeit: 8–12 Stunden
Vorbereitungszeit einschließlich der Garzeit für
die Bohnen: 1½ Stunden
Backzeit: 40 Minuten

Die Azukibohnen waschen und in dem Wasser 8-12 Stunden quellen lassen. • Das Lorbeerblatt, den Salbei, den Thymian und den Majoran zufügen, die Bohnen im Einweichwasser zum Kochen bringen und zugedeckt bei schwacher Hitze in 1-1½ Stunden weich kochen. • Während die Bohnen garen, für den Maisgrießbrei ¾ l Wasser mit 2 Teelöffeln Salz und dem Basilikum zum Kochen bringen. Den Maisgrieß unter Rühren mit dem Schneebesen einstreuen. Die Hitze reduzieren und den Maisbrei unter Rühren 5 Minuten leise kochen lassen. Gegebenenfalls noch etwas heißes Wasser nachgießen. Den Grießbrei dann bei ganz schwacher Hitze (Schaltstufe ½, Drahtuntersatz) 30 Minuten ausquellen lassen. • Die Knoblauchzehen und die Zwiebel schälen, feinschneiden und im Öl glasig braten. Die Tomaten waschen oder nach Belieben häuten und kleinschneiden; dabei den Stielansatz entfernen. Die Tomaten zum Knoblauch-Zwiebel-Gemisch geben, alles noch 3 Minuten braten lassen und dann 1 Teelöffel Salz unterrühren. Die Bohnen ebenfalls salzen. • Den Backofen auf 200° vorheizen. • Eine große Auflaufform mit Deckel mit der Butter einfetten. Den Käse unter den Maisbrei rühren und schlagen, bis er sich gut verteilt hat. Die Hälfte von der Polenta in die Auflaufform füllen und glattstreichen. Die gebratenen Tomaten entweder mit den Bohnen mischen und alles zusammen auf die Polenta in die Form füllen oder zuerst die Bohnen einfüllen und dann die Tomaten darauf verteilen. Mit dem übrigen Maisbrei bedecken, glattstreichen und die Butter in Flöckchen darauf verteilen. Den Auflauf zugedeckt 30 Minuten und anschließend noch 10 Minuten auf der zweiten Schiene von unten in der offenen Form backen.

Das paßt dazu: ein beliebiger grüner Salat.

Braucht etwas Zeit · Ballaststoffreich

Sojabohnen-Auflauf

300 g gelbe Sojabohnen · 1 l Wasser · 1 Gewürzsträußchen, bestehend aus Koriandergrün oder Petersilie, Selleriegrün, Thymian und 1 Lorbeerblatt · 75 g Hirse · ¼ l Wasser · 500 g Kartoffeln · 1 Eßl. Butter · ½ Teel. geriebene Muskatnuß · 1 Teel. Salz · je 1 Bund Schnittlauch und Dill · 2 Eßl. Tamari (dunkle Sojasauce) · 1 Eßl. Kräutersenf (aus dem Naturkostladen oder dem Reformhaus) · 1-2 Messerspitze Chilipulver und 1-1½ Teel. Salz
Für die Form und zum Beträufeln: 2 Eßl. Öl
Pro Portion etwa 2120 Joule/505 Kalorien

Quellzeit: 8-12 Stunden
Vorbereitungszeit einschließlich Garzeit für die Bohnen: 1 Stunde
Backzeit: 30-40 Minuten

Die Sojabohnen waschen und in dem Wasser 8-12 Stunden, am besten über Nacht, quellen lassen. • Die Sojabohnen unter fließendem Wasser abspülen, das Einweichwasser abmessen und die Bohnen mit derselben Menge frischen Wassers mit dem Gewürzsträußchen zugedeckt bei schwacher Hitze in etwa 1 Stunde garen. • Inzwischen die Hirse erst in einem Sieb kalt waschen, dann kochendheiß überbrühen. Die Hirse im Wasser zum Kochen bringen und in etwa 20 Minuten zugedeckt bei schwacher Hitze garen. • Die Kartoffeln waschen, dünn schälen, in kleine Stücke schneiden und diese in wenig Wasser in etwa 15 Minuten weich kochen. Die Kartoffeln mit dem Kartoffelstampfer zerdrücken, die Butter unterrühren und die Kartoffeln mit dem Schneebesen zu einem dicken Püree schlagen. • Die Hirse unter das Kartoffelpüree rühren. Die Masse mit dem Muskat und dem Salz würzen. • Den Backofen auf 200° vorheizen. • Den Schnittlauch und den Dill waschen, trockenschleudern, kleinschneiden und unter das Kartoffel-Hirse-Püree rühren. • Das Kräutersträußchen aus den Sojabohnen entfernen. Die Bohnen mit dem Tamari, dem Senf, dem Chilipulver und dem Salz würzen. Eine flache feuerfeste Form mit 2 Teelöffeln Öl ausstreichen. Die Bohnen einfüllen, das Püree daraufstreichen und mit dem restlichen Öl beträufeln. Den Auflauf auf der mittleren Schiene in 30–40 Minuten goldbraun backen.

Das paßt dazu: Spinatsalat oder Rapunzelsalat.

Braucht etwas Zeit

Mungobohnen-Tomaten-Kasserolle

250 g Mungobohnen · ¾ l Wasser · 2 Teel. getrocknete Salbeiblätter · 1–2 Teel. Salz · 250 g frische Maiskörner vom Kolben oder tiefgefrorene Maiskörner · 1 Eßl. Öl · 4 Eßl. Wasser · 1 Teel. gemahlener Rosmarin · Eßl. Salz · 500 g Tomaten · 2 Teel. Ahornsirup · 1 Teel. Salz · 2 Eßl. Butter · 60 g Vollkornbrösel (geriebenes altbackenes Vollkornbrot) · 60 g frisch geriebener Emmentaler Käse · 1 Teel. mildes Paprikapulver Für die Form: 1 Teel. Öl
Pro Portion etwa 2120 Joule/505 Kalorien

Quellzeit: 8–12 Stunden
Vorbereitungszeit einschließlich Garzeit für die Bohnen: 40 Minuten
Backzeit: 30 Minuten

Die Mungobohnen waschen und in dem Wasser 8–12 Stunden, am besten über Nacht, quellen lassen. • Den Salbei zufügen, die Bohnen im Einweichwasser zugedeckt bei schwacher Hitze in 30 Minuten weich kochen und anschließend salzen. • Frische Maiskörner vom Kolben schaben. Den Mais – tiefgefrorene Maiskörner unaufgetaut – im Öl wenden, das Wasser zugießen und den Mais zugedeckt bei schwacher Hitze in 10–15 Minuten weich dünsten, mit dem Rosmarin und dem Salz würzen. • Für dieses Gericht die Tomaten häuten. Die gehäuteten Tomaten kleinschneiden und mit dem Ahornsirup und dem Salz im Mixer pürieren. Oder die Tomaten hacken, durch ein Sieb streichen und mit dem Salz und dem Ahornsirup würzen. Mit den Bohnen mischen. • Den Backofen auf 220° vorheizen. • Eine feuerfeste Form mit Öl ausstreichen und abwechselnd die Bohnen und den Mais einschichten. • Die Butter zerlassen und die Vollkornbrösel unter Wenden darin bräunen. Die Brösel als oberste Schicht in die Form füllen, mit dem geriebenen Käse und dem Paprikapulver bestreuen und den Auflauf 30 Minuten im Backofen überbacken.

Das paßt dazu: ein beliebiger grüner Salat.

Braucht etwas Zeit · Nicht ganz einfach

Kräuterquiche ⌐

Eine Quiche, sozusagen, die umgedrehte Form der Pie, wird ebenfalls aus Mürbteig gebacken. Besonders würzig schmeckt der Teig, wenn man dazu neben Weizenmehl auch Hafermehl oder Grünkern verwendet. Mit einem Buchweizenmehl-Anteil gebacken ist der Teigboden lockerer. Belegen kann man die Quiche mit jeder Gemüsesorte, mit Pilzen, mit Käse- oder Quarkcreme oder einer gut gewürzten Sojafarce. Quiches schmecken am besten warm, nicht heiß! Je nach Belag paßt ein grüner Blattsalat, Tomatensalat oder auch ein Krautsalat gut dazu.

Für den Teig:
100 g Butter · 150 g Weizenvollkornmehl ·
100 g Hafermehl · je ½ Teel. gemahlener Korian-
der, Kümmel und Piment · 1 Teel. Salz · 6 Eßl.
Wasser
Für den Belag:
50 g Kerbel · 100 g Spinat · 50 g Sauerampfer ·
50 g Brunnenkresse · 50 g Petersilie · 50 g frische
gemischte Gartenkräuter (Dill, Estragon, Lieb-
stöckel, Majoran, Salbei, Thymian, Ysop) · 2 Teel.
gekörnte Gemüsebrühe · 2 Eier · ⅛ l Sahne ·
½ Teel. Salz · 2 Messerspitzen geriebene
Muskatnuß · 1 Messerspitze Cayennepfeffer ·
60 g Bergkäse oder Greyerzer, frisch gerieben
Pro Portion etwa 2960 Joule/705 Kalorien

Ruhezeit für den Teig: 30 Minuten
Vorbereitungszeit: 40 Minuten
Backzeit: 50 Minuten

Für den Teig die Butter schmelzen, aber nicht bräunen lassen. • Das Weizenmehl mit dem Hafermehl, dem Koriander, dem Kümmel und dem Piment in einer Schüssel mischen. Das Salz im kalten Wasser auflösen. Die geschmolzene Butter über das Mehl träufeln und die Zutaten zwischen den Fingern reiben. Das Salzwasser zugießen und alles rasch zu einem glatten Teig verkneten. Den Teig zur Kugel formen, in Alufolie einwickeln und 30 Minuten kühl stellen. • Für den Belag den Kerbel, den Spinat und den Sauerampfer verlesen, mehrmals gründlich waschen, etwas abtropfen lassen und im geschlossenen Topf ohne Wasserzugabe etwa 3 Minuten dünsten, bis die Blätter zusammengefallen sind. • Die gewaschenen Kräuter feinhacken. • Das Gemüse in einem Sieb abtropfen lassen, gut ausdrücken, hacken und in einer Schüssel mit den gehackten frischen Kräutern und der gekörnten Brühe mischen. Die Eier mit der Sahne, dem Salz, dem Muskat und dem Cayennepfeffer verquirlen. Den geriebenen Käse unterrühren. • Den Teig für eine Springform von 28–30 cm

Durchmesser ausrollen. Die Form damit auslegen und einen 2 cm hohen Teigrand formen. Den Teigboden mit der Gabel mehrmals einstechen und den Boden 20 Minuten bei 220° im Backofen vorbacken. • Die Kräutermischung auf den vorgebackenen Boden verteilen und mit der Eiersahne übergießen. Auf 200° schalten und die Quiche auf der mittleren Schiebeleiste in 25–30 Minuten fertig backen.

Variante: Tomatenquiche mit Quarkcreme
Einen Teigboden wie im Rezept beschrieben zubereiten und vorbacken. 750 g Tomaten enthäuten, hacken und mit 1 gehackten Zwiebel und 2 gehackten Knoblauchzehen in 1 Eßlöffel Butter weich dünsten und durch ein Sieb streichen. 500 g Magerquark mit ⅛ l saurer Sahne, 2 Eiern oder 3 Eßlöffeln Sojamehl, 2 Teelöffeln Salz, 2 Teelöffeln mildem Paprikapulver, 1 Messerspitze schwarzem Pfeffer, 3 Eßlöffeln frischem, gehacktem Basilikum und dem Tomatenpüree verrühren. Die Masse auf den vorgebackenen Teigboden füllen und 40–50 Minuten bei 200° im Backofen backen.

Das paßt dazu: Kopfsalat mit Radieschen.

Variante: Pilzquiche
Einen Quicheboden wie im Rezept beschrieben zubereiten und vorbacken. 500 g geputzte Mischpilze hacken und mit 1 Bund kleingeschnittenen Frühlingszwiebeln in 1 Eßlöffel Butter 5 Minuten dünsten. Die Pilze mit Salz und weißem Pfeffer kräftig würzen und 3 Eßlöffel gehackte Petersilie daruntermischen. Die Pilzmischung auf dem Teigboden verteilen. 2 Eier mit ½ l saurer Sahne, 50 g frisch geriebenem Parmesankäse, ½ Teelöffel Salz und 1 Prise Cayennepfeffer verquirlen und über die Pilze gießen. Die Quiche in 30–40 Minuten bei 200° im Backofen fertigbacken.

Das paßt dazu: Tomatensalat.

Braucht etwas Zeit · Nicht ganz einfach

Große Krautpirogge 🍴

Für den Teig:
350 g Weizenvollkornmehl · 150 g mehlfein-
gemahlene Gerste · je 1 Teel. gemahlener Kümmel
und Koriander · 40 g Hefe · 1 Teel. Salz ·
300 g saure Milch (Dickmilch) oder Buttermilch ·
3 Eßl. Olivenöl
Für die Füllung:
1 kg Wirsingkohl · 2 Möhren · ¼ Sellerieknolle ·
1 große Zwiebel · 4 Eßl. Olivenöl · je 1 Teel. ge-
mahlener Koriander, Kümmel, getrocknetes
Liebstöckel · 2 Messerspitzen schwarzer Pfeffer,
frisch gemahlen · 1 Teel. Salz · 2 Eßl. Hefe-
extrakt · 3 Eßl. frisch gehackte Petersilie ·
200 g gegarter Naturreis (Rezept Seite 196) ·
3 Eier · ⅛ l saure Sahne
Für das Backblech:
2 Teelöffel Butter · 1 Eßl. Weizenvollkornmehl
Bei 4 Portionen pro Portion etwa 3610 Joule/
860 Kalorien
Bei 6 Portionen pro Portion etwa 2455 Joule/
575 Kalorien

Vorbereitungszeit einschließlich der Zeit zum
Gehenlassen für den Teig: etwa 1 Stunde
Vorbereitungszeit für die Füllung: 40 Minuten
Backzeit: 50–60 Minuten

Für den Teig das Mehl mit dem Kümmel und
dem Koriander in einer Schüssel mischen und in
die Mitte eine Vertiefung drücken. Die Hefe zerbröckeln und mit dem Salz in der sauren Milch
oder der Buttermilch auflösen und in die Mulde
im Mehl gießen. Von der Mitte her alle Zutaten
leicht verrühren, das Öl zugeben und den Teig so
lange kneten, bis er sich vom Schüsselboden löst.
Den Hefeteig zugedeckt etwa 45 Minuten an einem warmen Ort gehen lassen, bis er sein Volumen verdoppelt hat. • Inzwischen für die Füllung den Wirsing waschen, den Stiel abschnei-

den, den Kohl vierteln, und die Viertel mit den
Strunkteilen in dünne Streifen schneiden. Die
Möhren und den Sellerie unter fließendem Wasser gründlich bürsten und sehr klein würfeln. Die
Zwiebel schälen und ebenfalls in Würfel schneiden. • Das Öl in einem großen Topf erhitzen und
das Gemüse mit den Zwiebelwürfeln darin anbraten. Die Gemüse, die Gewürze und das Salz
zufügen und alles zugedeckt bei schwacher Hitze
10 Minuten dünsten. • Den Topf vom Herd nehmen. Den Hefeextrakt, die Petersilie und den
Reis unterrühren. Die Eier bis auf ½ Eigelb mit
der sauren Sahne verquirlen und mit dem Gemüse mischen. • Den Hefeteig nochmals durchkneten und zu einem etwa ½ cm dicken Rechteck
ausrollen. • Die Kohlfüllung möglichst gleichmäßig auf eine Längsseite der Teigplatte verteilen, dabei einen 1 cm breiten Rand freilassen.
Die andere Teighälfte über die Füllung schlagen
und die Teigränder fest zusammendrücken. Das
Backblech mit der Butter einfetten und mit dem
Mehl bestreuen. Die Pirogge daraufheben und
zugedeckt noch 20 Minuten gehen lassen. • Die
Oberfläche mit dem restlichen, verquirlten Eigelb bestreichen und die Krautpirogge auf der
zweiten Schiebeleiste von unten in den kalten
Backofen schieben. Den Ofen auf 200° schalten
und die Pirogge in 50–60 Minuten goldbraun
backen.

Aus selbstgemachter Sojamilch wird problemlos Tofu ▷
hergestellt. Rezept Seite 170.

Braucht etwas Zeit

Pie mit vielerlei Gemüse 🖙

Eine Pie ist eine angelsächsische Erfindung. Unter einer mürben Teigdecke verbirgt sich eine meist schwer definierbare aber sehr wohlschmeckende saftige Mischung aus Fleisch, Gemüse oder Obst. Gemüse-Pies kann man aus allen Gemüsesorten bereiten, beispielsweise auch aus Kohl, der bei der Zubereitung von Krautwikkeln übriggeblieben ist. Die folgende Gemüsemischung kann ganz nach Belieben verändert werden. Sie sollte jedoch stets etwa 750 g geputztes Gemüse ergeben.

Für die Gemüsefüllung:
200 g Wirsingkohl · 150 g junger Spinat · 200 g Knollensellerie · 200 g grüne Bohnen · 200 g enthülste frische Erbsen · 1 Zwiebel · 2 Eßl. Butter · 1 Eßl. gekörnte Gemüsebrühe · 1 Messerspitze geriebene Muskatnuß · ⅛ l Wasser · 3 Eßl. Sahne · je 2 Bund Petersilie und Kerbel
Für den Teig:
200 g Weizenvollkornmehl · 100 g Butter · 1 Teel. Salz · 5–6 Eßl. Wasser · 1 Eigelb
Pro Portion etwa 1850 Joule/440 Kalorien

Vorbereitungszeit: 1 Stunde
Backzeit: 30 Minuten

◁ Die Bilder zeigen eine einfache Methode, Sojamilch selbst herzustellen. Rezept Seite 166.

Den Wirsing waschen, schlechte und welke Blätter entfernen, das Stielende kürzen. Den Wirsing vierteln und die Viertel in dünne Streifen schneiden. Den Spinat verlesen, mehrmals gründlich in handwarmem Wasser waschen und abtropfen lassen. Den Sellerie unter fließendem Wasser bürsten, wenn nötig, schälen und in kleine Würfel schneiden. Die Bohnen waschen, von den Stielenden und Blütenansätzen befreien und in kleine Stücke brechen. Die Erbsen in einem Sieb überbrausen und abtropfen lassen. Die Zwiebel schälen und würfeln. • Die Butter in einem großen Topf zerlassen. Die Zwiebelwürfel darin glasig braten. Die Kohlstreifen und den Sellerie zufügen, umrühren und 3 Minuten mitbraten. Die Bohnen zugeben und wiederum 3 Minuten braten. Die Erbsen und zuletzt den Spinat zufügen. Mit der gekörnten Brühe und dem Muskat würzen und das Wasser zugießen. Das Gemüse zugedeckt bei schwacher Hitze 5 Minuten dünsten. Die Sahne zugießen und die Flüssigkeit bei starker Hitze im offenen Topf 3 Minuten etwas einkochen lassen. Die Petersilie und den Kerbel waschen, trockenschleudern, hacken und unter das Gemüse mischen. • Für den Teig das Mehl in eine Schüssel sieben. Die Butter in Flöckchen darauf verteilen und das Mehl mit der Butter zwischen den Fingern leicht verreiben. Das Salz im Wasser auflösen, über das Mehl-Butter-Gemisch gießen und alles zu einem glatten Teig kneten. • Den Backofen auf 180° vorheizen. • Den Teig etwa 3 mm dick ausrollen und eine Teigplatte mit dem oberen Durchmesser der Auflaufform ausschneiden. Aus den Teigresten eine dünne Rolle formen und diese um den Rand der Form legen und festdrücken. Das Gemüse in die Form füllen, die Teigplatte als Deckel daraufen und den Rand gut andrücken. Die Teigplatte mit etwas verquirltem Eigelb bepinseln. • Mit einem scharfen spitzen Messer ein Loch von etwa 3 cm Durchmesser in die Mitte schneiden. • Die Pie im Backofen auf der mittleren Schiebeleiste 30 Minuten backen.

Nicht ganz einfach

Feine Gemüsetorte ☛

Wenn Sie etwas Besonderes zum Abendessen suchen, ist diese Gemüsetorte das Richtige.

*150 g Sojabohnen · 1 große Stange Lauch/Porree
(etwa 300 g) · 2 Möhren (etwa 200 g) · 2 Eßl.
Butter · 75 g Walnußkerne · 50 g Weizen ·
1 gestrichener Teel. Backpulver · 1 gestrichener
Teel. Salz · 1 gestrichener Teel. Delikata ·
½ Teel. Endoferm · 1 Becher saure Sahne
(200 g) · 1 Eßl. Sojasauce · 5 Eier
Für die Form: Butter
Zum Garnieren: 12 Walnußhälften · eventuell
2–3 Tomaten und 100 g Käse*
Pro Stück (12 Stücke) etwa 750 Joule/180 Kalorien

Vorbereitungszeit: 35 Minuten
Backzeit: 30 Minuten

Die Sojabohnen in einer Getreidemühle mit Stahl- oder Keramikkegelmahlwerk schroten. Den Schrot in einer Pfanne ohne Fettzugabe 10–15 Minuten unter häufigem Wenden rösten. • Die Lauchstange längs vierteln, waschen, putzen und in feine Scheiben schneiden. Die Möhren waschen, putzen und feinreiben oder in der Moulinette zerkleinern. • Die Butter in einer Pfanne erhitzen und das zerkleinerte Gemüse darin 5 Minuten bei schwacher Hitze unter gelegentlichem Wenden anbraten. • Die Nüsse grobreiben und zusammen mit dem Sojaschrot zum Gemüse geben. Alles zusammen etwa 5 Minuten weiterbraten. • Den Weizen mehlfein mahlen, mit dem Backpulver und den Gewürzen mischen. • Die saure Sahne mit der Sojasauce und den 5 Eigelben verquirlen, dann in die Mehlmischung rühren. • Die Eiweiße steif schlagen. • Das gedünstete Gemüse und die Mehl-Sahne-Mischung miteinander verrühren. Den Eischnee

vorsichtig unterziehen. Die Masse in eine gefettete Springform füllen. Die Nußhälften als Dekoration darauf verteilen. Die Gemüsetorte bei 190° 30 Minuten backen. Die fertige Torte nach Wunsch noch mit Tomatenhälften oder -vierteln und Käse-Dreiecken garnieren. Warm servieren.

Eiweißreich

Pizza Torino ☛

Bild Seite 275

Die Zutaten reichen für eine Pizzaform von 30 cm Durchmesser. Für 1 Backblech müssen Sie die Mengen verdoppeln.

*Für den Teig: 200 g Weizen · 1 gestrichener Teel.
Weinstein-Backpulver · 100 g Tofu · 3 Eßl.
Olivenöl · 1 Eßl. Sojasauce · 1 Ei
Zum Ausrollen: Weizenvollkornmehl
Für die Form: etwas Öl
Für den Belag: 1 große Zwiebel · 2 Knoblauchzehen · 4 Eßl. Olivenöl · 300 g Tofu · 2 Eßl. Sojasauce · 10 schwarze Oliven · 10 frische Basilikumblätter oder 1 Teel. getrocknetes, gerebeltes
Basilikum · etwas schwarzer Pfeffer, frisch
gemahlen · 500 g Tomaten*
Pro Portion etwa 2080 Joule/485 Kalorien

Zubereitungszeit: 40 Minuten
Backzeit: 30 Minuten

Den Weizen mehlfein mahlen und mit dem Backpulver mischen. Den Tofu durch ein Sieb streichen. Das Mehl auf ein Backbrett schütten und in die Mitte eine Vertiefung drücken. In die Mulde den Tofu, das Öl, die Sojasauce und das Ei geben. Von außen nach innen alle Zutaten schnell zu einem glatten Teig verkneten. Oder alle Zutaten mit den Schneebesen des elektrischen

Handrührgerätes oder dem Teigrührer einer Küchenmaschine zu einem glatten Teig verarbeiten; in diesem Fall brauchen Sie den Tofu nur grob zu zerkleinern. Den Teig mit etwas Mehl in der Größe der Pizzaform ausrollen und in die gefettete Form legen. Den Pizzaboden 10 Minuten bei 220° auf der unteren Schiebeleiste vorbacken. • Für den Belag die Zwiebel und die Knoblauchzehen schälen, die Zwiebel halbieren, dann in dünne Ringe und die Knoblauchzehen in dünne Scheibchen schneiden. Beides im Olivenöl glasig braten, mit einem Schaumlöffel aus der Pfanne nehmen und beiseite stellen. • Den Tofu in etwa 3 mm dicke Scheiben schneiden und in einen Suppenteller legen. Die Sojasauce mit dem Öl aus der Pfanne mischen und gleichmäßig über die Tofuscheiben gießen. • Die Oliven von den Kernen befreien und grob zerkleinern. Die frischen Basilikumblätter waschen und feinschneiden. Die zerkleinerten Oliven und das Basilikum über den Tofu streuen, etwas Pfeffer darübermahlen. Die Tofuscheiben so in der Mischung wenden, daß sie gut durchziehen können. • Die Tomaten waschen und in Scheiben schneiden. Den vorgebackenen Pizzaboden damit belegen und etwas Pfeffer darübermahlen. Die Tofuscheiben darauf verteilen und die Marinade darübergießen. Die Zwiebelringe obenauf verteilen und die Pizza noch 20 Minuten auf der mittleren oder oberen Schiebeleiste backen.

Variante: Knabberstangen
Rollen Sie den Pizzateig messerrückendünn aus, bestreichen Sie ihn mit einer Mischung aus Wasser und Olivenöl und mahlen etwas schwarzen Pfeffer darüber. Schneiden Sie den Teig in ½–1 cm breite Streifen von beliebiger Länge und belegen Sie diese mit entkernten, grob zerkleinerten schwarzen Oliven. Backen wie den Pizzaboden. Die Knabberstangen schmecken sehr gut zu französischen Rotweinen.

Ballaststoffreich · Braucht etwas Zeit

Pizza mit Tomaten 🌶

Für den Teig:
400 g Weizenvollkornmehl · 1 Teel. Salz ·
40 g Hefe · ½ Teel. Honig · ⅛ l lauwarmes
Wasser · 3 Eßl. Öl
Für den Belag:
1 Zwiebel · 1 Knoblauchzehe · 1 kg Tomaten ·
3 Eßl. Olivenöl · 3 Eßl. Butter · 1 Teel. Salz ·
2 Messerspitzen schwarzer Pfeffer, frisch
gemahlen · 2 Teel. Apfeldicksaft · je 1 Eßl. frisch
gehacktes Basilikum, gehackter Estragon, Oregano, Zitronenmelisse, Thymian und Petersilie oder
je ½ Teel. getrocknete Kräuter in gleicher Zusammenstellung und 2 Eßl. gehackte Petersilie · 150 g
Mozzarellakäse
Pro Portion etwa 2960 Joule/705 Kalorien

Vorbereitungszeit: 1 Stunde
Backzeit: 25–30 Minuten

Für den Teig das Mehl mit dem Salz mischen und in eine Schüssel schütten; in die Mitte eine Vertiefung drücken. Die Hefe mit dem Honig in etwas Wasser auflösen und 10 Minuten gehen lassen. Die Hefe in die Mulde im Mehl gießen. Das übrige lauwarme Wasser und das Öl (2 Teelöffel für das Backblech zurückbehalten) zugießen. Die Teigzutaten von der Mitte aus verrühren und schlagen, bis der Teig Blasen wirft. Den Teig anschließend noch 5 Minuten kräftig durchkneten und zugedeckt an einem warmen Platz 30–40 Minuten gehen lassen. • Inzwischen für den Belag die Zwiebel und die Knoblauchzehe schälen und kleinschneiden. Die Tomaten häuten und grobhacken, dabei die Stiele entfernen. Das Öl mit der Butter in einem Topf erhitzen und die Zwiebel darin glasig braten. Den Knoblauch und die Tomaten zufügen, mit dem Salz, dem Pfeffer und dem Apfeldicksaft würzen und alles zugedeckt bei schwacher Hitze 15 Minuten leise köcheln lassen, bis die Tomaten fast zerfallen sind. Die Kräuter unterrühren. • Den Backofen auf 220° vorheizen. • Das Backblech mit dem restlichen Öl einfetten. Den Hefeteig noch einmal gut durchkneten und auf einem bemehlten Backbrett in der Größe des Bleches ausrollen. Den Teig auf das Blech legen, rundherum am Blechrand festdrücken und den Tomatenbelag daraufstreichen. Den Mozzarella in Scheibchen schneiden und den Teig damit belegen. Die Pizza in 12–15 Minuten auf der zweiten Schiebeleiste von oben im Backofen backen.

Das paßt dazu: ein bunt gemischter Salat.

Variante: Pizza mit Rosenkohl
Wie im Rezept beschrieben einen Hefeteig zubereiten und gehen lassen. 750 g Rosenkohl waschen, putzen, 5 Minuten in kochendem Salzwasser blanchieren, kalt abschrecken und sehr gut abtropfen lassen. 200 g Chicorée waschen, vom Wurzelansatz befreien und in einzelne Blätter zerlegen. Die Chicoréeblätter in 1 Eßlöffel Sonnenblumenöl anbraten und etwas salzen. Das Gemüse auf dem Pizzaboden verteilen. 3 Eier mit ⅛ l saurer Sahne, 1 Teelöffel Salz und je 1 Messerspitze Pfeffer und geriebener Muskatnuß verquirlen und über das Gemüse gießen. 200 g Mozzarellakäse in Scheibchen schneiden und die Pizza damit belegen. Wie im Rezept beschrieben backen.

Variante: Pizza mit Auberginen und Tomaten
Einen Hefeteig wie im Rezept beschrieben zubereiten und gehen lassen. Je 750 g Auberginen und Tomaten waschen und in dünne Scheiben schneiden. Abwechselnd in Reihen den vorbereiteten Pizzaboden damit dicht belegen, mit Salz und Pfeffer würzen, mit getrocknetem Lavendel, getrocknetem Oregano, Rosmarin und Thymian bestreuen und 150 g frisch geriebenen Pecorinokäse darauf verteilen. Den Belag mit 3 Eßlöffeln Olivenöl beträufeln und die Pizza backen.

Ganz einfach · Braucht etwas Zeit

Ofenschlupfer

Dieser Auflauf ist eine Spezialität aus dem Schwabenland.

500 g säuerliche Äpfel · 1 Zitrone (Schale unbehandelt) · 3 altbackene Vollkornbrötchen · 50 g Mandeln oder Haselnußkerne · 2 Eßl. ungeschwefelte Rosinen · ½ l Milch · 1 Eßl. Vollkornbrösel · ½ Teel. Zimt · 1 Messerspitze Vanillepulver · 2–3 Eßl. Honig · 1 Prise Salz · 2 Eier · 40 g Butter
Für die Form: Butter
Pro Portion etwa 2140 Joule/510 Kalorien

Vorbereitungszeit: 40 Minuten
Backzeit: etwa 50 Minuten

Eine feuerfeste Auflaufform ausbuttern. • Die Äpfel schälen, von Kerngehäuse, Stiel und Blüte befreien und in feine Scheiben schneiden. Von der halben Zitrone die Schale abreiben und zugedeckt beiseite stellen. Den Saft der ganzen Zitrone auspressen und die Apfelscheiben damit beträufeln. Die Brötchen ebenfalls in feine Scheiben schneiden. Die Mandeln oder Nüsse grobhacken. • In die Form lagenweise die Brötchen und die Apfelscheiben schichten, dazwischen die Mandeln oder Nüsse und die Rosinen verteilen. Die erste und letzte Schicht sollte aus Brötchen bestehen. • Nun die Milch erwärmen, die Brösel, die Gewürze, den Honig, die abgeriebene Schale der Zitrone und das Salz zugeben. Die Eier in der Milch verrühren und die Flüssigkeit über die Brot-Apfel-Mischung gießen. Die Butter in Flöckchen auf der Oberfläche verteilen. Den Auflauf in den kalten Backofen auf die mittlere Schiene schieben und in etwa 50 Minuten bei 220° goldbraun backen.

Preiswert · Ganz einfach

Süßer Kartoffelauflauf

*250 g mehlig kochende Kartoffeln, am Vortag
gekocht · 100 g Mandeln · 4 Eier · 100 g Butter ·
2 Eßl. flüssiger Honig · abgeriebene Schale von
½ Zitrone (Schale unbehandelt)*
Für die Form: Butter
Pro Portion etwa 1720 Joule/410 Kalorien

Vorbereitungszeit: 20 Minuten
Backzeit: 35–40 Minuten

Die Kartoffeln und die Mandeln reiben. • Die
Eier trennen. Die Butter mit dem Honig und den
Eigelben cremig rühren. Die Kartoffeln, die
Mandeln und die Zitronenschale zugeben. •
Den Backofen auf 200° vorheizen. • Die Eiwei-
ße steif schlagen und vorsichtig unter den Teig
ziehen. • Eine Auflaufform ausbuttern. Den
Kartoffelteig einfüllen. Den Auflauf auf der
mittleren Schiene des Backofens in 35–40 Minu-
ten backen.

Das paßt dazu: Kompott.

Ganz einfach · Preiswert

Französischer
Obstauflauf

*5 Eßl. Pflanzenöl · 3 Eßl. flüssiger Honig ·
1 Zitrone (Schale unbehandelt) · 3 Eier · 150 ml
Milch · 75 g Buchweizen, fein gemahlen · 75 g
Weizen, fein gemahlen · je 500 g Äpfel und Birnen
oder je 500 g Äpfel und Zwetschgen · 1 Eßl. Ha-
selnußkerne*
Für die Form: Butter
Pro Portion etwa 1850 Joule/440 Kalorien

Vorbereitungszeit: 40 Minuten
Backzeit: etwa 45 Minuten

Das Öl, den Honig, die abgeriebene Schale von
½ Zitrone, die Eier und die Milch mit den Quirlen des Handrührgerätes verrühren. Das Buch-
weizen- und das Weizenmehl unterrühren und
den Teig 30 Minuten ruhen lassen. • In der Zwischenzeit eine runde Auflaufform von etwa
26 cm Durchmesser ausbuttern. • Die Früchte
vierteln, schälen, von Kerngehäuse, Stiel und
Blüte befreien und in Schnitze schneiden, beziehungsweise die Zwetschgen waschen und entsteinen. Die Früchte mischen und mit dem Saft
der Zitrone beträufeln. Die Nüsse grobhacken. •
Den Backofen auf 200° vorheizen. • Die Früchte
auf dem Boden der Form verteilen. Der Teig sollte die Konsistenz eines Pfannkuchenteigs haben,
das heißt eventuell noch Milch oder Mehl zugeben. Den Teig über die Früchte gießen. Auf der
Oberfläche die Nüsse verteilen. Den Auflauf auf
der mittleren Schiene etwa 45 Minuten backen
lassen. Heiß servieren.

Ganz einfach · Preiswert

Zwiebackauflauf
mit Früchten

*300 ml Milch · 1 Prise Salz · 250 g Vollkorn-
zwieback · 500 g Obst (Äpfel, Birnen, Aprikosen,
Pfirsiche, Kirschen oder Zwetschgen) · ½ Zitrone
(Schale unbehandelt) · 4 Eier · 250 g
Magerquark · 3–4 Eßl. Honig*
Für die Form: Butter
Pro Portion etwa 2140 Joule/510 Kalorien

Vorbereitungszeit: 30 Minuten
Backzeit: 50–55 Minuten

Die Milch mit dem Salz erhitzen. Den Zwieback zerbröckeln und mit der Milch übergießen. • Die Früchte waschen oder schälen, entkernen und kleinschneiden. Die Zitrone abreiben und auspressen. Das Obst mit dem Zitronensaft beträufeln. • Die Eier trennen. Den Zwiebackbrei mit den Eigelben, dem Quark, der Zitronenschale und 2–3 Eßlöffeln Honig verrühren. Die Masse in eine gebutterte Auflaufform füllen und die Früchte darauf verteilen. Einen Deckel auf die Form legen oder die Form mit Alufolie verschließen. • Den Auflauf auf die mittlere Schiene des kalten Backofens stellen; die Temperatur auf 200° schalten. • Nach 35 Minuten die Eiweiße steif schlagen und mit 1 Eßlöffel Honig süßen. Den Eischnee auf den Auflauf streichen und diesen noch 15–20 Minuten ohne Deckel backen lassen, bis das Baiser goldgelb ist.

Braucht etwas Zeit · Ganz einfach

Reisauflauf

½ l Wasser · 1 Prise Salz · 250 g Natur-Rundkornreis · 2 Eßl. ungeschwefelte Rosinen · 2 Eier · 3 Eßl. Sahne · 2 Eßl. Honig · abgeriebene Schale von ½ Zitrone und ½ Orange (Schale unbehandelt) · 20 g Butter
Für die Form: Butter
Pro Portion etwa 1640 Joule/390 Kalorien

Vorbereitungszeit: 15 Minuten
Garzeit: 40 Minuten
Backzeit: etwa 1 Stunde

Das Wasser mit dem Salz zum Kochen bringen. Den Reis einstreuen, aufkochen und zugedeckt bei schwacher Hitze 40 Minuten ausquellen lassen. • Die Rosinen in heißem Wasser quellen lassen. Die Eier trennen. Den gegarten, etwas abgekühlten Reis mit den Eigelben, der Sahne, dem

Honig, der abgeriebenen Schale der Zitrone und Orange sowie den abgetropften Rosinen verrühren. Die Eiweiße steif schlagen und den Eischnee unter den Reis ziehen. • Eine Auflaufform ausbuttern, die Masse einfüllen. Die 20 g Butter in Flöckchen auf der Oberfläche verteilen. Den Reisauflauf auf die mittlere Schiene des kalten Backofens stellen und bei 200° etwa 60 Minuten backen lassen.

Das paßt dazu: Sauerkirschkompott.

Ganz einfach

Hirseflocken-Quark-Auflauf mit Obst

Zutaten für 4–6 Personen:
500 g Früchte (Äpfel, Birnen, Aprikosen, Pfirsiche, Zwetschgen oder Kirschen) · eventuell Zitronensaft · 3 Eier · 500 g Magerquark · 5 Eßl. Sahne · 3–4 Eßl. Honig · 5 gestrichene Eßl. Hirseflocken · ½ Zitrone (Schale unbehandelt) · 2 Eßl. Haselnußkerne · 20 g Butter
Für die Form: Butter
Bei 6 Portionen pro Portion etwa 1930 Joule/460 Kalorien

Vorbereitungszeit: 25 Minuten
Backzeit: etwa 1 Stunde

Das Obst waschen oder schälen, wenn nötig, entkernen und kleinschneiden; Äpfel grobraspeln und mit Zitronensaft beträufeln, damit sie sich nicht verfärben. • Die Eier trennen. Den Quark mit der Sahne, dem Honig und den Eigelben cremig rühren. Die Hirseflocken sowie den Saft und die abgeriebene Schale der Zitrone zugeben. • Die Eiweiße steif schlagen und den Eischnee unter den Teig ziehen. Die vorbereiteten Früchte unterheben. • Eine feuerfeste Form mit Butter ausstreichen und den Teig einfüllen. Die Nüsse grobhacken und auf der Teigoberfläche verteilen. Die Butter in Flöckchen obenaufsetzen und die Form auf die mittlere Schiene des kalten Backofens stellen. Den Auflauf bei 200° in etwa 60 Minuten goldgelb backen.

Ganz einfach

Rhabarberauflauf 🖙

500 g Rhabarber · 175 g Butter · 185 g flüssiger Honig · 2 Eier · 2 Messerspitzen Vanillepulver · 175 g Buchweizen, fein gemahlen · 100 g Weizen, fein gemahlen · 1 gestrichener Teel. Backpulver · 50 g Haselnußkerne
Für die Form: Butter
Pro Portion etwa 3650 Joule/870 Kalorien

Vorbereitungszeit: 35 Minuten
Backzeit: etwa 50 Minuten

Den Rhabarber schälen und in 2 cm lange Stükke schneiden. • 125 g Butter mit 125 g Honig und den ganzen Eiern schaumig rühren. Die Vanille, die beiden Mehlsorten und das Backpulver unterrühren. • Die Haselnüsse grobhacken, mit 50 g Butter und 2 Eßlöffeln Honig verrühren und erhitzen. • Nun eine Auflaufform ausbuttern. Zuerst die heiße Haselnußmasse auf dem Boden der Form verstreichen, darauf die Rhabarberstückchen verteilen. Nun den Teig mit einem Teigschaber auf die Fruchtstücke streichen und die Form auf die mittlere Schiene des kalten Backofens stellen. Den Auflauf bei 200° etwa 50 Minuten backen lassen. • Noch 10 Minuten im abgeschalteten Backofen stehenlassen, dann den Rand lösen und den Auflauf stürzen.

Das paßt dazu: Vanillesauce (Rezept Seite 238).

Ganz einfach

Hirsesoufflé

200 g Hirse · 2 Eßl. ungeschwefelte Rosinen · 40 g Haselnußkerne · 3 Eier · 75 g weiche Butter · 75 g Quark · 3–4 Eßl. flüssiger Honig · abgeriebene Schale von ½ Zitrone (Schale unbehandelt)
Für die Form: Butter
Pro Portion etwa 2180 Joule/520 Kalorien

Vorbereitungszeit: 30 Minuten
Backzeit: etwa 1 Stunde

Die Hirse mit einer Tasse abmessen. Nun die doppelte Menge Wasser zum Kochen bringen, die Hirse einstreuen, aufkochen und zugedeckt bei schwacher Hitze 20 Minuten ausquellen lassen. • Die Rosinen in heißem Wasser einweichen, dann abgießen und abtropfen lassen. • Die Haselnüsse grobhacken. Die Eier trennen. Die Eiweiße steif schlagen. Die Eigelbe mit 50 g Butter, dem Quark, dem Honig und der abgeriebenen Zitronenschale verrühren. Die körnig gekochte Hirse untermengen, dann den Eischnee unterziehen. • Den Teig in eine gebutterte Auflaufform füllen. Die restlichen 25 g Butter in Flöckchen und die Haselnüsse auf der Oberfläche verteilen. Die Form auf die mittlere Schiene des kalten Backofens stellen und das Soufflé bei 200° etwa 60 Minuten backen lassen.

Braucht etwas Zeit · Ganz einfach

Brotauflauf

250 g altbackenes Vollkornbrot · ¼ l ungesüßter Fruchtsaft, zum Beispiel Kirschsaft oder Rotwein · 2 gehäufte Eßl. ungeschwefelte Rosinen · 2 Eßl. Rum · 75 g Haselnußkerne oder Mandeln · 75 g Butter · 100 g flüssiger Honig · 4 Eier · 1 gestri-

chener Teel. Zimt · 1 Messerspitze gemahlene
Nelken · 1 gehäufter Eßl. Kakao oder 2 gehäufte
Eßl. Caroben
Für die Form: Butter
Pro Portion etwa 2835 Joule/675 Kalorien

Vorbereitungszeit: 30 Minuten
Backzeit: etwa 1 Stunde

Das Brot reiben; wenn es trocken ist, geht dies
gut in der Nußmühle oder in der Schrotmühle.
Die Brösel mit dem Saft oder Wein vermengen. •
Die Rosinen im erwärmten Rum quellen lassen;
die Nüsse oder Mandeln grobhacken. • Die Butter und den Honig schaumig rühren. Die Eier
trennen, die Eiweiße steif schlagen und die Eigelbe zur Schaummasse rühren. Die Gewürze,
den Kakao oder das Caroben, dann die Brösel,
die Rosinen und die Nüsse oder Mandeln zugeben. Zuletzt den Eischnee unterziehen. • Den
Teig in eine gebutterte Auflaufform füllen. Den
Auflauf auf die mittlere Schiene des kalten Backofens stellen und bei 210° etwa 1 Stunde backen
lassen.

Das paßt dazu: Vanillesauce (Rezepte Seite 238
und 241) oder Weinschaum (Rezept Seite 242).

Ganz einfach · Preiswert

Türkenauflauf

In Österreich wird der Mais auch Türkenkorn
genannt, davon hat dieser Auflauf wahrscheinlich seinen Namen.

*¼ l Milch · 1 Prise Salz · 100 g Maisgrieß ·
½ Zitrone (Schale unbehandelt) · 2–3 säuerliche
Äpfel · 150 g Butter · 2 Eßl. Honig · 1 Messerspitze Vanillepulver · ¼ Teel. Zimt · 3 Eier ·
2 gehäufte Eßl. ungeschwefelte Rosinen*

Für die Form: Butter
Pro Portion etwa 2435 Joule/580 Kalorien

Vorbereitungszeit: 30 Minuten
Backzeit: 40–50 Minuten

Die Milch mit dem Salz in einem kalt ausgespülten Topf zum Kochen bringen. Den Maisgrieß
einstreuen und unter Rühren aufkochen, dann
zugedeckt auf der ausgeschalteten Herdplatte
10 Minuten quellen lassen. • Die Zitrone abreiben und auspressen. Die Äpfel schälen, grobraspeln und mit dem Zitronensaft beträufeln. •
Wenn der Maisbrei etwas abgekühlt ist, die Butter, den Honig, die abgeriebene Zitronenschale,
die Vanille und den Zimt unterrühren. Dann die
Eier trennen und die Eigelbe unter den Teig rühren. Die Eiweiße steif schlagen und unterziehen.
Die Apfelraspel und die Rosinen unter den Teig
heben und alles in eine gebutterte Auflaufform
füllen. Die Form auf die mittlere Schiene des kalten Backofens stellen und den Türkenauflauf bei
200° 40–50 Minuten backen lassen.

Ganz einfach · Braucht etwas Zeit

Grießauflauf mit Früchten

Bild Seite 320

*250 g Früchte (Äpfel, Birnen, Aprikosen, Pfirsiche,
Pflaumen oder Kirschen) · ½ l Milch · 1 Prise
Salz · 125 g Vollweizengrieß · 2 Eier · 70 g
Butter · ½ Zitrone (Schale unbehandelt) · etwa
2 Eßl. flüssiger Honig*
Für die Form: Butter
Pro Portion etwa 1785 Joule/425 Kalorien

Vorbereitungszeit: 35 Minuten
Backzeit: etwa 1 Stunde

Die Früchte vorbereiten (waschen beziehungsweise schälen, entkernen) und kleinschneiden. • Die Milch mit dem Salz in einem kalt ausgespülten Topf zum Kochen bringen. Den Grieß einstreuen, aufkochen und 10 Minuten bei milder Hitze ausquellen lassen. • Die Eier trennen. Die Eiweiße steif schlagen. 50 g Butter mit den Eigelben, dem Saft und der abgeriebenen Schale der halben Zitrone sowie dem Honig cremig rühren, dann mit dem Grießbrei verrühren. Den Eischnee vorsichtig unterziehen. • Eine gebutterte Auflaufform Schicht für Schicht mit Grießbrei und Früchten füllen, als letzte Schicht Grießbrei. Die Oberfläche mit der restlichen Butter in Flöckchen belegen. Den Auflauf in den kalten Backofen auf die mittlere Schiene schieben und etwa 60 Minuten bei 200° backen lassen.

Ganz einfach

Trauben-Nuß-Auflauf

500 g Weintrauben · 175 g Haferflocken · ⅛ l Milch · 2 Eßl. Butter · 3 Eßl. Honig · 150 g Magerquark · ⅛ l Schwedendickmilch · ½ Teel. Vanillepulver · 2 Teel. unbehandelte abgeriebene Zitronenschale · 1 Messerspitze Salz · 2 Eßl. gemahlene Haselnußkerne
Für die Form: 1 Teel. Butter
Pro Portion etwa 2080 Joule/495 Kalorien

Vorbereitungszeit: 25 Minuten
Backzeit: 45 Minuten

Die Weintrauben erst mit warmem Wasser waschen, dann kalt abspülen und die Weinbeeren abzupfen. • Die Haferflocken in einer Schüssel mit der Milch übergießen und weichen lassen. • Die Butter mit dem Honig schaumig rühren. Den Quark mit der Schwedendickmilch glattrühren und mit der Butter-Honig-Mischung zu den ein-

geweichten Haferflocken geben. • Den Backofen auf 180° vorheizen. • Eine Auflaufform mit der Butter ausstreichen. • Die Vanille, die Zitronenschale, das Salz und die Haselnüsse zu den Zutaten in der Schüssel geben und alles gut miteinander verrühren. Zuletzt die Weinbeeren unterheben. Die Masse in die Auflaufform füllen und auf der zweiten Schiene von unten in etwa 45 Minuten goldgelb backen.

Braucht etwas Zeit · Ballaststoffreich

Peruanischer Bohnenauflauf ☛

300 g schwarze Bohnen · 1½ l Wasser · 8 Pimentkörner · 2 Nelken · 1 Teel. Senfkörner · 1 Eßl. gekörnte Gemüsebrühe · 750 g Kartoffeln · ½ l Wasser · 1 Teel. Kümmel · 3 rote Zwiebeln (etwa 250 g) · 2 Eßl. Öl · 1 Teel. Salz · 1 Prise Cayennepfeffer · 1 Eßl. Butter · 2 Eßl. Weizenvollkornmehl · ⅛ l Bohnenkochwasser · ¼ Teel. Salz · 1 Messerspitze gemahlener Kümmel · 5 Eßl. Sahne
Für die Form: 1 Teel. Öl
Pro Portion etwa 2250 Joule/535 Kalorien

Quellzeit: 8–12 Stunden
Vorbereitungszeit: 1¾ Stunden
Backzeit: 30 Minuten

Die Bohnen waschen und in dem Wasser 8–12 Stunden, am besten über Nacht, quellen lassen. • Die Bohnen im Einweichwasser zum Kochen bringen und zugedeckt bei schwacher Hitze in 1–1½ Stunden weich kochen. Die Pimentkörner, die Nelken und die Senfkörner zusammen in ein Mullsäckchen binden und mit den Bohnen kochen lassen. Kurz bevor die Bohnen weich sind, mit der gekörnten Brühe würzen und das Mullsäckchen entfernen. • Während die Bohnen garen, die Kartoffeln unter fließendem Wasser gründlich bürsten, wenn nötig, die Keimansätze (Augen) entfernen und die Kartoffeln im Wasser mit dem Kümmel bestreut etwa 25 Minuten garen. Das Wasser abgießen, die Kartoffeln etwas ausdämpfen lassen und ungeschält in nicht zu dünne Scheiben schneiden. • Die Zwiebeln schälen, würfeln und im Öl weich braten, jedoch nicht bräunen lassen. Die gebratenen Zwiebeln mit ½ Teelöffel Salz und dem Cayennepfeffer würzen. • Die Bohnen abtropfen lassen. Die Kochbrühe auffangen und ⅛ l davon abmessen. Die Butter in einem Topf zerlassen. Das Mehl darüberstäuben und bei starker Hitze unter Rühren etwas Farbe annehmen lassen. Unter ständigem Rühren mit dem Schneebesen das Bohnenkochwasser zugießen und die Sauce bei ganz schwacher Hitze 5 Minuten leise köcheln lassen. Zuletzt mit dem Salz und dem Kümmel würzen und die Sahne unterrühren. • Den Backofen auf 200° vorheizen. Eine feuerfeste Form mit dem Öl ausstreichen. • Den Boden der Form mit der Hälfte der Kartoffelscheiben belegen und diese mit etwas Salz bestreuen. Die Hälfte der gebratenen Zwiebeln auf den Kartoffelscheiben verteilen und darauf die Bohnen geben. Mit den übrigen Zwiebeln bedecken und darauf die restlichen Kartoffelscheiben legen. Die dicke Sahnesauce auf die Kartoffeln gießen und den Auflauf auf der zweiten Schiene von unten 30 Minuten backen. Falls die Oberfläche zu rasch bräunt, mit Alufolie abdecken.

Ganz einfach · Braucht etwas Zeit

Kirschenmichel

4 altbackene Vollkornbrötchen oder 8 Scheiben Vollkorntoastbrot · heiße Milch nach Bedarf · 750 g Sauerkirschen · 3 Eier · 75 g Mandeln ·

70 g Butter · 2–3 Eßl. flüssiger Honig · ½ Teel. Zimt · 2 Messerspitzen gemahlene Nelken Für die Form: Butter · Vollkornbrösel
Pro Portion etwa 2645 Joule/630 Kalorien

Vorbereitungszeit: 45 Minuten
Backzeit: etwa 50 Minuten

Die Brötchen oder das Brot in Würfel schneiden, mit heißer Milch übergießen und quellen lassen. • Die Kirschen waschen und entsteinen. • Die Eier trennen. Die Mandeln feinreiben. 50 g weiche Butter mit den Eigelben, dem Honig und den Mandeln verrühren. Mit den Gewürzen abschmecken. • Die Eiweiße steif schlagen. Die Eicreme mit dem eingeweichten Brot vermengen. Den Eischnee vorsichtig unterziehen, dann die Kirschen unter den Teig heben. Die Masse in eine ausgebutterte, ausgebröselte Form füllen, mit der restlichen Butter (20 g) in Flöckchen belegen. Den Auflauf auf die mittlere Schiene des kalten Backofens stellen und bei 200° etwa 50 Minuten backen lassen.

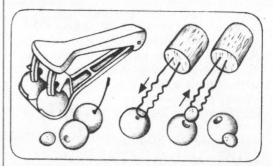

Wenn Sie viele Kirschen entsteinen müssen, können Sie es sich mit einem selbstgemachten oder gekauften Kirschenentkerner leichter machen.

Beliebte Saucen

Saucen spielen in der Vollwertküche keine so große Rolle. Denn Fleisch, bei dem Bratensaft entsteht oder zu dem eine feine Sahnesauce gehört, kommt selten auf den Tisch. Trotzdem möchten wir Ihnen ein paar Saucenrezepte vorstellen, die auch in die Vollwertküche passen. Wichtig sind vor allem Salatsaucen, mit denen Sie Rohkost immer wieder anders abschmecken können. Der eigenen Phantasie und Kreativität sind dabei keine Grenzen gesetzt, jedoch sollten gute Saucen den Eigengeschmack eines Gerichts nicht übertönen. Außerdem finden Sie noch einige Saucen, die auch gut zu Pellkartoffeln oder vegetarischen Frikadellen passen. Und nicht zuletzt ein paar süße Saucenrezepte, die einem Pudding, einem Flammeri oder einem Obstsalat den besonderen Pfiff geben.

Ganz einfach

Champignonsauce

1 kleine Zwiebel oder Schalotte · 100 g frische Champignons · 1 Möhre (etwa 100 g) · 2 Eßl. Butter · 2 Eßl. feingehackte Petersilie · 1 Eßl. Weizen · knapp ¼ l Milch · knapp ¼ l Wasser · etwa ¼ Teel. Salz · eventuell etwas schwarzer Pfeffer, frisch gemahlen
Pro Portion etwa 455 Joule/110 Kalorien

Vorbereitungszeit: 10 Minuten
Garzeit: etwa 15 Minuten

Die Zwiebel oder Schalotte schälen und feinschneiden. Die Pilze waschen, putzen und in feine Scheibchen schneiden, große zuvor halbieren. Die Möhre waschen, putzen und sehr fein würfeln. • Die Zwiebelwürfel in der Butter in einem kleinen Topf bei schwacher Hitze anbraten. Die Champignonscheibchen, die Möhrenwürfel und 1 Eßlöffel Petersilie zugeben und alles zugedeckt unter gelegentlichem Wenden 10 Minuten dünsten. • Den Weizen feinmahlen und mit der Milch, dem Wasser, dem Salz und dem Pfeffer glattrühren. Das Angerührte in den Topf gießen und die Sauce unter öfterem Umrühren noch etwa 3 Minuten kochen lassen. • Den Topf vom Herd nehmen. Die restliche Petersilie untermischen und die Champignonsauce eventuell noch mit Salz und Pfeffer abschmecken.

Paßt gut zu: Nudeln, Pellkartoffeln, Kartoffelpüree, Reis, Hirse, Weizen-, Gersten- oder Grünkerngrütze.

Schnell

Herzhafte Zwiebelsauce

2 große Zwiebeln · etwa 4 Eßl. Olivenöl · 1 kleine grüne Paprikaschote (etwa 100 g) · knapp ½ l Wasser · ½ Päckchen Soja-Bratlinge (75 g, Naturana) · 1 Eßl. Tomatenmark · 2-3 Teel. gekörnte Gemüsebrühe · 1 gestrichener Teel. edelsüßes Paprikapulver · je 1 Eßl. feingeschnittene Petersilie und Schnittlauch
Pro Portion etwa 825 Joule/195 Kalorien

Zubereitungszeit: 15 Minuten

Die Zwiebeln schälen und grobwürfeln. Das Öl in einem Topf erhitzen und die Zwiebelwürfel darin glasig braten. • Inzwischen die Paprikaschote längs vierteln, waschen, vom Stengelansatz und den Kernen befreien, die Stücke quer in dünne Streifen schneiden und zu den Zwiebeln geben. Die Paprika und Zwiebeln bei schwacher Hitze 5 Minuten dünsten. • Das Wasser in den Topf gießen und die Soja-Bratlinge hineinschütten, umrühren und weitere 5 Minuten kochen. Das Tomatenmark zufügen und verrühren. Die Sauce mit der gekörnten Brühe und dem Paprikapulver abschmecken. Die feingehackten Kräuter daruntermischen.

Paßt gut zu: Getreidebratlingen (Rezept Seite 136) und Grünkernfrikadellen (Rezept Seite 136), Vollkornnudeln, Naturreis oder Kartoffelpüree.

Ganz einfach · Schnell

Apfelmeerrettich

1 Stück (etwa 5 cm) frischer oder 1–2 Eßl. geriebener Meerrettich (ungeschwefelt aus dem Glas) · 3 Äpfel · 1 Becher saure Sahne (200 g)
Pro Portion etwa 435 Joule/105 Kalorien

Zubereitungszeit: 5 Minuten

Den Meerrettich schälen und feinreiben. Die Äpfel waschen, möglichst ungeschält ringsherum bis zum Kerngehäuse abreiben (grobe Reibe). Beides mit der sauren Sahne mischen.

Paßt gut zu: vegetarischen Frikadellen wie Weizenküchle (Rezept Seite 134) oder Bioburgern (Rezept Seite 322).

Ganz einfach

Misosauce 🔥

Eine Sauce, die zu fast allem paßt, zu Kartoffeln, Nudeln, Reis, Klößen, Gemüse, Frikadellen oder Sojawürstchen.

1 kleine Zwiebel · 1 Eßl. Butter · 1 gehäufter Eßl. Weizen · 1 gestrichener Eßl. Reis-, Sojabohnen- oder Hatcho-Miso · ¼ l Wasser · 1 Messerspitze

schwarzer Pfeffer, frisch gemahlen · 1 Eßl. gehackte Petersilie und/oder Schnittlauch
Pro Portion etwa 210 Joule/50 Kalorien

Zubereitungszeit: 10 Minuten

Die Zwiebel schälen und feinschneiden. Die Butter in einem kleinen Topf zerlaufen lassen und die zerkleinerte Zwiebel darin glasig braten. • Inzwischen den Weizen mittelgrob schroten. Den Weizenschrot in den Topf streuen und unter Rühren etwa 1 Minute mit anbraten. Das Miso zufügen und beim Umrühren zerdrücken. Nach und nach das Wasser dazugießen, dabei jeweils glattrühren, bevor wieder Wasser nachgegossen wird. Die Sauce zugedeckt etwa 3 Minuten kochen lassen. Mit dem Pfeffer und eventuell noch mit etwas Miso abschmecken. Die Kräuter daruntermischen.

Variante: Paprikasauce
Statt der Butter 2 Eßlöffel Olivenöl, statt des Weizens Roggen verwenden. 1 grüne Paprikaschote ganz fein schneiden und zusammen mit dem Miso zur Sauce geben. Die Sauce gut 5 Minuten zugedeckt kochen lassen. Mit etwas edelsüßem Paprikapulver abschmecken.

Ganz einfach · Schnell

Gelbe Kräutersauce

1 mittelgroße Zwiebel · 1 Eßl. Butter · 200 g Tofu · 2 gestrichene Teel. gekörnte Gemüsebrühe · 1 gestrichener Teel. Delikata · 1 gestrichener Teel. Curcuma (Gelbwurz) · ⅛ l Wasser · ½ Becher Sahne (100 g) · 1–2 Eßl. feingehackte Kräuter (Schnittlauch, Petersilie, Dill, Liebstöckel)
Pro Portion etwa 705 Joule/170 Kalorien

Zubereitungszeit: 10–15 Minuten

Die Zwiebel schälen und feinschneiden. Die Butter in einem kleinen Topf zerlaufen lassen und die zerkleinerte Zwiebel darin glasig braten. • Inzwischen den Tofu in einem Suppenteller mit einer großen Gabel zerdrücken, zur Zwiebel geben, mit der gekörnten Brühe, dem Delikata und dem Curcuma bestreuen. Alles umrühren und rasch bei starker Hitze unter Rühren 1–2 Minuten anbraten. Das Wasser zugießen, umrühren und die Sauce zugedeckt etwa 3 Minuten kochen lassen. Den Topf vom Herd nehmen. Die Sahne und die Kräuter unter die Sauce rühren.

Paßt gut zu: Pellkartoffeln oder Kartoffelpüree.

Schnell · Ganz einfach

Zitronen-Öl-Sauce

Eine Salatsauce, die zu fast allen Salaten paßt.

¼ Teel. Salz · 1 Teel. Ahornsirup oder Dicksaft · 2 Eßl. Zitronensaft · 6 Eßl. kaltgepreßtes Öl · Gewürze nach eigener Wahl wie Anis, Cayennepfeffer, Currypulver, Fenchel, Ingwer, Kapern, Knoblauch, Kümmel, Macis, Meerrettich, Muskat, Paprikapulver, Piment, Senf, frische Kräuter
Pro Portion etwa 590 Joule/140 Kalorien

Zubereitungszeit: 5 Minuten

Das Salz mit dem Ahornsirup oder Dicksaft und dem Zitronensaft verrühren, bis es sich aufgelöst hat. • Das Öl zugeben und rühren, bis die Sauce cremig ist. Die Sauce mit den Gewürzen Ihrer Wahl abschmecken, jedoch nicht zuviel verschiedene Gewürze verwenden. Frische Kräuter waschen, trockenschleudern, feinhacken oder wiegen und unter die Sauce mischen. Getrocknete Kräuter zerreiben und in der Salatsauce ziehen

lassen. Frische Kräuter können auch zuletzt unter den fertigen Salat gehoben werden; dann die Kräuter jedoch erst kurz vor dem Servieren zerkleinern.

Paßt gut zu: Blattsalaten und Gemüsesalaten.

Nicht ganz einfach

Mayonnaise

1 Eigelb · ¼ Teel. Salz · 1 Messerspitze Senfpulver · 1 kleine Prise Cayennepfeffer · 3 Teel. Zitronensaft · ½ Teel. Dicksaft · ⅛ l Sonnenblumenöl
Pro Portion etwa 1280 Joule/305 Kalorien

Zubereitungszeit: 15 Minuten

Damit die Mayonnaise nicht gerinnt, müssen alle Zutaten Zimmertemperatur haben. Das Eigelb, Salz, Senfpulver, den Cayennepfeffer, 1 Teelöffel Zitronensaft, den Dicksaft mit dem Schneebesen verrühren. Zuerst tropfenweise unter ständigem Rühren das Öl zugießen. Wenn die Masse dick wird, etwas Zitronensaft unterrühren. Jetzt teelöffelweise Öl unterrühren und wieder etwas Zitronensaft zufügen. • Wenn etwa die Hälfte des Öls verbraucht ist, kann der Rest unter ständigem Rühren in einem feinen Strahl zugegossen werden. Die fertige Mayonnaise ist cremig-dick und glänzend.

Paßt gut zu: Rohkostsalaten.

Variante: Diese Grundmayonnaise kann mit frischen Kräutern, gehackten Kapern, Oliven und Zwiebeln variiert werden. Ist eine leichtere Mayonnaise gewünscht, kann man sie mit einigen Eßlöffeln Sanoghurt oder Dickmilch strecken.

Schnell · Ganz einfach

Sauce mit Nußmus

3 Eßl. Haselnuß- oder Mandelmus · 4 Eßl.
Orangensaft · 1 Teel. unbehandelte, abgeriebene
Orangenschale · 1 kleine Prise gemahlener Macis
Pro Portion etwa 315 Joule/75 Kalorien

Zubereitungszeit: 5 Minuten

Das Nußmus mit dem Orangensaft verrühren
und mit der geriebenen Orangenschale und dem
Macis würzen.

Paßt gut zu: Nußmus-Sauce paßt in dieser Form
gut zu Obstsalaten. Auch Getreidesalate schmekken mit dieser Sauce. Dann jedoch 2–3 Eßlöffel
mehr Nußmus nehmen, statt Orangensaft
1–2 Eßlöffel Zitronensaft und ½–1 Teelöffel Salz
zufügen.

Schnell · Ganz einfach

Essig-Öl-Sauce

½ Knoblauchzehe · 2 Eßl. Apfelessig oder sehr gu-
ter Weinessig · ½ Teel. Salz · 1 Teel. Senf · 1 Prise
Pfeffer, frisch gemahlen · 6 Eßl. kaltgepreßtes
Olivenöl · reichlich frische Kräuter
Pro Portion etwa 590 Joule/140 Kalorien

Zubereitungszeit: 5 Minuten

Die Salatschüssel mit der Schnittfläche der
Knoblauchzehe ausreiben. • In einem anderen
Gefäß den Essig mit dem Salz, dem Senf und
Pfeffer verrühren, bis sich das Salz aufgelöst hat.
Das Öl zugießen und die Sauce rühren, bis sie
cremig ist. Die Kräuter waschen, trockenschleu-
dern, hacken oder wiegen und unter die Sauce

mischen oder zuletzt zerkleinern und unter den
fertigen Salat heben.

Paßt gut zu: Blattsalaten.

> **Unser Tip** Olivenöl paßt ge-
> schmacklich besonders gut zu dieser pi-
> kanten Sauce. Es kann aber auch jedes
> andere kaltgepreßte Öl verwendet wer-
> den. Pfeffer ist recht geschmacksintensiv
> und überdeckt leicht andere Gewürze.
> Man kann stattdessen auch mit einem
> Hauch Cayennepfeffer oder frisch ge-
> mahlenem Piment würzen.

Schnell · Ganz einfach

Sherry-Salatsauce

Fast alle rohen Gemüsesorten, außer Tomaten,
Sauerkraut und roten Beten/Rüben, können Sie
mit dieser feinen Salatsauce mischen. Sie paßt
auch gut zu gekochten Sojakeimlingen und zu
gekochten gelben Sojabohnen. Wenn schnell ein
Salat serviert werden soll, hilft die Sherrysauce
immer aus der Verlegenheit. Festlich sieht es aus,
wenn Sie ein Schälchen mit Sherrysauce in die
Mitte einer großen Platte stellen und ringsherum
gewaschene, geputzte und grobzerkleinerte Gemüse anordnen. Sojakeimlinge und gekochte Sojabohnen ergänzen die Rohkostplatte gut.

1 kleine Zwiebel · 1 Eßl. Sojaöl · 2 Eßl. trockener
Sherry · 1–2 Teel. Sojasauce · 2 Teel. Senf · Saft
von ½ Zitrone
Pro Portion etwa 185 Joule/45 Kalorien

Zubereitungszeit: 5 Minuten

Die Zwiebel schälen und grobzerkleinern. Zusammen mit allen übrigen Zutaten in den Mixer füllen und in etwa 30 Sekunden feinmixen. Oder – falls kein Mixer zur Verfügung steht – die Zwiebel sehr fein schneiden und zusammen mit allen übrigen Zutaten in einer Schüssel mit dem Schneebesen gründlich mischen.

Schnell · Ganz einfach

Tofumayonnaise

Diese feine Sauce läßt sich nur im Mixer zubereiten. Sie paßt zu allem, wozu sonst auch Mayonnaise verwendet wird, aber auch als Beigabe zu Pellkartoffeln oder gebackenen Kartoffeln. Sie ist gegenüber üblicher Mayonnaise ausgesprochen kalorienarm.

100 g Tofu · ½ Tasse Wasser · Saft von ½ Zitrone · 1–2 Eßl. Öl · 1 Teel. Senf · 3–4 Teel. Sojasauce
Pro Portion etwa 220 Joule/55 Kalorien

Zubereitungszeit: 5 Minuten

Alle Zutaten in den Mixer füllen und feinmixen (etwa 60 Sekunden).

Variante: Delikate Tofumayonnaise
Zusätzlich je 2 Messerspitzen Delikata und edelsüßes Paprikapulver mitmixen. So gewürzt paßt die Tofumayonnaise besonders gut als Salatsauce zu rohem Kohlrabi, Chicorée oder Chinakohl.

Variante: Sauce Tatare
1 kleine Gewürzgurke, 1 Teelöffel Kapern und 1 kleine geschälte, grobzerkleinerte Zwiebel mitmixen oder feingehackt dem fertigen Grundrezept beimischen. Die Sauce noch mit 1 Teelöffel feingeriebenem Meerrettich und frisch gemahlenem schwarzem Pfeffer abschmecken. Diese Version paßt gut zu gekochtem Sojamark (Rezept Seite 172).

Unser Tip Die Tofumayonnaise wird durch die Sojasauce hellbraun. Wenn Sie eine »weiße« Mayonnaise vorziehen, verwenden Sie stattdessen 1 gestrichenen Teelöffel Kräutersalz.

Schnell · Ganz einfach

Sauermilchsauce

¼ Teel. Salz · ½ Teel. Honig oder Dicksaft · 1 Eßl. Zitronensaft · 6 Eßl. Dickmilch oder Sanoghurt · 2 Messerspitzen gemahlene Gewürze · 2 Eßl. kaltgepreßtes Öl · reichlich frische Kräuter
Pro Portion etwa 270 Joule/65 Kalorien

Zubereitungszeit: 5 Minuten

Das Salz mit dem Honig oder Dicksaft und Zitronensaft verrühren, bis sich das Salz aufgelöst hat. • Die Dickmilch oder den Sanoghurt, die Gewürze und das Öl zufügen und die Sauce mit dem Schneebesen schlagen, bis sie cremig ist und sich das Öl mit der Dickmilch gut verbunden hat. Die Kräuter waschen, trockenschleudern, feinhacken oder wiegen und unter die Sauce rühren.

Paßt gut zu: Rohkostsalaten.

Variante: Die Sauce mit 2 Eßlöffeln Gomasio (Sesamsalz) würzen. Das paßt gut zu Fenchel und Kohlrabi; oder 1 Eßlöffel frisch geriebenen Meerrettich an die Sauce geben; das paßt gut zu roten Beten, Rotkohl und Wirsing.

Schnell · Ganz einfach

Sahne-Zitronen-Sauce

*¼ Teel. Salz · 1 Teel. Ahornsirup · 1 Eßl.
Zitronensaft · 1–2 Messerspitzen gemahlene
Gewürze · ⅛ l süße oder saure Sahne*
Pro Portion etwa 170 Joule/40 Kalorien (saure
Sahne)
Pro Portion etwa 420 Joule/100 Kalorien (süße
Sahne)

Zubereitungszeit: 5 Minuten

Das Salz mit dem Ahornsirup, dem Zitronensaft
und den Gewürzen verrühren, bis das Salz völlig
aufgelöst ist. Die Sahne zugießen und rühren, bis
sich alle Zutaten miteinander verbunden haben.

Paßt gut zu: Eissalat, Chinakohl, Chicorée, aber
auch anderen Blattsalaten.

Variante: Für Obstrohkost die Sauce nicht salzen, den Zitronensaft nach Belieben durch 2 Eßlöffel Orangensaft ersetzen und die Sauce mit
2 Eßlöffeln feingehackten Mandeln oder Nüssen
anreichern.

Ganz einfach

Sauce mit Schafkäse

*100 g Schafkäse · ⅛ l Vollmilch · 50 g schwarze
Oliven · 2–3 Eßl. frisch gehacktes Basilikum*
Pro Portion etwa 545 Joule/130 Kalorien

Zubereitungszeit: 15 Minuten

Den Schafkäse zerdrücken und mit der Milch ge-
schmeidig rühren. Die Oliven entsteinen, kleinschneiden und unter die Käsecreme rühren. Das

Basilikum waschen, trockenschleudern, feinhakken und unter die Sauce heben.

Paßt gut zu: Eissalat, Chinakohl, Gurken, besonders aber zu Blattsalat mit Tomaten, Paprikaschoten und Zwiebeln.

Schnell

Heiße Vanillesauce

*1 Vanilleschote · ¼ l Milch · 1–2 Eßl.
Ahornsirup · 1 Prise Salz · 3 Eigelbe*
Pro Portion etwa 480 Joule/115 Kalorien

Zubereitungszeit: 10 Minuten

Die Vanilleschote aufschlitzen und das Mark
herauskratzen. Das Vanillemark mit der Milch,
dem Sirup und dem Salz in einem kalt ausgespülten Topf zum Kochen bringen. Den Topf
von der Herdplatte nehmen. • Die Eigelbe mit
3 Eßlöffeln heißer Vanillemilch verrühren, dann
zur Milch geben. Die Flüssigkeit mit den Quirlen
des Handrührgerätes so lange rühren, bis die
Sauce leicht cremig ist, dann sofort servieren.

Paßt gut zu: Mandelpudding (Rezept Seite 263).

Mit dieser herzhaften Spezialität kann man seine Gäste ▷
überraschen. Pilaw mit Azukibohnen. Rezept Seite 153.

Ganz einfach

Kirsch- oder Himbeersauce

Diese fruchtige süße Sauce paßt als Beigabe oder Füllung zu Hirsecrêpes (Rezept Seite 267) oder zu Puddingdesserts.

1 gestrichener Eßl. Vollsojamehl · 1 gestrichener Eßl. Arrowroot, ersatzweise Maisstärkepuder · 1 Messerspitze Vanillepulver · 1 Messerspitze Zimt · abgeriebene Schale von ½ Zitrone (Schale unbehandelt) · ⅛ l Wasser · 2 Eßl. Honig · 250 g frische Sauerkirschen oder 200 g frische Himbeeren
Pro Portion etwa 275 Joule/65 Kalorien

Zubereitungszeit: 15 Minuten

Das Sojamehl, das Arrowroot, die Vanille, den Zimt und die Zitronenschale in einem kleinen Topf mischen. Das Wasser und den Honig zufügen und alles glattrühren. Die Kirschen waschen, entstielen und entsteinen oder die Himbeeren waschen und putzen. Das Obst in den Topf geben und unter Rühren aufkochen. Die Sauce 5 Minuten bei schwacher Hitze unter gelegentlichem Umrühren kochen lassen.

◁ Püree aus weißen Bohnen läßt sich mit einigen Handgriffen rasch und einfach zubereiten. Rezept Seite 152.

Nicht ganz einfach · Braucht etwas Zeit

Kalte Vanillesauce

½ l Milch · 1 Vanilleschote · 1 Prise Salz · 2 Eßl. Honig · 4 Blatt farblose Gelatine oder ½ Teel. Agar-Agar · nach Belieben 1 Eigelb
Pro Portion etwa 500 Joule/120 Kalorien

Zubereitungszeit: 20 Minuten
Kühlzeit: 1 Stunde und 30 Minuten

Einen Topf mit kaltem Wasser ausspülen. Die Milch mit der aufgeschlitzten Vanilleschote und dem Salz darin erhitzen, nicht kochen, und 10 Minuten zugedeckt stehenlassen. • Dann die Vanilleschote entfernen und die Milch mit dem Honig süßen. • Die Gelatine zerkleinern, in kaltem Wasser einweichen, erwärmen und auflösen. Oder das Agar-Agar in wenig Wasser klümpchenfrei anrühren. Das Geliermittel zur heißen Milch rühren, dann völlig abkühlen lassen. Vor dem Servieren die Sauce mit dem Schneebesen locker aufschlagen.

Variante: Wer eine gelbe Vanillesauce wünscht, sollte nach der Zugabe des Geliermittels 1 Eigelb unterrühren.

Ganz einfach

Schokoladensauce

200 g Blockschokolade · 3-4 Eßl. Honig · 1 Eßl. Rum · ¼ l Sahne
Pro Portion etwa 2100 Joule/500 Kalorien

Zubereitungszeit: 20 Minuten

Die Schokolade grobzerkleinern und in einen weiten Topf geben. Diesen Topf in ein kochendes Wasserbad stellen und die Schokolade schmelzen lassen. Dann den Honig und den Rum unter die flüssige Schokolade rühren. Zuletzt die ungeschlagene Sahne zugeben und die Schokoladensauce heiß servieren.

Die sanfteste Garmethode: das Wasserbad.

Ganz einfach

Heidelbeersauce

250 g frische oder 1 Paket ungezuckerte tiefgefrorene Heidelbeeren (300 g) · knapp ⅛ l Wasser · Saft von ½ Zitrone · 1 Messerspitze Vanillepulver · ½ Teel. Zimt · 1–2 Eßl. Honig
Pro Portion etwa 250 Joule/60 Kalorien

Zubereitungszeit: 20 Minuten

Die Heidelbeeren waschen oder auftauen lassen. Die Beeren mit dem Wasser so lange bei schwacher Hitze kochen, bis sie zerfallen, dann abkühlen lassen. • Das Fruchtmus mit dem Saft der Zitrone, der Vanille, dem Zimt und dem Honig im Mixer pürieren.

Paßt gut zu: Grießflammeri (Rezept Seite 268).

Schnell · Ganz einfach

Erdbeersauce

250 g Erdbeeren · 75 g flüssiger Honig · 1 Teel. Zitronensaft
Pro Portion etwa 335 Joule/80 Kalorien

Zubereitungszeit: 10 Minuten

Die Beeren waschen und putzen. Mit dem Honig und dem Zitronensaft im Mixer pürieren.

Paßt gut zu: Grießflammeri (Rezept Seite 268).

Variante: Statt der Erdbeeren können Sie auch Himbeeren nehmen.

Nicht ganz einfach

Weinschaum

2 Eier · 1 Eigelb · 1 Eßl. Zitronensaft · 2–3 Eßl. Ahornsirup · ⅛ l trockener Weißwein
Pro Portion etwa 420 Joule/100 Kalorien

Zubereitungszeit: 15 Minuten

Die Eier, das Eigelb, den Zitronensaft, den Ahornsirup und den Weißwein in einen hohen Rührbecher geben und diesen in ein heißes Wasserbad stellen. Mit den Quirlen des elektrischen Handrührgerätes so lange rühren, bis eine dickflüssige Creme entsteht. Die Weincreme in vier hohe Gläser füllen und sofort servieren.

Varianten: Statt Weißwein kann man trockenen Sherry oder weißen Portwein verwenden. Oder Sie bereiten den Weinschaum mit rotem Portwein zu, dann erübrigt sich die Zugabe von Ahornsirup.

Mit einem Augenzwinkern sei vorweg bemerkt, daß ein Teil der Desserts in diesem Kapitel eigentlich zum Abgewöhnen gedacht ist. Die richtige Ergänzung und Erfrischung nach einem vollwertigen Hauptgericht wäre ein Becher Sanoghurt, Dickmilch oder Kefir. Entweder pur oder mit frischen Früchten. Gut sind auch Obstsalate, bei denen wir auf die Zugabe von Süßungsmitteln verzichten. Meist haben reife Früchte genügend eigene Süße, so daß zusätzliches Süßen überflüssig ist. Fruchtige Rohkost ist genau das Richtige nach einer dicken Suppe, einem herzhaften Eintopf oder einem würzigen Auflauf.

Wenn Sie die Vollwertküche einige Zeit konsequent betreiben und die sonst üblichen Süßigkeiten weglassen, werden Sie feststellen, daß auch der Appetit auf Süßes zurückgeht. Denn ähnlich wie nach Salzigem ist das Bedürfnis nach Süßem schon ab der frühesten Kindheit erlernt. Wenn Sie Nachspeisen oder süße Hauptgerichte zubereiten, sollten Sie auf keinen Fall Zucker nehmen. Denn Zucker bringt außer Kalorien nichts an wertvollen Stoffen mit. Zudem verbraucht Zucker zu seinem Abbau Vitamin B_1, ein Vitamin, das als Mangelvitamin in unserer Ernährung gilt. Allerdings verbrauchen alle Kohlenhydrate zu ihrem Abbau Vitamin B_1, also auch Vollkornbrot, doch im Unterschied zu Zucker enthält Vollkornbrot sehr viel Vitamin B_1.

Generell sollten wir uns angewöhnen, weniger zu süßen. Viele der üblichen Rezepte schmecken auch ganz gut, wenn man ein Drittel des angegebenen Süßungsmittels wegläßt. Auch natürliche Süßungsmittel wie Honig, Ahornsirup, Melasse, Dicksaft, Malzextrakt oder Zuckerrübensirup sind keine echte Alternative. Auch sie enthalten bis zu 90 Prozent Zucker und relativ wenig Vitamine oder Mineralstoffe. Der Vitamin- und Mineralstoffgehalt ist so gering, daß er kaum zur Deckung unseres Bedarfs beiträgt. Wenn man also anstelle von Haushaltszucker, in gleicher Menge natürliche Süßungsmittel verwendet, so

ist dies sicher eine geringfügig bessere, aber eben doch auch keine gesunde Alternative. Denn auch die oben genannten natürlichen Süßungsmittel belasten den Blutzuckerspiegel, sind Dickmacher und verursachen Karies.

In diesem Kapitel finden Sie daher eine Vielzahl von Rezepten mit kaum oder sehr wenig Süßungsmitteln, die Sie sich ohne »schlechtes Gewissen« schmecken lassen können. Gerichte, die etwas mehr Süßungsmittel enthalten, kommen seltener auf den Tisch und sind für besondere Gelegenheiten reserviert. Da Sie sonst vorwiegend Gemüse, Rohkost, Hülsenfrüchte, und Vollgetreidegerichte verzehren, brauchen Sie sich um die richtige Nährstoffzufuhr keine Sorgen machen. Außerdem haben viele Süßspeisen in der Vollwertküche den Vorteil, daß sie aus Vollgetreide hergestellt werden und nicht aus Auszugsprodukten (Weißmehl, üblicher Weizengrieß zum Beispiel). Sie enthalten also schon von vorneherein wertvollere Zutaten mit mehr Vitaminen und Mineralstoffen.

Schnell · Ganz einfach

Kiwi-Nuß-Quark

250 g Magerquark · ½ Tasse Milch · 2–3 Eßl. Honig · 1 Eßl. Zitronensaft · 30 g Walnußkerne · 2 Kiwis · eventuell etwas Sahne
Pro Portion etwa 750 Joule/180 Kalorien

Zubereitungszeit: 5 Minuten

Den Quark mit der Milch, dem Honig und dem Zitronensaft mischen. Die Nüsse grobreiben. • 1 Kiwi dünn schälen, in Würfelchen schneiden. Nüsse und Kiwiwürfel gut unter den Quark mischen. Eventuell noch Sahne darunterziehen. Die zweite Kiwi dünn schälen, in Scheiben schneiden und den Quark damit garnieren.

Variante: Etwa 100 g gewaschene, halbierte Erdbeeren unter den Kiwiquark mischen.

> **Unser Tip** Quark von verschiedenen Molkereien hat unterschiedlichen Wassergehalt. Sie sollten daher bei den Quarkdesserts mit den angegebenen Flüssigkeitsmengen variabel sein und zunächst lieber etwas weniger zufügen.

Schnell · Ganz einfach

Kirschenquark mit Kakao

Wer Kalorien sparen will, kann für dieses Dessert Milch statt Sahne nehmen.

250 g Magerquark · 2–3 Eßl. Honig · 2 gestrichene Eßl. Kakao · 2 Messerspitzen Zimt · 1 Messerspitze Vanillepulver · ½ Tasse Sahne · 150 g Sauerkirschen, frisch oder tiefgefroren
Pro Portion etwa 685 Joule/160 Kalorien

Vorbereitungszeit: tiefgefrorene Sauerkirschen antauen, entsteinen und zugedeckt bei Zimmertemperatur 2–3 Stunden auftauen lassen
Zubereitungszeit: 5–10 Minuten

Alle Zutaten bis auf die Kirschen in den Mixer oder in eine Schüssel geben und feinmixen oder mit dem Schneebesen zu Creme schlagen. Die frischen Kirschen waschen, entstielen und entsteinen. Die Sauerkirschen unter die Quarkcreme heben.

Varianten: Die Quarkcreme schmeckt auch pur, ohne Obst, oder mit geriebenen Nüssen gemischt.

Eiweißreich · Braucht etwas Zeit

Erdbeertraum

1 kg Erdbeeren · ½ Orange (Schale unbehandelt) · 4 Eßl. Orangenlikör · 250 g Magerquark · Milch · 1–2 Eßl. flüssiger Honig · ¼ Teel. Vanillepulver · 1 Prise geriebene Muskatnuß · ¼ l Sahne · 1 Eßl. Pistazienkerne
Pro Portion etwa 1740 Joule/415 Kalorien

Zubereitungszeit: 50 Minuten

Die Erdbeeren waschen, trockentupfen und die Stiele abzupfen. 8 Früchte beiseite legen, die restlichen halbieren. Die halbe Orange abreiben und auspressen. • Den Likör mit dem Orangensaft sowie der -schale verrühren und über die halbierten Erdbeeren träufeln. 30 Minuten zugedeckt in den Kühlschrank stellen. • Den Quark mit Milch cremig rühren. Den Honig und die Gewürze zugeben. Die Sahne steif schlagen und vorsichtig unter die Quarkcreme heben. In gekühlte Dessertgläser abwechselnd eine Schicht Sahnequark und eine Schicht Erdbeeren geben. Die letzte Schicht sollte Sahnequark sein. Mit je 1 ganzen Erdbeere und kleingehackten Pistazienkernen garnieren.

Eiweißreich · Preiswert · Ganz einfach

»Errötendes Mädchen«

Ein erfrischendes Dessert für den Sommer.

½ l Buttermilch · 2 Eßl. flüssiger Honig · nach Belieben 2 Eßl. Arrak · 5 Blatt weiße Gelatine · 1 Blatt rote Gelatine
Zum Garnieren: ⅛ l Sahne · 1 Eßl. flüssiger Honig
Pro Portion etwa 755 Joule/180 Kalorien

Zubereitungszeit: 20 Minuten
Kühlzeit: etwa 1 Stunde

Die Buttermilch mit dem Honig und eventuell dem Arrak verrühren. • Die weiße und rote Gelatine in wenig kaltem Wasser zusammen einweichen, dann erwärmen und auflösen. Nun 2 Eßlöffel Buttermilch zur Gelatine rühren, dann die Gelatine unter die restliche Buttermilch mischen. Die Mischung in vier Portionsgläser füllen und kalt stellen. Die Sahne steif schlagen, mit dem Honig süßen, in einen Spritzbeutel füllen und die Creme damit verzieren.

Schnell · Preiswert · Ganz einfach

Schoko-Schaum mit Kleie

Am besten schmeckt der Schokoschaum mit frisch ausgesiebter Kleie, die Sie bei der Zubereitung von Vollkornspätzle oder einer feinen Cremesuppe absieben. Aber auch gekaufte Kleie eignet sich gut.

3 Eiweiße · 2 Eßl. Honig · 2 Messerspitzen Vanillepulver · 8 leicht gehäufte Eßl. Weizenkleie · 1 gestrichener Eßl. Kakao · 1 gestrichener Eßl. Caroben · 1 Eßl. 54%iger Rum
Pro Portion etwa 395 Joule/95 Kalorien

Zubereitungszeit: 5 Minuten

Die Eiweiße mit dem Schneebesen steif schlagen. Den Honig und die Vanille vorsichtig unterrühren. Die Kleie mit dem Kakao und dem Caroben (oder mit 2 Eßlöffeln von einer Sorte, falls Sie die andere gerade nicht zur Hand haben) mischen und zusammen mit dem Rum vorsichtig unter den Eischnee ziehen. Bis zum Servieren kühl stellen.

Eiweißreich · Preiswert · Schnell

Vanillequark

500 g Magerquark · 4 Eßl. Ahornsirup · ½ Teel. Vanillepulver · 3 Eigelbe · nach Belieben 1 Eßl. Rum · Sahne
Pro Portion etwa 1130 Joule/270 Kalorien

Zubereitungszeit: 5 Minuten

Den Quark mit dem Sirup, der Vanille, den Eigelben, eventuell dem Rum und so viel Sahne verrühren, daß eine glatte Creme entsteht.

Variante: Frische, zerkleinerte Früchte wie Beeren oder Steinobst untermengen.

Ganz einfach · Preiswert

Selbstgemachter Joghurt

Selbst zubereiteter Joghurt ist nicht nur preiswerter, er schmeckt auch besser. Außerdem ist er gesünder, denn er enthält keine Bindemittel und Konservierungsstoffe. Und wenn Sie Joghurt mit Sanoghurt oder einem Joghurtferment zubereiten, so ist dieser im Vergleich zum handelsüblichen reich an rechtsdrehender Milchsäure. Sie ist die im gesunden Körper vorhandene Form der Milchsäure, wird vom Organismus vollkommen verwertet und unterstützt den Aufbau einer gesunden Darmflora.

1 l Vollmilch · 2 Eßl. Trockenmagermilchpulver · Joghurtferment oder 1 Becher Sanoghurt
Pro 100 g etwa 290 Joule/70 Kalorien

Zubereitungszeit: 20 Minuten
Ruhezeit bei 40 °C: 5–7 Stunden

Die Milch bis zum Kochen erhitzen, dann auf 40 °C abkühlen lassen. Das Milchpulver und das Joghurtferment oder das Sanoghurt in der Milch verrühren. Die Flüssigkeit in die Gläser des Joghurtzubereiters füllen oder in ein Gefäß, das anschließend auf einer Temperatur von annähernd 40 °C gehalten werden kann (eventuell im Wasserbad). Nach 5-7 Stunden ist der Joghurt fertig. Er sollte im Kühlschrank aufbewahrt werden, wo er schön fest wird. Bis zu 7 Tagen hält sich dieser selbst zubereitete Joghurt im Kühlschrank frisch. • 3 Eßlöffel dieses Ansatzes können Sie als Starter für die nächste Joghurtzubereitung nehmen. Dies gelingt etwa 15mal, dann müssen Sie frisches Ferment oder Sanoghurt verwenden.

Mit Joghurt lassen sich zahlreiche Süßspeisen herstellen:
mit Obst püriert als Trinkjoghurt
mit zerkleinerten Früchten als Fruchtjoghurt
mit gequollenen, kleingeschnittenen Kurpflaumen als darmfreundliche Zwischenmahlzeit
mit Honig oder Ahornsirup, je 1 Prise Vanillepulver und gemahlenem Ingwer als Dessert
mit ½ Teelöffel Pulverkaffee und Ahornsirup als Mokkajoghurt
mit Hafer-, Hirse- und oder Weizenkeimflocken, Nüssen, Zitronensaft und Honig zum Frühstück
mit Gewürzen und Obstsaft als Dressing für Obstsalate.

Joghurtbereiter, die es in Kaufhäusern und Fachgeschäften gibt, halten die Temperatur konstant.

Schnell · Ganz einfach

Buttermilchkaltschale

50 g Pumpernickel oder dunkles Vollkornbrot (1 große Scheibe) · ½ l Buttermilch · 2 Eßl. Honig · 3 Eßl. ungeschwefelte Rosinen · Saft und Schale von ½ Zitrone (Schale unbehandelt)
Pro Portion etwa 645 Joule/150 Kalorien

Zubereitungszeit: 5 Minuten

Das Brot etwas zerbrechen, zwischen den Handflächen zerbröseln und in eine Schüssel geben oder in vier Portionsschälchen verteilen. Die Buttermilch mit dem Honig, den Rosinen, dem Zitronensaft und der abgeriebenen -schale gut verrühren, über die Brotbrösel gießen und etwas durchziehen lassen.

Schnell · Ganz einfach · Preiswert

Erdbeermix

300 g Erdbeeren · 1 Stange junger Rhabarber · ½ l gekühlter Kefir · 1 Eßl. Zitronensaft · 2 Eßl. flüssiger Honig · nach Belieben Orangenlikör
Pro Portion etwa 480 Joule/115 Kalorien

Zubereitungszeit: 15 Minuten
Kühlzeit: etwa 15 Minuten

Die Erdbeeren waschen und, wenn nötig, entstielen. Den Rhabarber putzen und schälen, dann in Stückchen schneiden. Den Kefir mit den Erdbeeren und den Rhabarberstückchen im Mixer pürieren. Mit dem Zitronensaft, dem Honig und eventuell dem Likör abschmecken. Gut gekühlt servieren.

Ganz einfach · Preiswert · Schnell

Fruchtjoghurt

*1 Eßl. Haselnußkerne · 6 vollreife Aprikosen ·
2 Eßl. flüssiger Honig · 2 Becher Sanoghurt
(je 175 g) · 2 Äpfel · Saft von ½ Zitrone*
Pro Portion etwa 670 Joule/160 Kalorien

Zubereitungszeit: 15 Minuten

Die Haselnüsse grobhacken. Die Aprikosen waschen, halbieren, entsteinen, dann mit 1 Eßlöffel Honig und 1 Becher Sanoghurt pürieren. • Die Äpfel vierteln, schälen, Kerngehäuse, Stiel und Blüte entfernen. Das zweite Sanoghurt mit 1 Eßlöffel Honig cremig rühren. Die Äpfel in die Creme raspeln und mit Zitronensaft abschmecken. • Schichtweise das Aprikosen- und das Apfeljoghurt in Gläser füllen. Mit den Nüssen bestreuen und bis zum Servieren kühl stellen.

Braucht etwas Zeit

Obstsalat mit Weizenkörnern

*150 g Weizen · knapp ¼ l Wasser · 1 Stück
Zimtstange · 1 Stück unbehandelte Zitronenschale · 1 Messerspitze Meersalz · 500 g frisches,
reifes Obst (Birnen, Brombeeren und Zwetschgen
oder Johannisbeeren, Pfirsiche und Sauerkirschen) · 125 g Magerquark · 2 Eßl. Milch ·
1 Eßl. Zitronensaft · ¼ Teel. Vanillepulver ·
1 Eßl. Honig · ⅛ l Sahne*
Pro Portion etwa 1445 Joule/345 Kalorien

Quellzeit: 8-10 Stunden
Gar- und Nachquellzeit: 3 Stunden
Zubereitungszeit: 30 Minuten

Den Weizen in einem Sieb unter fließendem Wasser waschen und mit Wasser bedeckt 8-10 Stunden, am besten über Nacht, quellen lassen. • Den Weizen im Quellwasser mit dem Zimt und der Zitronenschale zum Kochen bringen und zugedeckt bei schwacher Hitze in etwa 1 Stunde weich kochen. Die Körner sollen aufgesprungen sein. Wenn nötig, etwas heißes Wasser nachfüllen. Den Weizen salzen und 2 Stunden nachquellen lassen. • Die Zimtstange und die Zitronenschale entfernen. Den Weizen abkühlen lassen. • Inzwischen das Obst waschen, abtropfen lassen und vorbereiten: Birnen vom Kerngehäuse befreien und kleinwürfeln. Zwetschgen entsteinen und kleinschneiden. Sauerkirschen entsteinen, Johannisbeeren von den Rispen zupfen. Pfirsiche entsteinen und kleinwürfeln. Eine Handvoll Beeren zurückbehalten. Das übrige Obst locker unter den Weizen mischen. • Den Quark mit der Milch, dem Zitronensaft, der Vanille und dem Honig verrühren. Die Sahne steif schlagen und unter den Quark ziehen. Die Sahne-Quark-Sauce auf den Weizensalat gießen und behutsam unterheben. Den Salat in einer Schüssel anrichten und mit Beeren garnieren.

Braucht etwas Zeit

Preiselbeer-Kürbis-Salat

Wenn die Preiselbeeren rundherum schön rot gefärbt und ganz reif sind, kann man sie auch roh essen. Ihre feine Säure und Herbheit passen gut zu Melone oder Kürbis. Preiselbeeren reifen auch noch nach dem Pflücken. Man breitet sie auf Papier in der Sonne aus und wendet sie ab und zu mit der Hand, bis sie gleichmäßig rot geworden sind. Preiselbeeren sind sehr mineralstoffhaltig und reich an Vitamin C. Sie werden von Ende August bis in den Oktober hinein gesammelt.

4 Eßl. naturreiner Apfelsaft · 2 Teel. getrocknete
Pfefferminzblätter · 350 g reife Preiselbeeren ·
350 g Kürbis · 3 Eßl. flüssiger Honig · 1 Prise
gemahlener Ingwer · ⅛ l Sahne
Pro Portion etwa 900 Joule/215 Kalorien

Zubereitungszeit: 15 Minuten
Zeit zum Durchziehen: 1 Stunde

Den Apfelsaft erhitzen und die getrocknete Pfefferminze darin ziehen lassen. Die Preiselbeeren
verlesen, waschen und abtropfen lassen. Den
Kürbis schälen, grobraspeln und mit den Beeren
mischen. Den Apfelsaft durch ein Sieb gießen,
mit dem Honig und Ingwer verrühren, über die
Beeren und den Kürbis gießen und den Salat zugedeckt 1 Stunde durchziehen lassen. Die Sahne
steif schlagen und unterheben.

Ganz einfach

Feiner Obstsalat

Verschiedene Früchte der Saison · Saft von
1 Zitrone · 40 g geschälte, blättrig geschnittene
Mandeln oder 2 Eßl. Kokosflocken · 10 g Butter ·
⅛ l Sahne · 1 Eigelb · 1 Eßl. Ahornsirup · 1 Teel.
Zitronensaft · 2 Eßl. trockener Sherry
Pro Portion etwa 900 Joule/215 Kalorien (ohne
Früchte)

Zubereitungszeit: 30–40 Minuten

Die Früchte waschen oder schälen und je nach
Sorte entkernen beziehungsweise zerkleinern.
Die Früchte mit etwas Zitronensaft beträufeln. •
Die Mandeln oder Kokosflocken in der Butter
hellbraun rösten und abkühlen lassen. • Die
Sahne steif schlagen. Das Eigelb und den Sirup
gründlich verrühren. 1 Teelöffel Zitronensaft
und den Sherry zugeben. • Die Sahne unter die

Eicreme heben. • Dieses Dressing auf die vorbereiteten Früchte geben und den Salat mit den
Mandelblättchen oder Kokosflocken bestreuen.

Variante: Statt Sherry können Sie für die Salatsauce einen herben Obstsaft verwenden.

Schnell · Preiswert · Ganz einfach

Schoko-Obstsalat

1 Banane · knapp ¼ l Milch · 1½ Eßl. Honig ·
1 gestrichener Eßl. Kakao · 1 Teel. abgeriebene
Orangenschale (Schale unbehandelt) · 1 Messerspitze Vanillepulver · 1 Apfel · 1 Birne
Pro Portion etwa 555 Joule/130 Kalorien

Zubereitungszeit: gut 5 Minuten

Die Banane schälen, grobzerkleinern, mit der
Milch, dem Honig, dem Kakao, der Orangenschale und der Vanille in den Mixer füllen und
feinmixen. Den Apfel und die Birne waschen,
entkernen, in Würfel schneiden und die Bananencreme darübergießen.

Ganz einfach

Herbstlicher Obstsalat

Bild Seite 337

2 Äpfel · 2 Birnen · 250 g Zwetschgen · 250 g
blaue Weintrauben · 250 g Honigmelone · 2 Eßl.
Pinienkerne · 1 Eßl. Honig · 1 Eßl. Zitronensaft ·
4 Eßl. naturreiner Traubensaft
Pro Portion etwa 965 Joule/230 Kalorien

Zubereitungszeit: 40 Minuten

Die Äpfel und Birnen waschen, vierteln, von dem Kerngehäuse befreien und die Viertel quer in dünne Scheiben schneiden. Die Zwetschgen waschen, halbieren, entsteinen und die Hälften in Streifen schneiden. Die Weintrauben waschen, von den Stielen zupfen und halbieren. Die Melone schälen und würfeln. Das Obst und die Pinienkerne miteinander mischen. Den Honig mit dem Zitronensaft und dem Traubensaft verrühren, bis sich alles gut miteinander verbunden hat, über den Salat gießen und behutsam unterheben.

> **Unser Tip** Die Schüssel mit rotem Weinlaub umkränzen und den Salat mit Weinbeeren garnieren.

Braucht etwas Zeit

Äpfel im Schlafrock 🔥

*Für den Teig: 250 g Weizenvollkornmehl ·
1 Teel. Vanillepulver · 1 Messerspitze Zimtpulver ·
2 Teel. unbehandelte abgeriebene Zitronenschale ·
1 Messerspitze Meersalz · 100 g Butter · 50 g Honig (etwa 3 Eßl.)*
Für die Äpfel: 4 mittelgroße mürbe Äpfel wie Boskop (etwa 600 g) · 4 Teel. Marmelade oder ungeschwefelte Rosinen
Zum Bestreichen: 1 Eigelb · 1 Eßl. Milch
Für das Backblech: 1 Teel. Butter
Pro Portion etwa 2310 Joule/550 Kalorien

Vorbereitungszeit: 45 Minuten
Backzeit: 25–30 Minuten

Das Mehl in einer Schüssel mit den Gewürzen, der Zitronenschale und dem Salz mischen. Die

Butter mit dem Honig bei schwacher Hitze zerlassen, auf das Mehl träufeln und alle Zutaten rasch zu einem Mürbeteig verkneten. Den Teig 30 Minuten ruhen lassen. • Inzwischen die Äpfel waschen, abtrocknen und die Kerngehäuse ausstechen. Die Apfelhöhlungen mit der Marmelade oder mit den gewaschenen, abgetropften Rosinen füllen. • Den Backofen auf 200° vorheizen. • Den Teig auf einer leicht bemehlten Arbeitsplatte nicht zu dünn zu einem Quadrat ausrollen. Die Teigplatte in 4 Quadrate schneiden. Sie müssen so groß sein, daß die Äpfel darin eingehüllt werden können. Wenn nötig, die einzelnen Quadrate noch etwas größer ausrollen.

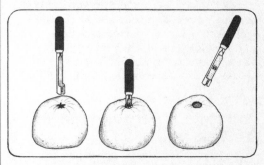

Mit dem Apfelausstecher läßt sich das Kerngehäuse mühelos aus einem Apfel herausstechen.

Auf jedes der Teigstücke einen vorbereiteten Apfel setzen, die Teigenden über den Äpfeln zusammenschlagen und die Zipfel fest zusammendrücken. • Das Eigelb mit der Milch verquirlen und die Äpfel im Schlafrock damit bestreichen. Ein Kuchenblech mit der Butter einfetten. Die Äpfel daraufsetzen und in 25–30 Minuten auf der zweiten Schiene von unten goldgelb backen. Warm servieren.

Ganz einfach · Preiswert

Überbackene Grapefruits

4 rote Grapefruits · 2 Eßl. Haselnußkerne ·
2 Eßl. Honig
Pro Portion etwa 545 Joule/130 Kalorien

Vorbereitungszeit: 15 Minuten
Grillzeit: 5–7 Minuten

Den Grill oder den Backofen auf 240 °C vorheizen. • Die Früchte halbieren, mit dem Messer
den Schalenrand lösen und die Spalten teilen, so
daß die Fruchtstücke beim Essen mit dem Löffel
herausgelöst werden können. • Die Haselnüsse
grobhacken und mit dem Honig vermengen. Die
Masse auf das Fruchtfleisch streichen. Die
Grapefruits auf dem Rost im Backofen auf der
obersten Schiene überbacken oder übergrillen.
Sofort servieren.

Unser Tip Alufolie unter die Gra-
pefruithälften legen; das erspart das
Säubern des Backofens.

Ganz einfach · Schnell · Preiswert

Äpfel in Nußsauce ☞

2 säuerliche Äpfel · ¼ l Wasser · 1½ Eßl. Honig ·
2 Messerspitzen Vanillepulver · 2 Messerspitzen
Zimt · 2 Eßl. Weizen · 40 g Walnußkerne ·
½ Becher Sahne (100 g) · eventuell 4 Eßl. Milch
Pro Portion etwa 1030 Joule/245 Kalorien

Zubereitungszeit: 15 Minuten

Die Äpfel vierteln, schälen, das Kerngehäuse
entfernen. Die Apfelviertel nochmals längs
durchschneiden und in dem Wasser mit dem Honig, der Vanille und dem Zimt in etwa 5 Minuten
gar kochen. • Die Apfelachtel mit einem
Schaumlöffel herausnehmen und auf vier Glasteller verteilen. • Die Nüsse feinmahlen. Den
Weizen mehlfein mahlen, mit dem Schneebesen
in die kochende Flüssigkeit einrühren und 1 Minute unter Rühren kochen lassen. • Den Topf
vom Herd nehmen. Die Nüsse und die Sahne zufügen. Eventuell noch Milch zugießen, falls die
Sauce zu dick ist. Die Nußsauce über die Äpfel
verteilen.

Braucht etwas Zeit · Nicht ganz einfach

Ambrosia-Obstsalat

»Ambrosia« war die Lieblingsspeise der griechi-
schen Götter!

1 frische Ananas · 2 Orangen · ⅛ l trockener
Sherry · 2 Eßl. Ahornsirup · 20 g Butter ·
75 g geschälte, gehobelte Mandeln
Pro Portion etwa 1340 Joule/320 Kalorien

Zubereitungszeit: 1 Stunde
Kühlzeit: etwa 2 Stunden

Die Ananas in Scheiben schneiden, schälen, den
Strunk in der Mitte entfernen. Die Orangen
schälen, in Schnitze teilen und filieren, das heißt
von der Haut befreien. Das macht zwar Mühe,
doch es lohnt sich. • Nun den Sherry mit dem Sirup verrühren. Die Früchte schichtweise in eine
Schüssel geben und mit dem gesüßten Sherry beträufeln. Die Schüssel mit Plastikfolie verschließen und etwa 2 Stunden in den Kühlschrank
stellen. • Die Butter in einer Pfanne erhitzen. Die
Mandelblättchen darin goldbraun rösten, dann

abkühlen lassen. Die Früchte in vier Dessertteller verteilen, mit der Sherrysauce beträufeln, mit den Mandeln bestreuen und sofort servieren.

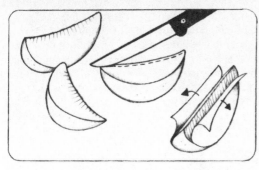

Die Orangenschnitze werden an der Oberkante mit einem scharfen Messer eingeschnitten, die Haut nach den Seiten abgezogen.

Schnell · Preiswert · Ganz einfach

Bananensalat

2 Bananen · 100 g Magerquark · ⅛ l Milch ·
1–2 Eßl. Honig · 1 Eßl. beliebiges Nußmus ·
1 Messerspitze Delifrut · Saft von ½ Zitrone
Pro Portion etwa 610 Joule/145 Kalorien

Zubereitungszeit: 5 Minuten

Die Bananen schälen, in Scheiben schneiden und in eine Glasschüssel geben. • Die übrigen Zutaten in den Mixer füllen, feinmixen oder in einer Schüssel mit dem Schneebesen gründlich verrühren und über die Bananen gießen.

Variante: Beerensalat
Etwa 150 g gewaschene Himbeeren oder Brombeeren in die Schüssel geben, die Quarksauce mit Haselnuß- oder Mandelmus bereiten und über die Beeren gießen.

Schnell · Preiswert

Apfelsahne

½ Becher Sahne (100 g) · 2 Teel. Honig · 2 Teel.
Zitronensaft · 1 Messerspitze Zimt · 1 Messerspitze Vanillepulver · 2 nicht zu saure Äpfel
Pro Portion 650 Joule/155 Kalorien

Zubereitungszeit: 5 Minuten

Die Sahne steif schlagen. Den Honig, den Zitronensaft, den Zimt und die Vanille kurz unter die Sahne schlagen. Die Äpfel möglichst mit der Schale grobreiben und vorsichtig unter die Sahne mischen.

Variante: Apfel-Nuß-Sahne
30 g Walnußkerne (etwa 10 Nußhälften) grobreiben und zusammen mit den geriebenen Äpfeln unter die steif geschlagene Sahne ziehen.

Variante: Apfelsalat und Apfel-Nuß-Salat
Noch einfacher ist es, wenn Sie die Äpfel reiben, mit den Gewürzen und eventuell den Nüssen sowie der flüssigen Sahne mischen. Hierbei können Sie auch etwas weniger Sahne nehmen.

Schnell · Ganz einfach

Erfrischende Walnußsahne

1 große Orange · 50 g Walnußkerne ·
1 Becher Sahne (200 g) · 2 Messerspitzen
Vanillepulver · 1 Eßl. Honig
Pro Portion etwa 1165 Joule/275 Kalorien

Zubereitungszeit: knapp 10 Minuten

Die Orange schälen und in Spalten teilen. Die Spalten jeweils quer durchschneiden. • Die Nüsse grobreiben. Die Sahne mit der Vanille steif schlagen. Den Honig kurz unterschlagen. Die Orangenstücke, die Nüsse und die Sahne vorsichtig miteinander mischen. Bis zum Servieren kühl stellen.

> **Unser Tip** Etwa 300 Joule pro Portion können Sie sparen, wenn Sie zuerst 1 Eiweiß, dann nur ½ Becher Sahne steif schlagen und beides mit den übrigen Zutaten wie oben beschrieben vorsichtig mischen.

Ganz einfach

Pfirsiche mit Himbeerpüree

In sonnenreichen Sommern werden auch bei uns die wärmeliebenden Pfirsiche süß und saftig. Von Ende Juli bis in den September hinein gibt es dieses Obst aus heimischer Ernte. Die besten Pfirsiche kommen jedoch aus Frankreich. Von dort stammen auch meist die ungespritzten, die man im Naturkostladen kaufen kann.

2 große oder 4 kleine reife Pfirsiche · 300 g Himbeeren · 1 Eßl. Zitronensaft · 1 Eßl. flüssiger Honig · 5 Eßl. Sahne · ¼ Teel. Vanillepulver · 2 Teel. Ahornsirup
Pro Portion etwa 760 Joule/180 Kalorien

Zubereitungszeit: 20 Minuten

Die Pfirsiche in einem Topf mit kochendheißem Wasser überbrühen. 1 Minute im heißen Wasser liegen lassen, das Wasser abgießen und die Pfir-

siche häuten. Die Pfirsiche halbieren, die Steine herauslösen. • Die Himbeeren waschen, abtropfen lassen und im Mixer pürieren oder durch ein Sieb streichen. Den Zitronensaft und den Honig unter das Himbeerpüree rühren. • Die Pfirsichhälften mit der Rundung nach unten auf Dessertteller legen und die Höhlungen mit dem Himbeerpüree füllen. Die Sahne zusammen mit der Vanille steif schlagen, mit dem Ahornsirup süßen und mit dem Spritzbeutel auf das Himbeerpüree spritzen.

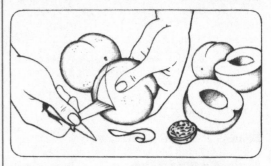

Um Pfirsiche zu enthäuten, werden sie wie Tomaten kurz in kochendes Wasser gelegt und dann kalt abgeschreckt. Die Haut läßt sich dann mühelos abziehen.

Braucht etwas Zeit · Eiweißreich

Kalte Kirschtorte

Süße Kirschen schmecken am besten ohne weitere Zutaten, so, wie sie am Baum gewachsen und gereift sind. Für Obstspeisen und Kuchen verwendet man gern die aromatischen Sauerkirschen. Sie werden Mitte Juli reif.

750 g Sauerkirschen · 500 g Magerquark · 100 g flüssiger Honig · 100 g feine Haferflocken · 100 g gemahlene Haselnußkerne · 100 g Vollkornzwieback · je 1 Messerspitze Nelkenpulver und ge-

*mahlener Anis · abgeriebene Schale und Saft von
1 Zitrone · ⅛ l Sahne · 1 Eßl. Haselnußkerne*
Bei 12 Stück Torte pro Stück etwa 1050 Joule/
250 Kalorien

Zubereitungszeit: 45 Minuten
Zeit zum Durchziehen: 3–5 Stunden

Die Sauerkirschen waschen, abtropfen lassen,
von den Stielen zupfen und entsteinen. • Den
Quark mit dem Honig verrühren. Die Haferflok-
ken und die Haselnüsse daraufstreuen und den
Zwieback daraufreiben. Die Gewürze, die Zitronenschale und den Zitronensaft zufügen und alles gut miteinander verrühren. Eine Tasse voll
Kirschen zurückbehalten, die übrigen unter die
Quarkmasse heben. • Eine Springform von
24 cm Durchmesser dünn mit Öl einfetten und
mit Haferflocken ausstreuen. Den Kirschquark
einfüllen und 3–5 Stunden kühl stellen. • Die
Sahne steif schlagen, den Ring der Springform
lösen. Die Torte mit der Schlagsahne, den restlichen Kirschen und Haselnüssen garnieren.

Braucht etwas Zeit

Grüne Grütze

*250 g Stachelbeeren · 250 g Äpfel · ¼ l Weißwein
oder ungesüßter Apfelsaft · abgeriebene Schale
von ½ Zitrone (Schale unbehandelt) · 3–5 Eßl.
Honig · 1 Zimtstange · 1 Messerspitze
Vanillepulver · 1 gestrichener Teel. Agar-Agar*
Pro Portion etwa 610 Joule/145 Kalorien

Zubereitungszeit: 45 Minuten
Kühlzeit: 1–2 Stunden

Die Stachelbeeren waschen und putzen; die Äpfel schälen, von Kerngehäuse, Stiel und Blüte befreien und in nicht zu dünne Schnitze schnei-

den. • Den Weißwein oder den Apfelsaft mit der
Zitronenschale, dem Honig, der Zimtstange und
der Vanille aufkochen. • Die Stachelbeeren in
die Flüssigkeit geben und weich dünsten. Die
Beeren mit einem Schaumlöffel herausnehmen.
Nun die Apfelspalten hineinlegen, weich dünsten – sie sollen nicht zerfallen – und ebenfalls
mit dem Schaumlöffel herausnehmen. Die Zimtstange entfernen. • Nun das Agar-Agar in wenig
Wasser klümpchenfrei anrühren und zur Flüssigkeit geben. Die Früchte damit mischen, in eine
Glasschüssel füllen und kalt stellen.

Das paßt dazu: Vanillesauce (Rezept Seite 241),
ungeschlagene Sahne oder Crème fraîche.

Braucht etwas Zeit · Ganz einfach

Indianisches Maisdessert

Diesen Nachtisch gab es bei uns nach dem ersten
Ausprobieren eine Zeitlang zweimal in der Woche. Die Gäste baten um das Rezept, und es gibt
sicher jetzt bei vielen Familien zweimal in der
Woche indianisches Maisdessert. Es schmeckt
auch mit reifen Beeren aller Art fein.

*Zutaten für 6 Personen:
700 g säuerliche Äpfel · 4 Eßl. Ahornsirup ·
125 g Maisgrieß · ½ Teel. Salz · 60 g Butter ·
4 Eßl. Honig · ½ l Schwedendickmilch oder
geschlagene Dickmilch · 1 Eßl. Zitronensaft
Für die Form: 1 Teel. Butter*
Pro Portion etwa 1365 Joule/325 Kalorien

Vorbereitungszeit: 30 Minuten
Backzeit: 1 Stunde

Die Äpfel waschen, vierteln, die Kerngehäuse
entfernen und die Apfelviertel in dünne Scheiben schneiden. • Eine Auflaufform mit Butter

ausstreichen. Die Apfelscheiben einfüllen und mit dem Ahornsirup beträufeln. • Den Backofen auf 180° vorheizen. • Den Maisgrieß in einer Schüssel mit dem Salz mischen. • Die Butter zerlassen, nicht bräunen lassen und den Honig darin auflösen. Gut die Hälfte davon mit der Schwedendickmilch oder der Dickmilch verrühren. Den Rest aufbewahren. Die Schwedendickmilchmischung auf den Maisgrieß gießen, alles gut miteinander verrühren und auf den Apfelscheiben verteilen. • Den Zitronensaft unter die restliche Butter-Honig-Mischung rühren, den Auflauf damit beträufeln und auf der zweiten Schiene von unten in etwa 1 Stunde goldbraun backen. Heiß servieren.

Unser Tip Der Maisgrieß kann ganz oder zur Hälfte durch Weizengrieß ersetzt werden, der mild im Geschmack und feiner in der Körnung ist.

Braucht etwas Zeit

Stachelbeersülzchen mit Dickmilch-Fruchtsauce

Stachelbeeren müssen sehr reif sein, sonst sind sie saurer als Rhabarber. Es gibt grüne, gelbe und rote Sorten.

500 g reife, kleine Stachelbeeren · ¾ l naturreiner Fruchtsaft (wie Johannisbeer-, Kirsch- oder Erdbeersaft) · 1 Eßl. Zitronensaft · Honig nach Bedarf · 1 Päckchen gemahlenes Agar-Agar (8 g) · 200 g Dickmilch · 2 Eßl. Apfel- oder Birnendicksaft · ¼ Teel. Vanillepulver
Pro Portion etwa 880 Joule/210 Kalorien

Zubereitungszeit: 30 Minuten
Zeit zum Gelieren: 3–5 Stunden

Die Stachelbeeren waschen, abtropfen lassen und die Stiel- und Blütenansätze abschneiden. Die Beeren in kalt ausgespülte Förmchen verteilen. • ⅜ l Fruchtsaft mit dem Zitronensaft und Honig auf etwa 60° erhitzen. Das Agar-Agar in ⅛ l kaltem Fruchtsaft auflösen und unter Rühren in den heißen Fruchtsaft gießen. Die Flüssigkeit unter ständigem Rühren auf etwa 90° erhitzen, jedoch nicht kochen lassen und auf die Stachelbeeren in den Förmchen gießen. Die Sülzchen abkühlen lassen und zum Gelieren 3–5 Stunden kühl stellen. • Den übrigen Saft mit der Dickmilch, dem Dicksaft und der Vanille mit dem Schneebesen des elektrischen Rührgerätes schaumig rühren. Die Sülzchen aus den Förmchen auf Dessertteller stürzen und die Sauce dazu reichen.

Preiswert

Rhabarber in Weinschaum

Bild Seite 338

500 g Rhabarber · 1 Orange (Schale unbehandelt) · 1 Teel. Pistazienkerne · 2–3 Eßl. Ahornsirup
Für den Weinschaum: 2 Eier · 1 Eigelb · 1 Eßl. Zitronensaft · 2–3 Eßl. Ahornsirup · ⅛ l trockener Weißwein
Pro Portion etwa 670 Joule/160 Kalorien

Vorbereitungszeit: 20 Minuten
Garzeit: 10 Minuten

Den Rhabarber putzen und waschen. Älteren Rhabarber abziehen, jüngeren nicht schälen. Die Stangen in etwa 4 cm lange Stücke schneiden. •

Die Orangenschale abreiben und die Orange auspressen. Die Pistazienkerne kleinhacken. • Den Rhabarber mit dem Orangensaft, der Hälfte der Orangenschale und dem Ahornsirup zum Kochen bringen und in etwa 5 Minuten gar ziehen lassen. • Für den Weinschaum die Eier, das Eigelb, den Zitronensaft, den Ahornsirup und den Weißwein in einen hohen Rührbecher geben und diesen in ein heißes Wasserbad stellen. So lange rühren, bis eine dickflüssige Creme entsteht. • Den Rhabarber in Portionsteller füllen und den Weinschaum darauf verteilen. Mit der restlichen Orangenschale und den Pistazien garnieren.

Ganz einfach

Mandelgelee mit Sahne

½ l Milch · 2 Eßl. Mandelmus oder geschälte, sehr fein geriebene Mandeln · 2 Eßl. flüssiger Honig · ¼ Teel. Vanillepulver · 1 gestrichener Eßl. Caroben · 1 gehäufter Teel. Agar-Agar
Zum Garnieren: ⅛ l Sahne · 1 Eßl. Pistazienkerne
Pro Portion etwa 1175 Joule/280 Kalorien

Vorbereitungszeit: 15 Minuten
Garzeit: 5 Minuten
Kühlzeit: 1 Stunde

Einen Topf kalt ausspülen. Die Milch mit dem Mandelmus, dem Honig und der Vanille verrühren. • Das Caroben und das Agar-Agar getrennt jeweils in wenig Wasser klümpchenfrei anrühren und mit der Mandelmilch vermengen. Alles unter Rühren erhitzen und fast bis zum Kochen kommen lassen. • Die Mandelcreme in vier Portionsgläser füllen und kalt stellen. Die Sahne steif schlagen, in einen Spritzbeutel füllen und vor dem Servieren Tupfer auf die Creme spritzen. Mit kleingehackten Pistazien bestreuen.

Schnell · Ganz einfach

Himbeergelee

250 g frische oder ungesüßte tiefgefrorene Himbeeren · 2 Becher Sanoghurt (je 175 g) · 200 g Sahne · Honig nach Belieben · 6 Blatt farblose Gelatine
Zum Garnieren: 1 Becher Crème fraîche (200 g) · 1 Eßl. Pistazienkerne
Pro Portion etwa 1510 Joule/360 Kalorien

Zubereitungszeit: 15 Minuten
Kühlzeit: etwa 1 Stunde

Die frischen Himbeeren verlesen, waschen und, wenn nötig, entstielen; tiefgefrorene Beeren auftauen lassen. • Die Himbeeren mit dem Sanoghurt und der Sahne im Mixbecher pürieren, dann durch ein Sieb streichen und nach Belieben mit Honig süßen. • Die Gelatine zerkleinern, in wenig kaltem Wasser einweichen, erwärmen und auflösen. 2 Eßlöffel Fruchtbrei zur Gelatine rühren, dann die Gelatine mit dem restlichen Fruchtbrei vermengen. Das Gelee in vier Portionsgläser füllen und im Kühlschrank erstarren lassen. Jede Portion mit einem Tupfer Crème fraîche und mit gehackten Pistazien garnieren.

Ganz einfach · Preiswert

Aprikosenkompott

Ein ideales Dessert für den Winter, wenn frische Früchte knapp sind.

500 g ungeschwefelte getrocknete Aprikosen · ¼ l Wasser · ½ l trockener Weiß- oder Rotwein, ersatzweise ungesüßter Apfelsaft · 1 Zimtstange · nach Belieben Zitronensaft · Honig
Pro Portion etwa 1970 Joule/470 Kalorien

Vorbereitungszeit: 5 Minuten
Garzeit: 15 Minuten

Die Aprikosen halbieren, mit dem Wasser, dem Wein oder Obstsaft und der Zimtstange zum Kochen bringen und zugedeckt 10 Minuten ziehen lassen. • Das Kompott abkühlen lassen. Die Zimtstange entfernen. Nach Belieben mit Zitronensaft und Honig abschmecken.

Ganz einfach

Pflaumen in Gelee

Ein köstliches Dessert, allerdings nur für Erwachsene!

1 kg Pflaumen · 2 Eßl. Zwetschgenwasser ·
¼ l Rotwein · ¼ l Wasser · 1 Eßl. Honig ·
1 Zimtstange · abgeriebene Schale von ½ Zitrone
(Schale unbehandelt) · 4 Blatt weiße Gelatine ·
4 Blatt rote Gelatine
Pro Portion etwa 900 Joule/215 Kalorien

Vorbereitungszeit: 20 Minuten
Garzeit: 10 Minuten
Kühlzeit: etwa 1 Stunde

Die Pflaumen waschen, halbieren, entsteinen und in einer Schüssel mit dem Zwetschgenwasser beträufeln. • Den Wein und das Wasser mit dem Honig, der Zimtstange sowie der Zitronenschale mischen und zum Kochen bringen. Die Pflaumen zugeben und zugedeckt 5 Minuten ziehen lassen. • Die Gelatine zerkleinern, in wenig kaltem Wasser einweichen, erwärmen und auflösen, dann zum Pflaumenkompott rühren. Das Kompott kalt stellen, während des Abkühlens öfter umrühren. Das Gelee, wenn es zu erstarren beginnt, in vier kalt ausgespülte Portionsgläser füllen.

Schnell · Ganz einfach

Roh gerührtes Rhabarberkompott

Dieses rohe Kompott schmeckt viel aromatischer als gekochtes. Der natürliche Fruchtzucker macht die Zugabe von Süßungsmitteln überflüssig.

6 Stangen Rhabarber · 1 großer Apfel · 1 große
Birne · 1 große Banane · Zitronensaft
Pro Portion etwa 420 Joule/100 Kalorien

Zubereitungszeit: 10 Minuten

Den Rhabarber waschen, älteren Rhabarber schälen, und in etwa 3 cm lange Stücke schneiden. Dann in den Mixbecher oder ein hohes Rührgefäß geben. Den Apfel und die Birne vierteln, vom Kerngehäuse befreien, schälen, zerkleinern und ebenfalls in den Becher geben. Die Banane schälen, in Stückchen schneiden und zugeben. Den Zitronensaft über die Früchte gießen und das Kompott pürieren. Sofort servieren.

Die Zubereitung der Vollkornspätzle mit Käse ist gar nicht schwierig. Rezept Seite 200. ▷

Ganz einfach

Brombeer-Charlotte

Zutaten für 6 Personen:
250 g süße Vollkornkekse · 600 g reife
Brombeeren · ¼ l naturreiner Kirsch- oder
Johannisbeersaft · 2 Eßl. Apfeldicksaft · ½ Teel.
Vanillepulver · 1 Teel. unbehandelte abgeriebene
Zitronenschale · ½ Päckchen Agar-Agar (4 g)
Für die Form: 1 Teel. Öl
Pro Portion etwa 1155 Joule/275 Kalorien

Zubereitungszeit: 20 Minuten
Zeit zum Festwerden: 2–3 Stunden

Einen mit Öl eingefetteten Springformrand von
22 cm Durchmesser auf eine runde Kuchenplatte
stellen. Mit den Vollkornkeksen den Boden dicht
auslegen, den Rand mit Keksen auskleiden. •
Übriggebliebene Kekse mit dem Nudelholz zerdrücken und mit den Kekskrümeln die Lücken
zwischen den Keksen auf dem Boden füllen. •
Die Brombeeren waschen, abtropfen lassen – die
Stiele möglichst mit den weißen Fruchtböden
von den Beeren zupfen – und in die Springform
füllen. • 4 Eßlöffel Fruchtsaft zurückbehalten,
den übrigen Saft mit dem Apfeldicksaft, der Vanille und der Zitronenschale sehr heiß werden,
jedoch nicht kochen lassen. Das Agar-Agar-Pul-
ver mit 4 Eßlöffeln Fruchtsaft anrühren, in die

heiße Flüssigkeit einrühren, unter Rühren bis
zum Siedepunkt erhitzen, abkühlen lassen und
gleichmäßig über die Brombeeren gießen. Die
Brombeer-Charlotte 2–3 Stunden stehenlassen,
bis der Agar-Agar-Guß fest geworden ist. Den
Springformrand vor dem Servieren abheben.

> **Unser Tip** Wenn das Hauptgericht
> nicht zu mächtig war, die Charlotte mit
> Schlagsahne verzieren. Als Beerenfül-
> lung schmecken auch Johannisbeeren
> und Himbeeren oder eine Mischung aus
> beiden. Bei Johannisbeeren den Agar-
> Agar-Guß etwas mehr süßen.

Preiswert · Ganz einfach

Beeren-Reis-Schnee

¼ l Wasser · 50 g Naturreis · 50 g rote Johannis-
beeren oder Brombeeren · 2 Eßl. Honig ·
½–1 Becher Sahne (100–200 g)
Pro Portion etwa 735 Joule/175 Kalorien

Zubereitungszeit: 20 Minuten

Das Wasser zum Kochen bringen. Den Reis in
der Getreidemühle mittelgrob mahlen. • Die
Beeren waschen, abtropfen lassen und von den
Stielen zupfen. • Den Schrot ins kochende Wasser einrühren und 2 Minuten leicht kochen lassen. Die Beeren zufügen und den Topf vom Herd
nehmen. Zugedeckt 5 Minuten stehenlassen. •
Dann mit dem Honig abschmecken und die
Masse flach auf einen großen Teller streichen
(damit sie schnell abkühlt). Die Sahne steif schlagen und unter den abgekühlten Beerenreis ziehen. Bis zum Servieren kühl stellen.

◁ Sehr delikat und sofort servierbereit ist die Kartoffelpfanne. Rezept Seite 183.

Ganz einfach · Preiswert

Preiselbeercreme

300 g frische Preiselbeeren · 4 Eßl. Honig · 1 Eßl. Zitronensaft · 1 Eßl. abgeriebene unbehandelte Orangenschale oder 2 Teel. abgeriebene unbehandelte Zitronenschale · 1 Messerspitze Ingwerpulver · 6 Vollkornzwiebäcke · 4 Eßl. Milch · ⅛ l Sahne
Pro Portion etwa 1115 Joule/265 Kalorien

Vorbereitungszeit: 15 Minuten
Garzeit: 15 Minuten

Die Preiselbeeren verlesen, gründlich waschen und abtropfen lassen. Die Beeren in einem Topf mit breitem Durchmesser mit dem Honig, dem Zitronensaft, der abgeriebenen Orangen- oder Zitronenschale und dem Ingwer mischen. Alles langsam erhitzen und bei schwacher Hitze im offenen Topf unter Rühren 10–15 Minuten kochen lassen, bis die Preiselbeeren weich sind. Das dikke Kompott abkühlen lassen. • Inzwischen den Zwieback zerbrechen, mit der Milch übergießen, weich werden lassen und dann zu einem Brei verrühren. Die abgekühlten Preiselbeeren mit dem Zwiebackbrei mischen. Die Sahne steif schlagen und behutsam unterziehen.

Variante: Preiselbeerschaum
Die Preiselbeeren wie beschrieben weich kochen und dann durch ein Sieb streichen. ¼ l Sahne steif schlagen und unterheben. Den Preiselbeerschaum mit gehackten, leicht gerösteten Mandeln bestreuen.

Variante: Gefüllte Birnenhälften
4 reife, saftige Birnen waschen, abtrocknen, halbieren und die Kerngehäuse herausschneiden. Aus 150 g Preiselbeeren, 2 Eßlöffeln Honig und abgeriebener Orangen- oder Zitronenschale ein Kompott kochen. 1 Packung Doppelrahm-Frischkäse (62,5 g) mit 2 Eßlöffeln Sahne schaumig rühren. Die Birnenhälften mit der Höhlung nach oben auf 4 Dessertteller verteilen, mit Preiselbeerkompott füllen und jeweils 1 Eßlöffel Käsecreme daraufgeben.

Braucht etwas Zeit

Beeren-Tutti-Frutti

750 g Beerenobst (Erdbeeren, Johannisbeeren, Himbeeren und Stachelbeeren) · 3 Eßl. flüssiger Honig · 200 g mürbe, süße Vollkornkekse · etwa ¼ l naturreiner Johannisbeersaft · 1 Päckchen Agar-Agar (8 g) · ⅛ l Sahne · 1 Eßl. Ahornsirup
Pro Portion etwa 1300 Joule/310 Kalorien

Zubereitungszeit: 1 Stunde
Zeit zum Gelieren: 3–5 Stunden

Die Beeren verlesen, waschen, abtropfen lassen und die Stiele oder Rispen abzupfen; von Stachelbeeren Stiel- und Blütenansätze abschneiden. Die Beeren mischen, mit dem Honig beträufeln und 45 Minuten Saft ziehen lassen. Den Saft dann abgießen und aufbewahren. • Die Vollkornkekse lagenweise abwechselnd mit den Früchten in eine Glasschüssel schichten. Mit einer Lage Beeren abschließen. • Den abgegossenen Saft mit Johannisbeersaft auf ⅜ l Flüssigkeit ergänzen und auf etwa 60° erhitzen. Das Agar-Agar in ⅛ l Johannisbeersaft auflösen und in den heißen Fruchtsaft rühren. Unter ständigem Rühren den Saft auf etwa 90° erhitzen, nicht kochen lassen. Die heiße Flüssigkeit gleichmäßig auf die eingeschichteten Beeren gießen, erkalten lassen, kühl stellen und in etwa 3–5 Stunden erstarren lassen. • Kurz vor dem Servieren die Sahne steif schlagen, den Ahornsirup unterziehen und mit der Schlagsahne garnieren.

Braucht etwas Zeit · Preiswert

Sanddorncreme 🖅

75 g feiner Weizenschrot · ⅜ l Wasser · 1 Messer-
spitze Salz · ¼ Teel. gemahlener Koriander · ⅛ l
Schwedendickmilch · ⅛ l Sahne · 3 Eßl. Honig ·
3 Eßl. ungesüßtes Sanddornelexier (Sanddorn-
mark)
Pro Portion etwa 1155 Joule/275 Kalorien

Vorbereitungszeit: 35 Minuten
Garzeit: 25 Minuten

Den Schrot mit ⅛ l Wasser verrühren und 30 Minuten quellen lassen. • Das übrige Wasser zum
Kochen bringen. Den gequollenen Weizenschrot
einrühren. Das Salz und den Koriander zufügen.
Die Hitze reduzieren und den Schrot unter Rühren 3 Minuten kochen lassen. • Die Schwedendickmilch handwarm werden lassen. Den Topf
mit dem Schrot von der Herdplatte nehmen, die
Schwedendickmilch unterrühren, den Weizenschrot bei schwächster Hitze (Drahtuntersetzer)
20 Minuten ausquellen und dann auskühlen lassen. Dabei ab und zu mit dem Schneebesen
schlagen. • Die Sahne sehr steif schlagen. Den
Honig mit dem Sanddornelexier verrühren, unter die Sahne ziehen und diese unter den Weizen-
flammeri heben.

Schnell · Ganz einfach · Preiswert

Kirsch-Mandel-Creme

200 g Magerquark · 4 Eßl. Milch · 1–2 Eßl.
Honig · 1 Eßl. Mandelmus (Fertigprodukt) ·
200–250 g Sauerkirschen oder Süßkirschen
Pro Portion etwa 535 Joule/130 Kalorien

Zubereitungszeit: 10 Minuten

Den Quark, die Milch, den Honig und das Mandelmus entweder im Mixer oder mit dem
Schneebesen zu Creme schlagen. Die Kirschen
entsteinen und unterheben.

Ganz einfach

Johannisbeer-Apfel-Salat

Der Juli ist der Beerenmonat. Johannisbeeren,
Himbeeren, Erdbeeren reifen jetzt heran. Zwei
oder drei Wochen lang können wir sie genießen,
am besten natürlich roh. Johannisbeeren enthalten viel Fruchtsäure, die roten noch mehr als die
sehr aromatischen weißen, die es kaum noch zu
kaufen gibt. Schwarze Johannisbeeren enthalten
dreimal mehr Vitamin C als Zitrone. Wenn es
gilt, Widerstandskräfte zu stärken, sind diese
Beeren sehr zu empfehlen.

350 g rote Johannisbeeren · 150 g schwarze
Johannisbeeren · 2 nicht zu saure Äpfel · 1 Eßl.
Zitronensaft · 2 Eßl. flüssiger Honig
Für die Sauce: 150 g Dickmilch · 1 Eßl.
Ahornsirup · 1 Messerspitze gemahlener Anis ·
2 Eßl. Mandeln
Pro Portion 755 Joule/180 Kalorien

Zubereitungszeit: 20 Minuten

Die Beeren waschen, abtropfen lassen und von
den Rispen zupfen. Die Äpfel waschen, vierteln,
vom Kerngehäuse befreien, die Apfelviertel in
kleine Würfel schneiden und mit dem Zitronensaft beträufeln. Die Johannisbeeren mit den Äpfeln und dem Honig mischen. • Für die Sauce
die Dickmilch zusammen mit dem Ahornsirup
und Anis mit dem Schneebesen schaumig schlagen. Die Sauce über den Johannisbeersalat gießen und unterheben. Die Mandeln dünn hobeln
und den Salat damit bestreuen.

Schnell · Ganz einfach

Russische Creme

2 Becher Sahne (400 g) · 3 Eigelbe · 2 Eßl. flüssiger Honig · 3 Eßl. Rum
Pro Portion etwa 1680 Joule/400 Kalorien

Zubereitungszeit: 10 Minuten

Die Sahne steif schlagen. Die Eigelbe und den Honig mit den Quirlen des Handrührgerätes cremig rühren, dann tropfenweise den Rum unterrühren. Die Sahne unter die Rumcreme heben. Die Creme in vier Portionsgläser füllen und bis zum Servieren kühl stellen.

Braucht etwas Zeit

Sauerkirschcreme

750 g Sauerkirschen · 2 Eier · ½ l Milch · 1 Zitrone (Schale unbehandelt) · 100 g Vollweizengrieß · 2–3 Eßl. Honig · 250 g Magerquark · ⅛ l Sahne
Pro Portion etwa 2060 Joule/490 Kalorien

Vorbereitungszeit: 25 Minuten
Garzeit: 15 Minuten

Die Kirschen waschen, 8 Kirschen zur Seite legen, den Rest entkernen. • Die Eier trennen, die Eiweiße steif schlagen. • Die Milch mit der abgeriebenen Schale von ½ Zitrone in einem kalt ausgespülten Topf zum Kochen bringen. Unter Rühren den Grieß einstreuen und aufkochen, dann auf der abgeschalteten Herdplatte 10 Minuten zugedeckt ausquellen lassen. • Unter den abgekühlten Brei den Honig, den Quark, die Eigelbe und den Saft der Zitrone rühren. Die Sahne steif schlagen. Den Eischnee und die Schlagsahne vorsichtig unter die Masse ziehen. In eine Glasschüssel nun eine Schicht Quarkcreme, eine Schicht Kirschen und wieder Quarkcreme füllen. Die letzte Schicht besteht aus Creme, sie wird mit den ganzen Kirschen dekoriert.

Braucht etwas Zeit · Nicht ganz einfach

Bayerische Creme

¼ l Milch · 1 Prise Salz · 1 Vanilleschote · 3 Eigelbe · 3–4 Eßl. flüssiger Honig · 5 Blatt weiße Gelatine · ¼ l Sahne · 1 Eßl. Pistazienkerne
Pro Portion etwa 1430 Joule/340 Kalorien

Vorbereitungszeit: 25 Minuten
Garzeit: 25 Minuten
Kühlzeit: 1 Stunde und 30 Minuten

Einen Topf mit kaltem Wasser ausspülen. Die Milch mit dem Salz und der aufgeschlitzten Vanilleschote im Topf zum Kochen bringen, dann zugedeckt 10 Minuten ziehen lassen. • Die Eigelbe und den Honig mit den Quirlen des Handrührgerätes schaumig rühren. Die Vanilleschote aus der Milch nehmen, die Vanillemilch unter die Eigelbe rühren und so lange weiterrühren, bis eine dickliche Creme entsteht. Eventuell den Topf in ein heißes Wasserbad stellen. • Nun die Gelatine zerkleinern, in wenig kaltem Wasser einweichen, erwärmen, bis sie gelöst ist, dann unter die Eimilch ziehen. Abkühlen lassen, dabei öfter umrühren. • Wenn die Creme zu gelieren beginnt, die Sahne steif schlagen. Etwa drei Viertel der Schlagsahne unter die Creme ziehen. Die Creme in vier Gläser füllen und kalt stellen. Die restliche Sahne in einen Spritzbeutel füllen. Die Creme vor dem Servieren mit Sahnetupfern und Pistazien garnieren.

Ganz einfach

Mandelcreme 📩

½ l Wasser · 100 g Weizen oder Dinkel, fein gemahlen · 3–4 Eßl. Honig · 2 Eßl. Mandelmus oder geschälte, sehr fein geriebene Mandeln · 1 gestrichener Teel. Zimt · 1 Messerspitze Vanillepulver · ⅛ l Sahne
Pro Portion 1100 Joule/265 Kalorien

Zubereitungszeit: 35 Minuten

Das Wasser erwärmen, das Mehl einrühren, unter Rühren aufkochen und einige Minuten ohne Wärmezufuhr ausquellen, dann abkühlen lassen. • Unter den Mehlbrei den Honig, das Mandelmus und die Gewürze rühren. Die Sahne steif schlagen und vorsichtig unterziehen. Die Creme bis zum Servieren kühl stellen.

Braucht etwas Zeit

Schokoladencreme 📩

1 gehäufter Eßl. Kakao oder 2 gehäufte Eßl. Caroben · ½ l Wasser · 100 g Weizen oder Dinkel, fein gemahlen · 75 g Mandeln · ⅛ l Sahne · 3–4 Eßl. Honig · ¼ Teel. Vanillepulver
Pro Portion etwa 1490 Joule/355 Kalorien

Zubereitungszeit: 40 Minuten

Den Kakao oder das Caroben in wenig Wasser klümpchenfrei anrühren. Das Wasser erwärmen, das Mehl und den angerührten Kakao oder das Caroben einrühren und alles unter Rühren zum Kochen bringen; ohne Wärmezufuhr einige Minuten ausquellen, dann abkühlen lassen. • In der Zwischenzeit die Mandeln brühen, schälen, auf Küchenkrepp trocknen lassen, dann feinrei-

ben. • Die Sahne steif schlagen. Unter den kalten Brei den Honig, die Vanille und die Mandeln rühren. Die Sahne vorsichtig unterziehen. Bis zum Servieren kühl stellen.

> **Unser Tip** Bevor die Sahne zugegeben wird, kann man die Creme mit Kirschwasser oder Rum abschmecken oder die abgeriebene Schale von ½ Orange (Schale unbehandelt) zugeben.

Braucht etwas Zeit

Mandelpudding

Mit einer leichten Gemüsesuppe als Vorspeise ein vollständiges Mittagessen.

200 g Mandeln · 6 Stück Vollkornzwieback · ⅜ l Milch · 1 Prise Salz · 1 Eßl. Honig · 6 Eier Für die Form: Butter
Pro Portion etwa 2480 Joule/590 Kalorien

Vorbereitungszeit: 40 Minuten
Garzeit: 1 Stunde

Die Mandeln feinreiben. • 5 Zwiebäcke zerbrökkeln, mit der Milch und dem Salz zum Kochen bringen und so lange unter ständigem Rühren kochen, bis sich der Teig vom Topfboden löst. Nun die Mandeln und den Honig zugeben. • Einen großen Topf mit Wasser zum Kochen bringen. • Die Eier trennen. Die Eiweiße steif schlagen. Die Eigelbe unter den Zwiebackbrei rühren, dann den Eischnee unterziehen. Die Puddingform ausbuttern. Den 6. Zwieback mit dem Nudelholz zerbröseln und die Form damit ausstreuen. Den Teig einfüllen. Die Form verschließen und in das kochende Wasserbad stellen. Den Pudding 1 Stunde bei schwacher Hitze kochen lassen. • Dann die Form aus dem Wasserbad nehmen, 10 Minuten abkühlen lassen, öffnen und den Pudding auf einen Teller stürzen.

Ganz einfach · Preiswert

Zitronencreme 🖰

Den Naturreis können Sie sich wie auch Getreide im Fachgeschäft schroten lassen.

Gut ¼ l Wasser · ¼ l Milch · 75 g fein geschroteter Naturreis · 2 kleine unbehandelte Zitronen · 4 Eßl. Apfeldicksaft · je 1 Messerspitze gemahlener Anis und geriebene Ingwerwurzel · ½ Teel. Vanillepulver · ¼ l Sahne · 2 Eßl. Honig
Pro Portion etwa 1600 Joule/380 Kalorien

Vorbereitungszeit: 30 Minuten
Garzeit: 15 Minuten

Das Wasser mit der Milch zusammen zum Kochen bringen. Den Reisschrot mit dem Schneebesen einrühren. Den Schrot bei schwacher Hitze unter Rühren 10 Minuten kochen lassen, vom Herd nehmen und auskühlen lassen. Es ergibt einen nahezu steifen Reisbrei. • Die Zitronen mit heißem Wasser waschen, abtrocknen und die Schale dünn und sehr fein abreiben. Den Saft auspressen, in einer Schüssel mit der abgeriebenen Zitronenschale – 1 Teelöffel davon zurückbehalten –, dem Apfeldicksaft, dem Anis, dem

Unser Tip Statt mit Reisschrot kann die Creme auch mit Hirseflocken bereitet werden.

Ingwer und der Vanille mischen und zugedeckt ziehen lassen, solange der Reisbrei auskühlt. • Den erkalteten Brei eßlöffelweise unter die Zitronensaftmischung rühren. • Die Sahne sehr steif schlagen und den Honig unterziehen. Ist der Honig zu fest, läßt man ihn in einem etwa 40° warmen Wasserbad etwas flüssig werden. Die gesüßte Schlagsahne unter die Zitronencreme heben. Die Creme mit der restlichen abgeriebenen Zitronenschale bestreuen.

Braucht etwas Zeit · Preiswert · Ganz einfach

Hafercremespeise 🖰

80 g Nackthafer, fein geschrotet · ⅜ l Wasser · 300 g frisches Beerenobst oder kleingeschnittene Orangenspalten oder Bananenscheibchen · 1–2 Eßl. Honig · ¼ l Milch · ½ Teel. Vanillepulver · 1 Teel. abgeriebene unbehandelte Zitronenschale · 3 Teel. Rübensirup · 1 Messerspitze Salz · ⅛ l Sahne · 2 Eßl. Ahornsirup
Pro Portion etwa 1195 Joule/285 Kalorien

Vorbereitungszeit: 35 Minuten
Garzeit: 25 Minuten

Den Haferschrot mit ⅛ l Wasser verrühren und 30 Minuten quellen lassen. Inzwischen das Obst waschen, abtropfen lassen, je nach Sorte kleinschneiden oder unzerkleinert in einer Schüssel mit dem Honig beträufeln und zugedeckt stehen lassen. ¼ l Wasser zum Kochen bringen. Den gequollenen Schrot einrühren, unter Umrühren 3 Minuten kochen lassen und von der Herdplatte nehmen. • Die Milch handwarm werden lassen und mit der Vanille, der Zitronenschale, dem Rübensirup und dem Salz unter den Haferbrei rühren. Den Brei bei ganz schwacher Hitze (Drahtuntersetzer) 20 Minuten ausquellen lassen, von der Herdplatte nehmen und abkühlen lassen.

Dabei ab und zu mit dem Schneebesen durchschlagen, damit die Creme locker wird. • Die Sahne sehr steif schlagen. Den Ahornsirup unterziehen und die Schlagsahne locker unter die Hafercreme mischen. Die Creme auf das Obst geben.

Ganz einfach · Schnell

Feine Tofucreme

200 g Tofu · 2 Eßl. Honig (etwa 60 g) · 4 Eßl. Milch oder Sojamilch · ½ Becher saure Sahne (100 g) · abgeriebene Schale von ½ Zitrone (Schale unbehandelt) · Saft von 1 Zitrone · 1 Messerspitze Vanillepulver · 1 Messerspitze Delifrut
Pro Portion etwa 665 Joule/160 Kalorien

Zubereitungszeit: 5 Minuten
Ruhezeit: etwa 10 Minuten

Alle Zutaten in den Mixer füllen und fein pürieren (etwa 60 Sekunden). Die Creme in eine Schüssel füllen und etwa 10 Minuten stehenlassen; sie wird dadurch etwas fester.

Unser Tip Diese kühle Creme eignet sich gut als Kaltschale, gemischt mit Stücken von Erdbeeren, Aprikosen, Pfirsichen, Birnen, mit Orangenspalten und/oder Bananenscheiben oder verrührt mit 1 Scheibe zerbröseltem Pumpernickel oder dunklem Vollkornbrot und etwa 50 g Rosinen (ungeschwefelt) oder Korinthen, oder als Sauce über die oben angeführten Früchte.

Ganz einfach · Preiswert · Schnell

Schokoladenpudding 🍴

4 gehäufte Eßl. Weizen · 2 gestrichene Eßl. Kakao · 2 Eßl. gemahlene Mandeln · 2 Messerspitzen Vanillepulver · ½ l Milch · 2 Eßl. Honig
Pro Portion etwa 945 Joule/225 Kalorien

Zubereitungszeit: 10 Minuten

Den Weizen mehlfein mahlen, eventuell die Kleie aussieben. • Das Mehl mit dem Kakao, den Mandeln und der Vanille mischen, mit einem Teil der Milch anrühren. Die restliche Milch aufkochen, das Angerührte hineingießen und unter Rühren etwa 1 Minute kochen lassen. Die Masse etwas abkühlen lassen und den Honig unterrühren. Auf vier Glasteller verteilen.

Variante: Vanillepudding
Den Kakao und die Mandeln weglassen und eventuell noch 1 Messerspitze Vanille mehr nehmen. Schmeckt sehr gut mit Früchten.

Braucht etwas Zeit · Nicht ganz einfach

Flan 🍴

Flan ist eine spanische Süßspeise.

Für den Teig: 4–5 Eier · 1 Prise Salz · 4 Eßl. lauwarmes Wasser · 125 g flüssiger Honig · ¼ Teel. Vanillepulver · 175 g Weizen, fein gemahlen · 1 gehäufter Teel. Backpulver
Für die Form: Butter
Für den Weinschaum: 2 Eier · 1 Eigelb · 1 Eßl. Zitronensaft · 2–3 Eßl. Ahornsirup · ⅛ l trockener Weißwein
Für den Belag: gemischtes Kompott oder bunter Obstsalat aus Früchten der Saison, wie Äpfeln,

Birnen, Erdbeeren, Himbeeren, Pfirsichen, Aprikosen, Ananas
Zum Garnieren eventuell: Butter und Mandelsplit-
ter oder Pistazienkerne
Pro Portion etwa 2015 Joule/480 Kalorien

Vorbereitungszeit: 30–40 Minuten
Backzeit: 30 Minuten

Am Vortag die Biskuittorte in einer Springform
backen. Für den Teig die Eier trennen, die Eiweiße mit dem Salz steif schlagen. Den Backofen
auf 200° vorheizen. Die Eigelbe mit dem Wasser
und dem Honig mit den Quirlen des Handrührgerätes schaumig rühren, dann die Vanille und
das mit dem Backpulver gemischte Mehl unterrühren. Den Eischnee vorsichtig unterziehen. •
Für die Torte den Teig in eine am Boden gefettete
Springform füllen und auf der unteren Schiene
des Backofens etwa 30 Minuten backen. Auskühlen lassen. • Am nächsten Tag die Torte einmal durchschneiden; die eine Hälfte für einen
Obstkuchen verwenden. Die andere Hälfte in
Würfel schneiden. Die Biskuitwürfel in mittelho-
he Dessertgläser verteilen. • Den Weinschaum,
wie auf Seite 242 beschrieben, zubereiten. Die
Biskuitwürfel mit Kompott oder Obstsalat belegen, darauf den Weinschaum streichen. Die
Speise nach Belieben mit in Butter gerösteten
Mandelsplittern oder gehackten Pistazien garnieren.

Braucht etwas Zeit · Nicht ganz einfach

Crêpes Suzette 🐟

Bild Seite 364

Zutaten für etwa 10 Crêpes:
Für den Teig: 40 g Butter · 75 g Dinkel, fein
gemahlen · ¼ Teel. Salz · 2 Eier · 150 ml Milch ·

2 Eßl. Bier (oder Weinbrand, Rum, Orangenlikör)
Für die Sauce: 3 Orangen (Schale unbehandelt) ·
1 Zitrone (Schale unbehandelt) · 2 Eßl. Honig ·
3 Eßl. Orangenlikör
Zum Ausbacken: Butterschmalz
Zum Flambieren: Weinbrand
Pro Stück etwa 545 Joule/130 Kalorien

Vorbereitungszeit: 20 Minuten
Ruhezeit: 1 Stunde
Backzeit: 25 Minuten

Die Butter schmelzen und wieder abkühlen lassen. • Die Butter, den Dinkel, das Salz, die Eier,
die Milch und das Bier mit den Quirlen des
Handrührgeräts verrühren, dann 1 Stunde zugedeckt kühl stellen. • Das Butterschmalz schmelzen lassen. Eine mittelgroße, schwere Pfanne ohne Fett heiß werden lassen. Küchenpapier in das
Butterschmalz tauchen und die Pfanne damit
einfetten. So wenig Teig wie möglich in die Pfanne geben, diesen verlaufen lassen und backen,

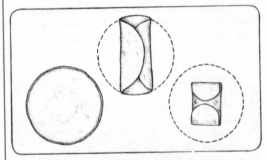

Die klassische Form für das Zusammenfalten der
Crêpes. Man kann sie aber auch einfach aufrollen.

bis die Oberfläche Blasen wirft. Die Crêpe wenden, fertig backen und warm stellen, bis alle gebacken sind. • Die Zitrusfrüchte heiß waschen,
abtrocknen, dünn abreiben und dann auspressen. In einer Flambierpfanne die Schale mit dem

Saft der Früchte und dem Honig erhitzen und etwas einkochen lassen. Dann den Likör zugeben. Nun je 1 Crêpe in die Pfanne geben und in dem Sirup heiß werden lassen, dann herausnehmen, zusammenrollen und warm stellen. Zuletzt alle Crêpes wieder in die Flambierpfanne geben. Den Weinbrand erwärmen, die Crêpes damit begießen und vorsichtig anzünden.

Braucht etwas Zeit · Nicht ganz einfach

Crêpes aus Vollkorn ☛

Zutaten für etwa 10 Stück:
40 g Butter · 75 g Dinkel, fein gemahlen ·
2 Messerspitzen Salz · 2 Eier · 150 ml Milch ·
2 Eßl. kohlensäurehaltiges Mineralwasser
(oder Bier, Weinbrand, Rum, Orangenlikör)
Zum Ausbacken: Butterschmalz
Pro Stück etwa 380 Joule/90 Kalorien

Vorbereitungszeit: 5 Minuten
Backzeit: 25 Minuten
Ruhezeit: 1 Stunde

Die Butter schmelzen und wieder abkühlen lassen. • Die Butter, den Dinkel, das Salz, die Eier, die Milch und das Wasser mit den Quirlen des Handrührgerätes verrühren, dann 1 Stunde zugedeckt kühl stellen. • Das Butterschmalz schmelzen lassen. Eine mittelgroße, schwere Pfanne ohne Fett heiß werden lassen. Küchenpapier in das Butterschmalz tauchen und die Pfanne damit einfetten. So wenig Teig wie möglich in die Pfan-

Unser Tip Die Crêpes lassen sich mit frischen Früchten, Schlagsahne, Marmelade oder Eis füllen.

ne geben, diesen verlaufen lassen und backen, bis die Oberfläche Blasen wirft. Die Crêpe wenden, fertig backen und warm stellen, bis alle gebacken sind.

Braucht etwas Zeit · Ganz einfach

Hirsecrêpes

Zutaten für etwa 10 Crêpes:
¼ l Milch · 100 g Hirse · 30 g Vollsojamehl (3 gestrichene Eßl.) · 3 Eier · ½ Becher Sahne (100 g) ·
1 Eßl. Honig · 2 Messerspitzen Vanillepulver
Zum Backen: etwa 4 Eßl. Butter
Pro Stück etwa 1850 Joule/440 Kalorien

Quellzeit: 1 Stunde
Zubereitungszeit: 40 Minuten

Die Milch und die Hirse zusammen in einem kleinen Topf einmal aufkochen, vom Herd nehmen und zugedeckt 1 Stunde stehenlassen. • Dann die gequollene Hirse mit der Milch und allen übrigen Zutaten in den Mixer füllen und feinmixen (etwa 60 Sekunden). Jeweils 1 Teelöffel Butter in der Pfanne zerlaufen lassen, etwas Teig hineingießen und die Crêpes in je 2–3 Minuten auf jeder Seite goldbraun braten. Warm stellen, bis alle gebacken sind.

Das paßt dazu: Kirsch- oder Himbeersauce (Rezept Seite 241).

Variante: Flambierte Crêpes
Füllen Sie die Crêpes mit ¾ der Menge Kirsch- oder Himbeersauce, legen Sie sie in eine Flambierpfanne und überziehen Sie das Ganze mit der restlichen Sauce. Erhitzen Sie 3 Eßlöffel Rum (54% Vol.) mit 1 Eßlöffel Honig (nicht kochen). Den heißen Honig-Rum über die Crêpes gießen und vorsichtig anzünden.

Ganz einfach · Preiswert

Grießflammeri

*1 l Milch · 1 Prise Salz · 200 g Vollweizengrieß ·
3 Eier · 3 Eßl. Honig · abgeriebene Schale von
1 Zitrone (Schale unbehandelt)*
Pro Portion etwa 1530 Joule/365 Kalorien

Vorbereitungszeit: 10 Minuten
Garzeit: 10 Minuten
Kühlzeit: mindestens 2 Stunden

In einem kalt ausgespülten Topf die Milch mit
dem Salz zum Kochen bringen. Den Grieß einstreuen und aufkochen, dann 10 Minuten bei
schwacher Hitze unter Rühren ausquellen lassen. • Die Eier trennen. Den Honig und die abgeriebene Zitronenschale mit den Eigelben unter
den Grießbrei rühren. Die Eiweiße steif schlagen
und den Eischnee unter den Brei ziehen. Den
Flammeri in eine kalt ausgespülte Puddingform
füllen und kalt stellen.

Das paßt dazu: Erdbeersauce oder Heidelbeersauce (Rezepte Seite 242).

Braucht etwas Zeit

Reis Trauttmansdorff

Ein üppiges Dessert nach einer leichten Gemüsesuppe.

*1 Vanilleschote · ½ l Milch · 1 Prise Salz · 100 g
Natur-Rundkornreis · 300–500 g verschiedene
Früchte, zum Beispiel Kirschen, Pfirsiche, Apriko-
sen und Birnen · nach Belieben 2 Eßl.
Obstbranntwein · 2 Eßl. Mandeln · 4 Blatt weiße
Gelatine · 3 Eßl. flüssiger Honig · ⅛ l Sahne*
Pro Portion etwa 1760 Joule/420 Kalorien

Vorbereitungszeit: 20 Minuten
Garzeit: 45 Minuten
Kühlzeit: etwa 2 Stunden

Die Vanilleschote aufschlitzen und das Mark
herauskratzen. Einen Topf kalt ausspülen. Die
Milch mit dem Salz und dem Vanillemark zum
Kochen bringen. Den Reis einstreuen, aufkochen und bei schwacher Hitze zugedeckt 40 Minuten ausquellen lassen. • Die Früchte waschen
oder schälen, kleinschneiden und in so wenig
Wasser wie möglich weich dünsten, dann abkühlen und abtropfen lassen. Nach Belieben mit
dem Alkohol beträufeln. • Die Mandeln brühen,
schälen und grobhacken. Die Gelatine in wenig
kaltem Wasser einweichen, dann erwärmen und
auflösen. Nun den Reis mit den Früchten, dem
Honig, den Mandeln sowie der Gelatine mischen und kalt stellen. • Die Sahne steif schlagen. Wenn der Reis steif zu werden beginnt, die
Sahne unterheben. Den Reis in eine kalt ausgespülte Puddingform füllen und wieder kühl stellen. Vor dem Servieren auf eine Platte stürzen.

Ganz einfach · Preiswert · Schnell

Zimteis

Ein vorzügliches Dessert – nicht nur an den
Weihnachtsfeiertagen!

*¼ l Sahne · 3 Eigelbe · 2½ Eßl. Ahornsirup · 4 ge-
strichene Teel. Zimt*
Pro Portion 1180 Joule/280 Kalorien

Zubereitungszeit: 10 Minuten
Gefrierzeit: 3 Stunden

Verwenden Sie für die Eisbereitung die Quirle
des elektrischen Handrührgeräts. Die Sahne steif
schlagen. Die Eigelbe mit dem Sirup und dem

Zimt cremig rühren und die Sahne vorsichtig darunterziehen. Die Creme in eine flache Schale füllen und in das Gefriergerät stellen. • Nach 1 Stunde das halbgefrorene Eis in einer Schüssel nochmals durchrühren. Dann wieder in die flache Schale füllen und weitere 2 Stunden gefrieren lassen.

Ganz einfach

Vanille-Sahne-Eis

¼ l Sahne · 100 g flüssiger Akazien- oder Blütenhonig · 2 Eigelbe · ½ Teel. Vanillepulver
Pro Portion etwa 920 Joule/220 Kalorien

Zubereitungszeit: 20 Minuten
Gefrierzeit: 3 Stunden

Die Sahne steif schlagen. Den Honig, die Eigelbe und die Vanille vorsichtig unter die Sahne ziehen. Die Masse in eine flache Schale füllen und in das Gefriergerät stellen. Nach 1 Stunde etwa, wenn die Masse fest zu werden beginnt, mit dem Schneebesen in einer Schüssel nochmals aufschlagen, dann wieder in die Schale füllen und noch etwa 2 Stunden gefrieren lassen.

Ganz einfach

Fruchteis

500 g Früchte (Erdbeeren, Himbeeren, Aprikosen oder Ananas) · entweder 1–2 Eßl. Zitronensaft oder je 1–2 Eßl. Orangenlikör für Erdbeereis, Himbeergeist für Himbeereis, Marillenlikör für Aprikoseneis, Rum für Ananaseis · 2–4 Eßl. Honig · ¼ l Sahne
Pro Portion etwa 1180 Joule/280 Kalorien

Zubereitungszeit: 30 Minuten
Gefrierzeit: 3–4 Stunden

Die Beeren waschen, trockentupfen oder schälen und entkernen, dann zerkleinern. Die Früchte mit dem Zitronensaft oder dem Alkohol beträufeln, dann im Mixer pürieren. Die Himbeeren durch ein Sieb rühren. • Den Fruchtbrei mit dem Honig vermengen; die Honigmenge richtet sich nach der Süße der Früchte. • Die Sahne steif schlagen und vorsichtig unter den Fruchtbrei heben. Das Fruchteis in einer flachen Schale etwa 1 Stunde gefrieren lassen. • Das Halbgefrorene in eine Rührschüssel geben und nochmals durchrühren. Das Fruchteis wieder in die flache Schale füllen und noch 2–3 Stunden gefrieren lassen.

Schnell

Obst und Käse

Dies ist eine sehr schnelle, gesunde und bei vielen Feinschmeckern auch beliebte Nachspeise. Servieren Sie sie nach Hauptgerichten, die mit Frischkost und Eiweiß ergänzt werden sollen.

Pro Person mindestens 1 reifer Apfel, 1 Birne oder 125 g Weintrauben oder gemischte Früchte · pro Person höchstens 50 g Käse, zum Beispiel Camembert, Brie oder Emmentaler Käse, auch gemischt
Pro Portion etwa 1100 Joule/260 Kalorien (errechnet für Äpfel und Emmentaler Käse)

Zubereitungszeit: 5 Minuten

Das Obst gut waschen. Eventuell die Äpfel oder Birnen auch schon halbieren oder vierteln. Den Käse in mundgerechte Stücke schneiden. Obst und Käse auf einer Platte oder einem Holzbrett hübsch anrichten.

Brot, Kuchen und Gebäck

Mit einem Kuchen aus frisch gemahlenem Vollkornmehl lassen sich eigentlich die meisten Menschen vom Wohlgeschmack des vollen Korns überzeugen. Vollkornkuchen und -gebäck schmecken kernig und gleichzeitig fein nussig. Für Vollkornbrot braucht man inzwischen fast nicht mehr zu »werben«. Der kräftige Geschmack und der herzhafte Biß haben schon viele ehemalige Liebhaber von weißen Brötchen längst eines Besseren belehrt. Doch es ist nicht nur der Geschmack, der überzeugt. Gebäck aus Vollkornmehl ist auch gesünder, denn Vollkornmehl enthält gegenüber Weizenmehl der Type 405 die fünffache Menge an lebensnotwendigen Mineralstoffen. Auch bei den Vitaminen ist Vollkornmehl überlegen. Beim Mahlen von Weißmehl gehen etwa 88 Prozent des Nervenvitamins B_1 verloren. Allerdings kommt es beim Backen von Vollkornbrot zu einem größeren Verlust der hitzeempfindlichen Vitamine als beim Backen von Weißbrot. Das hängt damit zusammen, daß Vollkornbrot meist etwas länger gebacken wird als Weißbrot. Trotzdem verbleiben im Vollkornbrot insgesamt mehr Vitamine als im Weißbrot, denn Vollkornmehl enthält von vornherein mehr Vitamine als Weißmehl.

Vollkornbrote oder -brötchen findet man inzwischen in vielen Bäckereien in großer Auswahl. Manche Bäcker verwenden zum Brotbakken sogar Mehl, das erst unmittelbar vor der Teigbereitung gemahlen wird. Warum also noch selber Brotbacken?

Nun, wir meinen, daß der ganz besondere Duft von frisch gebackenem Brot, der durch die ganze Wohnung zieht, durch keinen anderen »Küchenduft« zu ersetzen ist. Brot gilt auf der ganzen Welt – bei uns als Laib, woanders als Fladen – als wichtigstes Grundnahrungsmittel und als ein Symbol für das Sattwerden. Wer täglich Brot zu essen hat, wird keinen Hunger leiden. Zu wohl kaum einem anderen Lebensmittel haben wir eine so enge Verbindung wie zum Brot.

Bei Vollkornkuchen und -gebäck ist es schon schwieriger, auf fertige Produkte zurückzugreifen. Hier ist die Auswahl in den Bäckereien noch sehr klein beziehungsweise gar nicht vorhanden. Vollkorngebäck sättigt schnell und nachhaltig. Man kommt also gar nicht erst in Versuchung, große Mengen Kuchen und Gebäck zu essen. Kuchenbacken mit Vollkornmehl ist nicht schwieriger als mit Weißmehl. Wenn Sie sich genau an unsere Rezepte halten, werden Sie das schnell feststellen.

Einige Punkte sollten Sie beim Backen mit Vollkornmehl berücksichtigen: Das Getreide darf erst unmittelbar vor der Teigbereitung gemahlen werden. Nur frisch gemahlenes Vollkornmehl enthält alle wertvollen Nährstoffe. Sauerstoff- und lichtempfindliche Vitamine zum Beispiel werden durch Lagerung rasch zerstört. Vollkornmehl hat eine größere Quellfähigkeit als Weißmehl. Für die Teigzubereitung brauchen Sie daher mehr Flüssigkeit, als Sie es bisher von Weißmehl gewohnt waren. Teige aus Vollkornmehl sollten grundsätzlich etwas feuchter gehalten werden als Teige aus Weizenmehl der Type 405.

Zum Backen von Vollkornkuchen und -gebäck verwenden wir Honig anstelle von Haushaltszucker. Sie werden feststellen, daß Kuchen und Gebäck weniger süß schmecken. Das sollte Sie jedoch nicht dazu verleiten, mehr Honig zu verwenden, als im Rezept angegeben ist. Die Geschmacksnerven müssen sich erst allmählich an weniger Süßes gewöhnen. Wenn Sie sich einmal umgestellt haben, werden Sie besonders süße Sachen nicht mehr mögen. Zum Backen können Sie übrigens den preiswerteren, erhitzten Honig verwenden, da beim Backen Temperaturen von mindestens 70% erreicht werden. Das hat zur Folge, daß einige Vitamine und die Enzyme sowieso zerstört werden.

Braucht etwas Zeit

Vollkorn-Hausbrot 🍞

Dieses Brot bleibt lange haltbar und der Salzgehalt ist niedriger als bei gekauftem Brot. Es ist problemlos und ohne großen Zeitaufwand herzustellen, wenn Sie den Teig mit einer Küchenmaschine kneten. Wenn Sie trotzdem »handarbeiten« möchten, fügen Sie beim Teigzubereiten 200 g Mehl hinzu. Die Zeit zum Gehenlassen des ungebackenen Brotes muß dann allerdings wesentlich erhöht werden, und das fertig gebackene Brot wird ziemlich trocken.

*Für den Vorteig, 1. Stufe: 350 g Roggen ·
2 gestrichene Teel. Backferment · ½ l lauwarmes
Wasser · 2 Eßl. Honig*

Den Roggen mittelfein mahlen und mit dem Backferment mischen. Das Wasser und den Honig darunterrühren. Dazu am besten eine Schüssel (zum Beispiel Edelstahl, der Wärme gut aufnimmt) benutzen, die mit einem Topfdeckel zugedeckt werden kann. Den Vorteig zugedeckt für 24 Stunden an einen warmen Platz stellen (24–28°), zum Beispiel auf die Heizung. Nach dieser Zeit sollte der Teig deutlich sichtbar gegoren sein, das heißt viele Bläschen aufweisen.

Für den Vorteig, 2. Stufe: 350 g Roggen · ¼ l lauwarmes Wasser

Den Roggen mittelfein mahlen und zusammen mit dem Wasser unter den Vorteig rühren. Die Schüssel wieder zudecken und für mindestens 12 Stunden an einen warmen Platz stellen. Die Gärung sollte dann noch deutlicher zu sehen sein (zwischen Vorteig und Deckel muß genug Platz vorhanden sein).

*Für den Brotteig (Grundrezept): 700 g Weizen oder
600 g Weizen und 50 g Vollsojamehl · nach Geschmack 1–2 Eßl. Kümmel · je 1 Eßl. Koriander
und Fenchelsamen · 3 gestrichene Teel. Salz ·
etwa ⅛ l Wasser*

Pro Scheibe (50 g) etwa 540 Joule/130 Kalorien

Vorbereitungszeit: 20 Minuten
Ruhezeit: etwa 2 Stunden
Backzeit: etwa 2½ Stunden

Den Weizen mittelfein mahlen, die Gewürze (nach Geschmack) mitmahlen oder ungemahlen verwenden. Das Mehl, eventuell das Sojamehl, das Salz und das Wasser zu dem Vorteig geben und alles gründlich mit den Knethaken der Küchenmaschine (oder des elektrischen Handrührgerätes) durcharbeiten. • Zwei Kastenformen oder 1 große Bratenform oder Brotbackform ausfetten. Den Teig hineinfüllen und mit einem Teigschaber glattstreichen. Mit einem Küchentuch zudecken und an einem warmen Platz etwa 2 Stunden gehen lassen, bis sich der Teig um das 1½fache vergrößert hat. • Das Brot auf die untere Schiene in den kalten Backofen schieben. 30 Minuten auf höchster Schaltstufe, dann 90 Minuten bis 2 Stunden bei etwa 170° backen lassen. (Die Backzeit kann um etwa 30 Minuten verkürzt werden, wenn Sie weniger Kruste und weniger durchgebackenes Brot wünschen.) Das Brot 15 Minuten im ausgeschalteten Backofen stehenlassen. Aus der Form stürzen, von allen Seiten mit kaltem Wasser bepinseln oder besprühen und auf einem Kuchengitter auskühlen lassen.

> **Unser Tip** Die Zeiten zum Gehenlassen können auch überschritten werden, ohne daß die Qualität des Brotes leidet, es wird dann höchstens etwas saurer.

Variante: Sechs-Korn-Brot

Statt 700 g Weizen 200 g Weizen, 50 g Sojamehl je 100 g Nackthafer, Nacktgerste, Hirse und Buchweizen nehmen. Das Getreide bis auf den Buchweizen mehlfein mahlen, den Buchweizen als ganze Körner oder »Grütze« (geschrotet) dazugeben.

Variante: Leinsamenbrot

100 g ganze Leinsamen mit ¼ Liter kochendem Wasser übergießen, 1 Stunde quellen lassen, zum Grundteig geben. ⅛ l Wasser vom Grundrezept weglassen.

Variante: Sonnenblumenbrot

200 g Sonnenblumenkerne leicht rösten, unter den Grundteig oder den Teig für das Sechs-Korn-Brot mischen. Oder das Brot ganz aus Weizen zubereiten, also auch den Vorteig nur aus Weizen herstellen.

Variante: Kleiebrot

2 Tassen Kleie von Anfang an zum Vorteig geben, ¼ l Wasser zusätzlich.

Ganz einfach · Preiswert

Weizenvollkornbrot ☞

1 kg Weizenvollkornmehl, feingemahlen · 1½ Würfel Hefe (60 g) · 680 ml Wasser oder Molke · 1 gehäufter Eßl. Salz · 1 Teel. gemahlener Kümmel · 1 Teel. gemahlener Koriander
Pro 100 g etwa 920 Joule/220 Kalorien

Vorbereitungszeit: 25 Minuten
Ruhezeit: 1 Stunde 15 Minuten
Backzeit: 1 Stunde 10 Minuten

Das Mehl in eine Rührschüssel geben. Die Hefe in etwas lauwarmem Wasser auflösen. Das Mehl,

die Hefe, das Salz und die Flüssigkeit vermengen und den Teig kräftig kneten. Zugedeckt ruhen lassen, bis sich das Teigvolumen verdoppelt hat. • Den Teig nun mit den Händen kneten. • Den Backofen auf 240° vorheizen. • Eine große oder 2 kleine Kastenformen ausfetten und bemehlen. Den Teig in die Form geben, nochmals gehen lassen. • Die Oberfläche des Brotes mit Wasser bestreichen, das Brot auf der mittleren Schiene des Backofens backen. Einen Topf mit kochendheißem Wasser auf den Boden des Backofens stellen. Nach 20 Minuten auf 170° zurückschalten, dann noch etwa 50 Minuten backen. Das Brot auf einem Gitter abkühlen lassen.

Braucht etwas Zeit · Ganz einfach

Gewürztes Bauernbrot ☞

*500 g Weizenvollkornmehl, feingemahlen · 500 g Roggenvollkornmehl, feingemahlen · 2 Beutel Vitam Trockenhefe · 2 Beutel Vitam Trockensauerteig · 2 gestrichene Teel. Salz · 1 gestrichener Teel. gemahlener Kümmel · 680 ml Wasser · 1 Eßl. Korianderkörner · 1 Teel. Fenchelsamen · 1 Teel. Anissamen
Zum Bestreuen:
je 1 gehäufter Teel. Kümmel und Koriander*
Pro 100 g etwa 965 Joule/230 Kalorien

Vorbereitungszeit: 30 Minuten
Ruhezeit: 2 Stunden 40 Minuten
Backzeit: 1 Stunde 20 Minuten

Aus dem Mehl, der Trockenhefe und dem -sauerteig, dem Salz, dem Kümmel und dem Wasser einen Teig kneten. Am Ende der Knetzeit die ungemahlenen Gewürze zugeben. • Den Teig 2 Stunden zugedeckt gehen lassen. • Den Backofen auf 220° vorheizen. • Dann den Teig mit den Händen gründlich kneten, einen runden

Laib formen und diesen auf ein gefettetes, bemehltes Backblech legen und nochmals gehen lassen. • Den Brotlaib mit Wasser bestreichen und mit der Gewürzmischung bestreuen. Einen Topf mit kochendheißem Wasser auf den Boden des Backofens stellen, das Brot auf die mittlere Schiene in den Ofen schieben und etwa 1 Stunde und 20 Minuten backen.

Braucht etwas Zeit · Ballaststoffreich

Kleine Sonnenbrote ☛

Bild Seite 363

Zutaten für 3 kleine Brote:
100 g gelbe Sojabohnen oder Sojaschrot ·
30 g Sonnenblumenkerne · 700 g Weizen ·
2 gestrichene Teel. Salz · 1 Würfel Hefe (42 g) ·
knapp ½ l lauwarmes Wasser oder Sojamilch ·
3 Eßl. Sonnenblumenöl
Für das Backblech: etwas Butter
Zum Bestreichen: etwas Sonnenblumenöl
Pro 100 g Brot etwa 1100 Joule/260 Kalorien

Vorbereitungszeit: 30 Minuten
Ruhezeit: mindestens 1 Stunde und 15 Minuten
Backzeit: 50–60 Minuten

Eine schwere Eisen- oder Edelstahlpfanne ohne Fett erhitzen, die Sojabohnen hineingeben und bei mittlerer Hitze 10–15 unter häufigem Wenden rösten, bis die Schalen der Bohnen zu platzen beginnen. Die Pfanne vom Herd nehmen und abkühlen lassen. Die gerösteten Sojabohnen in einer Getreidemühle mit Stahl- oder Keramikkegelmahlwerk grobschroten. Oder fertigen Sojaschrot verwenden, der bereits geröstet ist. Die Sonnenblumenkerne ebenfalls in einer schweren Eisen- oder Edelstahlpfanne trocken rösten, bis sie zu duften beginnen und sich leicht dunkel

färben. • Den Weizen mehlfein mahlen und in einer Rührschüssel mit dem Sojaschrot, den Sonnenblumenkernen und dem Salz mischen. In die Mitte eine Vertiefung drücken, die Hefe hineinbröckeln, das lauwarme Wasser oder die Sojamilch darübergießen und die Hefe mit der Flüssigkeit und etwas Mehl vom Muldenrand zu einem dünnen Brei verrühren. Die Schüssel mit einem Tuch zudecken und den Vorteig 15 Minuten gehen lassen. • Dann das Öl zufügen und alles zu einem geschmeidigen, festen Teig verarbeiten, zuerst rühren, dann auf einem Backbrett fertig kneten. Oder mit den Knethaken des elektrischen Handrührgerätes oder der Küchenmaschine einen geschmeidigen Hefeteig kneten. Zugedeckt an einem warmen Platz etwa 30 Minuten gehen lassen. • Den Teig nochmals gründlich durchkneten, in drei Teile teilen und jedes Teil zu einer Kugel formen. Die Teigkugeln auf ein gefettetes Backblech legen und flachdrücken. Mit einem Tuch bedeckt nochmals etwa 30 Minuten gehen lassen. • Inzwischen den Backofen auf 220° vorheizen. • Die Brote mit Sonnenblumenöl bepinseln. Mit einem scharfen Messer von der Mitte zum Rand strahlenförmige Einschnitte machen und die Brote 50–60 Minuten backen. Die heißen Brote mit kaltem Wasser besprühen oder bepinseln und auf einem Kuchengitter auskühlen lassen.

Ganz einfach

Knäckebrot ☛

Zutaten für 2 Backbleche (etwa 40 Stück):
200 g Weizen · 200 g Roggen · 200 g Buchweizen · 1 Teel. Kümmel · 2 gestrichene Teel.
Weinstein-Backpulver · 1 gestrichener Teel. Salz ·
100 g Butter · ¼ l Milch
Pro Stück etwa 300 Joule/70 Kalorien

Vorbereitungszeit einschließlich Ruhezeit:
35 Minuten
Backzeit: 30 Minuten

Den Weizen, den Roggen und den Buchweizen zusammen mit dem Kümmel mehlfein mahlen (oder gemahlenen Kümmel verwenden). • Das Mehl mit dem Backpulver und dem Salz mischen und auf ein Backbrett schütten. In die Mitte eine Vertiefung drücken, die Butter in Flöckchen hineingeben und die Milch vorsichtig hineingießen. Mit einer Gabel die Milch mit etwas Mehl aus der Mitte »verrühren«. Alle Zutaten schnell von außen nach innen zu einem geschmeidigen, festen Knetteig verarbeiten. • Oder alle Zutaten in eine Rührschüssel füllen (die Butter muß in diesem Fall weich sein) und mit den Knethaken eines elektrischen Handrührgerätes oder dem Teigrührer einer Küchenmaschine zu Knetteig verarbeiten. Den Teig 15 Minuten ruhen lassen. • Den Backofen auf 200° vorheizen. • Dann den Teig partieweise 2–3 mm dick ausrollen. Aus der Platte etwa 10 × 5 cm große Scheiben ausrädeln oder -schneiden. Zwei Bleche einfetten und mit den Teigstücken belegen. Das Knäckebrot im vorgeheizten Backofen auf der unteren Schiene in 30 Minuten goldbraun backen. • Auf einem Kuchengitter auskühlen lassen und in einer Blechdose aufbewahren; so bleibt das Brot etwa 14 Tage frisch.

Braucht etwas Zeit

Vollkornzwieback ☞

Diese Zwiebäcke schmecken ganz frisch und gerade abgekühlt am besten. Haltbar und wohlschmeckend sind sie jedoch fast unbegrenzt.

Zutaten für 1 Backblech (16 Brötchen = 32 Zwiebäcke):

*500 g Weizen · 50 g Vollsojamehl ·
2 Messerspitzen Vanillepulver · 50 g Butter ·
1 Würfel Hefe (42 g) · 2 Eßl. Honig ·
0,3 l lauwarme Milch*
Pro Zwieback etwa 340 Joule/80 Kalorien

Vorbereitungszeit einschließlich Ruhezeit: etwa 1 Stunde und 30 Minuten
Backzeit: etwa 20 Minuten
Trockenzeit: 1–2 Tage
Zweite Backzeit: 30–60 Minuten

Den Weizen staub- oder mehlfein mahlen und sofort mit dem Sojamehl, der Vanille und der Butter in Flöckchen mischen. In die Mitte eine Vertiefung drücken. Die Hefe hineinbröckeln und den Honig auf die Hefe geben. 1–2 Minuten warten, bis sich die Hefe aufgelöst hat. Die Milch dazugießen und mit der Hefe und etwas Mehl vom Muldenrand zu einem dünnen Brei verrühren. Den Vorteig, mit einem Tuch bedeckt, etwa 15 Minuten an einem warmen Platz gehen lassen. • Dann alles zusammen zu einem festen Hefeteig verarbeiten; zuerst rühren, dann mit der Hand oder den Knethaken des elektrischen Handrührgerätes oder der Küchenmaschine gründlich durcharbeiten. Den Teig zugedeckt nochmals 15–20 Minuten gehen lassen. • Wieder gründlich kneten. Den Hefeteig in 4 gleich große Stücke teilen, die Teigstücke nochmals in je 4 gleich große Stücke teilen. Die Teigstücke zu Kugeln formen, zwischen beiden Handflächen

Pizza Torino mit Tofu ist eine interessante Pizzavariante. Rezept Seite 224. ▷

plattdrücken (etwa 1 cm dick) und auf ein gefettetes Backblech setzen. Den Backofen auf 220° vorheizen. Die Brötchen mit einem Tuch zugedeckt nochmals 15–20 Minuten gehen lassen. • Die aufgegangenen Brötchen auf der mittleren Schiene in etwa 20 Minuten goldbraun backen. Auf einem Kuchengitter auskühlen lassen und 1 oder 2 Tage stehenlassen. • Dann die Brötchen aufschneiden. Die Brötchenhälften mit der Schnittfläche nach unten auf 2 Backroste verteilen, in den Backofen schieben (mittlere Schiene) und bei etwa 100° trocknen lassen (das dauert je nach dem noch vorhandenen Feuchtigkeitsgrad 30–60 Minuten). In die Backofentür oben ein Metallspießchen oder einen Löffelstiel klemmen, so daß die Tür einige Millimeter offensteht und die Feuchtigkeit entweichen kann. Die Zwiebäcke sind fertig, wenn sie beginnen, sich goldbraun zu färben. • Im geöffneten Backofen auskühlen lassen und in einer Blechdose verschlossen aufbewahren.

Variante: Aniszwieback
Mit dem Weizen 1 Teelöffel Anissamen mitmahlen und außerdem 1 Teelöffel Anissamen ungemahlen unter den Teig kneten.

Variante: Kokoszwieback
Vollkornzwiebäcke wie oben beschrieben herstellen. Als Belag 100 g Kokosflocken mit 2 Eßlöffeln Honig und 3 Eiweißen gründlich verrühren und je etwa 1 gehäuften Teelöffel von dieser Paste fest auf die gerade fertig gewordenen

◁ Kalifornischer Reis und Bananengemüse sind nicht alltäglich und passen sehr gut zusammen. Rezepte Seite 197 und 122.

Zwiebäcke streichen (auf die Schnittfläche); die Zwiebäcke müssen schon ganz trocken, dürfen aber noch hell sein. Die Zwiebäcke mit der bestrichenen Seite nach oben wieder auf die Backroste legen und weitere 15–20 Minuten bei 100° und spaltbreit geöffneter Backofentür trocknen lassen. Sie sind fertig, sobald sich der Rand der Kokosmasse hellbraun zu färben beginnt. Vorsicht: bei zu starker Hitze kann die Kokosmasse schnell verbrennen.

> **Unser Tip** Frisch als »Einback« schmecken die Brötchen auch sehr gut, zum Beispiel mit Butter und Honig oder Marmelade.

Braucht etwas Zeit

Toastbrot 🍞

Zutaten für 1 Kastenform von 30 cm Länge:
650 g Weizen · 50 g Vollsojamehl · 4 gehäufte Eßl. Weizenkeime · 2 gestrichene Teel. Salz · 50 g Butter · 1 Würfel Hefe (42 g) · 2 Eßl. Honig · ½ l Buttermilch
Pro Scheibe (50 g) etwa 650 Joule/155 Kalorien

Vorbereitungszeit einschließlich Ruhezeit:
1 Stunde und 30 Minuten
Backzeit: 30 Minuten

Den Weizen staub- oder mehlfein mahlen und in einer Schüssel mit dem Sojamehl, den Weizenkeimen, dem Salz und der Butter in Flöckchen mischen. In die Mitte eine Vertiefung drücken. Die Hefe hineinbröckeln und den Honig auf die Hefe geben. 1–2 Minuten warten, bis sich die Hefe aufgelöst hat. Die Buttermilch etwas anwärmen und in die Mulde gießen, mit der Hefe und etwas Mehl vom Muldenrand verrühren. Mit einem Tuch bedeckt etwa 15 Minuten an einem warmen Platz gehen lassen. • Dann alles zusammen zu einem festen, geschmeidigen Hefeteig verarbeiten, zuerst rühren, dann mit der Hand oder den Knethaken des elektrischen Handrührgerätes oder der Küchenmaschine gründlich durcharbeiten. Den Teig zugedeckt nochmals 15–20 Minuten gehen lassen. • Erneut gründlich kneten. • Die Kastenform ausfetten. Den Teig zu einer 30 cm langen Rolle formen, in die Form legen und flachdrücken. Nochmals zugedeckt mindestens 15 Minuten gehen lassen, bis der Teig etwa das 1½fache Volumen hat. • Den Backofen auf 220° vorheizen. • Das Brot auf der unteren Schiene 15 Minuten backen, dann den Backofen auf 180° herunterschalten und das Brot noch weitere 15 Minuten backen, bis es goldbraun ist und sich vom Rand der Form 2–3 mm gelöst hat. • Das Brot aus dem Ofen und der Form nehmen und von allen Seiten mit kaltem Wasser bepinseln oder besprühen. Auf einem Kuchengitter auskühlen lassen.

Unser Tip Beim zweiten Kneten sollte ein fester, aber noch geschmeidiger Teig entstehen, eventuell noch wenig Flüssigkeit zufügen. Weizenhefeteig muß gründlich geknetet werden, damit er schön locker wird. Beim zweiten Kneten mit einer großen Küchenmaschine knapp 5 Minuten bei niedriger Geschwindigkeit, mit einem elektrischen Handrührgerät etwa 3 Minuten bei hoher Geschwindigkeit (niedrige Geschwindigkeit würde den Motor zu sehr beanspruchen), von Hand mindestens 10 Minuten kneten.

Braucht etwas Zeit

Laugenbrezen

500 g Weizenvollkornmehl, feingemahlen · 1 Würfel Hefe (42 g) · 340 ml Wasser · ½ Teel. Salz
Für die Lauge: 1 knapper Teel. Haushaltsnatron (4 g) · grobkörniges Salz
Bei 18 Stück pro Brezen etwa 380 Joule/90 Kalorien

Vorbereitungszeit: 60 Minuten
Ruhezeit: 1 Stunde 15 Minuten
Backzeit: 30 Minuten

Das Mehl in eine Rührschüssel geben. Die Hefe in etwas lauwarmem Wasser auflösen. Das Mehl, die Hefe, das Salz und die Flüssigkeit vermengen und den Teig kräftig kneten. Zugedeckt ruhen lassen, bis sich das Teigvolumen verdoppelt hat. • Aus dem Teig dünne Rollen formen und Brezen bilden. • 1 Liter Wasser mit dem Natron in einem flachen Topf aufkochen, jedes Teigstück 10 Sekunden in die Lauge legen, umdrehen, nochmals 10 Sekunden eintauchen, mit einem Schaumlöffel herausheben und abtropfen lassen. • Den Backofen auf 220° vorheizen. • Die Teigstücke auf ein mit Backpapier belegtes Backblech legen, mit Salz bestreuen und 25–30 Minuten im Ofen backen.

Braucht etwas Zeit · Ganz einfach

Partysemmeln

Zutaten für 24 Semmeln:
500 g Weizenvollkornmehl, feingemahlen · 1 Würfel Hefe (42 g) · 200 ml Wasser · 1 Teel. Salz · ⅛ l Milch
Für das Backblech: etwas Öl

Zum Bestreuen: Mohn, Kümmel, Sesam
Pro Stück etwa 340 Joule/80 Kalorien

Vorbereitungszeit: 45 Minuten
Ruhezeit: 1 Stunde 15 Minuten
Backzeit: 30 Minuten

Das Mehl in eine Rührschüssel geben. Die Hefe in etwas lauwarmem Wasser auflösen. Das Mehl, die Hefe, das Salz und die Flüssigkeit vermengen und den Teig kräftig kneten. Zugedeckt gehen lassen, bis sich das Teigvolumen verdoppelt hat. • Eine runde, feuerfeste Form oder einen Bräter mit Öl bestreichen und mit Mehl ausstreuen. Die Form umdrehen, um überschüssiges Mehl zu entfernen. • Aus dem Teig 2 Rollen formen und aus jeder Rolle 12 gleich große Teile schneiden. Semmeln daraus formen, mit Wasser bestreichen und in Mohn, Kümmel oder Sesam tauchen. • Den Backofen auf 220° vorheizen. • Die Semmeln dicht nebeneinander in die Form setzen – es darf keine Lücke bleiben – und nochmals gehen lassen. • Auf der mittleren Schiene etwa 30 Minuten backen. • Den Semmelkranz auf ein Gitter stürzen und auskühlen lassen.

Ganz einfach

Knusperfladen

Zutaten für 6 Stück (1 Backblech):
100 g Nackthafer · 50 g gelbe Sojabohnen oder Sojaschrot · 200 g Weizen · 100 g Buchweizen · 1 gestrichener Teel. Bockshornkleesamen · 1–2 Teel. Salz · 30 g Sonnenblumenkerne · 2 Eßl. Öl · gut ⅜ l Wasser
Für das Backblech: etwas Butter
Pro Stück etwa 1330 Joule/330 Kalorien

Vorbereitungszeit: 15 Minuten
Backzeit: 60 Minuten

Den Hafer und die Sojabohnen zusammen grob schroten oder Sojaschrot verwenden. Den gemischten Schrot in einer trockenen, schweren Pfanne leicht anrösten (etwa 5 Minuten unter Rühren). Fertiger Sojaschrot ist bereits geröstet. Den Weizen, den Buchweizen und den Bockshornkleesamen zusammen zu feinem Schrot mahlen. Mit dem Salz, den Sonnenblumenkernen und dem gerösteten Schrot mischen. Das Öl und das Wasser zufügen und alles gut verrühren. Es soll ein weicher, streichfähiger Teig entstehen. • Ein Backblech gut einfetten. Den Teig darauf mit einem Eßlöffel oder Teigschaber in 6 Häufchen verteilen und mit dem immer wieder in Wasser getauchten Teigschaber flachstreichen. Die Fladenbrote bei 220° auf der unteren Schiene in 60 Minuten knusprig braun backen, bis sie sich leicht vom Blech lösen. Nach Wunsch die Fladen umdrehen und noch etwa 10 Minuten weiterbacken, bis sie ganz fest sind.

Unser Tip Die Fladenbrote ganz trocken zu backen ist vor allem dann wichtig, wenn sie als Proviant (zum Beispiel für eine Bergtour) lange haltbar sein sollen.

Braucht etwas Zeit

Eierweckerl

500 g Dinkel, fein gemahlen · 1 Würfel Hefe (42 g) · 275–300 ml lauwarme Milch · 1 Prise Salz · 1 Eßl. flüssiger Honig · 1 Eßl. Pflanzenöl
Zum Bestreichen: 1 Eigelb · 1 Eßl. Milch
Pro Stück etwa 550 Joule/130 Kalorien

Vorbereitungszeit: 40 Minuten

Ruhezeit: 1 Stunde
Backzeit: 40 Minuten

Alle Zutaten müssen zimmerwarm sein. Das Mehl in eine Schüssel geben. In die Mitte eine Mulde drücken. Die Hefe in wenig lauwarmer Milch verrühren, in die Mulde gießen, mit etwas Mehl bedecken. Diesen Vorteig an einem warmen, zugfreien Platz, mit Küchentuch bedeckt, gehen lassen, bis er Blasen bildet. • Nun das Salz, den Honig, das Öl und die restliche Milch dazugeben. Den Teig kräftig kneten, dann zugedeckt gehen lassen, bis sich das Teigvolumen verdoppelt hat. • Ein Backblech mit Backpapier auslegen. Mit bemehlten Händen den Teig nochmals gut durcharbeiten, dann eine Rolle formen und diese in 16 gleich große Stücke schneiden. Aus jedem Stück ein Bällchen formen. Diese »Weckerl« in der Mitte einschneiden und auf das Blech legen. • Den Ofen auf 210° vorheizen. • Die Weckerl mit Eimilch bestreichen, nochmals kurz gehen lassen und 30–40 Minuten backen lassen.

Ganz einfach · Preiswert

Gewürz-Brötchen 🐟

Dieses problemlose, vielseitige und absolut sichere Rezept hat bei uns mit allen seinen Varianten die Herzen im Sturm erobert.

Zutaten für 1 Backblech (20 Brötchen):
700 g Weizen · 2 Teel. Kümmel · 1 Teel.
Fenchelsamen · 50 g Vollsojamehl · 2 gestrichene
Teel. Salz · 1 Würfel Hefe (42 g) · 1 Eßl. Honig ·
½ l Buttermilch · 100 g Butter oder Öl (¾ Tasse)
Für das Backblech: etwas Butter
Pro Stück etwa 755 Joule/180 Kalorien

Vorbereitungszeit: 20 Minuten

Ruhezeit: mindestens 1 Stunde
Backzeit: 20 Minuten

Den Weizen zusammen mit dem Kümmel und dem Fenchel feinmahlen; Sie können die Gewürze auch ganz lassen oder gemahlene Gewürze verwenden. • Das Mehl in einer Schüssel mit dem Sojamehl und dem Salz mischen. In die Mitte eine Vertiefung drücken, die Hefe hineinkrümeln und den Honig darübergeben, 1–2 Minuten warten, dann die Hefe mit dem Honig verrühren. Die Buttermilch darübergießen und mit etwas Mehl vom Muldenrand zu einem dünnen Brei rühren. Die Schüssel mit einem Tuch zudekken und den Vorteig 15 Minuten gehen lassen. • Dann die Butter in Flöckchen oder das Öl zufügen und alles zu einem geschmeidigen festen Teig verarbeiten; zuerst rühren, dann auf dem Backbrett fertig kneten. Oder mit den Knethaken des elektrischen Handrührgerätes oder der Küchenmaschine einen geschmeidigen Hefeteig kneten. Den Teigballen oder die Schüssel mit einem Tuch zudecken und den Teig an einem warmen Platz 30 Minuten gehen lassen. • Nochmals gründlich durchkneten (bei der Bearbeitung mit der Maschine soll sich der Teig vom Schüsselrand lösen.) Aus dem fertigen Teig Kugeln von der Größe eines Hühnereies formen, auf ein gefettetes Blech legen, flachdrücken und mit einem Tuch zugedeckt nochmals 15 Minuten gehen lassen. Den Backofen auf 250° vorheizen. Die aufgegangenen Brötchen in den heißen Ofen schieben und in 20 Minuten goldbraun backen.

> **Unser Tip** Die Brötchen und die Bierstangen sind auch noch nach Tagen frisch und saftig. Wenn Sie übrigens gewürztes Brot nicht mögen, es schmeckt auch ohne Kümmel und Fenchel sehr gut.

Variante: Bierstangen

Aus dem Brötchenteig Stangen von etwa 10 cm Länge und ½ cm Durchmesser formen und in heißem Öl oder Fritierfett ausbacken. Das fertige, noch heiße Gebäck mit Salz bestreuen. Die Stangen schmecken frisch zu Bier oder Wein.

Schnell · Ganz einfach

Frühstücksbiskuits ☛

Die flachen Biskuits mit dem knusprigen Rand sind schnell gebacken. Daher sind sie auch zum Nachmittagstee oder für überraschenden Kaffeebesuch willkommen. Die Biskuits schmecken pur oder mit Schlagsahne und frischen Beeren (Erdbeeren, Himbeeren oder Brombeeren) oder Sanddorn- oder Hagebuttenmark.

Zutaten für 15 Stück (1 Backblech):
100 g Weizen · 1 gestrichener Teel. Anis ·
1 gestrichener Eßl. Sojamehl fettarm ·
1 gestrichener Teel. Weinstein-Backpulver ·
2 Eier · 100 g Honig · 1 Messerspitze
Vanillepulver · 2 Tropfen Zitronenöl ·
3 Eßl. Sojamilch oder Milch
Für das Blech: etwas Butter oder Backpapier
Pro Stück etwa 240 Joule/55 Kalorien

Vorbereitungszeit: 10 Minuten
Backzeit: 10–15 Minuten

Den Weizen zusammen mit dem Anis staub- oder mehlfein mahlen (oder gemahlenen Anis verwenden). Wenn Sie Anis nicht mögen, lassen Sie ihn weg. Das Mehl sofort mit dem Sojamehl und dem Backpulver mischen. • Die Eier mit dem Honig, der Vanille und dem Zitronenöl in die Rührschüssel des elektrischen Handrührgerätes oder der Küchenmaschine füllen und mit den Schneebesen ½ Minute aufschlagen. Die

Milch dazugießen und alles zusammen 5 Minuten auf höchster Stufe weiterrühren, bis ein fester, heller Schaum entstanden ist. • Das Mehlgemisch vorsichtig von Hand mit einem Schneebesen unter den Schaum heben. • Den Backofen auf 200° vorheizen. • Das Backblech gut einfetten oder mit Backpapier belegen. Häufchen von je 1 Eßlöffel nicht zu dicht auf das Blech setzen. Die Biskuits auf der mittleren Schiene 10–15 Minuten backen, bis die Ränder schön braun sind. Die kleinen Kuchen sofort mit einem Pfannenmesser oder Bratenwender vom Blech nehmen und auf einem Kuchengitter auskühlen lassen.

Ganz einfach

Rosinenbrötchen ☛

2 gehäufte Eßl. ungeschwefelte Rosinen ·
350 g Weizen, fein gemahlen · 125 g grobe
Haferflocken · 1 Würfel Hefe (42 g) · 250–300 ml
lauwarme Milch · 1 Eßl. flüssiger Honig ·
1 Prise Salz · 2 Eßl. Pflanzenöl
Zum Bestreichen: 1 Eigelb · 1 Eßl. Milch
Pro Stück etwa 590 Joule/140 Kalorien

Vorbereitungszeit: 30 Minuten
Ruhezeit: 1 Stunde
Backzeit: 20–25 Minuten

Die Rosinen in heißem Wasser quellen lassen. • Das Mehl mit den Haferflocken in einer Schüssel mischen. In die Mitte eine Mulde drücken. Die Hefe zerbröckeln und mit etwas lauwarmer Milch verrühren. Diesen Vorteig in die Mulde gießen, die Schüssel zudecken und an einen warmen, zugfreien Platz stellen. • Die Rosinen abgießen und abtropfen lassen. Wenn der Vorteig Blasen bildet, den Honig, das Salz, das Öl und so viel Milch dazukneten, daß ein fester Teig entsteht. Mit dem Kochlöffel schlagen oder mit dem

Knethaken der Küchenmaschine bearbeiten. Zum Schluß die Rosinen zugeben. Den Teig zugedeckt gehen lassen, bis sich das Teigvolumen etwa verdoppelt hat. • Das Backblech mit Backpapier auslegen. Aus dem Teig eine Rolle formen und diese in 16 gleich große Stücke teilen. Aus jedem Stück ein Bällchen formen, auf das Backblech legen und zugedeckt nochmals etwa 10 Minuten gehen lassen. • Den Backofen auf 230° vorheizen. • Wasser in einem Topf zum Kochen bringen und den Topf auf den Boden des Backofens stellen, damit sich Dampf entwickelt. Die Brötchen mit Eimilch bestreichen und auf der mittleren Schiene des Backofens 20–25 Minuten backen lassen. Die Brötchen abkühlen lassen.

> **Unser Tip** Die Brötchen lassen sich gut einfrieren. Zum Auftauen etwa 10 Minuten in den auf 200° vorgeheizten Backofen geben; eine Schale mit kochendem Wasser auf den Ofenboden stellen.

Ganz einfach · Preiswert

Napfkuchen

100 g ungeschwefelte Rosinen · 3 Eßl. Rum · 4 Eier · 1 Prise Salz · 200 g weiche Butter · 150 g flüssiger Honig · 200 g Magerquark · 2 gehäufte Teel. Backpulver · 275 g Weizen, fein gemahlen
Für die Form: Butter · Vollkornbrösel
Bei 12 Stücken pro Stück etwa 1320 Joule/ 315 Kalorien

Vorbereitungszeit: 15 Minuten
Backzeit: 1 Stunde

Die Rosinen im erwärmten Rum quellen lassen. • Die Eier trennen. Die Eiweiße mit dem Salz steif schlagen. • Die Butter und den Honig mit den Quirlen des Handrührgerätes verrühren. Den Quark und die Eigelbe zugeben. Dann das mit dem Backpulver vermischte Mehl unterrühren. Zuletzt die Rumrosinen und den Eischnee unter den Teig heben. • Eine Napfkuchenform ausbuttern und ausbröseln. Den Teig einfüllen, in den kalten Backofen auf die mittlere Schiene stellen und bei 200° 60 Minuten backen lassen.

Ganz einfach · Preiswert

Quarkbrötchen

2 gehäufte Eßl. ungeschwefelte Rosinen · 1 gehäufter Eßl. Haselnußkerne · 150 g Magerquark · 1 Ei · 5 Eßl. Öl · 1 Messerspitze Salz · 1 Eßl. Honig · 300 g Weizen, fein gemahlen · 1 Päckchen Backpulver · Milch
Pro Stück etwa 630 Joule/150 Kalorien

Vorbereitungszeit: 30 Minuten
Ruhezeit: 30 Minuten
Backzeit: 25–30 Minuten

Die Rosinen in Mehl wenden, die Nüsse vierteln. Den Quark mit dem Ei, dem Öl, dem Salz und dem Honig verrühren. Das Mehl und das Backpulver zugeben und bei Bedarf etwas Milch, so daß ein fester Teig entsteht. Zuletzt die Rosinen und die Nüsse untermischen. Den Teig 30 Minuten zugedeckt ruhen lassen. • Den Backofen auf 220° vorheizen. • Ein Backblech mit Backpapier auslegen. Aus dem Teig eine Rolle formen und diese in 12 gleich große Stücke teilen. Aus jedem Stück ein Bällchen formen. Die Brötchen auf das Blech geben, mit Milch bestreichen und auf der mittleren Schiene des Backofens 25–30 Minuten backen lassen.

Braucht etwas Zeit

Rhabarberkuchen mit Honigbaiser 👆

Zutaten für eine Springform von 24 cm Ø :
125 g Butter · 125 g flüssiger Honig · 1 Ei ·
2 Eigelbe · 200 Weizen, fein gemahlen ·
1 gehäufter Teel. Backpulver · ½ Teel. Zimt ·
1 Messerspitze gemahlene Nelken · abgeriebene
Schale von ½ Zitrone (Schale unbehandelt) ·
Für die Form: Butter · Vollkornmehl ·
1 kg Rhabarber
Für das Baiser: 2 Eßl. Mandeln · 2 Eiweiße ·
1 Prise Salz · 1 Teel. Zitronensaft · 1 Eßl. Honig
Bei 12 Stücken pro Stück etwa 920 Joule/
220 Kalorien

Vorbereitungszeit: 40 Minuten
Backzeit: 50 Minuten

Die Butter mit dem Honig verrühren, dann das
Ei, die Eigelbe, das Mehl mit dem Backpulver,
die Gewürze und die abgeriebene Zitronenschale zugeben. Den Teig einige Minuten rühren,
dann 30 Minuten ruhen lassen. • Den Backofen
auf 190° vorheizen. Den Teig in eine gefettete,
bemehlte Springform geben und einen Rand bil-

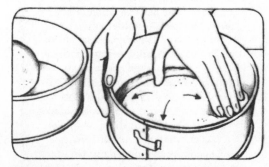

Den Mürbteig mit leicht bemehlten Fingern in die
Form drücken; das geht rascher als das Ausrollen.

den. Den Kuchenboden auf der mittleren Schiene 10 Minuten vorbacken. • Den Rhabarber
schälen, putzen und in 3 cm lange Stücke schneiden. Die Rhabarberstücke auf dem vorgebackenen Kuchen verteilen und nochmals 30 Minuten
backen lassen. • Die Mandeln mit heißem Wasser überbrühen, mit kaltem Wasser übergießen,
schälen, trocknen und feinmahlen. • Die Eiweiße mit dem Salz steif schlagen, den Zitronensaft
zugeben, den Honig vorsichtig untermengen und
die Mandeln unterziehen. Das Baiser auf den
Kuchen streichen und noch 10 Minuten auf der
obersten Schiene goldgelb backen.

Ganz einfach · Schnell

Schokoladenkuchen mit Sauerkirschen 👆

Zutaten für eine Springform von 24 cm Ø :
500 g Sauerkirschen · 5 Eier · 125 g weiche
Butter · 200 g flüssiger Honig · 2 gestrichene Eßl.
Kakao · 1 Messerspitze Vanillepulver ·
175 g Weizen, fein gemahlen · 1 gehäufter Teel.
Backpulver
Für die Form: Butter · Vollkornbrösel
Bei 12 Stücken pro Stück etwa 1010 Joule/
240 Kalorien

Vorbereitungszeit: 20 Minuten
Backzeit: etwa 40 Minuten

Die Kirschen waschen und auf Küchenpapier
trocknen lassen. • Die Eier trennen. Die Butter
schaumig rühren, mit den Eigelben, dem Honig,
dem Kakao und der Vanille verrühren. Zuletzt
das Mehl und das Backpulver zugeben. • Den
Backofen auf 170° vorheizen. • Die Eiweiße steif
schlagen. Den Eischnee unter den Teig ziehen.
Eine Springform ausbuttern, ausbröseln und den

Teig einfüllen. Die Kirschen gleichmäßig auf der Teigoberfläche verteilen. Den Kuchen auf die mittlere Schiene des vorgeheizten Backofens stellen und etwa 40 Minuten backen lassen.

Das paßt dazu: Schlagsahne.

Ganz einfach

Orangenkuchen ☛

Zutaten für eine Springform von 24 cm Ø :
250 g weiche Butter · 150 g flüssiger Honig ·
4 Eier · ¼ Teel. Vanillepulver · 1 Orange
(Schale unbehandelt) · 300 g Weizen,
fein gemahlen · 2 gestrichene Teel. Backpulver
Für die Form: Butter · Vollkornbrösel
Zum Beträufeln: 2 Orangen · Honig
Bei 12 Stücken pro Stück etwa 1300 Joule/
310 Kalorien

Vorbereitungszeit: 15 Minuten
Backzeit: 40 Minuten
Ruhezeit: 24 Stunden

Die Butter schaumig rühren, den Honig und die ganzen Eier zugeben. Die Vanille, die abgeriebene Schale der ganzen Orange und zuletzt das Mehl und das Backpulver dazufügen. • Den Backofen auf 190° vorheizen. • Eine Springform ausbuttern, ausbröseln und den Teig einfüllen. Den Kuchen auf der mittleren Schiene etwa 40 Minuten backen lassen. • Alle 3 Orangen auspressen. Den Saft mit so viel Honig verrühren, daß der Fruchtsaft leicht süß schmeckt. Den noch warmen Kuchen mit einer Gabel auf der Oberfläche mehrmals einstechen, mit dem Saft beträufeln, auskühlen lassen und in Alufolie wickeln; erst nach 24 Stunden anschneiden.

Braucht etwas Zeit

Früchtekuchen ☛

Zutaten für eine Kastenform von 29 cm Länge:
150 g ungeschwefelte Rosinen · knapp ⅛ l Rum ·
200 g Mandeln · 150 g ungeschwefelte Kurpflau-
men ohne Stein · 150 g Zitronat · 150 g
Orangeat · 200 g weiche Butter · 175 g flüssiger
Honig · 5 Eier · 150 g Hirseflocken · 75 g Wei-
zen, fein gemahlen · 2 gehäufte Teel. Backpulver
Für die Form: Butter · Vollkornbrösel
Bei 15 Stücken pro Stück etwa 1385 Joule/
330 Kalorien

Vorbereitungszeit: 30 Minuten
Backzeit: 1 Stunde und 20 Minuten
Ruhezeit: 3 Tage

Die Rosinen im erwärmten Rum quellen lassen. Die Mandeln grobreiben. Die Pflaumen kleinschneiden. Das Zitronat und das Orangeat kleinwürfeln. • Den Backofen auf 190° vorheizen. • Die Butter mit dem Honig verrühren, dann die ganzen Eier zugeben. Die Hirseflocken mit dem Mehl und dem Backpulver unter die Schaum-

Unser Tip Zitronat und Orangeat kann man selbst herstellen; diese Backzutaten sind dann garantiert ungeschwefelt und frei von Konservierungsstoffen und Zucker. Zitrusfrüchte mit unbehandelter Schale gründlich heiß abwaschen und mit Küchenkrepp abtrocknen. Dann die Schale entweder dünn abschälen und in Würfelchen schneiden oder mit einer Rohkostreibe dünn abreiben. Die so zerkleinerte Schale mit Honig vermengen und in Gläsern im Kühlschrank aufbewahren.

masse rühren. Zuletzt die Mandeln, die Trockenfrüchte und die abgetropften Rosinen unterheben. • Eine Kastenform ausbuttern und ausbröseln. Den Teig einfüllen. Den Früchtekuchen auf der mittleren Schiene des Backofens etwa 80 Minuten backen; nach der halben Backzeit mit Alufolie abdecken. • Den Kuchen auskühlen lassen, in Alufolie wickeln; frühestens nach 3 Tagen anschneiden.

Ganz einfach

Walnußtorte

Die Zutaten für eine Springform von 24 cm Ø :
200 g Walnußkerne · 100 g Zartbitter- oder
Mokkaschokolade · 5 Eier · 80 g weiche Butter ·
3 Eßl. Ahornsirup · ¼ Teel. Vanillepulver · 1 ge-
häufter Teel. Backpulver · 2 Eßl. Weinbrand
Zum Bestreichen: ¼ l Sahne · 1–2 Eßl.
Ahornsirup · 2 Prisen Vanillepulver
Bei 12 Stücken pro Stück etwa 1390 Joule/
330 Kalorien

Vorbereitungszeit: 20 Minuten
Backzeit: 1 Stunde

Die Nüsse und die Schokolade feinreiben; am besten geht dies in einem Arbeitsgang, wenn man die Nüsse und die Schokolade zusammen portionsweise im Mixer zerkleinert. • Die Eier trennen. Die Eiweiße steif schlagen. • Die Butter schaumig rühren, die Eigelbe und den Sirup zugeben, dann abwechselnd die Nüsse mit der Schokolade, die Vanille, das Backpulver und den Weinbrand. • Den Backofen auf 175° vorheizen. • Den Boden einer Springform mit Backpapier belegen. Den Eischnee unter den Teig ziehen. Den Teig in die Form einfüllen und auf der oberen Schiene 50–60 Minuten backen lassen. Eventuell nach der halben Backzeit mit Alufolie

abdecken. Die Torte auf einem Gitter auskühlen lassen. Die Sahne steif schlagen, süßen und würzen und auf den gebackenen Kuchen streichen.

Braucht etwas Zeit

Feiner Tee-Kuchen ☞

Zutaten für eine Kastenform von 29 cm Länge:
125 g ungeschwefelte Rosinen · 4 Eßl. Rum ·
100 g Mandeln · 100 g Zitronat · 200 g weiche
Butter · 4 Eier · 200 g flüssiger Honig ·
300 g Dinkel, fein gemahlen · 2 gehäufte Teel.
Backpulver · 1 Teel. Zimt · 1 Teel. gemahlener
Ingwer · abgeriebene Schale von ½ Zitrone und
½ Orange (Schale unbehandelt)
Für die Form: Butter · Vollkornbrösel
Bei 15 Stücken pro Stück etwa 1020 Joule/
255 Kalorien

Vorbereitungszeit: 35 Minuten
Backzeit: 1 Stunde und 20 Minuten
Ruhezeit: 3 Tage

Die Rosinen im erwärmten Rum quellen lassen.
Die Mandeln brühen, schälen, dann grobhacken.
Das Zitronat kleinwürfeln. • Den Backofen auf

> **Unser Tip** Bei vielen Backrezepten wird das Gebäck in den kalten Backofen geschoben, das erspart bis zu 20% Energiekosten. Für einige Gerichte muß jedoch der Backofen vorgeheizt werden, weil sonst die geformten Teigstücke auseinanderlaufen oder, zum Beispiel beim Tee-Kuchen und beim Früchtekuchen, die Früchte auf den Boden der Form sinken.

190° vorheizen. • Die Butter mit den ganzen Eiern und dem Honig verrühren, dann das Mehl mit dem Backpulver, den Gewürzen und der abgeriebenen Schale der Zitrusfrüchte zugeben. Zuletzt die Mandeln und das Zitronat unterheben. • Eine Kastenform ausbuttern, ausbröseln und den Teig einfüllen. Den Kuchen auf der mittleren Schiene des vorgeheizten Backofens insgesamt 80 Minuten backen. Nach der halben Backzeit die Oberfläche mit Alufolie abdecken. Den abgekühlten Tee-Kuchen in Alufolie wikkeln und frühestens nach 3 Tagen anschneiden.

Ganz einfach

Wiener Nußkuchen 🛢

Zutaten für eine Kastenform von 29 cm Länge:
125 g Haselnußkerne · 200 g weiche Butter ·
150 g flüssiger Honig · 3 Eier · 200 g Weizen,
fein gemahlen · 1 gehäufter Teel. Backpulver ·
1 gehäufter Eßl. Caroben
Für die Form: Butter · Vollkornbrösel
Bei 15 Stücken pro Stück etwa 1050 Joule/
250 Kalorien

Vorbereitungszeit: 25 Minuten
Backzeit: 65 Minuten

Die ganzen Nüsse in einer Pfanne rösten, bis sich die Haut ablöst. Die gerösteten Nüsse abkühlen lassen und ohne Schalen feinmahlen. • Die Butter mit dem Honig schaumig rühren, dann die ganzen Eier, das Mehl mit dem Backpulver und das Caroben zugeben. Zuletzt die Nüsse unterziehen und gründlich verrühren. Eine Kastenform ausbuttern und ausbröseln. Den Teig einfüllen und die Form auf die mittlere Schiene des kalten Backofens stellen. Den Nußkuchen bei 190° etwa 65 Minuten backen lassen. Nach der halben Backzeit mit Alufolie abdecken.

Braucht etwas Zeit

Rüblitorte 🛢

Zutaten für eine Springform von 24 cm ⌀ :
200 g gelbe Rüben (Möhren), geputzt gewogen ·
200 g Haselnußkerne · 4 Eier · 4 Eßl. Wasser ·
4 Eßl. Himbeer- oder Kirschgeist · 200 g flüssiger
Honig · 100 g Weizen oder Dinkel, fein
gemahlen · 1 gehäufter Teel. Backpulver
Für die Form: Butter
Zum Verzieren: 200 ml Sahne · 1 Eßl. Honig ·
2 Prisen Vanillepulver · 1 gehäufter Eßl.
Pistazienkerne
Bei 12 Stücken pro Stück 1180 Joule/
280 Kalorien

Vorbereitungszeit: 25 Minuten
Backzeit: etwa 50 Minuten

Die vorbereiteten Rüben auf der Rohkostreibe mittelfein reiben; sie dürfen nicht musig werden. Die Nüsse feinreiben. • Die Eier trennen; die Eiweiße steif schlagen. Mit den Quirlen des Handrührgerätes die Eigelbe mit dem Wasser und dem Alkohol schaumig rühren, den Honig zugeben. Dann das Mehl und das Backpulver zufügen. Jetzt die Rüben und die Nüsse zum Teig geben und vorsichtig den Eischnee unterziehen. • Eine Springform auf dem Boden ausbuttern und den Teig einfüllen. Die Form auf die mittlere Schiene des kalten Backofens stellen und die Torte bei 180° etwa 50 Minuten backen lassen. • Vorsichtig den Rand mit einem Messer lösen, dann die Torte auf einem Gitter abkühlen lassen. Die Sahne steif schlagen, süßen und würzen. Die Pistazien feinhacken. Die Torte rundherum mit der Sahne bestreichen, mit Pistazien bestreuen.

Ganz einfach

Mandeltorte ✶

Zutaten für eine Springform von 24 cm Ø :
150 g Mandeln · 125 g Butter · 125 g Ahornsirup
oder Honig · 4 Eier · 1 gehäufter Eßl. Kakao oder
2 gehäufte Eßl. Caroben · 1 gehäufter Teel.
Pulverkaffee · 125 g Weizen, fein gemahlen ·
2 gestrichene Teel. Backpulver
Für die Form: Butter · Vollkornbrösel
Zum Bestreichen: ¼ l Sahne · 2 Eßl. Ahornsirup
oder flüssiger Honig · 1 Messerspitze Vanille-
pulver · eventuell 1 Teel. Kakao oder Caroben
Bei 12 Stücken pro Stück etwa 1390 Joule/
330 Kalorien

Vorbereitungszeit: 20 Minuten
Backzeit: etwa 1 Stunde

Die Mandeln feinreiben. Die Butter mit dem Sirup oder dem Honig leicht erwärmen und verrühren, abkühlen lassen. • Nun die ganzen Eier,
den Kakao oder das Caroben, den Kaffee, die
Mandeln, das Mehl und das Backpulver unterrühren. • Eine Springform ausbuttern, ausbröseln und den Teig einfüllen. Die Form auf die
mittlere Schiene des kalten Backofens stellen
und den Kuchen bei 175° etwa 60 Minuten bakken lassen. • Den Kuchen auf einem Gitter auskühlen lassen. Die Sahne steif schlagen, süßen
und würzen. Die Oberfläche und den Rand der
Torte damit bestreichen. Eventuell einen Teil der
Sahne mit Kakao oder Caroben färben und mit
dem Spritzbeutel Rosetten auf die Torte spritzen.

Braucht etwas Zeit

Frühstückszopf ✶

500 g Weizen, fein gemahlen · 1 Würfel Hefe
(42 g) · 200–220 ml Milch · 1 Ei · 1 Prise Salz ·
1 Eßl. Honig · 1 Messerspitze Vanillepulver
oder abgeriebene Schale von ½ Zitrone
(Schale unbehandelt) · 50 g weiche Butter ·
75 g ungeschwefelte Rosinen · 75 g Zitronat ·
75 g Haselnußkerne oder geschälte Mandeln
Zum Bestreichen und Bestreuen: 15 g Butter ·
25 g blättrig geschnittene Haselnußkerne oder
Mandeln
Bei 25 Stücken pro Stück etwa 570 Joule/
135 Kalorien

Vorbereitungszeit: 25 Minuten
Ruhezeit: etwa 1 Stunde
Backzeit: 50 Minuten

Alle Zutaten müssen zimmerwarm sein. Das
Mehl in eine große Schüssel geben, in die Mitte
eine Mulde eindrücken. Die Hefe zerbröckeln
und mit etwas lauwarmer Milch verrühren, bis
sie aufgelöst ist. Diesen Vorteig in die Mulde gießen und mit wenig Mehl bestäuben. Den Teig,
mit einem Küchentuch zugedeckt, an einem warmen, zugfreien Platz gehen lassen, bis der Vorteig
Bläschen bildet. • Nun die restliche Milch, das
Ei, das Salz, den Honig, die Vanille oder die abgeriebene Zitronenschale und die Butter unter
Rühren zugeben. Jetzt den Teig mit einem Holzlöffel kräftig abschlagen oder mit dem Knethaken der Küchenmaschine kneten. Der Teig muß
schwer reißend vom Löffel oder Haken fallen,
soll aber etwas feuchter gehalten werden, als Hefeteig aus Weizenmehl Type 405. Den Teig zudecken und gehen lassen, bis sich das Volumen
in etwa verdoppelt hat. • Während der Ruhezeit
die Rosinen in etwas Mehl wälzen. Das Zitronat
kleinwürfeln, die Nüsse oder Mandeln hacken. •
Die Rosinen, das Zitronat und die Nüsse unter

den Teig kneten. • Den Backofen auf 190° vorheizen. • Den Teig in 3 gleich große Stücke teilen, Rollen formen und daraus einen Zopf flechten. Den Zopf auf ein mit Backpapier belegtes Blech geben, nochmals zugedeckt kurz gehen lassen, dann auf der mittleren Schiene 45–50 Minuten backen lassen. Noch heiß mit der flüssigen Butter bestreichen und mit den Nuß- oder Mandelblättchen bestreuen.

Variante: Nach diesem Rezept läßt sich auch ein Osterbrot zubereiten. Nach dem Gehenlassen den Teig mit den Händen durchkneten, einen runden Laib formen und die Oberfläche rautenförmig einschneiden. Das Brot nochmals kurz gehen lassen. Mit verquirltem Eigelb bestreichen und bei 190° etwa 1 Stunde backen lassen.

Braucht etwas Zeit

Bienenstich

*Für den Teig: 500 g Weizen, fein gemahlen ·
1 Würfel Hefe (42 g) · 200–220 ml Milch · 1 Ei ·
1 Prise Salz · 1 Eßl. Honig · 1 Messerspitze Vanillepulver oder abgeriebene Schale von ½ Zitrone
(Schale unbehandelt) · 50 g weiche Butter
Für den Belag: 250 g Mandeln · 250 g Honig ·
200 g Butter · ¼ Teel. Vanillepulver
Bei 20 Stücken pro Stück etwa 1300 Joule/
310 Kalorien*

Vorbereitungszeit: 25 Minuten
Ruhezeit: 1 Stunde
Backzeit: 1 Stunde

Alle Zutaten müssen zimmerwarm sein. Das Mehl in eine große Schüssel geben, in die Mitte eine Mulde eindrücken. Die Hefe zerbröckeln und mit etwas lauwarmer Milch verrühren, bis sie aufgelöst ist. Diesen Vorteig in die Mulde gie-

ßen und mit wenig Mehl bestäuben. Die Schüssel mit einem Küchentuch zugedeckt, an einem warmen, zugfreien Platz stehenlassen, bis der Vorteig Bläschen bildet. • Nun die restliche Milch, das Ei, das Salz, den Honig, die Vanille oder die abgeriebene Zitronenschale und die Butter unter Rühren zugeben. Jetzt den Teig mit einem Holzlöffel kräftig abschlagen oder mit dem Knethaken der Küchenmaschine kneten. Der Teig muß schwer reißend vom Löffel oder Haken fallen, soll aber etwas feuchter gehalten werden, als Hefeteig aus Weizenmehl Type 405. Den Teig zudecken und gehen lassen, bis sich das Volumen in etwa verdoppelt hat. • Während der Ruhezeit die Mandeln brühen, schälen, halbieren und in Stifte schneiden. Den Honig, die Butter, die Vanille und die Mandeln aufkochen, dann abkühlen lassen. • Den Hefeteig ausrollen und auf ein mit Backpapier belegtes Blech legen. Die Mandelmasse auf den Hefeteig streichen. Das Blech auf die mittlere Schiene in den kalten Backofen schieben und den Kuchen bei 190° etwa 60 Minuten backen lassen. Nach dem Abkühlen in Rechtecke schneiden.

Variante: ½ l Sahne steif schlagen, mit 2–3 Eßlöffeln Honig süßen und mit ¼ Teelöffel Vanillepulver würzen. Jedes Kuchenstück auseinanderschneiden und mit der Sahne füllen. Die Sahne erhält mehr »Stand«, wenn man Biobin verwendet.

Ganz einfach · Preiswert

Gewürzkuchen

*Zutaten für eine Kastenform von 29 cm Länge:
175 g weiche Butter · 3 Eier · 250 g Zuckerrübensirup · 300 g Weizen, fein gemahlen ·
2 gehäufte Teel. Backpulver · 2 gehäufte Teel.
Lebkuchengewürz · 3 Eßl. Rum*

Für die Form: Butter · Vollkornbrösel
Bei 15 Stücken pro Stück 1010 Joule/
240 Kalorien

Vorbereitungszeit: 15 Minuten
Backzeit: etwa 1 Stunde

Die Butter mit den ganzen Eiern und dem Sirup
mit den Quirlen des Handrührgerätes verrühren.
Dann das Mehl mit dem Backpulver und dem
Gewürz, zuletzt den Rum zugeben. • Eine Kastenform mit flüssiger Butter ausstreichen, ausbröseln und den Teig einfüllen. • Die Form auf
die mittlere Schiene des kalten Backofens stellen
und den Kuchen bei 175° etwa 60 Minuten bakken lassen. Eventuell nach der halben Backzeit
mit Alufolie abdecken.

Braucht etwas Zeit

Apfelrolle

*Für den Teig: 500 g Weizen, fein gemahlen ·
1 Würfel Hefe (42 g) · 200–220 ml Milch · 1 Ei ·
1 Prise Salz · 1 Eßl. Honig · 1 Messerspitze Vanil-
lepulver oder abgeriebene Schale von ½ Zitrone
(Schale unbehandelt) · 50 g weiche Butter
Für die Füllung: 1500–2000 g säuerliche Äpfel ·
Saft von 1 Zitrone · 4 Eßl. Haselnußkerne · 300 g
Crème fraîche · 4 gehäufte Eßl. ungeschwefelte
Rosinen · 4 Eßl. Ahornsirup · ½ Teel.
Vanillepulver · 1 gehäufter Teel. Zimt
Für die Form: Butter
Zum Belegen und Begießen: Butter · eventuell
¼ l heiße Milch*
Bei 20 Stücken pro Stück etwa 1050 Joule/
250 Kalorien

Vorbereitungszeit: 20 Minuten
Ruhezeit: 1 Stunde
Backzeit: 50 Minuten

Alle Zutaten müssen zimmerwarm sein. Das
Mehl in eine große Schüssel geben, in die Mitte
eine Mulde eindrücken. Die Hefe zerbröckeln
und mit etwas lauwarmer Milch verrühren, bis
sie aufgelöst ist. Diesen Vorteig in die Mulde gießen und mit wenig Mehl bestäuben. Die Schüssel mit einem Küchentuch zugedeckt, an einem
warmen, zugfreien Platz stehen lassen, bis der
Vorteig Bläschen bildet. • Nun die restliche
Milch, das Ei, das Salz, den Honig, die Vanille
oder die abgeriebene Zitronenschale und die
Butter unter Rühren zugeben. Jetzt den Teig mit
einem Holzlöffel kräftig abschlagen oder mit
dem Knethaken der Küchenmaschine kneten.
Der Teig muß schwer reißend vom Löffel oder
Haken fallen, soll aber etwas feuchter gehalten
werden als Hefeteig aus Weizenmehl Type 405.
Den Teig zudecken und gehen lassen, bis sich
das Volumen in etwa verdoppelt hat. • Während
der Ruhezeit die Äpfel vierteln, schälen, das
Kerngehäuse entfernen und die Äpfel in dünne
Schnitze schneiden. Mit dem Zitronensaft beträufeln. Die Haselnüsse grobhacken. • Den Hefeteig teilen, 2 Rechtecke ausrollen und auf Kü-
chentücher legen. Die Teigplatten mit je 100 g
Crème fraîche bestreichen. Die Äpfel gleichmäßig darauf verteilen, ebenso die Nüsse und die
Rosinen. Die Füllung mit dem Sirup beträufeln,
mit der Vanille und dem Zimt würzen. Die Teigplatten aufrollen, indem man die zwei nebenein-
anderliegenden Ecken des Küchentuchs in die
Hände nimmt und langsam nach oben zieht. Die
Apfelrollen nebeneinander mit dem Schluß
(Teigende) nach unten in eine gebutterte recht-
eckige Form legen, mit der restlichen Crème
fraîche bestreichen und mit Butterflöckchen belegen. Die Form in den kalten Backofen auf die
mittlere Schiene stellen und die Apfelrollen bei
210° 50 Minuten backen lassen. Die Apfelrolle
kann kalt oder warm gegessen werden. Wird die
Rolle warm serviert, sollte sie nach ungefähr
30 Minuten Backzeit mit der heißen Milch be-
gossen werden.

Braucht etwas Zeit

Nußrolle

*Für den Teig: 500 g Weizen, fein gemahlen ·
1 Würfel Hefe (42 g) · 200–220 ml Milch · 1 Ei ·
1 Prise Salz · 1 Eßl. Honig · 1 Messerspitze Vanillepulver oder abgeriebene Schale von ½ Zitrone
(Schale unbehandelt) · 50 g weiche Butter
Für die Füllung: 300 g Haselnußkerne · 3 Eßl.
flüssiger Honig · 1 gehäufter Teel. Zimt · ¼ Teel.
Vanillepulver · 1 gehäufter Eßl. Caroben · 1 Ei ·
1 Eiweiß · Milch
Zum Bestreichen: 1 Eigelb · 1 Eßl. Milch
Bei 20 Stücken pro Stück etwa 945 Joule/
225 Kalorien*

Vorbereitungszeit: 40 Minuten
Ruhezeit: 1 Stunde
Backzeit: etwa 50 Minuten

Alle Zutaten müssen zimmerwarm sein. Das
Mehl in eine große Schüssel geben, in die Mitte
eine Mulde eindrücken. Die Hefe zerbröckeln
und mit etwas lauwarmer Milch verrühren, bis
sie aufgelöst ist. Diesen Vorteig in die Mulde gießen und mit wenig Mehl bestäuben. Die Schüssel mit einem Küchentuch zugedeckt, an einem
warmen, zugfreien Platz stehen lassen, bis der
Vorteig Bläschen bildet. • Nun die restliche
Milch, das Ei, das Salz, den Honig, die Vanille
oder die abgeriebene Zitronenschale und die
Butter unter Rühren zugeben. Jetzt den Teig mit
einem Holzlöffel kräftig abschlagen oder mit
dem Knethaken der Küchenmaschine kneten.
Der Teig muß schwer reißend vom Löffel oder
Haken fallen, soll aber etwas feuchter gehalten
werden als Hefeteig aus Weizenmehl Type 405.
Den Teig zudecken und gehen lassen, bis sich
das Volumen in etwa verdoppelt hat. • Während
der Ruhezeit die Haselnüsse feinreiben, dann
mit dem Honig, dem Zimt, der Vanille, dem Caroben, dem Ei, dem Eiweiß und so viel Milch

verrühren, daß eine streichbare Masse entsteht. •
Den Hefeteig zu einem Rechteck ausrollen. Die
Nußmasse auf den Teig streichen. Den Teig von
der breiten Seite her aufrollen und die Ränder
fest zusammendrücken. Die Rolle auf ein mit
Backpapier belegtes Backblech legen und mit
der Eimilch bestreichen. • Auf die mittlere
Schiene des kalten Backofens schieben und bei
200° etwa 50 Minuten backen lassen.

Braucht etwas Zeit

Mohnrolle

*Für den Teig: 500 g Weizen, fein gemahlen ·
1 Würfel Hefe (42 g) · 200–220 ml Milch · 1 Ei ·
1 Prise Salz · 1 Eßl. Honig · 1 Messerspitze Vanillepulver oder abgeriebene Schale von ½ Zitrone
(Schale unbehandelt) · 50 g weiche Butter
Für die Füllung: 100 g Mandeln · 100 g Ahornsirup oder flüssiger Honig · 30 g Butter ·
¼ l Milch · 300 g frisch gemahlener Mohn ·
100 g ungeschwefelte Rosinen · abgeriebene
Schale von ½ Zitrone (Schale unbehandelt) ·
1 gestrichener Teel. Zimt · 2 Eßl. Rum ·
etwa 50 g Vollkornbrösel
Zum Bestreichen: 1 Eigelb · 1 Eßl. Milch
Bei 20 Stücken pro Stück etwa 880 Joule/
210 Kalorien*

Vorbereitungszeit: 15 Minuten
Ruhezeit: 1 Stunde
Backzeit: etwa 50 Minuten

Alle Zutaten müssen zimmerwarm sein. Das
Mehl in eine große Schüssel geben, in die Mitte
eine Mulde eindrücken. Die Hefe zerbröckeln
und mit etwas lauwarmer Milch verrühren, bis
sie aufgelöst ist. Diesen Vorteig in die Mulde gießen und mit wenig Mehl bestäuben. Die Schüssel mit einem Küchentuch zugedeckt, an einem

warmen, zugfreien Platz stehen lassen, bis der Vorteig Bläschen bildet. • Nun die restliche Milch, das Ei, das Salz, den Honig, die Vanille oder die abgeriebene Zitronenschale und die Butter unter Rühren zugeben. Jetzt den Teig mit einem Holzlöffel kräftig abschlagen oder mit dem Knethaken der Küchenmaschine kneten. Der Teig muß schwer reißend vom Löffel oder Haken fallen, soll aber etwas feuchter gehalten werden, als Hefeteig aus Weizenmehl Type 405. Den Teig zudecken und gehen lassen, bis sich das Volumen in etwa verdoppelt hat. • Während der Ruhezeit die Mandeln brühen, schälen, trocknen lassen und feinreiben. Den Sirup oder Honig, die Butter und die Milch aufkochen, den Mohn einrieseln lassen und unter Rühren ebenfalls aufkochen. Dann die Mandeln, die Rosinen, die Zitronenschale, den Zimt und den Rum zugeben. Die Brösel nach Bedarf unterrühren und die Füllung abkühlen lassen. • Den Hefeteig fingerdick zu einem Rechteck ausrollen, die Mohnmasse auf den Teig streichen und die Rolle von der breiten Seite her aufrollen. Mit der Naht nach unten auf ein Blech mit Backpapier legen, mit der Eimilch bestreichen. • In den kalten Backofen auf die mittlere Schiene geben und bei 200° etwa 50 Minuten backen lassen.

Braucht etwas Zeit · Nicht ganz einfach

Zwetschgenrolle 🗲

Für den Teig: 500 g Weizen, fein gemahlen · 1 Würfel Hefe (42 g) · 200–220 ml Milch · 1 Ei · 1 Prise Salz · 1 Eßl. Honig · 1 Messerspitze Vanillepulver oder abgeriebene Schale von ½ Zitrone (Schale unbehandelt) · 50 g weiche Butter
Für die Füllung: 2 kg Zwetschgen · 100 g flüssiger Honig · 1 gehäufter Teel. Zimt · Saft von 1 Zitrone · 2 Eßl. Rum · 50 g Haselnußkerne · 30 g Butter · etwa 100 g Vollkornbrösel

Zum Bestreichen: 1 Eigelb · 1 Eßl. Milch
Bei 20 Stücken pro Stück etwa 1030 Joule/ 245 Kalorien

Vorbereitungszeit: 20 Minuten
Ruhezeit: 1 Stunde
Backzeit: etwa 50 Minuten

Alle Zutaten müssen zimmerwarm sein. Das Mehl in eine große Schüssel geben, in die Mitte eine Mulde eindrücken. Die Hefe zerbröckeln und mit etwas lauwarmer Milch verrühren, bis sie aufgelöst ist. Diesen Vorteig in die Mulde gießen und mit wenig Mehl bestäuben. Die Schüssel mit einem Küchentuch zugedeckt, an einem warmen, zugfreien Platz stehen lassen, bis der Vorteig Bläschen bildet. • Nun die restliche Milch, das Ei, das Salz, den Honig, die Vanille oder die abgeriebene Zitronenschale und die Butter unter Rühren zugeben. Jetzt den Teig mit einem Holzlöffel kräftig abschlagen oder mit dem Knethaken der Küchenmaschine kneten. Der Teig muß schwer reißend vom Löffel oder Haken fallen, soll aber etwas feuchter gehalten werden, als Hefeteig aus Weizenmehl Type 405. Den Teig zudecken und gehen lassen, bis sich das Volumen in etwa verdoppelt hat. • Während der Ruhezeit die Zwetschgen waschen, entsteinen, dann in einer Schüssel mit dem Honig, dem Zimt, dem Saft der Zitrone und dem Rum mischen. 45 Minuten zugedeckt stehenlassen. • Die Haselnüsse grobhacken. • Nun den Teig zu einem Rechteck ausrollen. Die Butter erwärmen und den Teig damit bestreichen. Die Brösel und die Haselnüsse darauf verteilen. Die Zwetschgen abtropfen lassen, die Flüssigkeit für Kompott verwenden. Die Früchte auf der Teigplatte verteilen und den Teig von der breiten Seite her aufrollen. Die Ränder fest zusammendrücken. Die Rolle auf ein mit Backpapier belegtes Blech legen, mit der Eimilch bestreichen. Auf die mittlere Schiene des kalten Backofens stellen. Bei 200° etwa 50 Minuten backen lassen.

Braucht etwas Zeit · Preiswert

Rohrnudeln 🔥

*500 g Weizen, fein gemahlen · 1 Würfel Hefe
(42 g) · 200–220 ml Milch · 1 Ei · 1 Prise Salz ·
1 Eßl. Honig · 1 Messerspitze Vanillepulver
oder abgeriebene Schale von ½ Zitrone
(Schale unbehandelt) · 50 g weiche Butter
Für die Form und zum Bestreichen: 50 g Butter*
Pro Stück etwa 705 Joule/170 Kalorien

Vorbereitungszeit: 30 Minuten
Ruhezeit: 1 Stunde
Backzeit: 40 Minuten

Alle Zutaten müssen zimmerwarm sein. Das
Mehl in eine große Schüssel geben, in die Mitte
eine Mulde eindrücken. Die Hefe zerbröckeln
und mit etwas lauwarmer Milch verrühren, bis
sie aufgelöst ist. Diesen Vorteig in die Mulde gießen und mit wenig Mehl bestäuben. Die Schüssel mit einem Küchentuch zugedeckt, an einem
warmen, zugfreien Platz stehen lassen, bis der
Vorteig Bläschen bildet. • Nun die restliche
Milch, das Ei, das Salz, den Honig, die Vanille
oder die abgeriebene Zitronenschale und die
Butter unter Rühren zugeben. Jetzt den Teig mit
einem Holzlöffel kräftig abschlagen oder mit
dem Knethaken der Küchenmaschine kneten.
Der Teig muß schwer reißend vom Löffel oder
Haken fallen, soll aber etwas feuchter gehalten
werden, als Hefeteig aus Weizenmehl Type 405.
Den Teig zudecken und gehen lassen, bis sich
das Volumen in etwa verdoppelt hat. • Aus dem
Teig 2 Rollen formen und jede Rolle in 8 gleich
große Stücke teilen. Jedes Teigstück auf einem
bemehlten Brett zu einem Bällchen formen. Diese »Nudeln« mit einem Tuch bedecken und
nochmals kurz gehen lassen. • Eine Bratenpfanne oder Auflaufform ausbuttern und die Nudeln
nebeneinander in die Form legen, ohne Zwischenraum. Die Oberfläche mit der restlichen

Butter bestreichen. • Die Form in den kalten
Backofen auf die mittlere Schiene stellen und die
Rohrnudeln bei 210° in 40 Minuten goldgelb
backen.

Das paßt dazu: Vanillesauce (Rezept Seite 241)
oder Apfelkompott.

Variante: Dukatennudeln
Die Nudeln in der Form nicht mit Butter bestreichen, sondern mit einer heißen Sauce aus ¼ l
Milch, 75 g Butter, 1 Messerspitze Vanillepulver
und 2 Eßlöffeln Honig übergießen und auf der
mittleren Schiene des auf 200° vorgeheizten
Backofens 30–40 Minuten backen lassen. Die
Dukatennudeln werden heiß serviert, am besten
zu einem Kompott aus Dörrobst.

Braucht etwas Zeit · Preiswert

Zwetschgen- oder Aprikosennudeln 🔥

*Für den Teig: 500 g Weizen, fein gemahlen ·
1 Würfel Hefe (42 g) · 200–220 ml Milch · 1 Ei ·
1 Prise Salz · 1 Eßl. Honig · 1 Messerspitze
Vanillepulver oder abgeriebene Schale von
½ Zitrone (Schale unbehandelt) · 50 g weiche
Butter
Für die Füllung: 16 Zwetschgen
oder 12 Aprikosen · 2 Eßl. fester Honig
Für die Form und zum Bestreichen: 50 g Butter*
Pro Stück etwa 1050 Joule/250 Kalorien

Vorbereitungszeit: 40 Minuten
Ruhezeit: 1 Stunde
Backzeit: etwa 40 Minuten

Alle Zutaten müssen zimmerwarm sein. Das
Mehl in eine große Schüssel geben, in die Mitte

eine Mulde eindrücken. Die Hefe zerbröckeln und mit etwas lauwarmer Milch verrühren, bis sie aufgelöst ist. Diesen Vorteig in die Mulde gießen und mit wenig Mehl bestäuben. Die Schüssel mit einem Küchentuch zugedeckt, an einem warmen, zugfreien Platz stehen lassen, bis der Vorteig Bläschen bildet. • Nun die restliche Milch, das Ei, das Salz, den Honig, die Vanille oder die abgeriebene Zitronenschale und die Butter unter Rühren zugeben. Jetzt den Teig mit einem Holzlöffel kräftig abschlagen oder mit dem Knethaken der Küchenmaschine kneten. Der Teig muß schwer reißend vom Löffel oder Haken fallen, soll aber etwas feuchter gehalten werden, als Hefeteig aus Weizenmehl Type 405. Den Teig zudecken und gehen lassen, bis sich das Volumen in etwa verdoppelt hat. • Die Früchte waschen, abtrocknen und entsteinen. Jede Frucht mit wenig Honig füllen und wieder zusammensetzen. • Den Hefeteig teilen und 2 gleich große Rollen formen. Für die Zwetschgennudeln jede Rolle in 8 Stücke, für die Aprikosennudeln in je 6 Stücke teilen. Mit der Handfläche ein Teigstück breitdrücken, in die Mitte eine vorbereitete Frucht geben, den Teig schließen und auf der bemehlten Arbeitsfläche ein Bällchen formen. Die Nudeln unter einem Tuch nochmals gehen lassen. • Eine Bratenpfanne oder Auflaufform ausbuttern, die Nudeln ohne Zwischenraum hineinsetzen und mit der restlichen Butter bestreichen. • Die Form in den kalten Backofen auf die mittlere Schiene geben und die Nudeln bei 210° etwa 40 Minuten backen lassen. Die Nudeln sollen auf einem Gitter auskühlen.

Das paßt dazu: heiße Vanillesauce (Rezept Seite 238).

Braucht etwas Zeit · Nicht ganz einfach

Weihnachtsstollen ☝

75 g Mandeln · 100 g ungeschwefelte Rosinen · 4 Eßl. Rum · 100 g Zitronat · 100 g Orangeat · 500 g Weizen, fein gemahlen · 1 Würfel Hefe (42 g) · 200–220 ml Milch · 1 Ei · 1 Prise Salz · 100 g Honig · ¼ Teel. Vanillepulver · 50 g weiche Butter · 1 gestrichener Teel. Zimt · 1 Messerspitze gemahlener Kardamon · 1 Messerspitze geriebene Muskatnuß
Zum Bestreichen: 30 g flüssige Butter
Bei 20 Stücken pro Stück 800 Joule/190 Kalorien

Vorbereitungszeit: 45 Minuten
Ruhezeit: über Nacht
Backzeit: etwa 50 Minuten
Zeit zum Durchziehen: mindestens 3–4 Tage

Die Mandeln brühen, schälen und in Stifte schneiden. Die Rosinen im erwärmten Rum quellen lassen. Das Zitronat und Orangeat würfeln. • Das Mehl in eine große Schüssel geben, in die Mitte eine Mulde eindrücken. Die Hefe zerbröckeln und mit etwas lauwarmer Milch verrühren, bis sie aufgelöst ist. Diesen Vorteig in die Mulde gießen und mit wenig Mehl bestäuben. Die Schüssel, mit einem Küchentuch zugedeckt, an einem warmen, zugfreien Platz stehen lassen, bis der Vorteig Bläschen bildet. • Nun die restliche Milch, das Ei, das Salz, den Honig, die Vanille und die Butter unter Rühren zugeben. Jetzt den Teig mit einem Holzlöffel kräftig abschlagen oder mit dem Knethaken der Küchenmaschine kneten. Der Teig muß schwer reißend vom Löffel oder Haken fallen, soll aber etwas feuchter gehalten werden, als Hefeteig aus Weizenmehl Type 405. Zum Ende der Knetzeit die Mandeln, die Rumrosinen, das Zitronat und Orangeat sowie die Gewürze zum Teig geben. Den Teig zugedeckt kühl stellen und über Nacht ruhen lassen. • Den Backofen auf 200° vorheizen. Den

Teig nochmals kneten und ein längliches Brot daraus formen. Dieses mit dem Wellholz abflachen, die Oberfläche mit warmem Wasser bestreichen und einen Teil des Teiges der Länge nach auf den anderen klappen – so ergibt sich die typische Stollenform. Den Stollen mit der Hälfte der flüssigen Butter bestreichen, auf ein mit Backpapier belegtes Blech geben und auf der mittleren Schiene etwa 50 Minuten backen lassen. Eventuell nach 30 Minuten mit Alufolie abdecken. Den Stollen noch heiß mit der restlichen Butter bestreichen, abkühlen und 3–4 Tage durchziehen lassen.

Braucht etwas Zeit · Nicht ganz einfach

Kletzenbrot

Kletzen nennt man in Süddeutschland die getrockneten Birnen. Das Kletzenbrot ist ein beliebtes Gebäck zur Advents- und Weihnachtszeit.

500 g ungeschwefelte getrocknete Birnen ·
500 g ungeschwefelte Kurpflaumen ohne Stein ·
1 Stange Zimt · 6 ganze Nelken · 500 g Weizen,
fein gemahlen · 1 Würfel Hefe (42 g) · ¼ Teel.
Salz · 1 Eßl. Honig · etwa 330 ml Brühe von
den Dörrfrüchten · 75 g Haselnußkerne ·
75 g Mandeln · 75 g Feigen · 75 g Datteln ·
50 g Zitronat · 50 g Orangeat · 100 g ungeschwe-
felte Rosinen · abgeriebene Schale von je ½ Zitro-
ne und Orange (Schalen unbehandelt)
Zum Bestreichen: 40 g Butter oder 2 Eßl. Honig
Pro 100 g etwa 1405 Joule/335 Kalorien

Vorbereitungszeit: 50 Minuten
Ruhezeit: 1 Stunde
Backzeit: etwa 50 Minuten
Zeit zum Durchziehen: mindestens 1 Woche

Die Birnen und die Pflaumen mit dem Zimt und den Nelken in einem Topf mit Wasser bedecken und weich kochen. Die Flüssigkeit abgießen und auffangen, Früchte abkühlen lassen. • Das Mehl in eine große Schüssel geben, in die Mitte eine Mulde eindrücken. Die Hefe zerbröckeln und mit etwas lauwarmem Wasser verrühren, bis sie aufgelöst ist. Diesen Vorteig in die Mulde gießen und mit wenig Mehl bestäuben. Die Schüssel, mit einem Küchentuch zugedeckt, an einem warmen, zugfreien Platz stehen lassen, bis der Vorteig Bläschen bildet. Nun etwa 330 ml lauwarme Birnen- und Pflaumenbrühe, das Salz und den Honig unter Rühren zugeben. Jetzt den Teig mit einem Holzlöffel kräftig abschlagen oder mit dem Knethaken der Küchenmaschine kneten. Der Teig muß schwer reißend vom Löffel oder Haken fallen, soll aber etwas feuchter gehalten werden, als Hefeteig aus Weizenmehl Type 405. Den Teig zudecken und gehen lassen, bis sich das Volumen in etwa verdoppelt hat. • Die Birnen und Pflaumen kleinschneiden, die Nüsse und Mandeln grobmahlen. Die Feigen kleinschneiden. Die Datteln entsteinen und ebenfalls kleinschneiden. Das Zitronat und das Orangeat würfeln. Nun den Hefeteig mit allen Früchten, den Nüssen und Mandeln und der abgeriebenen Schale der Zitrusfrüchte verkneten und daraus zwei längliche Brote formen. Nochmals etwa 15 Minuten gehen lassen. • Den Backofen auf 210° vorheizen. • Die Kletzenbrote auf ein mit Backpapier belegtes Blech legen und auf der mittleren Schiene etwa 50 Minuten backen lassen. Einen Topf mit kochendem Wasser während des Backens auf den Boden des Backofens stellen. Nach der halben Backzeit mit Alufolie abdecken. • Die Butter zerlassen und die noch heißen Kletzenbrote damit bestreichen. Oder den Honig etwas einkochen lassen und die Oberfläche der heißen Brote mit Honig bestreichen. Die Brote vor dem Anschneiden mindestens 1 Woche durchziehen lassen.

Braucht etwas Zeit · Nicht ganz einfach

Topfenrahmstrudel ☞

Für den Teig: 60 g weiche Butter · 1 Ei ·
1 Prise Salz · 6 Eßl. lauwarmes Wasser ·
300 g Weizen, fein gemahlen · 1 Teel. Öl
Für die Füllung: 50 g weiche Butter · 4 Eier ·
1 kg Magerquark · 4 Eßl. Sahne · 200 g flüssiger
Honig · abgeriebene Schale von ½ Zitrone (Schale
unbehandelt) · 50 g ungeschwefelte Rosinen ·
50 g Mandeln
Für die Form: 75 g Butter
Zum Bestreichen und Begießen: ⅛ l saure Sahne ·
⅛ l Milch
Bei 10 Portionen pro Portion 2180 Joule/
520 Kalorien

Vorbereitungszeit einschließlich Ruhezeit:
50 Minuten
Backzeit: 45–50 Minuten

Für den Teig die Butter zerlassen. Die Butter, das Ei, das Salz und das Wasser mit dem Schneebesen gründlich verrühren. Das Mehl zugeben und mit den Knethaken der Küchenmaschine einen gleichmäßigen Teig kneten. Den Teig zu einer Kugel formen, mit dem Öl bestreichen und in einer angewärmten Schüssel 30 Minuten zugedeckt ruhen lassen. • Inzwischen für die Füllung die Butter mit den Eiern schaumig rühren, den Quark (Topfen), die Sahne (Rahm), den Honig und die abgeriebene Zitronenschale zugeben. • Die Rosinen mit heißem Wasser überbrühen, abgießen und abtropfen lassen. Die Mandeln grobhacken. Die Rosinen und die Mandeln unter die Quarkmasse rühren. • Den Backofen auf 200° vorheizen. • Den Teig halbieren; eine Teighälfte so dünn wie möglich ausrollen und auf ein Geschirrtuch legen. Mit der Hälfte der Füllung bestreichen und mit Hilfe des Küchentuchs zum Strudel aufrollen. Mit der zweiten Teighälfte ebenso verfahren. Nun in einer Bratenpfanne

oder einer rechteckigen Auflaufform die Butter schmelzen. Die beiden Strudel in die Form legen, mit der sauren Sahne (Sauerrahm) bestreichen und auf der mittleren Schiene 20 Minuten backen lassen. Dann die Milch erwärmen, über die Strudel gießen und diese noch 25–30 Minuten backen lassen. Die Strudel schmecken sowohl warm als auch kalt.

Variante: Apfelstrudel
Anstelle der Quarkfüllung die Teigplatten mit ¼ l saurer Sahne bestreichen. 1500 g säuerliche Äpfel schälen und grobraspeln, mit 100 g gequollenen ungeschwefelten Rosinen, 100 g gehackten Mandeln, 125 g Ahornsirup, ¼ Teelöffel Vanillepulver und 1 gestrichenem Teelöffel Zimt vermengen. Die Füllung auf dem Teig verteilen, die Strudel wie oben aufrollen, bestreichen, backen.

Braucht etwas Zeit

Linzer Torte ☞

Bild Seite 382

Zutaten für eine Springform von 24 cm ∅:
200 g ungeschwefelte getrocknete Aprikosen ·
200 g Weizen, fein gemahlen · 175 g Mandeln ·
3 Eßl. Honig · 1 gestrichener Teel. Zimt ·
1 Messerspitze gemahlene Nelken · ½ Zitrone
(Schale unbehandelt) · 200 g kalte Butter ·
nach Belieben 1 Eßl. Obstgeist oder Orangenlikör
Für die Form: Butter · Vollkornmehl
Zum Bestreichen: 1 Eigelb · 1 Eßl. Milch
Bei 12 Stücken pro Stück 1390 Joule/
330 Kalorien

Zeit zum Einweichen der Aprikosen: 12 Stunden
Vorbereitungszeit: 30 Minuten
Ruhezeit: 1 Stunde
Backzeit: 50 Minuten

Die Aprikosen über Nacht mit Wasser bedeckt einweichen. • Das Mehl auf die Arbeitsfläche schütten. Die Mandeln feinreiben und auf dem Mehl verteilen. Den Honig und die Gewürze mit der abgeriebenen Zitronenschale dazugeben. Die Butter in Stückchen schneiden und auf dem Mehl verteilen. Alles rasch zu einem Teig verkneten; bei Bedarf etwas kaltes Wasser zugeben. Zugedeckt 1 Stunde in den Kühlschrank stellen. • Die Aprikosen mit dem Alkohol und, wenn nötig, mit etwas Einweichwasser pürieren, so daß eine Art Marmelade entsteht. • Zwei Drittel des Teiges in eine gefettete, bemehlte Springform geben und einen Rand formen. Die Marmelade gleichmäßig auf dem Teigboden verteilen. Den restlichen Teig ausrollen, in Streifen schneiden und die Torte gitterartig damit belegen. • Das Eigelb und die Milch verrühren und das Teiggitter damit bestreichen. • Die Torte auf die mittlere Schiene des kalten Ofens stellen und etwa 50 Minuten bei 200° backen.

Braucht etwas Zeit

Graubündner Apfelwähe

Zutaten für eine Form von 26 cm ∅ :
Für den Mürbeteig: 200 g Weizen, fein gemahlen ·
½ Teel. Backpulver · 1 Prise Salz · abgeriebene
Schale von ½ Zitrone (Schale unbehandelt) oder
1 Messerspitze Vanillepulver · 1 Eßl. flüssiger
Honig · 1 Ei · 125 g Butter
Für den Belag: 1 kg säuerliche Äpfel · Saft von
1 Zitrone · 4–5 Eßl. Honig · 2 Eier · ⅛ l Sahne ·
2 Prisen Zimt · 1 Prise Vanillepulver ·
nach Belieben Aprikosenmarmelade
Für die Form: Butter · Weizenmehl
Bei 12 Stücken pro Stück 1050 Joule/
250 Kalorien

Vorbereitungszeit: 50 Minuten
Ruhezeit: 30 Minuten oder 3–4 Stunden
Backzeit: etwa 40 Minuten

Das Mehl mit dem Backpulver, dem Salz und der abgeriebenen Zitronenschale oder der Vanille mischen, den Honig und das Ei in die Mitte des Mehls geben. Die kalte Butter in Stückchen zufügen und mit kalten Händen alles rasch zu einem gleichmäßigen Teig kneten. Den Mürbeteig 30 Minuten zugedeckt im Kühlschrank ruhen lassen. Oder aus den angegebenen Zutaten mit der weichen Butter einen Teig rühren und 3–4 Stunden im Kühlschrank ruhen lassen. • In dieser Zeit die Äpfel vierteln, schälen, von Kerngehäuse, Stiel und Blüte befreien, in nicht zu dünne Schnitze schneiden und mit dem Zitronensaft beträufeln, damit sie sich nicht verfärben. • Den Backofen auf 200° vorheizen. • Den

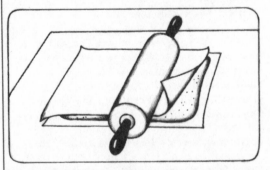

Sie können den Teig zwischen Folie, aber auch zwischen zwei Bogen Pergamentpapier ausrollen.

Mürbeteig ausrollen, in eine gebutterte und bemehlte Wähenform geben und einen Rand formen. Statt einer Wähenform kann eine Springform mit etwa 26 cm Durchmesser verwendet werden. Mit einer Gabel den Teigboden mehrmals einstechen und 10 Minuten auf der mittleren Schiene vorbacken. • Dann die Äpfel auf dem Kuchenboden verteilen, mit 2 Eßlöffeln

Honig beträufeln und weitere 15 Minuten backken. • Nun die Eier mit der Sahne und dem restlichen Honig verrühren. Die Gewürze zugeben und die Flüssigkeit auf den vorgebackenen Apfelkuchen gießen. Noch etwa 15 Minuten bakken, bis die Creme Farbe bekommt. Nach Belieben kann die Apfelwähe »aprikotiert« werden, das heißt, man bestreicht sie noch heiß mit verdünnter Aprikosenmarmelade.

Unser Tip Damit der Mürbeteig nicht klebt, rollen Sie ihn zwischen Plastikfolie (zum Beispiel einem aufgeschnittenen Gefrierbeutel) aus. Die Springform immer fetten und bemehlen. Wird der Teig ohne Belag gebacken, den Teigboden mit einer Gabel mehrmals einstechen, damit sich beim Backen keine Blasen bilden.

Nicht ganz einfach

Obstkuchen mit Mandelbaiser 🖙

Zutaten für eine Springform von 24 cm ⌀ :
Für den Mandelmürbeteig: 75 g Mandeln ·
150 g Weizen, fein gemahlen · 1 Ei ·
1 Eßl. Honig · 1 Prise Salz · 150 g kalte Butter
Für den Belag: 500 g Obst (Ananas, Pfirsiche,
Aprikosen, Birnen oder Kirschen)
Für das Baiser: 50 g Mandeln · 2 Eiweiße ·
1 Prise Salz · 1 Eßl. flüssiger Honig
Für die Form: Butter · Vollkornmehl
Bei 12 Stücken pro Stück etwa 1010 Joule/
240 Kalorien

Vorbereitungszeit: 40 Minuten
Ruhezeit: 30 Minuten
Backzeit: 35–40 Minuten

Die Mandeln brühen, schälen, auf Küchenpapier trocknen, dann feinreiben. Das Mehl mit dem Ei, dem Honig, dem Salz und den Mandeln mischen. Die kalte Butter in Stückchen zugeben und alles rasch zu einem Teig kneten. Den Mandelmürbeteig zugedeckt 30 Minuten im Kühlschrank ruhen lassen. • Während der Ruhezeit das Obst waschen oder schälen, eventuell entkernen und zerkleinern. • Für das Baiser die Mandeln brühen, schälen, trocknen und feinreiben. • Eine Springform ausbuttern und bemehlen. Den Teig zwischen Plastikfolie ausrollen, den Boden der Springform damit auslegen und einen Teigrand bilden. Den Teigboden mit einer Gabel mehrmals einstechen. Die Form auf die mittlere Schiene des kalten Backofens stellen und den Kuchenboden bei 200° 25–30 Minuten backen lassen. • Die Eiweiße mit dem Salz steif schlagen, vorsichtig die Mandeln und den Honig unterziehen. Die Früchte auf dem vorgebackenen Boden verteilen, den Eischaum auf das Obst streichen und den Kuchen nochmals 10 Minuten backen, bis das Mandelbaiser goldgelb ist.

Braucht etwas Zeit · Ganz einfach

Käsekuchen 🖙

Bild Seite 381

Dieser Teig ähnelt dem Mürbeteig. Er ist rasch zubereitet und eignet sich für Obst- und Käsekuchen. Wenn Sie den Honig weglassen, lassen sich aus dem Ölteig Pizza, Zwiebelkuchen, pikanter Käsekuchen und dergleichen herstellen. Die hier angegebene Teigmenge reicht für 1 Springform von 24 cm ⌀.

*Für den Ölteig: 200 g Weizen, fein gemahlen ·
3 Eßl. Pflanzenöl · 3 Eßl. kaltes Wasser ·
1 Prise Salz · 1 Eßl. Honig
Für den Belag: ½ Tasse ungeschwefelte Rosinen ·
1–2 Eßl. Rum · 750 g Magerquark · Milch ·
175 g flüssiger Honig · 3 Eier · 1 Prise Salz ·
¼ Teel. Vanillepulver · 1 Becher Sahne (200 g)
Für die Form: Butter · Vollkornmehl*
Bei 12 Stücken pro Stück 1090 Joule/
260 Kalorien

Vorbereitungszeit einschließlich Ruhezeit:
40 Minuten
Backzeit: 55 Minuten

Aus den angegebenen Zutaten einen Teig rühren,
dann einige Minuten kräftig kneten. Den Teig
zugedeckt 30 Minuten ruhen lassen. • Während
der Ruhezeit die Rosinen in heißem Rum quellen lassen. • Den Quark mit etwas Milch glattrühren. Dann den Honig, die ganzen Eier, das
Salz und die Vanille zugeben. • Den Teig ausrollen, in eine gefettete, bemehlte Springform geben, einen Rand bilden und den Boden mehrmals einstechen. • Die Form auf die mittlere
Schiene des kalten Backofens stellen und den
Kuchenboden bei 200° gut 15 Minuten vorbak-
ken. • Die Sahne steif schlagen, mit den Rumrosinen unter die Quarkcreme heben und die
Masse auf den vorgebackenen Boden streichen.
Den Käsekuchen in 40 Minuten fertig backen.

Braucht etwas Zeit

Apfelkuchen mit Guß 🕐

*Die Teigmenge reicht für 1 Backblech oder
2 Springformen:
Für den Quark-Öl-Teig: 150 g trockener
Magerquark · 6 Eßl. Pflanzenöl · 3 Eßl. Milch ·
1 Ei · 1 Prise Salz · 2 Eßl. flüssiger Honig ·*

*1 Prise Vanillepulver oder abgeriebene Schale von
½ Zitrone (Schale unbehandelt) · 300 g Weizen,
fein gemahlen · 2 gehäufte Teel. Backpulver
Für den Belag: 2 kg säuerliche Äpfel · 3 Eßl. ungeschwefelte Rosinen · 2 Eßl. Rum · 60 g Butter ·
2–3 Eßl. Honig · 1 gestrichener Teel. Zimt ·
¼ Teel. Vanillepulver
Für den Guß: 3 Eier · 1 Eßl. Honig · 150 g Crème
fraîche oder saure Sahne*
Bei 24 Stücken pro Stück etwa 710 Joule/
170 Kalorien

Vorbereitungszeit einschließlich Ruhezeit:
50 Minuten
Backzeit: 45 Minuten

Den Quark mit dem Öl, der Milch, dem Ei, dem
Salz, dem Honig und der Vanille oder der abgeriebenen Zitronenschale verrühren. Die Hälfte
des Mehls und das Backpulver unterrühren.
Dann das restliche Mehl unterkneten. Den Teig
30 Minuten zugedeckt ruhen lassen. • Während
der Ruhezeit die Äpfel vierteln, vom Kerngehäuse befreien, schälen und in Stücke schneiden.
Die Apfelstücke mit den Rosinen, dem Rum und
der Butter kurz dünsten, dann abkühlen lassen.
Den Honig und die Gewürze zugeben und abschmecken. • Den Teig auf einem mit Backpapier belegten Blech ausrollen (oder mit den Händen breitdrücken) und die Apfelmasse auf dem
Teig verteilen. Das Blech auf die mittlere Schiene
des kalten Backofens stellen und den Kuchen bei
210° 30 Minuten backen lassen. • Die Eier trennen, die Eigelbe mit dem Honig cremig rühren,
die Crème fraîche oder die saure Sahne zugeben.
Die Eiweiße steif schlagen und unter die Creme

Unser Tip Ohne Honig eignet sich
der Teig für Pizza, Zwiebelkuchen und
dergleichen.

ziehen. Den Guß auf den vorgebackenen Apfel-kuchen streichen. Den Kuchen noch 10–15 Minuten weiterbacken, bis die Oberfläche schön goldbraun ist. Abgekühlt in Rechtecke schneiden und frisch servieren.

Braucht etwas Zeit

Apfel-Käse-Kuchen vom Blech ☞

Für den Quark-Öl-Teig: 150 g trockener
Magerquark · 6 Eßl. Pflanzenöl · 3 Eßl. Milch ·
1 Ei · 1 Prise Salz · 2 Eßl. flüssiger Honig ·
1 Prise Vanillepulver oder abgeriebene
Schale von ½ Zitrone (Schale unbehandelt) ·
300 g Weizen, fein gemahlen · 2 gehäufte Teel.
Backpulver
Für den Belag: 1500 g säuerliche
Äpfel · 1 Zitrone (Schale unbehandelt) · 3 Eier ·
50 g weiche Butter · 2 Eßl. flüssiger Honig ·
500 g Magerquark · 2 Eßl. Vollweizengrieß ·
4 Eßl. Sahne · 2 Eßl. ungeschwefelte Rosinen
Zum Bestreichen: 1 Eigelb · 1 Eßl. Milch
Bei 20 Stücken pro Stück etwa 880 Joule/210 Kalorien

Vorbereitungszeit einschließlich Ruhezeit:
45 Minuten
Backzeit: 55 Minuten

Den Quark mit dem Öl, der Milch, dem Ei, dem Salz, dem Honig und der Vanille oder der abgeriebenen Zitronenschale verrühren. Die Hälfte des Mehls und das Backpulver unterrühren. Dann das restliche Mehl unterkneten. Den Teig 30 Minuten zugedeckt ruhen lassen. • Während der Ruhezeit die Äpfel vierteln, vom Kerngehäuse befreien, schälen und in Schnitze schneiden. Die Apfelschnitze mit dem Zitronensaft beträu-

feln. • Die Eier trennen. Die weiche Butter mit dem Honig und den Eigelben verrühren. Den Quark, den Grieß, die Sahne, die Rosinen und die abgeriebene Schale von ½ Zitrone zugeben. • Die Eiweiße steif schlagen und den Schnee vorsichtig unterziehen. • Ein Backblech mit Backpapier auslegen. • Den Teig ausrollen, auf das Papier legen, mit den Äpfeln gleichmäßig belegen und die Quarkmasse auf die Äpfel streichen. Das Eigelb mit der Milch verrühren. Die Oberfläche des Kuchens mit der Eimilch bestreichen und das Blech auf die mittlere Schiene in den kalten Backofen stellen. • Den Apfel-Käse-Kuchen bei 200° etwa 55 Minuten backen lassen. Abgekühlt in Rechtecke schneiden und frisch essen.

Ganz einfach · Schnell

Streusel ☞

Die Streusel eignen sich als Belag auf Apfel-, Zwetschgen-, Kirsch-, Aprikosen- und Käsekuchen.

175 g Haselnußkerne · 75 g Weizen, fein
gemahlen · 125 g flüssiger Honig · ½ Teel. Zimt ·
¼ Teel. Vanillepulver · 75 g Butter
Insgesamt etwa 9530 Joule/2270 Kalorien

Zubereitungszeit: 15 Minuten

Die Nüsse feinreiben, mit dem Mehl, dem Honig und den Gewürzen vermengen. Dann die Butter schmelzen und zerlaufen lassen; alles mit einer Gabel zu einer krümeligen Masse verarbeiten.

Braucht etwas Zeit · Ganz einfach

Quarktaschen 🍴

Für den Quark-Öl-Teig: 150 g trockener
Magerquark · 6 Eßl. Pflanzenöl · 3 Eßl. Milch ·
1 Ei · 1 Prise Salz · 2 Eßl. flüssiger Honig ·
1 Prise Vanillepulver oder abgeriebene Schale
von ½ Zitrone (Schale unbehandelt) · 300 g Wei-
zen, fein gemahlen · 2 gehäufte Teel. Backpulver
Für die Füllung: 2 Eßl. ungeschwefelte Rosinen ·
750 g Magerquark · 4 Eigelbe · 75 g flüssige
Butter · 125 g flüssiger Honig · ¼ Teel.
Vanillepulver · eventuell Milch
Zum Bestreichen: 1 Eigelb · 1 Eßl. Milch
Bei 10 Stücken pro Stück etwa 1640 Joule/
390 Kalorien

Vorbereitungszeit einschließlich Ruhezeit:
50 Minuten
Backzeit: etwa 20 Minuten

Den Quark mit dem Öl, der Milch, dem Ei, dem
Salz, dem Honig und der Vanille oder der abgeriebenen Zitronenschale verrühren. Die Hälfte
des Mehls und das Backpulver unterrühren.
Dann das restliche Mehl unterkneten. Den Teig
30 Minuten zugedeckt ruhen lassen. • Während
der Ruhezeit die Rosinen mit heißem Wasser
übergießen und quellen lassen. • Den Quark mit
den Eigelben, der flüssigen Butter, dem Honig
und der Vanille cremig rühren, eventuell etwas
Milch zugeben. Die abgetropften Rosinen unter
die Creme heben. • Den Backofen auf 230° vorheizen. Den Teig ausrollen und Rechtecke von
etwa 10 × 10 cm mit dem Teigrädchen ausschneiden. In die Mitte jedes Teigstücks etwas Quarkfüllung geben. Die Ränder wie ein Kuvert zusammenklappen. Die Taschen mit Eimilch bestreichen und auf ein mit Backpapier belegtes
Blech geben. • Die Taschen auf der mittleren
Schiene des Backofens etwa 20 Minuten backen
lassen. Sie sollen auf einem Gitter auskühlen.

Braucht etwas Zeit · Nicht ganz einfach

Käse-Sahne-Torte 🍴

Zutaten für eine Springform von 24 cm Ø :
Für den Biskuitteig: 4–5 Eier · 1 Prise Salz ·
4 Eßl. lauwarmes Wasser · 125 g flüssiger Honig ·
¼ Teel. Vanillepulver · 1 gehäufter Teel.
Backpulver · 175 g Weizen oder Dinkel,
fein gemahlen
Für die Füllung: 5 Eier · 1 Prise Salz · 250 g flüssi-
ger Honig · 1 Zitrone (Schale unbehandelt) ·
750 g Magerquark · 12 Blatt weiße Gelatine ·
½ l Sahne
Für die Form: Butter
Bei 12 Stücken etwa 1660 Joule/395 Kalorien

Vorbereitungszeit: 50 Minuten
Backzeit: 30 Minuten
Kühlzeit: 3–4 Stunden

Die Eier trennen, die Eiweiße mit dem Salz steif
schlagen. Den Backofen auf 200° vorheizen. Die
Eigelbe mit dem Wasser und dem Honig mit den
Quirlen des Handrührgerätes schaumig rühren,
dann die Vanille und das mit dem Backpulver
gemischte Mehl unterrühren. Den Eischnee vorsichtig unterziehen. • Für die Torte den Teig in
eine am Boden gefettete Springform füllen und
auf der unteren Schiene des Backofens etwa
30 Minuten backen. Auskühlen lassen. • Den
Biskuittortenboden einmal durchschneiden.

Die beliebten Gnocchi aus der italienischen Küche ▷
schmecken, mit Vollweizengrieß zubereitet, noch herzhafter. Tomatensauce gehört dazu. Rezept Seite 324.

Den Boden in eine frische Springform geben. • Die Eier trennen, die Eiweiße mit dem Salz steif schlagen. • Die Eigelbe mit dem Honig schaumig rühren, den Saft und die abgeriebene Schale der Zitrone zugeben, dann den Quark unterrühren. Die aufgelöste Gelatine unter die Quarkmasse mischen. Wenn die Creme beginnt steif zu werden, zuerst den Eischnee unterziehen. • Dann die Sahne steif schlagen und vorsichtig unter die Creme heben. Die Käsesahne auf den Biskuitboden streichen. Den Tortendeckel mit einem Sägemesser vorsichtig in 12 gleichmäßige Stücke einteilen, aber nicht durchschneiden. Den Deckel auflegen und die Torte 3–4 Stunden in der Form kalt stellen.

Braucht etwas Zeit

Wiener Nußbusserl ☞

150 g Haselnußkerne · 250 g weiche Butter ·
175 g Honig · ¼ Teel. Vanillepulver ·
1 Eßl. Rum · 325 g Weizen, fein gemahlen ·
eventuell etwas Milch
Bei 50 Stücken pro Stück etwa 380 Joule/
90 Kalorien

Vorbereitungszeit: 40 Minuten
Ruhezeit: 2–3 Stunden
Backzeit: 12–15 Minuten

◁ Hülsenfrüchte eignen sich sehr gut für Eintöpfe und Aufläufe, wie dieses Cassoulet mit roten Bohnen zeigt. Rezept Seite 216.

Die Haselnüsse feinreiben. Mit den Quirlen des Handrührgerätes die Butter schaumig rühren, den Honig, das Ei, die Vanille, den Rum und das Mehl unterrühren. Zuletzt die Nüsse dazufügen. Wenn der Teig zu fest ist, etwas Milch zugeben. • Ein Backblech mit Backpapier auslegen. Den Teig in einen Spritzbeutel füllen und Kränze auf das Blech spritzen. Kühl stellen und einige Stunden antrocknen lassen. • Den Backofen auf 190° vorheizen und die Nußbusserl auf der mittleren Schiene des vorgeheizten Backofens in 12–15 Minuten hellgelb backen lassen.

Ganz einfach · Schnell

Sahnetorte
mit Früchten ☞

Zutaten für eine Springform von 24 cm Ø:
Für den Biskuitteig: 4–5 Eier · 1 Prise Salz ·
4 Eßl. lauwarmes Wasser · 125 g flüssiger Honig ·
¼ Teel. Vanillepulver · 1 gehäufter Teel.
Backpulver · 175 g Weizen oder Dinkel,
fein gemahlen
Für die Füllung: 500–750 g frische Früchte (Erd-
beeren, Himbeeren, Sauerkirschen, Aprikosen,
Pfirsiche oder Ananas) · ½ l Sahne · ¼ Teel.
Vanillepulver · 3–4 Eßl. Ahornsirup je nach Süße
der Früchte · 1 Eßl. Pistazienkerne
Für die Form: Butter
Bei 12 Stücken pro Stück etwa 1130 Joule/
270 Kalorien

Vorbereitungszeit: 10 Minuten
Backzeit: 30 Minuten

Die Eier trennen, die Eiweiße mit dem Salz steif schlagen. • Den Backofen auf 200° vorheizen. • Die Eigelbe mit dem Wasser und dem Honig mit den Quirlen des Handrührgerätes schaumig rühren, dann die Vanille und das mit dem Backpulver gemischte Mehl unterrühren. Den Eischnee vorsichtig unterziehen. • Den Teig in eine am Boden gefettete Springform füllen und auf der unteren Schiene des Backofens etwa 30 Minuten backen. Auskühlen lassen. • Die Früchte waschen oder brühen und schälen, eventuell entkernen und zerkleinern. Die gut gekühlte Sahne steif schlagen, mit der Vanille würzen und mit dem Sirup süßen. Die Teigböden mit der Sahne füllen, mit den Früchten belegen und zusammensetzen. Die Oberfläche und den Rand der Torte mit Sahne bestreichen. Die Pistazien kleinhacken und den Tortenrand damit bestreuen. Die Torte bis zum Servieren kühl stellen.

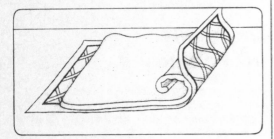

Die Biskuitplatte wird mit dem Tuch aufgerollt, nach dem Abkühlen ausgerollt, gefüllt und wieder aufgerollt.

Variante: Gefüllte Biskuitroulade
Für eine Roulade das Backblech mit Backpapier auskleiden, den Teig auf das Papier streichen und auf der mittleren Schiene etwa 15 Minuten backen. Ein Küchentuch in heißes Wasser tauchen, auswringen, nach dem Backen auf die Roulade legen. Das Blech stürzen, das Backpapier abziehen und das Tuch mit dem Biskuit aufrollen, auskühlen lassen. • Während die aufgerollte Teigplatte auskühlt, die Füllung zubereiten: zum Beispiel Sahne steif schlagen und süßen oder Sahnequark cremig rühren sowie Früchte waschen, schälen und zerkleinern. Den abge-

kühlten Teig wieder ausrollen, die Füllung gleichmäßig darauf verteilen und die Roulade wieder einrollen. Mit einem Rest der Füllung die Oberfläche bestreichen und eventuell mit Früchten verzieren.

Braucht etwas Zeit

Buttergebäck 🖐

100 g Mandeln · 300 g Weizenmehl, fein gemahlen · ½ Teel. Vanillepulver · 2 Eigelbe · 150 g flüssiger Honig · 200 g kalte Butter
Zum Bestreichen: Milch, Sahne oder Eigelb und 1 Eßl. Milch
Zum Bestreuen: Pistazien · Haselnußkerne · Mandeln · Walnußkerne
Bei 70 Stück pro Stück 230 Joule/55 Kalorien

Vorbereitungszeit: 1 Stunde und 30 Minuten
Ruhezeit: 1 Stunde
Backzeit: 15 Minuten

Die Mandeln mit heißem Wasser überbrühen, schälen, auf Küchenkrepp trocknen lassen und feinreiben. • Das Mehl auf die Arbeitsplatte schütten, die Vanille und die Mandeln auf dem Mehl verteilen. Die Eigelbe und den Honig in die Mitte in eine Mulde geben, die Butter in Würfel schneiden und auf dem Mehl verteilen. Alles mit kalten Händen rasch zu einem gleichmäßigen Teig verkneten. Zugedeckt 60 Minuten im Kühlschrank ruhen lassen. Ein Backblech mit Backpapier auslegen. Wenig Teig zwischen Plastikfolie (zum Beispiel aufgeschnittene Gefrierbeutel) ausrollen, Formen ausstechen und auf das Blech legen. Den Backofen auf 195° vorheizen. • Die Plätzchen mit Milch, Sahne oder Eimilch bestreichen. Mit gehackten Pistazien, Haselnüssen, geschälten und gehackten Mandeln bestreuen oder mit halbierten Walnußkernen belegen. • Auf der oberen Schiene des vorgeheizten Backofens 10–15 Minuten backen lassen.

Varianten: Runde Plätzchen aus dem Teig ausstechen und in die Mitte Makronenmasse geben.

Zitronenmakronenmasse:
*1 Eiweiß · einige Tropfen Zitronensaft ·
1 Eßl. Ahornsirup · 75 g feingeriebene
Haselnußkerne · 25 g feingehacktes Zitronat*

Schokoladenmakronenmasse:
*1 Eiweiß · einige Tropfen Zitronensaft ·
1 Eßl. Ahornsirup · 75 g ungeschälte,
feingeriebene Mandeln · 1 gehäufter Teel. Kakao*

Kokosmakronenmasse: *1 Eiweiß · einige Tropfen
Zitronensaft · 1 Eßl. Ahornsirup · 1 Messerspitze
Vanillepulver · 75 g Kokosflocken*

Jeweils das Eiweiß mit dem Zitronensaft steif schlagen, vorsichtig den Sirup und die Geschmackszutaten unterziehen; die Makronenmasse muß steif bleiben.

Glasuren für Kleingebäck

*Für eine Honigglasur brauchen Sie: 20 g Butter ·
3 Eßl. Honig · 1 Eßl. Zitronensaft.
Für eine Sirupglasur brauchen Sie: 20 g Butter ·
4 Eßl. Ahornsirup · 1 Eßl. Zitronensaft.*

Jeweils die Butter erwärmen, den Honig oder Sirup und den Zitronensaft zugeben. So lange unter Rühren kochen, bis die Masse dick wird. Heiß auf das Gebäck auftragen. Gut trocknen lassen.

Braucht etwas Zeit

Vanillekipferl

*150 g Mandeln · 150 g Buchweizen, fein
gemahlen · 150 g Weizen, fein gemahlen ·
125 g flüssiger Honig · 1 gestr. Teel.
Vanillepulver · 175 g kalte Butter*
Bei 50 Stücken pro Kipferl etwa 290 Joule/
70 Kalorien

Vorbereitungszeit: 50 Minuten
Ruhezeit: 1 Stunde
Backzeit: 20–25 Minuten

Die Mandeln mit heißem Wasser überbrühen, schälen, auf Küchenpapier trocknen lassen, dann feinreiben. Die Mandeln mit dem Mehl, dem Honig und der Vanille vermengen. Die Butter in Stückchen zugeben und daraus rasch einen glatten Teig kneten. Den Teig 1 Stunde zugedeckt im Kühlschrank ruhen lassen. • Den Backofen auf 190° vorheizen. Ein Backblech mit Backpapier auslegen. Nun kleine Kipferl (Hörnchen) aus dem Teig formen und auf das Blech legen. • Auf der mittleren Schiene je nach Größe 20–25 Minuten backen lassen.

nicht braun werden lassen, hell aus Ofen nehmen!

Ganz einfach

Dattelmakronen

*500 g Datteln · 150 g Weizen, fein gemahlen ·
50 g feine Vollkornhaferflocken · 1 Becher Sanoghurt (175 g) · 1 Ei · 4 Eßl. flüssiger Honig ·
½ Teel. Vanillepulver · 1 gehäufter Eßl. Caroben ·
abgeriebene Schale von ½ Zitrone
(Schale unbehandelt) · kleine Oblaten*
Bei 40 Stücken pro Stück etwa 250 Joule/
60 Kalorien

Vorbereitungszeit: 40 Minuten
Backzeit: 45 Minuten

Die Datteln entkernen und in ganz feine Stückchen schneiden. Das Mehl mit den Haferflocken vermengen, dann das Sanoghurt und das Ei unterrühren. Den Honig, die Vanille, das Caroben, die abgeriebene Zitronenschale und zuletzt die Datteln untermischen. • Den Backofen auf 150° vorheizen. Nun mit zwei angefeuchteten Teelöffeln Makrönchen formen, auf Oblaten auf das Backblech setzen. • Die Dattelmakronen auf der oberen Schiene etwa 45 Minuten mehr trocknen als backen lassen. Nach dem Auskühlen die überflüssigen Oblatenstücke abbrechen.

Braucht etwas Zeit

Spitzbuben 🖙

125 g Weizen, fein gemahlen · 250 g Hafer, fein gemahlen · 2 gehäufte Teel. Backpulver · 1 Ei · 4 Eßl. flüssiger Honig · ¼ Teel. Vanillepulver · 1 Prise Salz · 125 g kalte Butter · Aprikosenmarmelade
Bei 25 Stücken pro Stück etwa 480 Joule/ 115 Kalorien

Vorbereitungszeit: 1 Stunde
Ruhezeit: 1 Stunde
Backzeit: 12–14 Minuten

Die Mehlsorten und das Backpulver auf die Arbeitsfläche schütten, in die Mitte das Ei, den Honig und die Gewürze geben. Die Butter in Stükken auf dem Mehl verteilen und alles mit kalten Händen rasch zu einem glatten Teig kneten. Den Teig, in Alufolie gewickelt, 1 Stunde im Kühlschrank ruhen lassen. • Den Backofen auf 170° vorheizen. • Zwischen Plastikfolie (zum Beispiel einem aufgeschnittenen Gefrierbeutel) etwas

Teig ausrollen, Sterne ausstechen. Bei jedem 2. Stern mit einem Fingerhut in der Mitte einen Kreis ausstechen. • Ein Backblech mit Backpapier belegen. Die Plätzchen darauflegen und auf der mittleren Schiene in 12–14 Minuten hellbraun backen, dann abkühlen lassen. • Nun auf die ganzen Sterne etwas Marmelade geben, mit einem gelochten Stern bedecken, dabei die Sternzacken verschieben, und die Spitzbuben gut trocknen lassen.

Unser Tip Den Hafer vor dem Mahlen auf die Fettpfanne des Backofens schütten und 1 Stunde bei 80° darren lassen (rösten). So entwickelt diese Getreidesorte erst ihr volles Aroma.

Ganz einfach · Preiswert

Ingwerplätzchen 🖙

200 g Weizen, fein gemahlen · 1 gestrichener Teel. Backpulver · 4 Eßl. flüssiger Honig · 3½ Teel. gemahlener Ingwer · abgeriebene Schale von ½ Zitrone (Schale unbehandelt) · 50 g kalte Butter
Zum Bestreichen: 1 Eigelb
Bei 30 Stücken pro Stück etwa 170 Joule/ 40 Kalorien

Vorbereitungszeit: 40 Minuten
Ruhezeit: 1 Stunde
Backzeit: etwa 15 Minuten

Das Mehl mit dem Backpulver mischen und auf die Arbeitsplatte schütten, in die Mitte den Honig, den Ingwer und die Zitronenschale geben. Die kalte Butter in Stücken auf dem Mehl verteilen und alles rasch zu einem glatten Teig kneten. Den Teig, in Alufolie gewickelt, 1 Stunde im Kühlschrank ruhen lassen. • Den Backofen auf 170° vorheizen. Ein Backblech mit Backpapier auslegen. Den Teig portionsweise zwischen Plastikfolie (zum Beispiel aufgeschnittenen Gefrierbeuteln) ausrollen. Plätzchen ausstechen und auf das Blech legen. Das Eigelb verquirlen und die Plätzchen damit bestreichen. • Die Ingwerplätzchen auf der mittleren Schiene etwa 15 Minuten backen lassen.

hen, mit kaltem Wasser übergießen, schälen und der Länge nach halbieren. Nun die gehackten Mandeln und Nüsse, das Zitronat und das Orangeat unter den Teig rühren. • Den Backofen auf 175° vorheizen. Ein Backblech mit Backpapier auslegen, den Teig mit einem in Wasser getauchten Teigschaber auf das Papier streichen. Die Oberfläche mit den halbierten Mandeln belegen. Die Teigplatte etwa 25 Minuten backen. Noch warm in kleine Rechtecke schneiden, auskühlen lassen und in einer Blechdose aufbewahren.

Braucht etwas Zeit

Basler Leckerli 🔥

150 g Mandeln · 100 g Haselnußkerne · 50 g Zitronat · 50 g Orangeat · 3 Eßl. Rum · 600 g Weizen, fein gemahlen · 1 Päckchen Backpulver · 1 Päckchen Pfefferkuchengewürz oder ½ Teel. gemahlener Ingwer · je ¼ Teel. geriebene Muskatnuß, gemahlener Kardamom und Nelken · 1 gehäufter Teel. Zimt · 1 Zitrone (Schale unbehandelt) · 2 Eier · 600 g flüssiger Honig · 1 gehäufter Eßl. weiche Butter
Bei 80 Stücken pro Stück etwa 290 Joule/ 70 Kalorien

Vorbereitungszeit: 50 Minuten
Ruhezeit: 1 Stunde
Backzeit: etwa 25 Minuten

100 g Mandeln und die Nüsse grobhacken. Das Zitronat und das Orangeat kleinwürfeln, im warmen Rum ziehen lassen. • Das Mehl mit dem Backpulver und den Gewürzen vermengen, mit dem Saft und der abgeriebenen Schale der Zitrone, den ganzen Eiern, dem Honig und der weichen Butter verrühren. Den Teig zugedeckt 1 Stunde ruhen lassen. • In der Zwischenzeit die restlichen Mandeln mit heißem Wasser überbrü-

Braucht etwas Zeit

Wiener Lebkuchen 🔥

Diese Kuchen eignen sich gut als Christbaumbehang.

200 g Mandeln · 50 g Zitronat · 50 g Orangeat · 400 g Weizen, fein gemahlen · 100 g Roggen, fein gemahlen · 250 g flüssiger Honig · 2 Eier · 1 gehäufter Teel. Zimt · je ½ Teel. Kardamom und gemahlene Nelken · 15 g Pottasche · etwa ⅛ l Milch
Nach Belieben für die Honigglasur: 30 g Butter · 5 Eßl. Honig · 2 Eßl. Zitronensaft.
Bei 60 Stücken pro Stück etwa 290 Joule/ 70 Kalorien

Vorbereitungszeit: 50 Minuten
Ruhezeit: 24 Stunden
Backzeit: 15–20 Minuten

Die Mandeln brühen, schälen, auf Küchenpapier trocknen lassen, dann feinreiben. Das Zitronat und das Orangeat kleinwürfeln. • Auf die Arbeitsfläche die Mehlsorten schütten und in die Mitte eine Mulde drücken. In diese den Honig und die Eier geben. Die Gewürze, die Mandeln, das Zitronat und das Orangeat auf dem Mehl

Brot, Kuchen und Gebäck

verteilen. Die Pottasche in wenig kaltem Wasser lösen und in die Mehlmulde gießen. Nun einen gleichmäßigen Teig kneten, dabei so viel Milch zugeben, daß er sich ausrollen läßt. Den Teig 24 Stunden, in Alufolie gewickelt, im Kühlschrank aufbewahren. • Den Backofen auf 180° vorheizen. • Den Teig zwischen Plastikfolie (zum Beispiel einem aufgeschnittenen Gefrierbeutel) ausrollen. Große Sterne, Herzen, Tannenbäume, Weihnachtsmänner und dergleichen ausstechen. Kleine Löcher zum Durchziehen der Bändchen für den Baumschmuck ausstechen. • Die Lebkuchen auf ein mit Backpapier belegtes Blech geben und auf der mittleren Schiene je nach Größe 15–20 Minuten backen lassen. • Für die Honigglasur die Butter erwärmen, den Honig und den Zitronensaft zugeben. So lange unter Rühren kochen, bis die Masse dick ist. Heiß auf das warme Gebäck auftragen. Abkühlen lassen.

Braucht etwas Zeit

Mandelwaffeln 🐾

3 Eier · 75 g Mandeln · 200 g Butter ·
2 Eßl. flüssiger Honig · ¼ Teel. Vanillepulver ·
1 Eßl. Rum · 150 g Weizen · fein gemahlen ·
1 gestrichener Teel. Backpulver
Für das Waffeleisen: Butter
Bei 6 Waffeln pro Stück etwa 1970 Joule/
470 Kalorien

Vorbereitungszeit einschließlich Ruhezeit:
50 Minuten
Backzeit: 20 Minuten

Die Eier trennen. Die Mandeln feinreiben. Die Butter schaumig rühren. Den Honig, die Vanille, die Eigelbe und den Rum zugeben. Unter Rühren das Mehl mit dem Backpulver und die Mandeln zum Teig geben. 30 Minuten ruhen lassen. •

Das Waffeleisen vorheizen. Die Eiweiße steif schlagen und unter den Teig ziehen. Die Flächen des Waffeleisens mit Butter einpinseln. Etwas Teig in das Waffeleisen füllen, schließen und backen. Die gebackenen Waffeln auf einem Kuchengitter auskühlen lassen.

Ganz einfach

Windbeutel 🐾

Für den Teig: ¼ l Wasser · 50 g Butter · 1 Prise
Salz · 140 g Weizen, fein gemahlen · 4 kleine Eier
Füllung mit Sahne: ½ l steif geschlagene Sahne ·
¼ Teel. Vanillepulver · 2–3 Eßl. Ahornsirup
Füllung mit Orangencreme:
400 g Doppelrahm-Frischkäse · 3 cl Orangenlikör
oder abgeriebene Schale von ½ Orange (Schale
unbehandelt) · Orangensaft zum Glattrühren
Füllung mit Quarksahne: 300 g Magerquark ·
3 Eßl. flüssiger Honig · ¼ Teel. Vanillepulver
oder abgeriebene Schale von ½ Zitrone (Schale
unbehandelt) · 200 ml steif geschlagene Sahne ·
eventuell frische Früchte (Erdbeeren, Himbeeren,
Sauerkirschen, Pfirsiche oder Aprikosen)
Pro Stück etwa 760 Joule/180 Kalorien (Sahnefüllung)
Pro Stück etwa 700 Joule/165 Kalorien (Orangencremefüllung)
Pro Stück etwa 550 Joule/130 Kalorien (Quarkfüllung)

Vorbereitungszeit: 30 Minuten
Backzeit: 25–30 Minuten

Das Wasser mit der Butter und dem Salz aufkochen. Das Mehl auf einmal dazuschütten und rühren, bis sich der Teig als Kloß um den Kochlöffel wickelt und sich am Boden eine dünne, weiße Schicht bildet. Dann 1 Ei unterrühren. Den Teig abkühlen lassen und die restlichen Eier unterrühren. • Ein Backblech mit Backpapier auslegen. Den Backofen auf 220° vorheizen. Aus dem Teig etwa 16 Teighäufchen mit Hilfe von zwei Kaffeelöffeln oder mit dem Spritzbeutel formen, auf das Papier setzen und auf der mittleren Schiene 25–30 Minuten backen. • Sofort den Deckel mit einer Brotsäge oder einer Haushaltsschere abschneiden. Die Windbeutel auskühlen lassen. Die Füllung nach Wahl zubereiten. Die Windbeutel damit füllen. Die Deckel aufsetzen. Frisch servieren.

Braucht etwas Zeit

Mandellebkuchen ☛

350 g Mandeln · 250 g flüssiger Honig · 4 Eier · 75 g Zitronat · 75 g Orangeat · 2 Eßl. Rum · 1 gehäufter Teel. Zimt · je 1 Messerspitze Piment, gemahlene Nelken, gemahlener Kardamom, geriebene Muskatnuß · 250 g Weizen oder Dinkel, fein gemahlen · 2 gehäufte Teel. Backpulver · runde Lebkuchen-Oblaten
Bei 24 Stücken pro Stück 780 Joule/185 Kalorien

Vorbereitungszeit: 40 Minuten
Ruhezeit: 2 Stunden
Backzeit: 15–20 Minuten

250 g ungeschälte Mandeln feinreiben. 100 g Mandeln mit heißem Wasser überbrühen, mit kaltem Wasser übergießen, schälen, die Hälfte kleinhacken, die übrigen zur Seite legen. • Den Honig und die ganzen Eier schaumig rühren, die gemahlenen und die gehackten Mandeln unterrühren. Das Zitronat und das Orangeat kleinwürfeln und mit dem Rum sowie den Gewürzen unter die Nußmasse rühren. Nun das Mehl mit dem Backpulver mischen und zur Teigmasse kneten. Den Teig 2 Stunden zugedeckt im Kühlschrank ruhen lassen. • Den Backofen auf

170° vorheizen. • Den festen Teig auf die Oblaten streichen und mit den restlichen Mandeln belegen. Die Lebkuchen 15–20 Minuten auf der oberen Schiene backen lassen.

Braucht etwas Zeit · Ganz einfach

Fruchtschnitten ☛

Mit Honig zubereitet erhält man helles, mit Sirup dunkles Gebäck.

150 g Mandeln oder Haselnußkerne · 50 g Datteln · 50 g Feigen · 75 g Zitronat · 75 g Orangeat · 200 g weiche Butter · 4 Eier · 250 g flüssiger Honig oder Zuckerrübensirup · 500 g Weizen, fein gemahlen · 1½ Päckchen Backpulver · 1 gehäufter Teel. Zimt · ¼ Teel. gemahlene Nelken · 1 gehäufter Eßl. Kakao oder 2 gehäufte Eßl. Caroben · 3 Eßl. Rum
Nach Belieben für die Honigglasur: 30 g Butter · 5 Eßl. Honig · 2 Eßl. Zitronensaft
Bei 40 Stücken pro Stück etwa 650 Joule/ 155 Kalorien

Vorbereitungszeit: 50 Minuten
Backzeit: 35 Minuten

Die Mandeln oder Nüsse grobhacken. Die Datteln entsteinen und in feine Streifen schneiden. Die Feigen, das Zitronat und das Orangeat kleinwürfeln. Je feiner Sie die Trockenfrüchte schneiden, desto besser wird das Gebäck. • Mit den Knethaken des Handrührgerätes die Butter mit den ganzen Eiern und dem Honig oder Sirup verrühren. Das Mehl mit dem Backpulver, den Gewürzen und dem Rum dazurühren. Die Trockenfrüchte unterrühren. • Ein Backblech mit Backpapier auslegen. • Den Teig auf das Papier streichen; am besten geschieht dies mit einem in

Wasser getauchten Teigschaber. • Das Blech auf die obere Schiene des kalten Backofens stellen und die Teigplatte bei 175° etwa 35 Minuten backen lassen. • Entweder noch warm in Rauten schneiden und dann abkühlen lassen. In Blechdosen aufbewahren. Oder eine Honigglasur herstellen. Dafür die Butter erwärmen, den Honig und den Zitronensaft zugeben. So lange unter Rühren kochen, bis die Masse dick wird. Heiß auf das warme Gebäck auftragen und dann in Rauten schneiden. Die Schnitten auf einem Gitter auskühlen lassen, bis sie nicht mehr kleben.

Ganz einfach · Preiswert

Fruchtwaffeln ☞

50 g Haselnußkerne · 2–3 Eier · 2–3 Eßl. flüssiger Honig · 200 g weiche Butter · 180 g Weizen, fein gemahlen · 1 gehäufter Teel. Backpulver · 1 Messerspitze Vanillepulver · ½ Teel. Zimt · 250 g Äpfel
Für das Waffeleisen: Butter
Bei 7 Waffeln pro Stück etwa 1390 Joule/ 330 Kalorien

Vorbereitungszeit: 30 Minuten
Backzeit: 30 Minuten

Die Nüsse feinreiben. • Mit den Quirlen des Handrührgerätes die ganzen Eier mit dem Honig, der Butter und den Nüssen verrühren. Das Mehl mit dem Backpulver und den Gewürzen zugeben. Den Teig 30 Minuten ruhen lassen. • In der Zwischenzeit die Äpfel schälen, auf einer Rohkostreibe grobraspeln und sofort mit dem Teig vermengen, damit sie sich nicht verfärben. • Das Waffeleisen vorheizen, die Flächen mit Butter einpinseln. Etwas Teig einfüllen, das Waffeleisen schließen und die Waffeln bei schwacher Hitze backen. Warm oder abgekühlt servieren.

Ganz einfach · Braucht etwas Zeit

Spritzgebäck ☞

100 g Haselnußkerne · 200 g weiche Butter · 2 Eigelbe · 150 g Honig · ½ Teel. Vanillepulver · 300 g Weizen, fein gemahlen
Bei 50 Stücken pro Stück etwa 315 Joule/ 75 Kalorien

Vorbereitungszeit: 40 Minuten
Ruhezeit: 1 Stunde
Backzeit: 12–15 Minuten

Die Nüsse feinreiben. Die Butter mit den Eigelben, dem Honig und der Vanille verrühren. Das Mehl und die Nüsse zugeben. Den Teig zugedeckt bei Zimmertemperatur 60 Minuten ruhen lassen. • Bleche mit Backpapier auslegen; den Backofen auf 200° vorheizen. Den Teig in eine Gebäckspritze füllen und Formen auf das Blech spritzen. Das Spritzgebäck auf der mittleren Schiene je nach Größe 12–15 Minuten backen lassen.

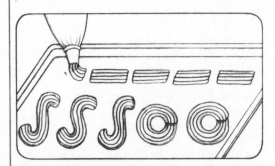

Spritzgebäck gelingt am besten mit einer großen Sterntülle an der Gebäckspritze.

Was Kinder mögen

Wir wollen für unsere Kinder immer nur das Beste, und vielen Eltern ist heute bewußt, daß vernünftige Ernährung eine wichtige Voraussetzung für Gesundheit, Wohlbefinden und Leistungsfähigkeit – also für fröhliche und glückliche Kinder ist. Doch der Wunsch, die Eßgewohnheiten der Familie umzustellen, stößt bei Kindern häufig auf Widerstand; sie verzichten ungern auf ihre Gewohnheiten. Erwachsene kann man mit Argumenten davon überzeugen, daß eine vollwertige Ernährung heute notwendiger ist, denn je. Bei Kindern helfen sie jedoch wenig, zumal, wenn die Werbung zu immer neuen Wünschen verführt. Hier hilft nur eines: Die Gerichte, die zu Hause auf den Tisch kommen, müssen schmekken und dadurch die Kinder überzeugen.

Für Kinder ist eine gesunde, ausgeglichene Ernährung, die alle notwendigen Nährstoffe enthält, noch wichtiger als für Erwachsene. Denn Kinder befinden sich im Wachstum und brauchen daher im Verhältnis zu ihrem Körpergewicht mehr Nährstoffe als Erwachsene. Das gilt besonders für den Aufbaustoff Eiweiß (Protein), das ausreichend angeboten werden sollte, und zwar als pflanzliches und tierisches Eiweiß. Eiweiß ist hauptsächlich enthalten in Fleisch, Fisch, Eiern, Milch und Milchprodukten, Getreide, Hülsenfrüchten, Nüssen, Kartoffeln und in geringer Menge auch in Gemüse. Das heißt nun aber nicht, daß Kinder unbedingt Fleisch oder Wurst brauchen. Bei reichlicher Verwendung von Milch, Milchprodukten sowie mäßigem Verzehr von Eiern, braucht man nicht zu befürchten, daß Kinder zu wenig Eiweiß erhalten. Bei der Ernährung von Kindern sollte man auf Milch und Milchprodukte, auch wegen des Kalziumanteils, der für den Knochenaufbau notwendig ist, auf keinen Fall verzichten.

Kohlenhydrate sind in erster Linie Energielieferanten. Hier kommt es darauf an, Kindern Kohlenhydrate in Form von Brot, Teigwaren, Mehl, Grieß, Reis und Haferflocken aus vollem Korn anzubieten. Auch Kartoffeln, Gemüse und Obst gehören dazu. Dagegen gehören Kohlenhydrate aus Weißmehl und Weißmehlprodukten sowie aus Zucker nicht zu einer vollwertigen, gesunden Ernährung. Die Meinung, Vollgetreide sei für Kinder schwer verdaulich, rührt daher, daß einige käufliche Vollkornbrotsorten etwas schwer im Magen liegen. Es kommt also darauf an, was Sie »zum Angewöhnen« auf den Tisch bringen. Gut ausgequollene Getreidegrützen, Gerichte aus Vollkornnudeln oder -grieß vertragen Ihre Kinder bestimmt. Ab dem ersten Lebensjahr können Kleinkinder vom Familienessen mitbekommen, jedoch nichts Gebratenes, Gegrilltes oder Geröstetes, auch keine scharf und stark gewürzten Speisen, keine Gerichte aus ganzen Körnern und kein sehr grobes Vollkornbrot. Ab dem 13. Monat können Sie Ihrem Kind auch Rohkost geben, ganz fein zerkleinert. Auf Kohl und Hülsenfrüchte sollte man bis einschließlich dem zweiten Lebensjahr noch verzichten.

Ein gutes nahrhaftes Frühstück, das neben Eiweiß und Kohlenhydraten reichlich Vitamine und Mineralstoffe enthält, spielt eine Schlüsselrolle im Schüleralltag. Kinder, die ohne oder mit unzureichendem Frühstück den Tag beginnen, haben oft zu niedrige Blutzuckerwerte, sie leiden unter Nervosität und Konzentrationsmangel. Wenn das erste Frühstück zu Hause vollwertig war, genügt als zweites Frühstück für die Pause frisches Obst oder Gemüse, Vollkornbrot, Milch oder Joghurt.

Ungünstige Ernährungsgewohnheiten haben häufig Jugendliche. Sie essen zu viel fette Wurstwaren, Schokolade, Süßwaren, Zucker, salzen ihr Essen zusätzlich und trinken öfters süße Limonade oder andere zuckerhaltige Erfrischungsgetränke. Dadurch kommt es in vielen Fällen zu einer mangelhaften Versorgung mit Kalzium (wichtig für den Knochenaufbau) Vitamin D und C, Vitaminen der B-Gruppe sowie Eisen. All das zeigt, daß Jugendliche eine abwechslungsreiche, nahrhafte Vollwertkost brauchen.

Erfreulicherweise interessieren sich immer mehr Jugendliche für »Bio-Kost«. Deshalb sollte man ihnen auch eine vollwertige Ernährung zu Hause anbieten.

Sie finden in diesem Kapitel vom gesunden Frühstück bis zum Dessert alles, was Kinder gerne mögen, auch Naschereien, Gebäck und bekömmliche Getränke sowie leichte Gerichte für kranke Kinder und Geeignetes fürs Kinderfest. Das Allerwichtigste für eine gesunde Kinderkost ist jedoch sicher eine fröhliche, entspannte und liebevolle Atmosphäre am Familientisch, denn nur was mit Appetit und in Ruhe gegessen wird, kann der Körper auch richtig verwerten.

Die Zutaten für die Rezepte dieses Kapitels sind, wenn nicht anders angegeben, für 2 Erwachsene und 2 Kinder berechnet.

Schnell · Ganz einfach · Preiswert

Guten-Morgen-Suppe ☚

An kalten Tagen sorgt diese warme, kräftige Frühstückssuppe aus vier Getreidearten für einen guten Start.

¾ l Wasser · je 1 gehäufter Eßl. Weizen, Roggen, Nacktgerste und Nackthafer · 200 g saure Sahne · 2 gestrichene Teel. gekörnte Gemüsebrühe oder 1 gestrichener Teel. Meersalz · 1 Eßl. feingehackte Petersilie
Pro Portion etwa 475 Joule/115 Kalorien

Zubereitungszeit: 10 Minuten

Das Wasser zum Kochen bringen. Das Getreide mittelgrob mahlen. Den Schrot langsam in das kochende Wasser einstreuen, dabei gleichzeitig mit dem Schneebesen umrühren. Die Suppe 5 Minuten bei schwacher Hitze kochen lassen. • Den Topf vom Herd nehmen. Die saure Sahne mit dem Schneebesen unter die Suppe rühren, mit der Gemüsebrühe oder dem Salz abschmekken und die Petersilie daruntermischen.

Variante: Süße Frühstückssuppe
Eine süße Version der Suppe schmeckt ähnlich wie Kruska (das mögen nicht alle Kinder, also probieren). 4 Eßlöffel gemischte, feingehackte Trockenfrüchte (Rosinen, Feigen, Aprikosen, Pflaumen und/oder Korinthen) und die abgeriebene Schale von ½ Zitrone (Schale unbehandelt) zum kalten Wasser geben, aufkochen. Den Schrot einrühren wie oben und die Suppe mit süßer Sahne und Honig abschmecken.

Ganz einfach · Preiswert · Ballaststoffreich

Knuspermüsli

Bild Seite 25

Kinder mögen Knuspriges. Ein Blick in die Lebensmittelregale mit Frühstücksgerichten bestätigt das. Daß die meisten Produkte aus vollem Korn hergestellt sind, muß man anerkennen. Jedoch der Zucker- und/oder Salzgehalt, der industrielle Aufwand bei der Herstellung und auch der Preis sind meist recht hoch. Preiswerter, gesünder und auch knusprig machen Sie es so:

Zutaten für etwa 10 Portionen:
200 g grobe (kernige) Haferflocken ·
50 g Weizenkeime · 50 g Sonnenblumenkerne ·
50 g Kokosflocken · 50 g Haselnußkerne ·
50 g abgezogene Mandeln · je 2 Messerspitzen Zimtpulver und Vanillepulver · 3 Eßl. Öl ·
3 Eßl. Honig · 100 g ungeschwefelte Rosinen ·
50 g ungeschwefelte Korinthen
Pro Portion etwa 1280 Joule/305 Kalorien

Zubereitungszeit: 20 Minuten

Die Haferflocken mit den Weizenkeimen, den Sonnenblumenkernen und den Kokosflocken mischen. Die Nüsse und die Mandeln grobreiben. Mit dem Zimt und der Vanille unter die Flocken rühren. • In einer großen, schweren Pfanne das Öl und den Honig erhitzen und kochen, bis es »sprudelt« (etwa 2 Minuten). Die Flockenmischung in die Pfanne schütten und sofort umrühren. Alles bei mittlerer Hitze unter öfterem Umrühren 5 Minuten rösten. • Die Rosinen und die Korinthen waschen, abtropfen lassen und in die Pfanne schütten. Noch 5 Minuten bei schwacher Hitze unter häufigem Rühren mitrösten. • Die Müslimischung abkühlen lassen, in ein gut schließendes Gefäß füllen und kühl stellen. So hält sie sich etwa 1 Woche frisch. • Zum Verzehr frisches Obst je nach Saison, kleingeschnitten, und Milch oder Sahne zufügen.

fruitsaft sowie den Weizen- und Leinsamenschrot gleichmäßig unter die Quarkmasse rühren.

Varianten: Statt des Grapefruitsaftes den Saft von 1 Orange und ½ Zitrone verwenden. • Oder im Sommer zusammen mit der Banane einige Erdbeeren oder Himbeeren zerdrücken und mit dem Saft von ½ Zitrone unter das Quarkmüsli mischen. Mit etwas Milch glattrühren.

> **Unser Tip** Da der Quark in der Regel aus dem Kühlschrank kommt, sollte das Müsli vor dem Verzehr auf Zimmertemperatur erwärmt werden (auf der Heizung oder über Dampf).

Schnell · Ganz einfach

Quarkmüsli

Dieses Müsli ist eine richtige Aufbaukost nach Tagen der Appetitlosigkeit.

Zutaten für 1 Kind:
1 Teel. beliebiges Nußmus (Haselnuß-, Mandel-, Cashewnuß- oder Erdnußmus) · 1 Eßl. Honig · 1 Banane · 5 Eßl. Magerquark (etwa 150 g) · Saft von 1 Grapefruit · je 1 Eßl. frischgeschroteter Weizen und Leinsamen
Etwa 2195 Joule/520 Kalorien

Zubereitungszeit: 10 Minuten

Das Nußmus und den Honig in einem Suppenteller verrühren. Die Banane schälen und mit einer großen Gabel im Teller zerdrücken. Den Quark zufügen und alles mischen. Den Grape-

Eiweißreich · Ganz einfach

Rosinella

Dieser Brotaufstrich ist die richtige Grundlage für gute Leistungen in der Schule: leicht verdauliches Eiweiß (aus Quark), Phosphor und Eisen (aus Rosinen und Nüssen).

100 g ungeschwefelte Rosinen · 250 g Schichtkäse oder 350 g Sahnequark · 50 g Erdnußmus (Reformqualität) · 3 Eßl. heißes Wasser · 100 g Sahne oder 0,1 l Milch (bei Verwendung von Quark weglassen)
Insgesamt etwa 4630 Joule/1100 Kalorien

Zubereitungszeit: 10–15 Minuten
Zeit zum Durchziehen: mindestens 1 Stunde

Die Rosinen gründlich waschen und auf einem Sieb abtropfen lassen, dann in einem elektrischen Zerkleinerer oder mit einem Wiegemesser sehr fein hacken. (Sie können auch alle Zutaten in den Mixer füllen und cremig mixen.) Den Schichtkäse durch ein Sieb streichen. Das Erdnußmus mit dem heißen Wasser cremig rühren. • Die zerkleinerten Rosinen, den Schichtkäse und die Sahne oder Milch zur Erdnußcreme geben und alles gründlich mischen. Den Brotaufstrich durchziehen lassen. • Rosinella hält sich im Kühlschrank, gut zugedeckt, 5 Tage frisch.

Paßt gut zu: hellen Vollkornbroten oder -brötchen, Zwieback, Einback oder Vollkorntoast.

Ballaststoffreich · Ganz einfach

Süßer Sauerkrautsalat

Rohes Sauerkraut sollte, zumindest im Winter, auch auf dem Kinderteller nicht fehlen. Es ist ein vorzüglicher Vitamin-C-Spender und dank seiner Ballaststoffe sowie seiner Milchsäure gesund für den Darm. Mit Ananas und Fenchelsamen schmeckt es fein und wird gut vertragen.

375 g mildes, rohes Sauerkraut (Reformhaus) · das Weiße von 1 Stange Lauch/Porree (50–75 g) · 1 kleine Dose ungesüßte Ananas (Reformhaus, 227 g), ersatzweise 2 süßlich-aromatische rote Äpfel · 6 Eßl. Sahne · 2–3 Teel. Honig · ¼–½ Teel. gemahlene Fenchelsamen · 1 Teel. feingeschnittene Petersilie oder Schnittlauch
Pro Portion etwa 505 Joule/120 Kalorien (mit 2 Teel. Honig)

Zubereitungszeit: 10 Minuten
Marinierzeit: 15 Minuten

Das Sauerkraut feinschneiden und in eine Schüssel geben. Das weiße Lauchstück in Ringe schneiden (die grünen Blätter für eine Gemüse-

brühe verwenden). Die Ananasscheiben zerkleinern und zusammen mit dem Ananassaft und den Lauchringen zum Sauerkraut geben. • Die Sahne, den Honig, die gemahlenen Fenchelsamen sowie die Kräuter darübergeben und alles gründlich mischen. Den Salat etwa 15 Minuten durchziehen lassen; nochmals mischen.

Paßt gut zu: Backkartoffeln (Rezept Seite 326) oder Kartoffelplätzchen (Rezept Seite 193) oder zu Buchweizengrütze (Rezept Seite 137).

Braucht etwas Zeit · Ganz einfach

Hirsebrei »Schlaraffenland«

Um ins Schlaraffenland zu kommen, muß man sich durch einen Berg von süßem Hirsebrei essen – so heißt es im Märchen. Für den Weg dorthin wird die folgende Portion vielleicht nicht ausreichen, aber nach einem solch feinen Frühstück machen Kindergarten oder Schule auf jeden Fall mehr Spaß.

100 g Hirse · 50 g ungeschwefelte, saure Dörraprikosen · ⅜ l Wasser · 50 g abgezogene Mandeln · 2 Messerspitzen Vanillepulver · ⅛ l Milch · etwa 2 Eßl. Ahornsirup oder Honig · 100 g Sahne
Pro Portion etwa 1480 Joule/350 Kalorien

Quellzeit: etwa 12 Stunden (über Nacht) und 15 Minuten
Vorbereitungszeit: 20 Minuten
Garzeit: 15 Minuten

Am Abend zuvor die Hirse mit ⅛ l Wasser in einen kleinen Topf füllen und zugedeckt über Nacht an einem kühlen Platz quellen lassen. Die

Aprikosen waschen und in einem anderen Gefäß mit ¼ l Wasser quellen lassen. • Am anderen Morgen das Einweichwasser der Aprikosen zur Hirse gießen. Die Aprikosen feinschneiden und zufügen. Die Mandeln grobreiben und mit der Vanille ebenfalls zur Hirse geben. Alles zusammen 15 Minuten bei schwacher Hitze zugedeckt kochen lassen. • Die Milch dazugießen und umrühren. Die Herdplatte ausschalten. Den Hirsebrei in etwa 15 Minuten zugedeckt ausquellen lassen. • Mit Ahornsirup oder Honig nach Geschmack süßen. Die Sahne steif schlagen und unter den Hirsebrei ziehen. Sofort servieren, damit der Brei schön locker bleibt.

Braucht etwas Zeit

Roter Salat

Manche Mütter versuchen vergeblich, ihrem Kind die so gesunden roten Rüben (Bete) »nahezubringen«. Eigenartigerweise essen diese Kinder aber meist ganz gern den Rote-Rüben-Salat aus dem Glas. Pikant und herzhaft muß deshalb auch der selbstgemachte Salat sein, damit der Nachwuchs ihn mag.

375 g rote Rüben/Bete · 375 g Kartoffeln · 375 g säuerliche Äpfel · 2 Eßl. Apfelessig · 2 Eßl. Wasser · je 2 Eßl. süße und saure Sahne · 2 Teel. Senf · 2 Teel. Honig · je 1 Messerspitze gemahlener Ingwer, gemahlene Nelken und gemahlenes Piment · 2 Schalotten, ersatzweise kleine Zwiebeln · 1 Eßl. feingehackter Dill oder 1 Teel. getrocknete Dillspitzen
Pro Portion etwa 820 Joule/195 Kalorien

Vorbereitungszeit: 15 Minuten
Garzeit: 40–70 Minuten je nach Größe und Alter der roten Rüben
Marinierzeit: 1 Stunde

Die roten Rüben, zur Hälfte mit Wasser bedeckt, je nach Größe und Alter in 40–70 Minuten weich kochen. Die Kartoffeln mit der Schale separat garen oder während der letzten 30 Minuten auf die roten Rüben legen und so dämpfen. • Inzwischen die Äpfel waschen, vierteln, vom Kerngehäuse befreien und in kleine Würfel oder Scheiben schneiden (nur schälen, wenn sie harte Schalen haben). • Aus dem Essig, dem Wasser, der süßen und der sauren Sahne, dem Senf, dem Honig und den Gewürzen mit dem Schneebesen eine Salatsauce rühren. Die Schalotten schälen, feinschneiden und zusammen mit dem Dill zur Sauce geben. • Die fertig gegarten roten Rüben und Kartoffeln mit kaltem Wasser abschrecken, schälen, vierteln oder achteln, quer in feine Scheibchen schneiden und zusammen mit den zerkleinerten Äpfeln in die Salatsauce schütten. Alles gründlich mischen und den Salat etwa 1 Stunde durchziehen lassen.

Paßt gut zu: Butterbrot als Abendessen oder auch zu Buchweizengrütze (Rezept Seite 137).

Varianten: Noch gesünder wird der Salat mit 1–2 Teelöffeln frisch geriebenem Meerrettich (das mögen aber leider nicht alle Kinder). • Milder schmeckt der Salat, wenn Sie zusätzlich ½ Becher saure Sahne untermischen.

Ganz einfach · Preiswert

Möhrensalat mit Rosinen

50 g dunkle ungeschwefelte Rosinen · 2 Eßl. Kokosflocken · ⅛ l Wasser · 250 Möhren · 1 Eßl. Friate (Apfeldicksaft)
Pro Portion etwa 405 Joule/95 Kalorien

Quellzeit: 30 Minuten
Zubereitungszeit: 15 Minuten

Die Rosinen und die Kokosflocken in eine Schüssel füllen. Das Wasser aufkochen und darübergießen. Die Schüssel zudecken und etwa 30 Minuten stehenlassen. • Inzwischen die Möhren waschen, putzen und feinraspeln. Die Möhrenraspel und die Friate unter die gequollenen Rosinen und Kokosflocken mischen.

Paßt gut zu: Kartoffelpuffern (Rezept Seite 188), Kartoffelplätzchen (Rezept Seite 193), Bio- oder Haferburgern (Rezepte Seite 322 und 135) oder Soja-Hafer-Omelettes (Rezept Seite 326).

Unser Tip Mit frisch geschrotetem Getreide oder mit Getreideflocken und/oder Nüssen gemischt, wird daraus übrigens ein feines Müsli.

Ganz einfach · Preiswert

Schweizer Karottenmus

500 g Karotten oder Möhren · 750 g Kartoffeln · 100 g Sahne · 1 gestrichener Teel. Salz · 1 Eßl. feingehackte Petersilie
Pro Portion etwa 1400 Joule/330 Kalorien

Vorbereitungszeit: 20 Minuten
Garzeit: 30 Minuten

Die Karotten waschen, putzen, in Würfel schneiden und mit wenig Wasser in 30 Minuten weich kochen. • Die Kartoffeln dünn schälen, waschen, würfeln und in einem zweiten Topf in wenig Wasser in etwa 20 Minuten ebenfalls garen. • Die weichen Karotten mit einem Kartoffelstampfer zu Mus zerdrücken oder durch ein Passiergerät rühren. Von den gegarten Kartoffeln

eventuell noch vorhandene Kochflüssigkeit abgießen und die Kartoffeln ebenfalls zu Mus verarbeiten. Das Karottenmus und das Kartoffelmus zusammen in eine vorgewärmte Schüssel füllen, die Sahne dazugießen und alles mit einem Schneebesen oder mit einem elektrischen Rührbesen rasch cremig schlagen. Das Mus mit dem Salz abschmecken und zum Schluß die Petersilie untermischen.

Unser Tip Dieses Karottenmus ist auch für Babys ab dem 6. Monat gut geeignet. Dann aber das Salz weglassen. Erwachsene können mit etwas frisch gemahlenem Pfeffer nachwürzen.

Das paßt dazu: Rührei, Bioburger (die halbe Menge vom Rezept Seite 322) oder Haferburger (die halbe Menge vom Rezept Seite 135) und etwas Rohkost zuvor.

Schnell · Preiswert · Ganz einfach

Apfel-Reis-Suppe 🖐

Das ist eine leichte Suppe, die besonders kranken Kindern gut schmeckt.

*Zutaten für 1 Kind:
1 säuerlicher Apfel · ¼ l Wasser · 1 gestrichener Eßl. Naturreis · 1 Teel. Honig · 1 Messerspitze Zimtpulver*
Etwa 575 Joule/135 Kalorien

Zubereitungszeit: 10 Minuten

Den Apfel waschen, vierteln, vom Kerngehäuse befreien und kleinschneiden. Die Apfelstücke mit dem Wasser 5 Minuten kochen lassen. • Inzwischen den Reis mehlfein mahlen. Das Reismehl langsam unter Rühren mit dem Schneebesen in die Apfelsuppe einstreuen. Die Suppe noch 2–3 Minuten kochen lassen, dann durch ein Sieb streichen. Mit dem Honig und dem Zimt abschmecken.

Variante: Mit der doppelten Wassermenge zubereitet, ergibt das Rezept ein Getränk, das bei Appetitlosigkeit Nährstoffe in leicht verdaulicher Form zuführt.

Unser Tip Wenn Sie keine Getreidemühle haben, können Sie statt des Reismehls 5 gehäufte Eßlöffel Reisflocken (Granovita) für die Apfel-Reis-Suppe verwenden.

Braucht etwas Zeit

Hirseblumensuppe

Eine optisch und kulinarisch reizvolle Suppe wird auch von Kranken selten verschmäht. Die kräftige Gemüsebrühe, aus der sie gemacht ist, regt den Appetit an und ergänzt wichtige Mineralstoffe. Beides ist bei Krankheit erwünscht. Für so viele Pluspunkte macht man sich gern etwas mehr Arbeit, und damit diese sich lohnt, essen alle mit. Das Rezept ist also für 4 Personen berechnet.

Für die Hirseblumen: 150 g Hirse · 2 gehäufte Eßl. Weizenkeime · je 1 gestrichener Teel. Kräutersalz und Delikata · ¼ Teel. Curcuma (Gelbwurz) · ⅛ l Milch · 4 Eier
Für das Backblech: eventuell etwas Butter

Für die Gemüsebrühe: 1¼ l Wasser · 1 Möhre · 1 Stück Sellerieknolle oder Selleriegrün · 1 kleine Stange Lauch/Porree · 1 Petersilienwurzel · 1 Liebstöckelblatt oder 2 Bund Suppengrün oder 1 Päckchen tiefgefrorenes Suppengrün
Für die Suppe: 1 kleiner Blumenkohl oder Broccoli (etwa 250 g) · 150 g enthülste frische oder tiefgefrorene grüne Erbsen · 1–2 Teel. Kräutersalz · 2 Eßl. feingehackte Petersilie
Pro Portion etwa 1395 Joule/330 Kalorien

Vorbereitungszeit: 30 Minuten
Backzeit für die Hirseblumen: 25–30 Minuten
Garzeit: 30 Minuten

Für die Hirseblumen die Hirse feinmahlen und mit den Weizenkeimen, dem Kräutersalz, dem Delikata und dem Curcuma mischen. Die Milch bis kurz vor dem Siedepunkt erhitzen, über die Hirsemehlmischung gießen und glattrühren. Die Masse abkühlen lassen. • Den Backofen auf 220° vorheizen. Die Eier in Eigelb und Eiweiß trennen. Die Eigelbe unter die Hirse rühren. Die Eiweiße zu steifem Schnee schlagen und vorsichtig unter den Hirsebrei heben. Ein Backblech mit Backpapier belegen oder gut einfetten. Den Hirseteig mit einem Teigschaber gleichmäßig daraufstreichen und im vorgeheizten Backofen auf der mittleren Schiene 25–30 Minuten backen, bis er goldbraun ist. • Sofort mit einem Plätzchenausstecher Blumen oder andere beliebige Formen ausstechen und diese in eine Schüssel geben. • Für die Gemüsebrühe das Wasser zum Kochen bringen. Das Gemüse oder Suppengrün putzen, grobzerkleinern und mit dem Liebstökkelblatt in der Brühe 20 Minuten bei schwacher Hitze zugedeckt garen. • Das Gemüse mit einem Schaumlöffel herausnehmen (und wegwerfen). Für die Suppe den Blumenkohl oder Broccoli waschen, putzen und in kleine Röschen teilen, größere vierteln. Die Blumenkohl- oder Broccolistücke zusammen mit den Erbsen etwa 10 Minuten in der Gemüsebrühe garen. • Die Suppe mit Kräutersalz abschmecken und die Petersilie daruntermischen. Bei Tisch streut sich jeder Hirseblumen in den Teller.

Variante: Ganauso hübsch, nahrhaft und gesund sind die gelben Sojaklößchen aus der Drei-Farben-Suppe (Rezept unten) als Suppeneinlage. Sie sind viel schneller zubereitet.

Preiswert · Ganz einfach

Drei-Farben-Suppe ☛

Wenn die Suppe rot, gelb und grün aus dem Teller lacht und herzhaft duftet, dann kann kein Suppenkaspar mehr widerstehen.

Für die Klößchen: 100 g Vollsojamehl · 1 gestrichener Teel. Salz · je ½ Teel. Curcuma (Gelbwurz) und Delikata · ½ Teel. feingehacktes oder getrocknetes, gerebeltes Basilikum · 3 Eier · 1 l Wasser · 1 gestrichener Teel. Salz Für die Suppe: 1 Zwiebel · 1 Knoblauchzehe · 2 Eßl. Olivenöl · 1 l Wasser · 1 Dose Tomatenmark (70 g) · 4 Eßl. Grünkern · 2 gestrichene Eßl. Vollsojamehl · 1 gestrichener Teel. edelsüßes Paprikapulver · 1 Teel. feingehacktes oder getrocknetes, gerebeltes Basilikum · 1 gestrichener Eßl. gekörnte Gemüsebrühe · 300 g enthülste frische oder tiefgefrorene grüne Erbsen · 2 Eßl. feingeschnittener Schnittlauch
Pro Portion etwa 1575 Joule/375 Kalorien

Vorbereitungszeit: 15 Minuten
Quellzeit: 15 Minuten
Garzeit: 10 Minuten

Für die Klößchen das Sojamehl mit dem Salz, dem Curcuma, dem Delikata und dem Basilikum mischen und mit den Eiern gründlich verrühren, so daß eine glatte Paste entsteht. Die

Masse mindestens 15 Minuten quellen lassen. • Für die Suppe die Zwiebel und die Knoblauchzehe schälen, feinschneiden und in dem Olivenöl in einem großen Topf glasig braten. Inzwischen 1 Liter Wasser mit dem Tomatenmark verrühren. Den Grünkern mittelfein schroten. Den Grünkernschrot, das Sojamehl, das Paprikapulver und das Basilikum mit dem Tomatenmarkwasser verquirlen und zu den Zwiebelwürfeln in den Topf gießen. Die gekörnte Brühe und die Erbsen zufügen und alles 10 Minuten bei schwacher Hitze zugedeckt kochen lassen. • Für die Klößchen inzwischen 1 Liter Wasser mit dem Salz zum Kochen bringen. Aus der Sojamasse mit zwei Teelöffeln kleine Klößchen abstechen und im sprudelnd kochenden Salzwasser 10 Minuten garen. • Die fertigen Sojaklößchen herausheben und in die Tomatensuppe geben. Einen Teil des Schnittlauchs unter die Suppe mischen und den Rest daraufstreuen.

Mit ein wenig Sorgfalt gelingt der Polenta-Auflauf mit ▷ Azukibohnen leichter als man denkt. Rezept Seite 216.

Ganz einfach · Preiswert

Hirsegrütze

250 g Hirse · ½ l Wasser · 1 Prise Salz ·
¼ l Milch
Pro Portion etwa 1110 Joule/265 Kalorien

Garzeit insgesamt: 1 Stunde 10 Minuten

Die Hirse ungeschrotet mit dem Wasser und dem Salz zum Kochen bringen und 10 Minuten garen. • Die Milch dazugießen, wieder aufkochen lassen und umrühren. Die Grütze 60 Minuten in der Kochkiste oder bei ganz schwacher Hitze auf dem Herd ausquellen lassen.

Varianten: süß mit Honig, Vanillepulver, etwas Sahne gemischt, dazu Erdbeeren oder Himbeeren. Salzig mit gedünsteten Erbsen und Möhren, feingehackter Petersilie und etwas Butter, eventuell noch mit geriebenem Goudakäse gemischt. Oder mit gegarten Blumenkohlröschen und rohen Eiern gemischt, mit Salz und Muskat gewürzt, als Auflauf backen. Oder mit hartgekochten, gehackten Eiern, gedünsteten Möhrenwürfeln, feingehackter Petersilie, Salz und etwas Butter gemischt.

Variante: Hirserührei
400 g fertige Hirsegrütze mit 5 Eiern, 150 g Sahne, 1 gestrichenen Teelöffel Salz, ¼ Teelöffel Curcuma (Gelbwurz), 1 Messerspitze geriebener Muskatnuß mischen. 2 Eßlöffel Butter in einer Pfanne zerlaufen lassen. Die Hirsemasse darin gut 5 Minuten unter öfterem Wenden stocken (fest werden) lassen. Mit 2 Eßlöffeln feingeschnittenem Schnittlauch mischen.

Einfache Getreidegrütze ⌐

Schon aus dem Märchen kennen wir den »Teller Grütze« als Inbegriff der nahrhaften Speise. Getreide in dieser Form ist gerade für Kinder am bekömmlichsten und auch am beliebtesten. Grützen sind zum Beispiel ideale Frühstücksgerichte, vor allem für Schüler, denn sie belasten nicht, sättigen anhaltend und enthalten viele Mineralstoffe. Für berufstätige Mütter, die ihren Kindern kein warmes Mittagessen zubereiten können, sind Grützen eine praktische Sache. Man braucht morgens nur 5 Minuten für die Vorbereitung, stellt die Grütze dann in die Kochkiste und die Kinder haben mittags ein warmes Essen, das sie, je nach Geschmack süß oder herzhaft, selbst fertig zubereiten können.

200 g Weizen, Dinkel, Roggen, Gerste, Hafer,
Grünkern, Reis oder Mais · knapp ¾ l Wasser ·
½ Teel. Salz
Pro Portion etwa 755 Joule/180 Kalorien

Vorbereitungszeit: 5 Minuten
Garzeit: 1¼ bis 1½ Stunden

Das Getreide mittelgrob oder grob schroten. Das Wasser mit dem Salz zum Kochen bringen. Den Schrot langsam und gleichmäßig unter Rühren

◁ Locker und fruchtig schmeckt ein Grießauflauf mit Früchten, den vor allem Kinder gerne essen. Rezept Seite 230.

mit dem Schneebesen einstreuen. Die Grütze zugedeckt bei schwacher Hitze 5 Minuten kochen. Den Topf in eine Kochkiste stellen und die Grütze mindestens 90 Minuten ausquellen lassen oder die Grütze bei ganz schwacher Hitze auf dem Herd 1¼ Stunden ausquelllen lassen.

> **Unser Tip** Aus einem Rest Weizen- oder Gerstengrütze können Sie auch Frikadellen zubereiten. Die Weizengrütze mit geriebenen Nüssen und Käse, feingehackten Kräutern und 1 Ei mischen. Die Gerstengrütze mit frisch gemahlenem Pfeffer, feingehackter Petersilie, Majoran und 1 Ei mischen. Die Frikadellen langsam in Butter braten.

Süße Varianten: mit Honig, Ahornsirup, beliebigen frischen Früchten und Milch oder Sahne, feingeschnittenen Trockenfrüchten oder Rosinen oder mit Zimt oder Vanillepulver abschmecken.

Herzhafte Varianten: mit in Butter gedünsteten Zwiebeln oder Champignons, Möhrenraspeln oder Erbsen, geriebenem Käse oder Nüssen oder frischen kleingehackten Kräutern abschmecken.

Braucht etwas Zeit · Preiswert

Bioburger 🔥

Die Bioburger sind nicht nur als »Ersatz« für die allgegenwärtigen Fast-Food-Hamburger gedacht, die besonders unter Kindern und Jugendlichen so reißenden Absatz finden. Sie schmecken besser! Schon beim Lesen der Zutaten werden Sie feststellen, welch gesunde Alternative Sie von jetzt an bieten können.

Zutaten für 8 Stück:
gut ¼ l Wasser · 1 gestrichener Teel. gekörnte Gemüsebrühe · 100 g Weizen · 50 g Walnußkerne · 125 g Goudakäse · 2 gehäufte Eßl. Weizenkeime · 2 gehäufte Eßl. Edelhefeflocken · 2 gehäufte Eßl. Vollkornbrösel (Graham-Paniermehl) · 2 Eier · 1 Teel. feingehacktes Basilikum, notfalls getrocknetes, gerebeltes Basilikum · 1 Eßl. Sojasoße · 2 Teel. flüssiger Honig · etwa 2 Messerspitzen schwarzer Pfeffer, frisch gemahlen
Zum Braten: 1 Eßl. Butter · 1 Eßl. geschmacksneutrales Öl
Pro Stück etwa 925 Joule/220 Kalorien

Vorbereitungszeit: 15 Minuten
Quellzeit: mindestens 20 Minuten
Garzeit: 20 Minuten

Das Wasser mit der gekörnten Brühe zum Kochen bringen. Den Weizen zu grobem Schrot mahlen. Den Weizenschrot langsam in die kochende Brühe einstreuen, dabei umrühren. Die Weizengrütze 5 Minuten zugedeckt bei schwacher Hitze kochen lassen. Den Topf vom Herd nehmen und mindestens 20 Minuten zugedeckt stehenlassen. • Inzwischen die Nüsse und den Käse grobreiben. Die Weizenkeime, die Hefeflocken, die Brösel, die Eier, das Basilikum, die Sojasauce, den Honig, den Pfeffer, die Nüsse und den Käse mit dem ausgequollenen Schrot gründlich mischen. • Die Butter und das Öl in einer Pfanne erhitzen, mit angefeuchteten Händen aus dem Teig 8 Frikadellen formen und diese auf jeder Seite 7–8 Minuten knusprig goldbraun braten.

Das paßt dazu: Nudeln und grüner Salat oder Gemüse wie Nußmöhren (Rezept nebenstehend), Erbsen mit Möhren, Blumenkohl.

Varianten: 2 Eßlöffel gehackte Petersilie unter den Teig mischen. Auf die fertigen Bioburger je 1 dicke, kleine Scheibe Goudakäse legen, die Pfanne zudecken und noch einige Minuten weiterbraten, bis der Käse zerläuft.

Unser Tip Die Bioburger mit einer Scheibe Käse belegen und diesen zerlaufen lassen wie oben beschrieben; zwischen ein Vollkornbrötchen stecken, mit Salatblättern, Scheiben von Radieschen und Salatgurken garnieren.

Braucht etwas Zeit

Hörnchen mit Möhren und Erdnußsauce 🎀

*500 g Möhren · 250 g Vollkornnudeln
(Hörnchen) · 1½ l Wasser · 2 gestrichene Teel.
Salz
Für die Sauce: 100 g frische geschälte Erdnuß-
kerne (ungeröstet und ungesalzen) · 50 g Butter ·
50 g Dinkel oder Weizen · 1 gestrichener Teel.
Meersalz · 2 Messerspitzen Curcuma (Gelbwurz) ·
etwa 1 Messerspitze weißer Pfeffer, frisch
gemahlen · ⅜ l Wasser · 2 Eßl. feingehackte
Petersilie*
Pro Person etwa 2380 Joule/565 Kalorien

Vorbereitungszeit: 30 Minuten
Zubereitungszeit: 15–20 Minuten

Die Möhren waschen, putzen, würfeln und in wenig Wasser in 10–15 Minuten weich kochen. • Die Hörnchen in etwa 10–15 Minuten weich kochen. • Das Gemüse und die Nudeln auf ei-

nem Sieb (Durchschlag) kurz abtropfen lassen. Inzwischen die Erdnußsauce, wie auf Seite 324 beschrieben, zubereiten. • In einer großen Schüssel die fertigen Hörnchen, die Möhren und die Erdnußsauce gut mischen. Sofort servieren.

Das paßt dazu: beliebiger grüner Salat.

Variante: Blumenkohl mit Erdnußhaube
Einen großen Kopf Blumenkohl von den äußeren Blättern befreien und 1 Stunde in Salzwasser legen, dann waschen. Den Strunk kreuzförmig einschneiden und den Kopf mit dem Strunk nach unten in wenig Wasser in 25–30 Minuten garen. Den Blumenkohl vorsichtig herausheben, abtropfen lassen und auf einer Platte anrichten. Inzwischen die Erdnußsauce zubereiten. Den Blumenkohlkopf damit überziehen und die Platte eventuell mit Petersilie und Tomatenvierteln garnieren. Dazu passen Vollkornnudeln oder Kartoffelpüree.

Ganz einfach · Preiswert

Nußmöhren 🎀

*500 g Möhren · 50 g Haselnußkerne ·
2 Eßl. Weizen oder Dinkel · ¼ Teel. Anissamen ·
¼ l Milch · 50 g Doppelrahm-Frischkäse ·
1 Teel. Honig oder Malz · ½ Teel. Salz ·
1 Eßl. feingehackte Petersilie*
Pro Portion etwa 1040 Joule/250 Kalorien

Vorbereitungszeit: 25 Minuten
Garzeit: 15 Minuten

Die Möhren waschen, putzen, grobwürfeln und in wenig Wasser bei schwacher Hitze etwa 15 Minuten garen. • Inzwischen die Haselnüsse grobraspeln. • Den Weizen oder Dinkel mit dem

Anis mehlfein mahlen (oder gemahlenen Anis verwenden). Die Milch in einen Topf gießen und das Mehl mit einem Schneebesen in die Milch quirlen. Die Mischung unter Rühren aufkochen. Den Frischkäse in Flöckchen zufügen und alles noch 1–2 Minuten kochen, bis der Käse sich aufgelöst hat. Den Topf vom Herd nehmen. • Von den gegarten Möhren restliches Kochwasser abgießen. Unter die Käsesauce den Honig oder das Malz, das Salz, die Petersilie und die Nüsse rühren. Die Möhren zuletzt untermischen.

Paßt gut zu: Haferburgern (Rezept Seite 135).

Unser Tip Am feinsten schmeckt das Gemüse mit ganz jungen Karotten.

Varianten: Gut schmeckt dieses Gericht auch mit Blumenkohl statt mit Möhren. Es wird zur sättigenden Hauptmahlzeit, wenn Sie die Möhren durch 750 g geschälte, gewürfelte Kartoffeln ersetzen, diese in wenig Wasser mit etwas Meersalz garen und statt Anis Fenchelsamen verwenden. Grüner Salat oder Gemüserohkost ergänzen die »Nußkartoffeln«.

Ganz einfach

Erdnußsauce 🍴

100 g frisch geschälte Erdnüsse, ungeröstet und ungesalzen · 50 g Butter · 50 g Dinkel oder Weizen · 1 gestrichener Teel. Meersalz · 2 Messerspitzen Curcuma (Gelbwurz) · etwa 1 Messerspitze weißer Pfeffer, frisch gemahlen · ⅜ l Wasser · 2 Eßl. feingehackte Petersilie
Pro Portion etwa 1440 Joule/345 Kalorien

Zubereitungszeit: 20 Minuten

Die Erdnüsse in einer trockenen, schweren Eisen- oder Edelstahlpfanne bei schwacher bis mittlerer Hitze unter ständigem Wenden rösten, bis sie leicht Farbe bekommen und angenehm duften (das dauert etwa 5 Minuten). Die Nüsse auf einem Teller etwas abkühlen lassen und feinreiben. • Die Butter in der noch heißen Pfanne zerlaufen lassen. Den Dinkel oder Weizen mittelfein mahlen und zusammen mit den geriebenen Erdnüssen, dem Salz und den Gewürzen in die Pfanne zur Butter geben. Alles unter Wenden bei mittlerer Hitze kurz anbraten. Das Wasser auf einmal dazugießen, unter Rühren einige Male aufkochen lassen und die Sauce bei schwacher Hitze 5 Minuten kochen lassen. Vom Herd nehmen und die Petersilie daruntermischen.

Paßt gut zu: Nudeln, zum Beispiel Hörnchen mit Möhren (Rezept Seite 323), oder zu Blumenkohl.

Braucht etwas Zeit · Preiswert

Grießgnocchi mit Tomatensauce 🍴

Bild Seite 301

Für die Gnocchi: ¼ l Milch · 1 gestrichener Teel. Salz · 1 Messerspitze geriebene Muskatnuß · 150 g Vollweizengrieß · 2 Eßl. Butter · 4 gehäufte Eßl. Weizenkeime · 2 Eier · 1½ l Wasser · 1 gestrichener Eßl. Salz
Für die Sauce: 1 Zwiebel · 1 Knoblauchzehe · 2 Eßl. Olivenöl · 2 gehäufte Eßl. Grünkern · 500 g Tomaten · ½ Teel. frisch gehacktes oder getrocknetes, gerebeltes Basilikum · ⅛ l Wasser · 1 Tomato-Brühwürfel (Natura)

Für die Form: etwas Butter
Zum Überbacken: 150 g Emmentaler Käse
Pro Portion etwa 2360 Joule/560 Kalorien

Vorbereitungszeit: 20 Minuten
Backzeit: 15 Minuten
Quellzeit: 30 Minuten
Garzeit: knapp 15 Minuten

Die Milch mit dem Salz und dem Muskat zum Kochen bringen. Den Grieß in die kochende Milch einstreuen, mit einem Holzlöffel umrühren und so lange unter Rühren kochen lassen, bis ein fester »Kloß« entsteht (etwa 1 Minute). Den Topf vom Herd nehmen, die Butter zufügen, schmelzen lassen und unterrühren. Dann die Weizenkeime und 1 Ei unterrühren, anschließend das zweite Ei. Die Grießmasse etwa 30 Minuten zugedeckt quellen lassen. • Das Wasser mit dem Salz zum Kochen bringen. Mit zwei Teelöffeln von der Grießmasse Klößchen abstechen, die Löffel dabei immer wieder ins kochende Salzwasser tauchen. Die Klößchen knapp 15 Minuten garen, mit einem Schaumlöffel herausheben und gut abtropfen lassen. Eine große, flache Auflaufform ausfetten. Die Klößchen darin verteilen. • Für die Sauce die Zwiebel und die Knoblauchzehe schälen, beides feinschneiden und im Olivenöl in einem kleinen Topf glasig braten. • Den Grünkern mehlfein mahlen. Die Tomaten waschen, vom Stielansatz befreien, grobzerkleinern und zusammen mit dem Grünkernmehl, dem Basilikum und dem Wasser feinmixen. Den Inhalt des Mixers in den Topf mit den Zwiebeln gießen, den Brühwürfel zufügen und alles unter gelegentlichem Umrühren 2-3 Minuten kochen lassen. • Die Sauce über die Gnocchi in die Auflaufform gießen. Den Käse grobreiben und über die Gnocchi streuen. Das Gericht im vorgeheizten Backofen auf der oberen Schiene bei 200-250° 15 Minuten überbacken, bis der Käse zerlaufen und etwas knusprig ist.

Ganz einfach · Schnell · Preiswert

Nudeln mit Käse und Nüssen

Dieses einfache Nudelgericht hilft immer dann aus der Verlegenheit, wenn wenig Zeit oder auch einmal wenig Lust zum Kochen vorhanden ist oder wenn größere Kinder sich selbst verköstigen sollen.

250 g beliebige Vollkornnudeln · 1½ l Wasser · 2 gestrichene Teel. Salz · 100 g Gouda- oder Emmentaler Käse · 100 g Haselnußkerne · je 1 Eßl. feingeschnittener Schnittlauch und Petersilie · 1 Teel. feingehackter Thymian, Basilikum, Salbei und/oder Liebstöckel, je nach Möglichkeit · 1-2 Eßl. Butter · eventuell etwas schwarzer Pfeffer, frisch gemahlen
Pro Portion etwa 2150 Joule/510 Kalorien (mit Goudakäse)

Vorbereitungszeit: 15 Minuten
Zubereitungszeit: 5-15 Minuten

Die Nudeln bißfest, also »al dente«, oder weich kochen. • Inzwischen den Käse und die Nüsse grobreiben und beides mit den Kräutern mischen. Die fertig gegarten Nudeln auf einem Sieb oder Durchschlag kurz abtropfen lassen und in eine vorgewärmte Servierschüssel füllen. Die Butter zufügen, die Schüssel zudecken und 1-2 Minuten warten. Die geschmolzene Butter unter die Nudeln mischen. Die Käsemischung gründlich darunterheben, am besten mit zwei großen Löffeln, so wie man Salat mischt. • Für größere Kinder und Erwachsene eventuell noch mit etwas Pfeffer abschmecken.

Das paßt dazu: beliebiger grüner Salat oder Tomatensalat.

Varianten: Nudeln mit Zwiebeln und Möhren
Etwas arbeitsaufwendiger, dafür aber bunter und noch schmackhafter wird es, wenn Sie 4 Zwiebeln schälen, würfeln und in 50 g Butter glasig braten. 4 Möhren (300–400 g) waschen, putzen, grobreiben und zu den Zwiebeln geben. Das Gemüse zugedeckt unter gelegentlichem Wenden in etwa 10 Minuten garen und zusammen mit der obigen Käsemischung unter die fertigen Nudeln heben (die geschmolzene Butter kann wegbleiben).

So können Sie auch aus Nudelresten eine neue Mahlzeit zaubern: Die Zwiebeln und Möhren in einer großen Pfanne wie oben garen, die Nudelreste zufügen und anbraten, die Käsemischung zufügen und alles gut vermengen. Nach Wunsch noch 1 Ei pro Person auf das Gericht in die Pfanne geben und unter öfterem Wenden wie Rührei stocken (fest werden) lassen.

Unser Tip Kleine Kinder mögen Nudeln oft lieber »pappig«, und so sind sie für die Kleinen auch bekömmlicher. Probieren Sie es also aus, wie die Nudeln Ihren Kindern am besten schmekken.

Eiweißreich · Ganz einfach · Preiswert

Soja-Hafer-Omelettes

Ein vollwertiges »Kraftfutter«, schnell zusammengerührt und gebraten; das macht auch jungen »Selbstversorgern« immer wieder Spaß.

Zutaten für 8 Omelettes:
125 g sehr feine Haferflocken (Instant- oder Schmelzflocken) · 75 g Vollsojamehl ·

½ Teel. Salz · gut ½ l Milch · 3 Eier
Zum Braten: Öl
Pro Stück etwa 1590 Joule/380 Kalorien

Vorbereitungszeit: 10 Minuten
Quellzeit: mindestens 15 Minuten
Backzeit: etwa 25 Minuten

Die Haferflocken mit dem Sojamehl und dem Salz in einer Schüssel mischen. Die Milch dazugießen, die Eier zufügen und alles mit einem Schneebesen zu einem flüssigen Pfannkuchenteig verrühren. Den Teig mindestens 15 Minuten quellen lassen. • Öl in einer Pfanne erhitzen und aus dem Teig nacheinander bei mittlerer Hitze 8–9 dünne, goldbraune Pfannkuchen backen (von jeder Seite 2–3 Minuten).

Das paßt dazu: Nußmöhren (Rezept Seite 323) oder Möhrensalat mit Rosinen (Rezept Seite 315).

Eiweißreich · Ganz einfach · Preiswert

Backkartoffeln mit Quarksalat

Dieses Gericht macht wenig Mühe. Man kann die Kartoffeln »nebenher« im Backofen garen, während beispielsweise Brot, Kuchen oder Gebäck die volle Aufmerksamkeit und den meisten Raum im Ofen beanspruchen. Den Kindern schmeckt so etwas Unkompliziertes immer.

1250 g mittelgroße mehlige Kartoffeln ·
1 Eßl. Kümmel · 1 gestrichener Teel. Salz
Für den Quarksalat: 250 g Schichtkäse oder
300 g Magerquark · 200 g saure Sahne · 1 Eßl.
Öl · ⅛ l Milch (bei Quark weniger) · 2 Teel. Senf ·
2 Teel. Honig · 1 gestrichener Teel. Kräutersalz ·

1 Schalotte oder kleine Zwiebel · 1 (möglichst roter) säuerlicher Apfel · 1 Stück
Salatgurke (etwa 200 g) · je 1 Eßl. feingeschnittene Petersilie, Dill, Schnittlauch
Pro Portion etwa 1575 Joule/375 Kalorien

Vorbereitungszeit: 15 Minuten
Backzeit: 30–40 Minuten

Den Backofen auf 200° vorheizen. Die Kartoffeln gründlich bürsten (das geht am besten mit der rauhen Seite eines Topfschwammes), von den »Augen« (Keimansätzen) und schlechten Stellen befreien und längs teilen. Ein Backblech mit dem Kümmel und dem Salz gleichmäßig bestreuen. Die Kartoffelhälften mit der Schnittfläche nach unten auf das Backblech legen. Im vorgeheizten Backofen auf der unteren Schiene 30–40 Minuten backen. Garprobe mit einem Küchenmesser oder Hölzchen machen. • Inzwischen für den Quarksalat den Schichtkäse durch ein Sieb streichen und mit der sauren Sahne, dem Öl, der Milch, dem Senf, dem Honig und dem Kräutersalz verrühren. Bei Verwendung von Magerquark zunächst keine Milch zufügen; erst zum Schluß eventuell etwas Milch unter den Quarksalat mischen. • Die Schalotte oder Zwie-

> **Unser Tip** Die Kartoffeln kann man mit jedem beliebigen Gebäck zusammen im Ofen garen, auf irgendeiner Schiebeleiste, die gerade frei ist. Oder auf den Boden des Backofens einen Kuchenrost legen, darauf ein kleines Blech mit den Kartoffeln schieben. Die Backzeit verlängert sich dadurch in jedem Fall (je nach Hitze und Schiebeleiste); es ist aber nicht notwendig, ständig auf die Kartoffeln aufzupassen, längeres Backen verbessert eher den Geschmack.

bel schälen und feinschneiden. Den Apfel waschen, vierteln, vom Kerngehäuse befreien und würfeln. Die Gurke waschen und würfeln. Die zerkleinerte Zwiebel, die Apfel- und Gurkenwürfel zusammen mit den Kräutern unter den angerührten Quark mischen. Den Salat durchziehen lassen, bis die Kartoffeln gar sind. • Den Salat zu den heißen Kartoffeln servieren.

Varianten: Der Salat schmeckt auch zu Butterbrot. Natürlich kann man zu den Backkartoffeln auch jede beliebige andere Quarkcreme servieren oder auch süßen Sauerkrautsalat (Rezept Seite 314).

Braucht etwas Zeit

Apfel-Streusel-Auflauf 🍎

Bestimmt haben Sie das schon erlebt: ein Streuselkuchen steht zum Abkühlen in der Küche. Sogleich wird er zu einem magnetischen Anziehungspunkt für kleine menschliche »Nager«. Zuerst werden mit Sorgfalt solche Streusel ausgesucht, deren Fehlen nicht auffällt. Doch mit der Zeit schwinden alle Hemmungen und am Ende sieht der schöne Kuchen ziemlich »gerupft« aus. Machen Sie für Ihre »Mäuse« doch einmal »Streusel ohne Kuchen«. Mit allerlei Wertvollem wie Hirse, Haferflocken, Weizenkeimen und so weiter werden die Vollkornstreusel noch gesünder und feiner.

150 g Weizen · 50 g Hirse · 50 g sehr feine Haferflocken (Instant- oder Schmelzflocken) · 3 gestrichene Eßl. Weizenkeime · ½ Teel. Zimtpulver ·
2 Messerspitzen Vanillepulver · 100 g Honig ·
100 g Butter · 750 g Äpfel · 50 g Haselnußkerne, Walnußkerne oder abgezogene Mandeln
Für die Vanillesauce: 2 Eßl. Honig · ½ l Milch ·
2 Messerspitzen Vanillepulver · 6 gestrichene Teel.

Arrowroot oder Wildpfeilwurzelmehl, ersatzweise
Maisstärkepulver · 4 Eßl. Sahne
Für die Form: etwas Butter
Pro Portion etwa 3700 Joule/880 Kalorien

Vorbereitungszeit: 25–30 Minuten
Backzeit: 30 Minuten
Zeit zum Abkühlen: 1 Stunde

Den Weizen und die Hirse mehlfein mahlen. Mit den Haferflocken, den Weizenkeimen, dem Zimtpulver und der Vanille mischen. Den Honig und die Butter in Flöckchen darübergeben. Alle Zutaten verkneten und zwischen den Händen reiben, so daß kleine Streusel entstehen. Oder alle Zutaten mit den Teigrührern einer Küchenmaschine mischen. • Die Äpfel waschen, vierteln, vom Kerngehäuse befreien und in dünne Spalten schneiden. Die Nüsse oder Mandeln grobreiben. • Den Honig in einem kleinen Topf erhitzen. Die Milch mit der Vanille und der Stärke verquirlen. Die angerührte Milch in den Topf zum Honig gießen und alles mit dem Schneebesen so lange rühren, bis die Sauce aufkocht. Den Topf vom Herd nehmen, die Sahne untermischen. • Den Backofen auf 200° vorheizen. • Eine große flache Auflaufform ausfetten. Die Apfelspalten gleichmäßig auf dem Boden der Form verteilen, die geriebenen Nüsse oder Mandeln darüberstreuen und die Vanillesauce gleichmäßig darübergießen. Die Streusel gleichmäßig darauf verteilen, dabei zwischen den Fingern noch etwas zerbröseln (Vollkornbrösel mit Honig sind etwas »feuchter« als solche aus weißem Mehl und Zucker). • Den Auflauf im vorgeheizten Backofen auf der mittleren Schiene 30 Minu-

Unser Tip Wenn Ihre Getreidemühle nicht sehr fein mahlt, müssen Sie eventuell etwas mehr Weizen verwenden.

ten backen, bis die Äpfel gar und die Streusel knusprig goldbraun sind. Abkühlen lassen.

Ganz einfach · Vitaminreich

Rote Grütze

Das folgende Rezept ist besonders gesund, weil die Früchte nicht gekocht werden und als Dickungsmittel Agar Agar verwendet wird.

250 g gemischte Beeren und Früchte, zum Beispiel
Erdbeeren, Himbeeren und schwarze Johannis-
beeren oder rote und schwarze Johannisbeeren
und Himbeeren oder entsteinte Sauerkirschen,
Stachelbeeren und Himbeeren · ⅛ l Wasser ·
½ Teel. abgeriebene Zitronenschale (Schale
unbehandelt) · 2 gestrichene Teel. Agar Agar ·
etwa 2 Eßl. Honig
Pro Portion etwa 310 Joule/75 Kalorien

Zubereitungszeit: 15 Minuten
Kühlzeit: etwa 2 Stunden

Die Beeren beziehungsweise die Früchte waschen, putzen und in den Mixer füllen. Das Wasser dazugießen und alles zusammen feinmixen (etwa 60 Sekunden). • Das Fruchtmus in einen kleinen Topf gießen und die Zitronenschale zufügen. Das Agar Agar mit etwas Wasser glattrühren und sofort unter den Fruchtbrei mischen. Mit dem Honig abschmecken. Die Mischung im Topf langsam erhitzen, bis sie dampft (bei etwa 60°). Den Topf vom Herd nehmen und zugedeckt 5 Minuten stehenlassen. • Inzwischen eine kleine Schüssel oder Sturzform mit kaltem Wasser ausspülen. Die rote Grütze hineinfüllen und etwa 2 Stunden auskühlen lassen. • Vor dem Servieren stürzen.

Das paßt dazu: Vanillesauce (Rezept Seite 241).

Ganz einfach

Tofuzzi-Eiscreme

Wenn die Temperaturen draußen klettern, macht
Eisessen Spaß. Aber wenn schon Eis, dann lieber
aus hochwertigen Zutaten und selbstgemacht.
Mit Hilfe des »Alleskönners« Soja (Tofu ist So-
jakäse oder -quark, in Reformhäusern und Naturkostläden erhältlich) gelingt ohne Eismaschi-
ne ein cremiges, vorzügliches Eis. Die Idee
stammt übrigens aus den USA. Dort ist Tofu zur
Zeit hoch im Kurs, und man macht unter anderem auch Eiscreme daraus.

Zutaten für etwa 30 Eiskugeln:
125 g Tofu (Sojaquark oder -käse) · 1 Banane ·
2 Eßl. Honig · Saft von ½ Zitrone · 1 Teel abge-
riebene Orangenschale (Schale unbehandelt) ·
¼ l Milch · 200 g Sahne · 2 Messerspitzen
Vanillepulver
Pro Eiskugel etwa 170 Joule/40 Kalorien

Zubereitungszeit: 15 Minuten
Gefrierzeit: etwa 3 Stunden

Den Tofu etwas zerkleinern, die Banane schälen
und in Stücke brechen. Den Tofu, die Bananen-
stücke, den Honig, den Zitronensaft, die Orangenschale und die Milch zusammen in den Mixer füllen und feinmixen (etwa 60 Sekunden).
Die Masse knapp 10 Minuten stehenlassen. • Inzwischen die Sahne mit der Vanille sehr steif
schlagen. Die Schlagsahne gründlich unter die
Tofucreme ziehen. Die Masse in eine flache
Schüssel füllen und in das Gefriergerät oder das
Gefrierfach des Kühlschranks stellen. • Die Eiscreme nach jeweils 1 Stunde umrühren, so daß
das bereits Gefrorene vom Schüsselrand ins
Innere gelangt und die Eiskristalle etwas zerkleinert werden. Nach etwa 3 Stunden ist das Eis
fertig.

Varianten: Für Schokoladeneis 4 Teelöffel Kakao und 1 Eßlöffel Honig zusätzlich mit der Tofucreme mixen. Für Fruchteis 150 g Himbeeren
oder aromatische Erdbeeren mit nur der Hälfte
der Milch (⅛ l), jedoch 1 Eßlöffel Honig zusätzlich mixen.

Ganz einfach

Zimthonig

»Zucker-und-Zimt« ist ein unentbehrliches
Streumittel für alles Mögliche, was Kinder gern
essen, Apfelpfannkuchen, Milchreis, Grießbrei
und so weiter. Eine »Vollwertköchin« hat aber
gar keinen Zucker im Haus, probieren Sie also
Zimthonig. Er wird über die Speisen gespritzt,
das macht genauso viel Spaß und schmeckt noch
besser.

¼ Vanilleschote · 2 Zimtstangen (etwa 8 cm
lang) · ¼ l Wasser · ½ Glas flüssiger Honig
(250 g)
Insgesamt etwa 3190 Joule/760 Kalorien

Vorbereitungszeit: 10 Minuten
Garzeit: 30 Minuten

Die Vanilleschote der Länge nach aufschlitzen,
die Zimtstangen zerbrechen. Beides in einen kleinen Topf geben, das Wasser dazugießen und alles zugedeckt 15 Minuten kochen; dann in etwa
15 Minuten ohne Deckel auf ungefähr ¹⁄₁₆ Liter
einkochen lassen. • Die Flüssigkeit durch ein
Sieb gießen und mit dem Honig mischen. Diesen
Zimthonig in eine Spritzflasche (von Speisen-
würze, gut gereinigt) füllen und darin aufbewahren. Er hält sich kühl gestellt fast unbegrenzt.

Ganz einfach · Preiswert

Durstlöscher

In »durstigen« Zeiten sollte davon immer ein Tonkrug voll in der Küche stehen (zugedeckt, damit sich keine Wespen darin verirren, die lebensgefährliche Stiche in den Hals verursachen können). So hat das erfrischende Getränk die richtige Temperatur. Direkt aus dem Kühlschrank sollten Kinder nie etwas trinken. Gehen Sie ihnen in dieser Hinsicht mit gutem Beispiel voran und tun Sie es auch nicht.

Zutaten für etwa 10 Gläser (je 0,2 l):
2 l Wasser · 1 Handvoll Lindenblüten (Apotheke oder Kräuterladen) · etwa 2 Eßl. Honig · Saft von 2–3 Zitronen oder Orangen
Pro Glas (0,2 l) etwa 90 Joule/20 Kalorien

Zubereitungszeit: etwa 20 Minuten

In einem großen Topf das Wasser mit den Lindenblüten zum Kochen bringen und einmal aufkochen lassen. Den Topf vom Herd nehmen und den Tee zugedeckt 5 Minuten ziehen lassen. • Den Lindenblütentee durch ein Sieb gießen und abkühlen lassen. Nach Geschmack mit Honig süßen und mit dem Saft mischen. In einem Tongefäß bleibt das Getränk schön kühl.

Variante: Statt des Zitronen- oder Orangensaftes eignen sich als Beigabe auch etwa 200 g im Mixer feinpürierte Früchte, zum Beispiel entsteinte Sauerkirschen, Johannisbeeren oder Brombeeren. In diesem Fall den Honig und das Fruchtpüree dem Tee zufügen, wenn er etwas abgekühlt, aber noch warm ist, 1 Stunde durchziehen lassen, gut umrühren und nochmals abseihen.

Ganz einfach · Braucht etwas Zeit

Fruchtbowle

Bei einem fröhlichen Anlaß mit Kindern hebt diese alkoholfreie »Bowle« mit ihrer roten Farbe und dem prickelnden Fruchtgeschmack genauso die gute Laune wie bei Erwachsenen eine alkoholische.

Zutaten für etwa 10 Gläser (je 0,2 l):
150 g Himbeeren · 150 g flüssiger Honig · · abgeriebene Schale von 1 Orange (Schale unbehandelt) · ¾ l Sauerkirsch-Muttersaft (Eden) · ¾ l Mineralwasser
Pro Glas (0,2 l) etwa 355 Joule/85 Kalorien

Zubereitungszeit: 10 Minuten
Zeit zum Durchziehen: etwa 2 Stunden

Die Himbeeren verlesen und die Stiele abzupfen; nur, wenn sie schmutzig sind, vorsichtig waschen. Die Beeren in ein Bowlengefäß oder eine große Glaskanne füllen. Den Honig und die Orangenschale darübergeben und alles vorsichtig miteinander verrühren. Mindestens 1 Stunde zugedeckt durchziehen lassen. • Den Sauerkirschsaft darübergießen, vorsichtig umrühren und nochmals etwa 1 Stunde zugedeckt durchziehen lassen. Kurz vor dem Servieren mit dem Mineralwasser aufgießen (langsam gießen, damit es nicht überschäumt).

Unser Tip Falls Sie im Sommer keine unbehandelte Orange bekommen und auch im Winter oder Frühjahr nicht vorgesorgt haben, dann finden Sie in manchen Gewürzregalen der Lebensmittelgeschäfte getrocknete Orangenschalen in kleinen Tüten.

Schnell · Preiswert · Ganz einfach

Hafer-Bananen-Trunk 🐟

Ein kräftiger Aufbau-Trunk für kranke Kinder.

Zutaten für 1 großes Glas:
1 gehäufter Eßl. Nackthafer · ¼ l Wasser · 1 reife Banane · 1 Teel. Mandelmus · 1 Teel. Zitronensaft · eventuell 1 Messerspitze Zimtpulver · eventuell 1 Teel. Honig
Etwa 995 Joule/235 Kalorien

Zubereitungszeit: 10 Minuten

Den Hafer mittelgrob mahlen. Das Hafermehl in das Wasser rühren und unter öfterem Umrühren 5 Minuten kochen (Vorsicht, kocht leicht über). • Die Banane schälen, in Stücke brechen. Mit dem Mandelmus, dem Zitronensaft und dem Haferwasser in den Mixer füllen und feinmixen. Mit Zimt und Honig nach Wunsch abschmecken.

> **Unser Tip** Falls Sie keine Getreidemühle haben oder Ihre Mühle den Hafer nicht mahlen kann, verwenden Sie 2 Eßlöffel feine Haferflocken.

Varianten: Sie können den Trunk auch mit anderen Getreidearten zubereiten; besonders Gerste enthält für Kranke wertvolle Nährstoffe.

Schnell · Ganz einfach · Preiswert

Malzmilch

Kakaogetränke sind nicht die einzige Möglichkeit, Kindern Milch schmackhaft zu machen. Malzmilch schmeckt auch vorzüglich. Malz hat nicht die Nachteile von Kakao (stopfend), sondern ist als ein gutes Aufbaumittel bekannt.

Zutaten für 1 Tasse:
1 Teel. Malzextrakt (Demeter) · 1 Tasse heiße Milch
Etwa 460 Joule/110 Kalorien

Zubereitungszeit: 1 Minute

Das Malz in eine Tasse geben. ¼ der Milch dazugießen und gut umrühren. Mit der restlichen Milch aufgießen.

Eiweißreich · Vitaminreich · Schnell

Fruchtmilch

Zutaten für 3 Gläser (je 0,2 l):
½ l Milch · 1 Eßl. Honig · 100 g frische Früchte, zum Beispiel Erdbeeren, Himbeeren, Banane, entsteinte Süßkirschen oder gewürfelte Ananas
Pro Glas (0,2 l) etwa 640 Joule/150 Kalorien

Zubereitungszeit: 5 Minuten

Alle Zutaten in den Mixer füllen (die Banane zerkleinert) und feinmixen. Sofort servieren. • Für 1 Kind die halbe Menge mixen.

Ganz einfach · Schnell

Kornmäuschen ☞

Zutaten für etwa 30 Stück:
50 g Walnuß- oder Haselnußkerne · 100 g Weizen, Nacktgerste, Nackthafer oder Naturreis ·
3 Messerspitzen Vanillepulver · 50 g Butter ·
100 g Honig · 50 g feine Haferflocken
Pro Stück etwa 215 Joule/50 Kalorien

Zubereitungszeit: 30 Minuten

Die Nüsse grobreiben und in einer trockenen, schweren Eisen- oder Edelstahlpfanne 3–4 Minuten bei mittlerer Hitze unter gelegentlichem Wenden rösten. • Inzwischen das Getreide mehlfein mahlen (Hafer mittelgrob mahlen, oder falls die Getreidemühle dafür nicht geeignet ist, die Körner im Gefriergerät vorfrieren). Das Mehl und die Vanille zu den Nüssen in die Pfanne schütten und alles zusammen unter Rühren etwa 5 Minuten bei schwacher Hitze rösten. • Die Herdplatte ausschalten. Die Butter und den Honig zufügen und die Pfanne so lange auf der heißen Herdplatte stehenlassen, bis die Butter geschmolzen ist. • Alles in der Pfanne gründlich vermengen. Die Haferflocken zufügen und gut unter die Mischung rühren. Die Masse abkühlen lassen, bis sie sich anfassen läßt. • Aus der noch warmen Mischung haselnußgroße Kugeln formen. Die »Kornmäuschen« einige Stunden auskühlen lassen.

Variante: Braune Kornmäuschen
Dem frisch gemahlenen Getreide 2 gestrichene Eßlöffel Kakao oder Caroben oder je 1 Eßlöffel von beidem untermischen.

Variante: Mohnmäuschen
100 g Mohn mahlen und mit ½ Teelöffel Zimt und 2 Messerspitzen Vanillepulver mischen. Das Getreide wie oben mahlen, (ohne Nüsse) rösten und beiseite stellen. Die Butter mit dem Honig in der Pfanne schmelzen lassen, die Mohnmischung gründlich darunterrühren, das geröstete Mehl und die Haferflocken zufügen. Alles gründlich mischen und zu Kugeln formen.

Schnell · Preiswert · Ganz einfach

Vollkorn-»Amerikaner« ☞

Zutaten für 1 Backblech (16 Stück):
200 g feines oder ausgesiebtes
Weizenvollkornmehl · 200 g gelbes Maismehl ·
1 Prise Salz · 2 gestrichene Teel. Weinstein-Backpulver · 3 Messerspitzen Vanillepulver ·
150 g Honig · 2 Eier · 200 g Sahne ·
50 g Butter
Zum Bestreichen: eventuell heller, cremiger Honig und Kakao
Pro Stück etwa 780 Joule/185 Kalorien

Vorbereitungszeit: 10 Minuten
Backzeit: 30 Minuten

Den Backofen auf 200° vorheizen. • Das Weizen- und das Maismehl mit dem Salz, dem Backpulver und der Vanille mischen. Den Honig, die

Unser Tip Auch hier lassen sich Weizenkeime »unsichtbar« verstecken, indem man 10 g Haferflocken zum Binden durch Weizenkeime ersetzt. • Für Kinder mit Getreideeiweißallergie die Masse aus Reis zubereiten und zum Schluß mit frischgemahlenem Reismehl statt mit Haferflocken binden.

Eier, die Sahne und das Fett zufügen und alles zu einem weichen Rührteig verarbeiten. • Auf ein gefettetes Blech jeweils 1 gehäuften Eßlöffel von dem Teig in genügendem Abstand setzen und im vorgeheizten Backofen auf der mittleren Schiene 30 Minuten backen. • Nach Wunsch kann die glatte Seite der Amerikaner einen Guß bekommen: Vor dem Servieren mit hellem, cremigem Honig oder mit Kakao vermischtem Honig bestreichen.

Braucht etwas Zeit

Gefüllte Hörnchen

Bild Seite 399

Zutaten für 2 Backbleche (24 Stück):
Für den Teig: 500 g Weizen · 50 g Vollsojamehl ·
2 Messerspitzen Vanillepulver · 50 g Butter ·
1 Würfel Hefe (42 g) · 2 Eßl. Honig · gut ¼ l lau-
warme Milch
Für die Füllung: je 100 g Haselnußkerne und
Mandeln · 200 g Honig · 100 g Vollkornbrösel
(Graham-Paniermehl) · 4 gehäufte Eßl.
Weizenkeime · 2 gestrichene Teel. Zimtpulver ·
4 Messerspitzen Vanillepulver · 200 g flüssige
Butter · 4 Eier
Für die Backbleche: Butter
Zum Bestreichen: 1 Ei
Pro Hörnchen etwa 1105 Joule/265 Kalorien

Vorbereitungszeit einschließlich Ruhezeit: etwa
1 Stunde und 45 Minuten
Backzeit: 20-25 Minuten

Den Weizen staub- oder mehlfein mahlen und sofort mit dem Sojamehl, der Vanille und der Butter in Flöckchen mischen. In die Mitte eine Vertiefung drücken. Die Hefe hineinbröckeln und den Honig auf die Hefe geben. 1-2 Minuten warten, bis sich die Hefe aufgelöst hat. Die Milch dazugießen und mit der Hefe und etwas Mehl vom Muldenrand zu einem dünnen Brei verrühren. Den Vorteig, mit einem Tuch bedeckt, etwa 15 Minuten an einem warmen Platz gehen lassen. • Dann alles zusammen zu einem festen Hefeteig verarbeiten; zuerst rühren, dann mit der Hand oder den Knethaken des elektrischen Handrührgerätes oder der Küchenmaschine gründlich durcharbeiten. Den Teig zugedeckt nochmals 15-20 Minuten gehen lassen. • Für die Füllung die Nüsse und die Mandeln nacheinander in einer trockenen, schweren Pfanne bei mittlerer Hitze rösten, bis sie angenehm duften (etwa 5 Minuten). Abkühlen lassen und getrennt feinreiben oder im Elektrogerät fein zerkleinern. • Die Nüsse in eine und die Mandeln in eine zweite Schüssel geben. Zu den Nüssen beziehungsweise den Mandeln jeweils 100 g Honig, 50 g Brösel, 2 Eßlöffel Weizenkeime, 1 Teelöffel Zimtpulver, 2 Messerspitzen Vanille, 100 g flüssige Butter und 2 Eier geben und jeweils daraus eine glatte Masse rühren. • 1 Ei mit der Gabel verquirlen. Den Teig in 2 gleich große Teile teilen. Jedes zu einem Kreis von etwa 40 cm Durchmesser ausrollen. In der Mitte jeweils einen Kreis von 10 cm Durchmesser mit verquirltem Ei bestreichen. • Die beiden Teigplatten gleichmäßig mit je einer Füllung bestreichen. Mit einem Messer oder Teigrädchen die Teigkreise wie eine Torte in 12 gleich große Stücke teilen. Die »Tortenstücke« vom äußeren Rand her nach innen zusammenrollen und zu Hörnchen biegen. Auf zwei gefettete Bleche legen, mit einem Küchentuch zudecken und noch 15 Minuten an einem warmen Platz gehen lassen. • Den Backofen auf 180° vorheizen. • Die Hörnchen mit dem verquirlten Ei betreichen und im Backofen auf der mittleren Schiene goldbraun backen. • Die heißen Hörnchen sofort mit kaltem Wasser bestreichen oder besprühen. Auf einem Gitter auskühlen lassen.

Braucht etwas Zeit

Süße Briefe

Zutaten für 2 Backbleche (etwa 16 Stück):
Für den Teig: 500 g Weizen · 50 g Vollsojamehl ·
2 Messerspitzen Vanillepulver · 50 g Butter ·
1 Würfel Hefe (42 g) · 2 Eßl. Honig ·
0,3 l lauwarme Milch
Für die Mohnfüllung: 150 g Mohn · ¼ l Milch ·
100 g ungeschwefelte Rosinen · 1 gestrichener
Teel. Zimtpulver · 2 Messerspitzen Vanillepulver ·
50 g Butter · 100 g Honig · 25 g Vollsojamehl ·
25 g Vollkornbrösel (Graham-Paniermehl)
Für die Quarkfüllung: 500 g Schichtkäse oder trok-
kener Magerquark · 2 Eier · 150 g Honig ·
3 Messerspitzen Vanillepulver
Zum Bestreichen: 1 Ei
Für die Backbleche: Butter

• Pro Brief mit Mohnfüllung etwa 1225 Joule/
290 Kalorien, mit Quarkfüllung etwa 965 Joule/
230 Kalorien

Vorbereitungszeit einschließlich Ruhezeit: etwa
2 Stunden
Backzeit: 20–25 Minuten

Den Weizen staub- oder mehlfein mahlen und
sofort mit dem Sojamehl, der Vanille und der
Butter in Flöckchen mischen. In die Mitte eine
Vertiefung drücken. Die Hefe hineinbröckeln
und den Honig auf die Hefe geben. 1–2 Minuten
warten, bis sich die Hefe aufgelöst hat. Die
Milch dazugießen und mit der Hefe und etwas
Mehl vom Muldenrand zu einem dünnen Brei
verrühren. Den Vorteig, mit einem Tuch bedeckt,
etwa 15 Minuten an einem warmen Platz gehen
lassen. • Dann alles zusammen zu einem festen
Hefeteig verarbeiten; zuerst rühren, dann mit der
Hand oder den Knethaken des elektrischen
Handrührgerätes oder der Küchenmaschine
gründlich durcharbeiten. Den Teig zugedeckt
nochmals 15–20 Minuten gehen lassen. • Für die

erste Füllung den Mohn mahlen. Die Milch aufkochen und den gemahlenen Mohn hineinschütten, die Rosinen, den Zimt und die Vanille zufügen und alles zusammen unter gelegentlichem
Umrühren knapp 5 Minuten bei schwacher Hitze kochen lassen. Den Topf vom Herd nehmen.
Die Butter in Flöckchen und den Honig unter
die Mohnmasse rühren, bis die Butter geschmolzen ist. Das Sojamehl und die Brösel zum Schluß

Die süßen Briefe, auch einfach als Teigtaschen bekannt, lassen sich ganz leicht füllen. Ein rundes Teigstück in der Mitte hält die Ecken besser zusammen.

unter die Mohnmasse rühren. • Für die zweite
Füllung den Schichtkäse durch ein Sieb streichen (bei Quark nicht nötig). Die Eier, den Honig und die Vanille gründlich unter den Quark
rühren. • Den Hefeteig in 2 gleich große Stücke
teilen und jedes messerrückendick ausrollen. Mit
einem Teigrädchen Vierecke von 10–12 cm Sei-
tenlänge ausrädeln. Aus den Teigresten mit einem Plätzchenausstecher oder einem kleinen
Glas Kreise von etwa 4 cm Durchmesser ausstechen. • Den Backofen auf 200° vorheizen. Die
Hälfte der Teigvierecke mit der Mohnmasse bestreichen (etwa 2 Eßlöffel pro Viereck), die andere Hälfte mit der Quarkmasse. Das Ei verquirlen.
Die Teigecken wie einen Briefumschlag zusam-
menlegen. Die Teigoberfläche mit verquirltem Ei
bestreichen, je 1 rundes Teigstück in die Mitte le-

gen und ebenfalls mit Ei bestreichen. • Die süßen Briefe auf zwei gefettete Backbleche legen
und noch etwa 15 Minuten gehen lassen. • Das
Gebäck auf die mittlere Schiene in den Ofen
schieben und etwa 20–25 Minuten backen. • Auf
einem Gitter abkühlen lassen.

Ganz einfach · Ballaststoffreich

Rosinenknusperchen 🥄

Eine gesunde, knusprige Leckerei, die sich ein
paar Tage frisch hält. Die Knusperchen sind ein
unübliches Gebäck: ein Mittelding zwischen
Plätzchen und Fladenbrot. Wenn Sie Lust am
Experimentieren haben, können Sie verschiedene Getreidearten ähnlich wie im untenstehenden
Rezept fein schroten, salzen oder süßen, würzen,
mit Flüssigkeit zu weichem Brei anrühren, quellen lassen und im Backofen mehr trocknen als
backen. Das ergibt leckere und gesunde »Urbro-
te«, die frisch am besten schmecken.

Zutaten für 1 Backblech:
250 g Weizen · 75 g Nacktgerste · 75 g Hirse ·
1 Messerspitze Meersalz · abgeriebene Schale
von ½ Zitrone (Schale unbehandelt) · 250 g unge-
schwefelte Rosinen · 200 g Sahne · ¼ l kohlen-
säurereiches Mineralwasser · 1 Eßl. Malzextrakt
oder Honig
Für das Backblech: etwas Butter
Insgesamt 11 335 Joule/2700 Kalorien

Vorbereitungszeit: 10 Minuten
Quellzeit: 1 Stunde
Backzeit: etwa 60 Minuten

Den Weizen, die Gerste und Hirse mittelfein
schroten und mit dem Salz und der Zitronenschale mischen. Die Rosinen waschen und abtropfen lassen. Die Mehlmischung mit der Sah-

ne, dem Mineralwasser und dem Honig oder
Malz zu einem weichen Brei verrühren. Die abgetropften Rosinen daruntermischen. Den Teig
1 Stunde zugedeckt quellen lassen. • Den Backofen auf 175° vorheizen. • Ein Backblech einfetten. Den Teig mit einem Teigschaber gleichmäßig auf das Blech streichen und im vorgeheizten
Backofen auf der mittleren Schiene 45–50 Minuten backen, bis sich der Fladen vom Blech löst.
Das Gebäck in große Stücke brechen, umdrehen
und in 10–15 Minuten fertig backen, bis die Stükke trocken, brüchig und goldbraun sind. • Das
Gebäck in noch kleinere Stücke brechen.

Ganz einfach · Schnell · Preiswert

Malz-Softies 🥄

100 g Haselnußkerne · 100 g Weizen · 1 gestriche-
ner Eßl. Vollsojamehl · je 2 gestrichene Teel. Ka-
kao und Caroben · je 2 Messerspitzen Zimtpulver
und Vanillepulver · je 2 Eßl. Honig und Malz-
extrakt (Demeter) · 200 g Sahne
Zum Einfetten: etwas Öl
Pro Stück etwa 350 Joule/85 Kalorien

Zubereitungszeit: 20–25 Minuten

Die Nüsse in einer trockenen, schweren Eisen-
oder Edelstahlpfanne bei mittlerer Hitze unter
öfterem Wenden rösten, bis sie angenehm duften
und die braunen Schalen zu platzen beginnen.
Die gerösteten Nüsse etwas abkühlen lassen und
feinreiben. • Den Weizen mehlfein mahlen und
mit dem Sojamehl, dem Kakao, dem Caroben,
dem Zimt sowie der Vanille gründlich mischen. •
Den Honig und das Malz in einer Pfanne bei
schwacher Hitze schmelzen lassen, die Sahne zugießen und rühren, bis sich alles miteinander verbunden hat. Das Mehlgemisch bei schwacher
Hitze langsam unterrühren, bis eine gleichmäßi-

ge Masse entstanden ist (das dauert 2-3 Minuten). • Die Pfanne vom Herd nehmen und die geriebenen Nüsse unter die Masse rühren. Ein großes Frühstücksbrett oder ein Stück Pergamentpapier leicht mit Öl einfetten. Die heiße Masse mit einem Messer oder Teigschaber gleichmäßig etwa 1 cm dick daraufstreichen und erkalten lassen. • Die Platte in etwa 1 cm große Würfel schneiden. Die Softies sind eßfertig. • Die Würfel etwa 24 Stunden austrocknen lassen, in einem gut verschlossenen Gefäß kühl und trocken aufbewahren; so bleiben sie 5-6 Tage frisch.

Braucht etwas Zeit

Süße Überraschungs- brötchen 🍴

Für die Brötchen:
500 g Weizen · 50 g Vollsojamehl · 2 Messerspitzen Vanillepulver · 50 g Butter · 1 Würfel Hefe (42 g) · 2 Eßl. Honig · gut ¼ l lauwarme Milch
Für die Füllung: 1 Tafel honiggesüßte Schokolade (Reformhaus) · 100 g Honig · 100 g Butter · je 2 Eßl. ungeschwefelte Rosinen und Korinthen · 4 gehäufte Eßl. Weizenkeime · 4 Eßl. feine Haferflocken · 4 Eßl. grob zerkleinerte Erdnüsse (frisch geschält und ungesalzen), Walnußkerne oder Haselnußkerne
Pro Stück etwa 1290 Joule/305 Kalorien

Vorbereitungszeit einschließlich Ruhezeit für die Brötchen: 1½ Stunden
Backzeit: etwa 20 Minuten
Zubereitungszeit für die Füllung: 10 Minuten

Den Weizen staub- oder mehlfein mahlen und sofort mit dem Sojamehl, der Vanille und der Butter in Flöckchen mischen. In die Mitte eine Vertiefung drücken. Die Hefe hineinbröckeln und den Honig auf die Hefe geben. 1-2 Minuten warten, bis sich die Hefe aufgelöst hat. Die Milch dazugießen und mit der Hefe und etwas Mehl vom Muldenrand zu einem dünnen Brei verrühren. Den Vorteig, mit einem Tuch bedeckt, etwa 15 Minuten an einem warmen Platz gehen lassen. • Dann alles zusammen zu einem festen Hefeteig verarbeiten; zuerst rühren, dann mit der Hand oder den Knethaken des elektrischen Handrührgerätes oder der Küchenmaschine gründlich durcharbeiten. Den Teig zugedeckt nochmals 15-20 Minuten gehen lassen. • Wieder gründlich kneten. Den Hefeteig in 4 gleich große Stücke teilen, die Teigstücke nochmals in je 4 gleich große Stücke teilen. Die Teigstücke zu Kugeln formen, zwischen beiden Handflächen plattdrücken (etwa 1 cm dick) und auf ein gefettetes Backblech setzen. Die Brötchen mit einem Tuch zugedeckt nochmals 15-20 Minuten gehen lassen. • Die aufgegangenen Brötchen im vorgeheizten Backofen auf der mittleren Schiene bei 220° in etwa 20 Minuten goldbraun backen. Auf einem Kuchengitter auskühlen lassen. • Für die Füllung die Schokolade in Stücke brechen und mit dem Honig sowie der Butter in einem Topf bei schwacher Hitze unter häufigem Umrühren schmelzen lassen. Den Topf vom Herd nehmen. Die Rosinen und Korinthen waschen, abtropfen lassen und mit den Weizenkeimen, den Haferflocken und den Nüssen gründlich unter die geschmolzenen Zutaten mischen. Die Füllung etwas abkühlen lassen. • Die Brötchen durchschneiden. Je 1 Eßlöffel Füllung auf je 1 untere

Obstsalate dürfen in der Naturkostküche nicht fehlen. ▷ Ein besonderer Leckerbissen ist Herbstlicher Obstsalat. Rezept Seite 248.

Brötchenhälfte verstreichen, je 1 obere Brötchenhälfte daraufdrücken. Die Brötchen ganz auskühlen lassen. • Die Überraschungsbrötchen einzeln oder zu je 2 Stück (nach Appetit) in Frühstücksbeutel packen und im Kühlschrank aufbewahren. Für 3–4 Tage können sie dort als »Fertigfrühstück« aufbewahrt werden (morgens in die Schultasche gepackt, sind sie bis zur großen Pause wieder auf Zimmertemperatur). Müssen die gefüllten Brötchen länger aufbewahrt werden, dann bitte einfrieren und am Abend zuvor herausnehmen.

Braucht etwas Zeit

Butterkuchen 🖙

Der Zwiebackteig eignet sich sehr gut für allerlei Gebäck, das bei Kindern beliebt ist. Solchem »Kuchen« aus leichtem Hefeteig mit Belag oder Füllungen aus gesunden Zutaten sollte man stets den Vorzug geben, denn sie sind viel besser verdaulich als Kuchen aus Rühr- und Knetteigen. Handelt es sich doch vom rein sachlichen Standpunkt aus eigentlich um »verbessertes Brot«.

Zutaten für 1 Backblech (etwa 16 Stücke):
Für den Teig: 500 g Weizen · 50 g Vollsojamehl ·
2 Messerspitzen Vanillepulver · 50 g Butter ·
1 Würfel Hefe (42 g) · 2 Eßl. Honig ·
0,3 l lauwarme Milch
Für den Belag: 75 g abgezogene, blättrig

geschnittene Mandeln · 200 g Honig ·
100 g Butter · je 2 Messerspitzen Zimtpulver
und Vanillepulver
Für das Backblech: Butter
Pro Stück etwa 1150 Joule/275 Kalorien

Vorbereitungszeit einschließlich Ruhezeit: etwa
1 Stunde und 30 Minuten
Backzeit: 20–25 Minuten

Den Weizen staub- oder mehlfein mahlen und sofort mit dem Sojamehl, der Vanille und der Butter in Flöckchen mischen. In die Mitte eine Vertiefung drücken. Die Hefe hineinbröckeln und den Honig auf die Hefe geben. 1–2 Minuten warten, bis sich die Hefe aufgelöst hat. Die Milch dazugießen und mit der Hefe und etwas Mehl vom Muldenrand zu einem dünnen Brei verrühren. Den Vorteig, mit einem Tuch bedeckt, etwa 15 Minuten an einem warmen Platz gehen lassen. • Dann alles zusammen zu einem festen Hefeteig verarbeiten; zuerst rühren, dann mit der Hand oder den Knethaken des elektrischen Handrührgerätes oder der Küchenmaschine gründlich durcharbeiten. Den Teig zugedeckt nochmals 15–20 Minuten gehen lassen. • Für den Belag die Mandeln, den Honig, die Butter, den Zimt und die Vanille in einem kleinen Topf langsam erhitzen, bis alles geschmolzen ist. Die Masse wieder abkühlen lassen. • Den Teig in der Größe des Backblechs gleichmäßig dick ausrollen. Das gefettete Backblech damit belegen. Mit einem Küchentuch zudecken und 15 Minuten an einem warmen Platz gehen lassen. Den Backofen auf 200° vorheizen. • Mit den Fingerspitzen in den Teig tiefe, kleine Mulden im Abstand von 3–4 cm eindrücken. Den Butter-Honig-Belag mit einem Eßlöffel gleichmäßig auf dem Teig verteilen und verstreichen. • Den Kuchen im Backofen auf der mittleren Schiene 20–25 Minuten backen, bis die Oberfläche goldbraun und knusprig ist. Auf einem Kuchengitter abkühlen lassen und in Stücke schneiden.

◁ Rhabarber in Weinschaum ist leicht zuzubereiten und ein reizvolles Gericht der Naturkost-Küche. Rezept Seite 254.

Natürliche Vorratshaltung

Ideal wäre es, wenn wir Obst und Gemüse das ganze Jahr über frisch aus dem Garten in die Küche holen könnten. Doch ist dies in unseren Breiten nur vom Frühsommer bis zum Spätherbst möglich. Oft ist dann die Ernte so reichlich, daß nur ein Teil davon frisch verbraucht werden kann. Es bleibt dann gar nichts anderes übrig, als das geerntete Obst und Gemüse zu bevorraten. Außerdem können wir dadurch unseren Speisezettel auch während der kalten Jahreszeit mit den Früchten des Sommers bereichern.

Wenn wir Obst und Gemüse einlagern oder zu haltbaren Vorräten verarbeiten, so stellt sich die Frage, ob die Vorratshaltung unter dem Aspekt einer vollwertigen Ernährung überhaupt sinnvoll ist und welche Verfahren man dabei bevorzugen sollte. In unveränderten, frischen Lebensmitteln sind alle Inhaltsstoffe in einer optimalen Zusammensetzung vorhanden. Machen wir aber diese Lebensmittel haltbar, so wird dieses ausgewogene Verhältnis verändert und innerhalb des ganzen Wirkstoffgefüges treten Verschiebungen ein: Der Gehalt an Vitaminen und Mineralstoffen kann erheblich vermindert werden, die Struktur der Proteine (Pflanzeneiweiß) wird verändert und natürliche Aroma- und Geschmacksstoffe werden teilweise zerstört.

In diesem Kapitel wollen wir Ihnen einige weniger bekannte Verfahren zum Haltbarmachen von Obst und Gemüse vorstellen. Da ist zunächst einmal das Einsäuern von Gemüse. Durch milchsaure Gärung haltbar gemachtes Gemüse ist schon seit Jahrtausenden bei allen Völkern geschätzt, denn Mangelzeiten und Versorgungslücken konnten durch diese Art der Vorratshaltung überbrückt werden. Das Einsäuern ist das natürlichste und beste Verfahren, um Gemüse für längere Zeit haltbar zu machen. Im Gegensatz zu allen anderen Konservierungsmethoden bleiben dabei alle wesentlichen Inhaltsstoffe der frischen Pflanzen erhalten. Gärgemüse sind reich an Vitaminen, Mineralstoffen und Spurenelementen. Beim Gärprozeß werden sogar Vitamine, zum

Beispiel Vitamin C und Vitamin B_{12}, zusätzlich neu gebildet. Außerdem entstehen Enzyme, die bei vielen Menschen eine positive Wirkung auf die Verdauung haben. Aus diesem Grund sind milchsaure Gemüse ernährungsphysiologisch besonders wertvoll. Bekanntestes Beispiel für ein milchsaures Gemüse ist das Sauerkraut (Rezept nebenstehend. Früher säuerte man das Gemüse in Fässern und offenen Steinguttöpfen ein. Das war umständlich und zeitraubend, denn das Gemüse mußte ständig überwacht und die Gefäße mußten besonders gepflegt werden, um eine Fehlgärung zu vermeiden. Heute benutzt man zum Einsäuern Spezialgärtöpfe, für kleine Mengen auch Vakuumgläser mit Schraubdeckel, Gläser mit Patentverschluß und Weckgläser mit Gummiring und Klammer. Unserer Erfahrung nach sind mehrere kleine Töpfe vorteilhafter als ein großer. Sie lassen sich leichter reinigen und transportieren und man kann mehrere Gemüsesorten getrennt einlegen.

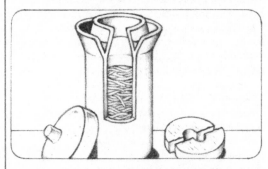

Den Spezial-Gärtopf aus Steinzeug mit Deckel und passenden Beschwerungssteinen gibt es in verschiedenen Größen.

Trocknen und Dörren ist ebenfalls eine alte, überlieferte Methode des Haltbarmachens. Nutzten unsere Vorfahren noch in erster Linie Sonne und Wind zum Trocknen, so stehen uns heute der Heißluftbackofen oder elektrisch beheizte Dörrapparate zur Verfügung. Dadurch ist es wesentlich einfacher, Obst, Pilze oder Kräuter haltbar zu machen. Beim Trocknen wird den Lebensmitteln Wasser entzogen, so daß sich keine Fäulnisbakterien und Schimmelpilze mehr darauf entwickeln können. Bei sachgemäßer Lagerung bleibt das Dörrgut längere Zeit – in der Regel bis zur nächsten Ernte – haltbar.

Durch das Trocknen wird das Aroma der meisten Lebensmittel noch intensiver: getrocknete Früchte schmecken süßer, Pilze und Kräuter würziger als im frischen Zustand. Da Früchte und Gemüse zwischen 75 und 90 Prozent Wasser enthalten, schrumpfen die Lebensmittel beim Trocknen stark zusammen. Sie brauchen also nur noch wenig Platz im Vorratsschrank und sind jederzeit griffbereit. Doch leider gehen beim Trocknen durch die Einwirkung von Sauerstoff, Wärme und durch verschiedene Enzymreaktionen auch die in den Lebensmitteln enthaltenen Vitamine verloren. Da die Verluste bei Gemüse besonders hoch sind und Gemüse ja in erster Linie wegen seines Vitamingehaltes gegessen wird, haben wir auf das Trocknen von Gemüse in diesem Buch verzichtet. Gemüse sollte man besser einsäuern oder einfrieren. Trotz mancher Nachteile haben gerade die Trockenfrüchte in der Vollwertküche ihren Platz: Wir schätzen sie als natürliche Süßungsmittel für Gebäck, Süßspeisen und Konfekt.

Damit die getrockneten Vorräte auch lange haltbar bleiben, ist es wichtig, sie richtig aufzubewahren. Früher füllte man die gedörrten Früchte in Stoffsäckchen und hängte sie an einem kühlen, trockenen Platz auf. Doch Getrocknetes neigt dazu, Feuchtigkeit aus der Luft aufzunehmen. Es kann schimmeln und von Schädlingen befallen werden. Am besten halten sich die getrockneten Vorräte kühl und vor Licht geschützt in dicht schließenden Behältern. Ideal sind Gläser mit Schraubdeckel. Auch Frischhaltedosen aus Kunststoff sind geeignet. Kontrollieren Sie Ihre Vorräte mindestens alle vier Wochen. Erscheinen sie feucht oder haben sich gar Wasser-

tröpfchen gebildet, müssen sie nachgetrocknet und die Behälter gründlich gereinigt werden. Bei richtiger Lagerung halten sich getrocknete Lebensmittel zwar jahrelang, doch ihr Gehalt an Vitaminen und anderen Inhaltsstoffen nimmt stark ab. Die Vorräte sollten deshalb bis zur nächsten Ernte verbraucht werden.

Sie finden in diesem Kapitel natürlich auch Rezepte für die Verwendung von milchsaurem Gemüse oder getrockneten Früchten und Pilzen. Darüber hinaus gibt es Rezepte für Marmeladen aus rohen, gekochten oder getrockneten Früchten, einen besonderen Saft, Sekt und einen vorzüglichen Rumtopf mit Honig.

Braucht etwas Zeit · Preiswert

Sauerkraut – selbst gemacht

Bild Seite 400

Eingesäuert werden hauptsächlich die späten Herbst- und Wintersorten. In einem kühlen Keller halten sie sich bis zum Frühjahr. Auch der frühe Sommerkohl ergibt ein köstliches, zartes Sauerkraut. Es ist schon nach 14 Tagen fertig, muß aber bald gegessen werden, weil es bei längerer Aufbewahrung weich wird. Besonders appetitlich wirkt das Sauerkraut, wenn geriebene Möhren mit eingesäuert werden. Auch Scheibchen von säuerlichen Äpfeln können mit in den Gärtopf kommen. Uns schmeckten allerdings die frischen Äpfel im Krautsalat besser.

Zutaten für 1 Gärtopf von 10 l Inhalt:
800 g Möhren · 10 kg Weißkraut (geputzt etwa 8 kg) · 30 g Salz · 2–3 Eßl. Wacholderbeeren · 2–3 Eßl. Kümmel · 1 Eßl. gelbe Senfkörner
Pro 100 g etwa 100 Joule/25 Kalorien

<u>Zubereitungszeit</u>: etwa 2 Stunden

Die Möhren unter fließendem Wasser sauber abbürsten und mittelfein reiben. • Das Kraut putzen und waschen. 2 Blätter zum Abdecken beiseite legen. Die Kohlköpfe vierteln, den Strunk herausschneiden und grobraspeln. Das Kraut in feine Streifen hobeln oder mit der Brotschneidemaschine fein schneiden. Etwa 8 cm hoch in den Gärtopf füllen, einen Teil der Möhren, des geraspelten Strunks, etwas Salz und Gewürze damit mischen. Das Kraut so lange stampfen, bis sich Saft bildet. Anschließend die nächste Lage einfüllen und wieder bis zur Saftbildung stampfen. • Ist der Topf zu ⅘ gefüllt, wird die letzte Schicht mit Kohlblättern abgedeckt. Anschließend die beiden Beschwerungssteine auflegen. Die Flüssigkeit muß über den Beschwerungssteinen stehen. Andernfalls muß mit abgekochtem lauwarmem Wasser aufgefüllt werden. Die Wasserrinne mit einem feuchten Tuch sauber auswischen. Den Deckel aufsetzen und die Rinne mit Wasser füllen. • Den Gärtopf 10 Tage bei Zimmertemperatur stehenlassen, anschließend in

den kalten Keller stellen. Nach 4-6 Wochen kann das Sauerkraut gegessen werden. Bei längerer Lagerung schmeckt es noch aromatischer.

Variante: Milchsaure weiße Rüben
Auf die gleiche Weise wie Sauerkraut kann man auch weiße Rüben einsäuern. Sie werden unter fließendem Wasser sauber abgebürstet und anschließend in Streifen oder Stifte gehobelt.

Ganz einfach · Schnell

Milchsaurer Wirsing im Glas

Milchsaurer Wirsing schmeckt köstlich, wird aber schnell weich. Deshalb säuern wir immer nur kleine Portionen in Gläsern ein, die bald leergegessen sind.

Zutaten für 1 Glas von 720 ml Inhalt:
600-700 g Wirsing · 150 g Möhren · 50 g Lauch/
Porree (auch zarte grüne Teile) · ¾ Teel. Salz ·
je ¼ Teel. gelbe Senfkörner und Korianderkörner
oder Dillsamen · etwas Liebstöckel oder Selleriekraut, Dill oder Oregano oder getrocknete Kräuter
Pro 100 g etwa 110 Joule/26 Kalorien

<u>Zubereitungszeit</u>: 25 Minuten

Das Gemüse putzen und waschen. Den Wirsing vierteln, den Strunk längs einschneiden, so daß er beim Hobeln in dünne Scheibchen zerfällt. Mit der Brotschneidemaschine den Wirsing in feine Streifen, die Möhren in 1 mm dicke Scheibchen schneiden (dicke Möhren vorher längs einmal einschneiden, so daß halbe Scheiben entstehen). Den Lauch in feine Streifen schneiden. • Alle Zutaten in einer Schüssel mischen und kräf-

---

Unser Tip Wenn Sie größere Mengen Kraut verarbeiten und zwei Töpfe zu gleicher Zeit füllen wollen, gehen Sie am besten so vor: Zuerst in den Topf 1 und anschließend in den Topf 2 eine Lage Kraut mit Salz und Gewürzen füllen. Dann das Kraut in Topf 1 stampfen, die nächste Schicht einfüllen. Das Kraut in Topf 2 stampfen, Kraut einfüllen – und so weiter verfahren. Während der »Wartezeit« zwischen Einfüllen und Stampfen wird durch das Salz bereits die Zellflüssigkeit aus dem Pflanzengewebe gelöst, so daß sich beim Stampfen schneller Saft bildet.

tig kneten, bis sich Saft bildet. Dann in ein Glas füllen und gut zusammendrücken. Das Glas nur bis 5 cm unter den Rand füllen. Der Saft muß das Gemüse bedecken. Falls das nicht der Fall ist, noch etwas abgekochtes lauwarmes Wasser nachfüllen. Den Wirsing vor Licht geschützt 5-6 Tage bei Zimmertemperatur gären lassen. Dann in den kalten Keller stellen. Er ist nach etwa 3 Wochen eßfertig.

Unser Tip Der eingesäuerte Wirsing schmeckt, nur mit kaltgepreßtem Öl angemacht, sehr gut als Salat. Man kann ihn aber auch mit anderen Gemüse- oder Salatarten mischen, zum Beispiel mit feingeschnittenem Endivien- oder Zichoriensalat oder mit Chinakohl.

Braucht etwas Zeit · Preiswert

Milchsaures Rotkraut im Gärtopf

Rotkraut, in Bayern auch Blaukraut genannt, bekommt beim Einsäuern eine besonders appetitliche leuchtendrote Farbe! Da Rotkraut fester ist als Weißkraut, nimmt man zum Einsäuern am besten frühe und mittelfrühe Sorten. Doch auch Spätkraut haben wir mit gutem Erfolg in Gläsern eingesäuert. Wir haben es nicht gehobelt, sondern feingeraspelt und anschließend in einer Schüssel mit Salz und Gewürzen kräftig geknetet, bis sich Saft bildete.

Zutaten für 1 Gärtopf von 10 l Inhalt:
2-3 Zwiebeln · eventuell 2-3 säuerliche Äpfel ·
10 kg Rotkraut (geputzt etwa 8 kg) · 30-35 g

Salz · 2-3 Eßl. Kümmel oder 1 Eßl. Kümmel und 1 Teel. Nelken · 3-4 Lorbeerblätter
Zum Abdecken: ungespritzte Weinblätter oder Sauerkirsch- oder Himbeerblätter oder Rotkrautblätter
Pro 100 g etwa 125 Joule/30 Kalorien

Zubereitungszeit: etwa 2 Stunden

Die Zwiebeln schälen und grobhacken. Die Äpfel waschen, entkernen und in Stückchen schneiden. Das Kraut putzen und waschen. Die Kohlköpfe vierteln, den Strunk herausschneiden, zarte Teile vom Strunk grobraspeln. Das Rotkraut in sehr feine Streifen schneiden oder hobeln. • Das Kraut mit allen übrigen Zutaten lagenweise in den Gärtopf füllen und nach jeder Schicht fest einstampfen. • Den Topf nur zu ⅘ füllen und die letzte Schicht mit Blättern abdecken. Die beiden Beschwerungssteine auflegen. Die Flüssigkeit muß über den Beschwerungssteinen stehen. Sollte sich nicht genügend Flüssigkeit gebildet haben, was bei Rotkraut meist der Fall ist, muß mit abgekochtem lauwarmem Wasser aufgefüllt werden. Ist mehr als ½ l Wasser erforderlich, gibt man dem Wasser noch etwas Salz

Unser Tip Wird der Gärtopf nur sehr langsam geleert, kann es gelegentlich vorkommen, daß sich auf dem eingesäuerten Gemüse ein weißer Belag, die sogenannte »Kahmhefe« bildet. Sie rührt von Hefebakterien her, die durch den Luftzutritt bei der Entnahme von Gemüse wieder aktiv werden. Die Kahmhefe ist unschädlich. Es genügt, die oberste Gemüseschicht mit der Hefe zu entfernen und die Innenwände mit einem in heißes Wasser getauchten Tuch abzuwischen.

(10 g pro Liter) zu. • Anschließend die Wasser-rinne mit einem feuchten Tuch sauber auswi-schen. Den Deckel aufsetzen und die Rinne mit Wasser füllen. • Den Gärtopf 10 Tage bei Zim-mertemperatur stehenlassen, dann in den kalten Keller stellen. Nach etwa 6 Wochen kann das Kraut gegessen werden.

tes lauwarmes Salzwasser zugießen, daß die Steine vollkommen bedeckt sind. Den Deckel aufsetzen und die Rinne mit Wasser füllen. Die Gurken 8 Tage bei Zimmertemperatur gären las-sen und dann kalt stellen. Sie sind nach etwa 3 Wochen eßfertig.

Ganz einfach · Preiswert

Milchsaure Gurken im Gärtopf

Zum Einsäuern eignen sich am besten mittelgro-ße Freilandgurken sowie kleine Traubengurken. Sie sollten noch fest sein und keine Kerne haben, sonst werden sie schnell weich und hohl.

Zutaten für 1 Gärtopf von 10 l Inhalt:
etwa 5 kg Gurken · 3-4 Zwiebeln ·
2-3 Knoblauchzehen · 10-12 Meerrettichscheib-
chen · 6-7 Dillblüten oder 1 Eßl. Dillsamen ·
6-8 Zweige Estragon · 3 Eßl. Senfkörner ·
2 Eßl. Korianderkörner · 5 Lorbeerblätter ·
etwa 4 l Salzwasser (25 g Salz für 1 l Wasser)
Zum Abdecken: Himbeer- oder schwarze Johan-
nisbeer- oder Wein- oder Meerrettichblätter
Pro 100 g etwa 55 Joule / 13 Kalorien

Zubereitungszeit:1 Stunde

Die Gurken unter fließendem Wasser gründlich abbürsten. Mit einem spitzen Hölzchen oder ei-nem spitzen Messer mehrmals anstechen, so daß der Flüssigkeitsaustausch besser erfolgen kann. Die Zwiebeln schälen und vierteln. Den Knob-lauch schälen. • Die Gurken möglichst dicht in den Gärtopf packen. Die Würzzutaten dazwi-schen verteilen. Mit Blättern abdecken. Die Be-schwerungssteine auflegen. • So viel abgekoch-

Ganz einfach · Schnell

Milchsaure Rote Rüben im Glas

Rote Rüben entwickeln beim Einsäuern ein sehr feines Aroma. Da sie aber bei längerer Aufbe-wahrung stark nachsäuern, ist es ratsam, nur kleine Mengen in Gläsern milchsauer einzulegen und bald zu verbrauchen. Rote Rüben haben ein festeres Fleisch als Möhren. Sie müssen deshalb feingeraspelt und kräftig gestampft werden.

Zutaten für 1 Glas von 720 ml Inhalt:
600-700 g rote Rüben/rote Bete ·
3-4 Pimentkörner · 6 Korianderkörner ·
2 Nelken · ½ Teel. Dillsamen oder Kümmel ·
etwas Dill und Estragon · ¾ Teel. Salz ·
1 Knoblauchzehe · 2 Schalotten oder kleine
Zwiebeln · 3-4 Meerrettichscheibchen
Pro 100 g etwa 155 Joule / 40 Kalorien

Zubereitungszeit: 25 Minuten

Die roten Rüben putzen, unter fließendem Was-ser sauber abbürsten. Harte Stellen dünn abschä-len. Anschließend die roten Rüben feinraspeln und mit den Gewürzen und dem Salz mit einem Holzstößel in einer Schüssel kräftig stampfen, bis sich Saft gebildet hat. • Den Knoblauch und die Schalotten oder die Zwiebeln schälen, even-tuell halbieren. Die roten Rüben in ein Glas fül-len, dabei den Knoblauch, die Schalotten und die Meerrettichscheiben dazwischenlegen. Das Glas nur bis 5 cm unter den Rand füllen, weil die roten Rüben sehr stark gären. Der Saft muß das Gemüse ganz bedecken. Falls notwendig, noch etwas abgekochtes lauwarmes Wasser nachfüllen. Den Deckel fest zuschrauben, die roten Rüben vor Licht geschützt bei Zimmertemperatur 6–7 Tage gären lassen. • Dann in den kalten Keller stellen. Nach etwa 6 Wochen sind die roten Rüben eßfertig. Das Glas vorsichtig öffnen (eventuell ein Tuch darüberlegen), weil der Saft infolge der starken Gärung leicht herausspritzen kann.

> **Unser Tip** Im kühlen Keller hält sich eingesäuertes Gemüse bis zur nächsten Ernte. Angebrochene Gläser sollten jedoch im Kühlschrank aufbewahrt werden. Dort hält sich das Gemüse noch 4–6 Wochen, sofern es von der Gärlake bedeckt ist.

Schnell · Ganz einfach

Milchsaure Paprikaschoten im Glas

Zum Einsäuern eignen sich sowohl grüne, gelbe als auch rote Paprikaschoten. Wenn man alle drei Sorten mischt, ergeben sich sehr dekorative Farbeffekte. Ausgesprochen delikat schmecken die roten Paprikaschoten. Wir essen sie besonders gern auf Butterbrot oder auf einem Brot mit mildem Käse. Zum Einsäuern eignen sich am besten die festen, fleischigen Schoten, die im Herbst angeboten werden. Sie bleiben auch länger knackig als die frühen Sorten, die schneller

verbraucht werden müssen. Sind die Paprikastreifen doch einmal weich geworden, kann man sie noch gut unter Saucen oder pikante Quark- und Käsecremes mixen.

Zutaten für 2 Gläser von 370 ml Inhalt:
500 g rote Paprikaschoten · 4–6 kleine Zwiebeln ·
2 Knoblauchzehen · 1 Lorbeerblatt ·
20 Pfefferkörner · ½ l Wasser · 2 Teel. Salz
Pro 100 g etwa 125 Joule/30 Kalorien

Zubereitungszeit: 15 Minuten

Die Paprikaschoten vierteln, entkernen, waschen und in 1 cm breite Streifen schneiden. Die Zwiebeln schälen und halbieren oder vierteln. Den Knoblauch schälen. • Die Paprikastreifen aufrecht in die Gläser füllen, die Würzzutaten dazwischen verteilen. Vorsichtig hineindrücken. Die Gläser nur bis 4 cm unter den Rand füllen. Das Wasser mit dem Salz aufkochen. Abkühlen lassen und über die Paprikastreifen gießen, sodaß die Paprikaschoten von der Flüssigkeit bedeckt sind. Die Gläser fest zuschrauben. Die Schoten 1 Woche vor Licht geschützt bei Zimmertemperatur gären lassen. Dann in den kalten Keller stellen. Sie können nach etwa 4 Wochen gegessen werden.

Ganz einfach · Schnell · Preiswert

Milchsaurer Knoblauch im Glas

Die Knoblauchzehen erhalten durch das Einsäuern ein feines, nußartiges Aroma und verlieren viel von ihrem penetranten Geruch. Milchsaurer Knoblauch paßt überall dort, wo man ihn sonst frisch verwendet – also an Salate, Saucen, Suppen, zu Gemüsen und zu Brotaufstrichen.

Nehmen Sie zum Einsäuern die frischen Knollen, die im Herbst auf den Markt kommen.

Zutaten für 1 kleines Glas von 125–150 ml Inhalt:
4–5 Knoblauchknollen · 1 Teel. Einmachgewürz ·
¼ Lorbeerblatt · etwa 100 g abgekochtes lauwarmes Salzwasser (15 g Salz pro Liter Wasser)
Pro 100 g etwa 570 Joule/135 Kalorien

Zubereitungszeit: 15 Minuten

Die Knoblauchzehen schälen und mit den Gewürzen in das Glas füllen. 3 cm unter dem Rand frei lassen und so viel Salzwasser dazugießen, bis die Zehen bedeckt sind. Das Glas fest zuschrauben. Den Knoblauch vor Licht geschützt bei Zimmertemperatur 8–10 Tage gären lassen. Dann kalt stellen. Nach etwa 6 Wochen kann der Knoblauch verbraucht werden.

Ganz einfach · Schnell

Milchsaure Bohnen im Glas

Einsäuern kann man sowohl grüne Bohnen als auch gelbe Wachsbohnen. Rohe Bohnen enthalten den Giftstoff Phasin, der durch Kochen zerstört wird. Deshalb müssen sie vor dem Einsäuern gekocht werden; sie sollten nur knapp gar sein, weil sie durch das Einsäuern noch mürber werden.

Zutaten für 1 Glas von 720 ml Inhalt:
400–500 g Bohnen · 1 Teel. Salz · ½ Teel. gelbe Senfkörner · 5 Zweige Bohnenkraut ·
2 Dillblüten
Pro 100 g etwa 140 Joule/35 Kalorien

Zubereitungszeit: 25 Minuten

Die Bohnen putzen und waschen. Junge, zarte Bohnen ganz lassen, größere in Stücke brechen. Anschließend in 5–15 Minuten knapp gar kochen. Die Kochbrühe abgießen und auffangen. • Die Bohnen auf einer Platte ausbreiten, damit sie schneller abkühlen. Das Salz in 350 ml Kochbrühe auflösen. Die Bohnen mit den Senfkörnern und den Kräutern in das Glas schichten und vorsichtig hineindrücken. Das lauwarme Salzwasser darübergießen, so daß die Bohnen von der Flüssigkeit bedeckt sind. Das Glas bis 4 cm unter den Rand füllen und fest verschließen. Die Bohnen vor Licht geschützt 8 Tage bei Zimmertemperatur gären lassen. • Dann in den kalten Keller stellen. Nach 3–4 Wochen sind die Bohnen eßfertig.

Unser Tip Hat man keinen dunklen Raum mit Zimmertemperatur, kann man die Gläser auch in einem hellen Raum aufbewahren. Man legt einfach ein dunkles Tuch oder stülpt einen Karton darüber.

Braucht etwas Zeit

Buntes Mischgemüse im Gärtopf

Alles Gemüse, das gerade im Garten geerntet werden kann, wird hier in bunter Mischung vereint. Sollte der Topf beim ersten Mal nicht voll werden, kann man während der nächsten 10 Tage noch Gemüse nachlegen. Es muß aber immer genügend Salzwasser über dem Gemüse stehen, damit es vor Luftzutritt geschützt ist. Nicht verwenden kann man rote Rüben und Rotkraut, weil sich sonst die ganze Mischung rot verfärbt.

Zutaten:
Kohlrabi: grobraspeln oder in Stifte schneiden
Möhren: raspeln oder in dünne Scheibchen
hobeln
Gurken: mit Holzstäbchen anstechen
halbreife, feste Tomaten: mit Holzstäbchen
anstechen
Blumenkohl: in Röschen zerteilen
Bohnen: in 5-15 Minuten knapp gar kochen
Wirsing und Weißkraut: in Stücke zerteilen,
Strunk und dicke Blattrippen raspeln (harte
Außenblätter entfernen)
Paprika: entkernen, in Stücke schneiden
Zwiebeln: ganz lassen oder vierteln
Knoblauchzehen: ganz lassen
Kräuter und Gewürze: reichlich Dill und Estragon,
etwas Thymian und Liebstöckel, Meerrettich-
scheibchen, Lorbeerblätter, Senfkörner,
Koriander
Zum Abdecken: Weißkraut- oder Wirsing-
blätter
Zum Übergießen: Salzwasser (25 g Salz
pro 1 l Wasser)

Das Gemüse gründlich waschen und putzen, falls nötig, schälen und zerteilen. Anschließend möglichst dicht in den Gärtopf schichten, die Würzzutaten dazwischen verteilen. • Mit Blättern abdecken. Die Beschwerungssteine auflegen und mit abgekochtem lauwarmem Salzwasser aufgießen, bis die Steine bedeckt sind. Den Deckel aufsetzen und die Rinne mit Wasser füllen. Das Gemüse 8-10 Tage bei Zimmertemperatur gären lassen, dann kalt stellen. Nach etwa 4 Wochen kann das Gemüse als köstlicher Frischkostsalat serviert werden. Man richtet es mit kaltgepreßtem Öl und frischen Kräutern an.

Rezepte mit milchsaurem Gemüse

Gerade für eilige Hausfrauen ist milchsauer eingelegtes Gemüse ideal: man steigt in den Keller, holt sich eine oder mehrere Portionen vom Eingesäuerten, macht es mit reichlich kaltgepreßtem Öl an, streut frische Kräuter darüber, und fertig ist eine köstliche Frischkostplatte. Man kann milchsaures Gemüse auch mit frischem Gemüse oder auch mit Äpfeln mischen; das mildert den Geschmack und ergibt neue, delikate Salat-Variationen. Bei uns kommt eingesäuertes Gemüse meistens roh auf den Tisch, dann bleibt sein würziges Aroma am besten erhalten und die Milchsäure wie auch die hitzeempfindlichen Vitamine werden nicht durch Kochen zerstört.

Ganz einfach · Preiswert

Rote-Rüben-Suppe

1 l Gemüsebrühe oder Wasser · 125 g Lauch/
Porree · 125 g Chinakohl · 125 g Sellerie ·
30 g Dinkel, feingemahlen · 2 Gemüsebrüh-
würfel · 250 g milchsaure rote Rüben/rote Bete ·
⅛ l Sahne · 15 g Butter · Salz
Pro Portion etwa 840 Joule/200 Kalorien

Vorbereitungszeit: 15 Minuten
Garzeit: 15 Minuten

½ l Gemüsebrühe zum Kochen bringen. Inzwischen den Lauch putzen, längs halbieren, gründlich waschen und in feine Streifen schneiden (auch das zarte Lauchgrün verwenden). Vom Chinakohl die einzelnen Blätter ablösen und waschen. Dann längs halbieren und feinschneiden. Den Sellerie unter fließendem Wasser sauber bürsten, nur falls nötig, schälen, in der Moulinette kleinhacken. Das Gemüse 5 Minuten leise kochen lassen. • Inzwischen den Dinkel in der restlichen Brühe anrühren und mit den Brühwürfeln zum Gemüse geben. Unter Umrühren einmal aufkochen und auf der ausgeschalteten Platte einige Minuten ziehen lassen. • Die roten Rüben in der Moulinette noch etwas zerkleinern und in die Suppe geben. Die Hälfte der Sahne und die Butter unterrühren. Die Suppe mit wenig Salz abschmecken. Unter Umrühren vorsichtig erwärmen, aber nicht mehr kochen lassen. • Die restliche Sahne steif schlagen. Die Suppe auf vier Teller verteilen und mit einem Sahnehäubchen garnieren.

Braucht etwas Zeit

Sauerkraut mit Kastanien

Eßkastanien sind ab November frisch zu haben. Sie schmecken gut zu Sauerkraut, das im folgenden Rezept nur sanft erwärmt, aber nicht gekocht wird. So bleiben alle wertvollen Inhaltsstoffe am besten erhalten.

500 g Maronen · 200 g Zwiebeln · 4 Eßl. Sonnenblumenöl · 3 Eßl. trockener Weißwein · 200 g säuerliche Äpfel · 500 g Sauerkraut · 2 Eßl. ungeschwefelte Korinthen · 60 g Butter · 1 Teel. getrockneter, gerebelter Thymian oder frische Thymianblättchen · Salz
Pro Portion etwa 2100 Joule/500 Kalorien

Vorbereitungszeit: 30 Minuten
Garzeit: 20 Minuten

Die Maronen waschen, am spitzen Ende kreuzweise einschneiden und mit Wasser bedeckt 20 Minuten garen. Anschließend die Schalen und die braunen Innenhäutchen ablösen. Dabei

nur jeweils 3-4 Stück aus dem Sud nehmen, denn wenn die Kastanien abgekühlt sind, läßt sich die Innenhaut nur schwer abziehen. • Während die Maronen kochen, das Sauerkraut vorbereiten. Dazu die Zwiebeln schälen und grobwürfeln. Dann in einer großen Pfanne in dem Öl und ½ Eßlöffel Wein anbraten. Inzwischen die Äpfel vierteln, entkernen, in Scheibchen schneiden. Mit dem restlichen Wein zu den Zwiebeln geben und in der geschlossenen Pfanne nur einige Minuten garen; die Mischung soll bißfest bleiben. Das kleingeschnittene Sauerkraut, die Korinthen, die Butter und den Thymian dazugeben. Bei schwacher Hitze ziehen lassen, bis das Kraut erwärmt ist. • Die inzwischen geschälten Kastanien vorsichtig untermischen, mit Salz abschmecken und nochmals erwärmen.

Braucht etwas Zeit

Ungarischer Krautkuchen

Zutaten für 1 Springform (24–26 cm ⌀):
Für den Teig: 15 g Hefe · 175 g lauwarme Buttermilch oder Sauermilch · 2½ Eßl. Sonnenblumenöl · ½ Teel. Salz · 175 g Weizen · 75 g Roggen · ½ Teel. Kümmel · 50 g Reibkäse
Für die Füllung: 450 g Sauerkraut · 125 g Zwiebeln · 200 g Äpfel · 1 grüne und 1 rote Paprikaschote · 6 Eßl. Sonnenblumenöl · 1 Teel. Kümmel · 2 Teel. Edelsüß-Paprika · ½ Teel. Rosenpaprika · ¾ Teel. Salz · eventuell 1–3 Eßl. trockener Weißwein
Zum Bestreuen: 125 g Esrom-Käse oder eine ähnliche pikante Sorte · 1–2 Teel. Kümmel
Für die Form: Butter
Bei 12 Stücken pro Stück etwa 800 Joule/190 Kalorien

Vorbereitungszeit: 70 Minuten
Backzeit: 40 Minuten

Die Hefe in der Milch auflösen, das Öl und das Salz damit verrühren. • Das Getreide mit dem Kümmel mehlfein mahlen. Alle Zutaten mit der Küchenmaschine gründlich durchkneten. Den Teig zugedeckt etwa 30 Minuten gehen lassen, bis er sein Volumen ungefähr verdoppelt hat. • Inzwischen die Füllung vorbereiten. Dafür das Sauerkraut etwas kleinschneiden. Die Zwiebeln schälen und in feine Streifen schneiden. Die Äpfel entkernen und grobraspeln. Die Paprikaschoten entkernen und in kleine Würfel schneiden. Das Öl und die Gewürze dazugeben und alles vermengen. Falls die Füllung zu trocken ist, noch etwas Wein unterrühren. • Eine gefettete Springform mit dem Teig auslegen, den Teigrand bis zum Springformrand hochziehen. 10 Minuten gehen lassen. • Das Kraut einfüllen und etwas zusammendrücken. Den Käse grobreiben oder in der Moulinette hacken und über dem Kraut verteilen. Etwas Kümmel darüberstreuen. • Den Sauerkrautkuchen in den kalten Backofen schieben und bei 200° auf der unteren Schiene etwa 40 Minuten backen. • Sollte vom Krautkuchen etwas übrig bleiben, kann man ihn aufbacken; er schmeckt dann wie frisch.

Ganz einfach · Preiswert · Vitaminreich

Festlicher Sauerkrautsalat

125 g Nackthafer · ¼ l Wasser · 400 g Sauerkraut · 200 g blaue Weintrauben · 2 Äpfel
Für die Sauce: 200 g Sahne · 3 Eßl. Sonnenblumenöl · 1 Eßl. gehackte Petersilie
Pro Portion etwa 1405 Joule/335 Kalorien

Zubereitungszeit: 30 Minuten

Den Hafer in dem Wasser 10 Minuten kochen und weitere 20 Minuten auf der ausgeschalteten

Platte ausquellen lassen. • Inzwischen das Sauerkraut etwas kleinschneiden. • Die Trauben gründlich mit warmem Wasser waschen, dann halbieren und entkernen. Die Äpfel vierteln, entkernen und in Scheibchen schneiden. Den Hafer dazugeben und alles locker mischen. • Die Sahne und das Öl verrühren und unter den Salat heben. Mit der Petersilie bestreuen und sofort servieren.

Ganz einfach · Preiswert

Kartoffelsuppe mit milchsauren Bohnen

Die milchsauren Bohnen geben der Suppe eine ganz neue feinsäuerliche Würze. Für den Anfang probieren Sie das Rezept erst einmal mit der kleineren Menge milchsaurer Bohnen aus.

400 g Kartoffeln · 100 g Möhren · 1 Lorbeerblatt · 800–900 g Gemüsebrühe oder Wasser · 1 Stange Lauch/Porree · 100–150 g milchsaure Bohnen · 3 Gemüsebrühwürfel · je 1 Teel. getrockneter gerebelter Majoran und Thymian · ½ Teel. getrockneter Liebstöckel, oder die doppelte Menge frische Kräuter · ⅛ l Sahne · 1–2 Eßl. feingehackte frische Petersilie
Pro Portion etwa 840 Joule/200 Kalorien

Vorbereitungszeit: 10 Minuten
Garzeit: 25 Minuten

Die Kartoffeln und die Möhren unter fließendem Wasser sauber bürsten. Danach grobraspeln. Mit dem Lorbeerblatt in 600 ml Gemüsebrühe 8 Minuten kochen. • Inzwischen den Lauch putzen, längs aufschneiden und gründlich waschen. Dann in Streifen schneiden und zu den Kartoffeln geben. Noch 8–10 Minuten kochen. •

Inzwischen die Bohnen kleinschneiden. • Das Lorbeerblatt aus der Suppe nehmen und das Gemüse mit dem Schneidstab im Topf pürieren. • Die Brühwürfel, die Bohnen und die restliche Brühe hinzufügen. Die Kräuter zerreiben und mit der Sahne unter die Suppe rühren. Die Suppe erwärmen, aber nicht kochen lassen, und vor dem Servieren mit der Petersilie bestreuen.

Ganz einfach · Schnell

Gefüllter Staudensellerie

Ein hübscher Blickfang auf jedem Salatbüffet.

300 g milchsaurer roter Paprika · 300 g Doppelrahm-Frischkäse · ½ Teel. Salz · Cayennepfeffer · 1 Selleriestaude · 2 Eßl. Pinienkerne
Pro Portion etwa 1430 Joule/340 Kalorien

Zubereitungszeit: 25 Minuten

Die Paprikastreifen abtropfen lassen. Dann mit dem Frischkäse mit dem Schneidstab des Handmixers zu einer Creme mixen. Mit Salz und Cayennepfeffer abschmecken. • Die Selleriestangen waschen und halbieren. Mit der Paprikacreme füllen und auf einer runden Platte sternförmig anordnen. • Die Pinienkerne in einer Pfanne ohne Fett unter Umwenden einige Minuten rösten und auf die Paprikacreme streuen.

Variante: Avocados mit Paprikacreme
Die Paprikacreme wie oben zubereiten, feingewürfelten Staudensellerie untermengen und kräftig abschmecken. 3 Avocados halbieren, den Kern herausheben. Die Avocadohälften auf Kopfsalatblätter legen. Mit der Paprikacreme überziehen und mit Sellerieblättchen garnieren.

Ganz einfach · Schnell

Knoblauch-Kerbelbutter

125 g weiche Butter · 6 große milchsaure Knoblauchzehen · 2 Handvoll Kerbel · ¼–½ Teel. Salz
Pro 100 g 2225 Joule/530 Kalorien

Zubereitungszeit: 10 Minuten

Die Butter cremig rühren. Die Knoblauchzehen durch die Knoblauchpresse drücken und unterrühren. Den Kerbel waschen, trockentupfen und feinschneiden, unter die Knoblauchbutter rühren und mit Salz abschmecken.

Paßt gut zu: warmen Fladenbrötchen, Vollkornbrot, neuen Kartoffeln, Vollkornnudeln, Champignons, Möhren und zu allen Gemüsen, die mit frischem Knoblauch harmonieren.

Trocknen – aber richtig

Beim Trocknen kommt es darauf an, den Lebensmitteln auf möglichst schonende Weise die Feuchtigkeit zu entziehen. Die richtige, nicht zu hohe Temperatur und eine gleichzeitig gute Durchlüftung sind die wichtigsten Voraussetzungen für einen schonenden Trockenprozeß.

Sehr einfach und sicher geht das Trocknen im Heißluftherd. Große Stücke kann man direkt auf den Backofenrost legen. Für kleinere Stücke muß der Rost mit Backpapier belegt werden. Auch die Backbleche legt man mit Backpapier aus. Während des Trocknens muß das Obst ab und zu gewendet werden, weil die Auflegestellen länger feucht bleiben. Die Trockentemperaturen liegen zwischen 50° und 70°. Im allgemeinen bleibt die Backofentür während des Trocknens geschlossen. Beim Trocknen von sehr feuchtem

Obst ist es jedoch zweckmäßig, während der ersten zwei Stunden die Backofentür mehrmals zu öffnen, damit die feuchte Luft schneller abziehen kann. Bei dieser Gelegenheit wischt man auch das sich an der Innenseite der Backofentür bildende Kondensat ab. Im konventionell beheizten Backofen dauert das Trocknen wegen der fehlenden Luftzirkulation länger. Damit die Feuchtigkeit nach außen abziehen kann, klemmt man einen Kochlöffelstiel in die Tür.

Am einfachsten ist das Trocknen mit einem elektrischen Dörrapparat. Er hat einen 4-Stufen-Thermostat, so daß man auch empfindliche Kräuter und Pilze schonend trocknen kann. Sehr saftige Früchte trocknet man bei höheren Temperaturen vor und schaltet später auf eine niedrigere Stufe zurück.

Trockenzeiten – Trockentemperaturen

Obst, Kräuter und Pilze sollten so schnell, aber auch so schonend wie möglich getrocknet werden. Empfindliche Kräuter dürfen dabei nicht über 30-35°, Pilze nicht über 40°, Obst nicht über 50-60° erwärmt werden. Genaue Trockenzeiten anzugeben ist leider nicht möglich. Es kommt dabei auf die Größe und Dicke der Stücke und auf ihren Wassergehalt an. Auch die Luftfeuchtigkeit der Umgebung, die Trockentemperatur und das Dörrgerät spielen eine Rolle. Je nach Beschaffenheit des Dörrgutes sollte der Trockenvorgang in 10-36 Stunden abgeschlossen sein. Dörrfrüchte sollen noch etwas elastisch sein, also auf Fingerdruck nachgeben. Beim Zerschneiden dürfen keine feuchten Stellen mehr sichtbar sein. Pilze brechen und Kräuter lassen sich leicht zerbröseln, wenn sie fertig getrocknet sind.

Das Trocknen von Früchten

Ananas

Nehmen Sie zum Trocknen nur gut ausgereifte Früchte. Man erkennt sie an ihrer dunkelorangen bis kupferroten Farbe und an ihrem intensiven Duft. Die Ananas in 1-2 cm dicke Scheiben schneiden und die Schale ringsherum mit einem spitzen Messer ablösen. Anschließend die Scheiben in 2 × 2 cm große Stücke oder in Dreiecke teilen und den inneren holzigen Teil der Frucht abschneiden.

Äpfel

Nur reife Früchte ohne größere Schadstellen verwenden. Lageräpfel läßt man erst ausreifen. Nur Äpfel mit harter Schale schälen, schlechte Stellen großzügig ausschneiden. Für Apfelringe das Kerngehäuse mit einem Apfelausstecher entfernen und die Äpfel in Ringe von 8-10 mm Dicke schneiden. Oder das Kerngehäuse ausschneiden und die Stücke in 1½ cm dicke Schnitze teilen. Die Drahtsiebe während des Trocknens ab und zu schütteln, damit die Schnitze gewendet werden.

Apfelschnitze, die zu stark getrocknet wurden, hängt man in einem Stoffsäckchen in einem kühlen Raum auf. Im Laufe der Zeit nehmen sie soviel Feuchtigkeit auf, daß sie wieder elastisch werden.

Apfelschalen, Birnenschalen und die Kerngehäuse ergeben einen aromatischen, fruchtigen Tee. Man trocknet sie auf Dörrsieben bei 30-35° im Dörrapparat oder im Backofen.

Aprikosen

Nur reife, aromatische Früchte trocknen! Die Aprikosen waschen, halbieren, entkernen und mit der Schnittfläche nach oben auf die Dörrsiebe legen.

Bananen

Reife Früchte mit kleinen braunen Punkten eignen sich am besten. Die Bananen schälen, in 1 cm dicke Scheiben schneiden oder quer halbieren und jede Hälfte der Länge nach in Viertel teilen.

Birnen

Birnen sollen zum Trocknen vollreif und schon etwas teigig sein. Geschälte Dörrbirnen eignen sich gut für Konfekt und Marmelade aus Trockenfrüchten. Kleine Birnen kann man im ganzen trocknen. Noch schneller trocknen sie, wenn man sie halbiert und das Kerngehäuse heraussticht. Große Birnen werden geviertelt und entkernt.

Erdbeeren

Getrocknete Erdbeeren schmecken wie allerfeinste Fruchtbonbons. Nehmen Sie zum Trocknen nur festfleischige, aromatische Früchte. Der Blütenansatz wird entfernt, die Beeren werden halbiert und mit der Schnittfläche nach oben auf die Dörrsiebe gelegt.

Hagebutten

Hagebutten werden bei etwa 40° im ganzen getrocknet, nachdem man Stiel und Blütenansatz mit einem scharfen Messer entfernt hat. Das Entkernen der Früchte ist sehr mühsam und auch nicht sinnvoll, weil die Wirkstoffe teilweise auch in den Kernen enthalten sind. Zur Teebereitung werden die getrockneten Früchte mit einem scharfen Messer angeschnitten oder mit der Moulinette etwas zerkleinert.

Johannisbeeren und andere Beeren

Unsere Versuche, Johannisbeeren, Heidelbeeren und Stachelbeeren zu trocknen, verliefen nicht sehr befriedigend: das Trocknen dauert lange, die Beeren mußten oft gewendet werden; ein Arbeitsaufwand, der sich nicht lohnt. Es ist daher besser, diese Beerenarten einzufrieren.

Kirschen

Getrocknete Kirschen sind eine Köstlichkeit, sofern Sie zum Trocknen reife, fleischige Früchte nehmen. Sie sollten während der Reifezeit möglichst wenig Regen abbekommen haben, sonst sind sie zu wäßrig. Aufgeplatzte Kirschen schimmeln leicht und eignen sich deshalb nicht zum Dörren.

Am einfachsten ist es, die Kirschen mit Kern zu trocknen, doch dann sind sie nur als süße Lutschbonbons zu verwenden. Der Kern läßt sich nämlich aus den getrockneten Kirschen auch nach dem Einweichen kaum noch entfernen. Man sollte sich also die Mühe machen, die Kirschen vor dem Trocknen zu entkernen. Sehr saftreiche Frühkirschen läßt man etwa 5 Stunden vortrocknen, drückt dann die Kerne von Hand heraus und trocknet sie fertig. Fleischige Spätkirschen werden vor dem Trocknen entkernt. Sie sind dickschaliger als die frühen Sorten, so daß sich aus den vorgetrockneten Früchten die Kerne nur schwer herausdrücken lassen. Ein leistungsfähiger Kirschentkerner, mit dem sich auch größere Mengen in verhältnismäßig kurzer Zeit verarbeiten lassen, ist dazu sehr praktisch. Der ablaufende Saft wird aufgefangen und eingefroren. Man kann ihn für Fruchtsaucen oder zu Marmeladen aus Dörrfrüchten (siehe Seite 355) verwenden.

Mirabellen

werden halbiert, entkernt und mit der Schnittfläche nach oben auf die Dörrsiebe gelegt.

Nüsse

Frisch geerntete Walnüsse oder Haselnüsse trocknen am besten an einem luftigen, sonnigen Platz im Freien. Man füllt sie in dünner Schicht in die Dörrsiebe oder in flache Obststeigen. Ab und zu rüttelt man die Siebe oder die Steigen hin und her, um die Nüsse zu wenden. Sind die Nüsse trocken, was bei gutem Wetter nach etwa 3-4 Tagen der Fall ist, bewahrt man sie in der

Schale in Körben oder anderen luftdurchlässigen Behältern auf. An einem kühlen, trockenen Platz bleiben sie bis zum Frühjahr frisch. Nur bei sehr ungünstiger feuchter Witterung trocknet man die Nüsse mit künstlicher Wärme. Die Trockentemperatur sollte dabei 20–22° nicht übersteigen, weil die Nüsse sonst leicht ranzig werden.

Zitronen- und Orangenschalen

kann man auch bei Zimmertemperatur an der Luft trocknen. Nur ungespritzte Früchte nehmen, heiß abwaschen und dünn abschälen. Getrocknete, grob zerkleinerte Zitrusschalen eignen sich gut zum Aromatisieren von Tees. Zum Würzen von Süßspeisen und Gebäck konserviert man die abgeriebenen frischen Schalen am besten in Honig.

Zwetschgen

Zum Trocknen eignen sich am besten gut ausgereifte Spätzwetschgen, die am Stielansatz schon etwas eingeschrumpft sind. Mit Stein getrocknete Zwetschgen schmecken zwar etwas aromatischer, verarbeiten kann man sie aber später leichter, wenn sie vor dem Trocknen entsteint wurden. Zum Trocknen klappt man die entkernten Früchte wieder zusammen oder legt sie ausgebreitet, mit der Schalenseite nach unten, auf die Dörrsiebe.

Das Trocknen von Pilzen

Zum Trocknen eignen sich fast alle Pilzarten, manche von ihnen gewinnen dabei noch an Aroma und Würzkraft – das gilt besonders für Steinpilze, Habichtspilze, Maipilze, Totentrompeten und Nelkenschwindlinge. Die Krause Glucke und Morcheln schmecken nach dem Einweichen wieder wie frisch. Trocknen kann man außerdem alle eßbaren Röhrenpilze, Täublinge und Ritterlinge, auch den Graublättrigen Schwefelkopf, Reifpilz und Parasol, Stockschwämmchen und Champignons. Pfifferlinge sollte man frisch essen, denn sie werden beim Trocknen zäh. Nur junge, frische Pilze eignen sich zum Trocknen. Am besten ist es, schon beim Sammeln im Wald alle Verunreinigungen sorgfältig zu entfernen, denn die Pilze dürfen nicht gewaschen werden, weil sie sonst zuviel Feuchtigkeit aufnehmen und leicht schimmeln. Deshalb sollte man Pilze zum Trocknen auch nicht bei Regenwetter sammeln. Eventuell vorhandene Erdreste lassen sich mit einem harten Pinsel oder einer weichen Zahnbürste gut abstreifen. Die geputzten Pilze werden in ½ cm dicke Scheiben geschnitten, kleine Exemplare werden nur halbiert. Man fädelt sie auf Schnüre auf oder breitet sie flach auf den Dörrsieben aus. Bei schönem Wetter können sie im Freien, in der Sonne oder im Halbschatten getrocknet werden. Abends nimmt man die Pilze ins Haus, weil sie sonst die Feuchtigkeit der Nachtluft aufnehmen und schimmeln oder faulen. Bei kühlem, feuchtem Wetter trocknet man die Pilze im elektrischen Dörrapparat oder im Backofen bei maximal 40°, bis sie dürr sind und sich leicht brechen lassen. Getrocknete Pilze halten sich an einem trockenen, dunklen Platz in Schraubgläsern etwa ein Jahr. Man sollte sie aber gelegentlich kontrollieren, denn selbst in gut schließenden Gläsern können sie manchmal Feuchtigkeit anziehen. Wenn nötig, werden sie bei milder Wärme kurz nachgetrocknet.

Rezepte mit getrockneten Früchten und Pilzen

Getrocknete Birnen, Äpfel, Zwetschgen und all' die anderen Köstlichkeiten schätzen wir als natürliches, mineralstoffreiches Süßungsmittel in der Vollwertküche ganz besonders. Am liebsten essen wir die Dörrfrüchte so, wie sie sind, oder machen Naturkonfekt und Marmeladen daraus.

Schnell · Ganz einfach

Marmelade aus getrockneten und frischen Früchten

Grundrezept

Zutaten für etwa 500 g:
200 g gemischte Trockenfrüchte (Zwetschgen, Birnen, Kirschen, Aprikosen, eventuell Äpfel und Rosinen) · 300–350 g schwarze Johannisbeeren, Himbeeren oder Brombeeren, frisch oder tiefgefroren · abgeriebene Schale 1 unbehandelten Zitrone · Honig nach Geschmack
Pro 100 g etwa 610 Joule/145 Kalorien

Zubereitungszeit: 15 Minuten
Haltbarkeit im Kühlschrank: etwa 14 Tage

Das Dörrobst nur dann kurz einweichen, wenn es sehr trocken ist, anschließend im Mixer pürieren. • Tiefgefrorene Früchte etwas antauen lassen. Zum Fruchtpüree nach und nach soviel frisches Obst geben und untermixen, daß eine nicht zu feste, streichfähige Masse entsteht. (Sie dickt im Kühlschrank noch nach). Die Marmelade mit Zitronenschale aromatisieren und nach Geschmack mit Honig süßen. Dann in kleine

---

Unser Tip Einen delikaten Brotaufstrich erhalten Sie, wenn Sie Fruchtmarmelade und cremig gerührten Doppelrahm-Frischkäse mischen. Nach Geschmack mit Honig süßen, mit abgeriebener Zitronenschale und Zimt würzen. Schmeckt besonders gut auf Knäckebrot und Vollkornzwieback.

Schraubgläser füllen und im Kühlschrank aufbewahren.

Varianten: Das frische oder tiefgefrorene Obst kann man durch Johannisbeer- oder Kirschsaft ersetzen.

Schnell · Ganz einfach

Apfel-Orangen-Marmelade

Zutaten für etwa 250 g:
50 g getrocknete Äpfel · 50 g getrocknete saftige Feigen · 1 unbehandelte große Orange · 1 Teel. Orangenschale
Insgesamt etwa 1405 Joule/335 Kalorien

Zubereitungszeit: 15 Minuten
Haltbarkeit im Kühlschrank: 8–10 Tage

Die Äpfel und die Feigen in 2 Portionen feinhacken oder im Mixer zerkleinern. • Die Orange heiß abwaschen und die Schale dünn abreiben. Anschließend sorgfältig schälen und in Stücke zerteilen. Die Apfel-Feigenmasse mit den Orangenstücken und der Orangenschale im Mixer kurz durchmixen. Die Marmelade in ein heiß ausgespültes Glas füllen und im Kühlschrank aufbewahren.

Variante: Apfel-Feigen-Mus
Je 100 g getrocknete Äpfel und getrocknete saftige Feigen wie oben fein zerkleinern. 2 Teel. Zitronensaft und die abgeriebene Schale einer halben unbehandelten Zitrone dazugeben. Die Masse mit 6–8 Eßlöffeln Wasser oder Apfelsaft streichfähig machen.

Schnell · Ganz einfach

Allerfeinste Kirschkonfitüre

Zutaten für etwa 450 g:
200 g getrocknete entsteinte Süßkirschen ·
200 g Sauerkirschsaft oder Johannisbeersaft,
frisch oder tiefgefroren · etwa 2 Eßl. Honig
Pro 100 g etwa 710 Joule/170 Kalorien

Zubereitungszeit: 10 Minuten
Haltbarkeit im Kühlschrank: etwa 14 Tage

Die Kirschen im Mixer sehr fein zerkleinern.
Den Kirschsaft mit der Fruchtmasse verrühren
und nach Geschmack mit Honig süßen. Die
Marmelade in kleine Schraubgläser füllen und
im Kühlschrank aufbewahren.

Variante: Auch mit Süßkirschsaft kann man die
Konfitüre zubereiten. Man aromatisiert mit etwas Zitronensaft und läßt den Honig weg.

Schnell · Ganz einfach

Aprikosen-Sanddorn-Marmelade

Zutaten für etwa 350 g:
150 g getrocknete Aprikosen · 150 g Sanddorn-
saft, ungesüßt · etwa 2 Teel. Honig · abgeriebene
Orangenschale (unbehandelt) oder frische oder
getrocknete Ingwerwurzel
Pro 100 g etwa 590 Joule/140 Kalorien

Zubereitungszeit: 10 Minuten
Quellzeit für die Aprikosen: etwa 20 Minuten
Haltbarkeit im Kühlschrank: etwa 14 Tage

Die Aprikosen in Wasser quellen lassen. Anschließend im Mixer pürieren. Den Sanddornsaft und, falls notwendig, noch etwas vom Einweichwasser unterrühren, damit die Marmelade
streichfähig wird. Das Fruchtmus mit Honig und
den Würzzutaten abschmecken, in kleine Gläser
füllen und im Kühlschrank aufbewahren.

Ganz einfach

Gefüllte Trockenfrüchte

Nehmen Sie dazu nur ausgesucht schöne, saftige
Trockenfrüchte. Damit sich das Honigmarzipan
gut spritzen läßt, sollte es noch weich, am besten
frisch gerührt sein. Festes Marzipan wird wieder
weich, wenn man es im Wasserbad erwärmt.

Zutaten für etwa 180 g Marzipan:
125 g Mandeln · 1–2 Eßl. Rosenwasser ·
65 g Blütenhonig · 10 entsteinte getrocknete
Pflaumen · 10 entsteinte getrocknete Aprikosen
Zum Garnieren: 3 Walnußhälften, Pistazien
Pro Stück etwa 335 Joule/80 Kalorien

Zubereitungszeit: 35 Minuten

Die Mandeln kurz in kochendes Wasser legen.
Dann abziehen und ausgebreitet über Nacht
trocknen lassen. • Die Mandeln im Mixer mehlfein zerkleinern. Das Rosenwasser und den Honig dazugeben und gründlich verkneten. • Das
weiche Marzipan in eine Tortenspritze füllen.
Die Pflaumen auseinanderdrücken und Marzipan hineinspritzen. Die Walnüsse halbieren und
die Hälfte der Pflaumen damit belegen. • Die
Aprikosen halbieren und einen großen Tupfer
Honigmarzipan daraufsetzen. Anschließend mit
Pistazien verzieren. Die gefüllten Trockenfrüchte
in einer dicht schließenden Dose nebeneinander
aufbewahren.

Varianten: Noch kräftiger schmeckt die Marzipanmasse, wenn man die frisch abgezogenen Mandeln im Backofen bei etwa 80° kurz röstet, bis sie goldgelb sind. Anstelle von Rosenwasser kann man das Marzipan auch mit etwas Rum oder Orangenlikör aromatisieren.

Braucht etwas Zeit · Nicht ganz einfach

Schweizer Dörrobstfladen 🍐

In der Nähe des Zürichersees, im Kanton Schwyz, bäckt man diesen köstlichen Fladen mit getrockneten Birnen und Zwetschgen.

Zutaten für 1 Backblech:
Für die Füllung: 200 g getrocknete Birnen ·
200 g getrocknete, entsteinte Zwetschgen ·
100 g Walnußkerne · 2 Eßl. Zitronensaft ·
je 1 Prise Zimt und gemahlene Nelken ·
eventuell etwas Honig
Für den Teig: 120 g weiche Butter · 1 großes Ei ·
60 g Honig · 3 Eßl. saure Sahne · dünn abgeriebene Schale von ½ Zitrone (unbehandelt) ·
280 g Weizen
Für das Backblech: Butter
Für den Guß: 200 g Sahne · 2 Eßl. Birnendicksaft
Bei 40 Stücken pro Stück etwa 500 Joule/
120 Kalorien

Quellzeit für das Dörrobst: über Nacht
Vorbereitungszeit einschließlich Ruhezeit:
1¾ Stunden
Backzeit: 30 Minuten

Das Dörrobst über Nacht in kaltem Wasser einweichen. • Für den Teig die Butter mit dem Ei, dem Honig, der sauren Sahne und der Zitronenschale cremig rühren. Den Weizen feinmahlen und darunterarbeiten. Den Teig 1 Stunde im Kühlschrank zugedeckt ruhen lassen. • Inzwischen die Trockenfrüchte abtropfen lassen und im Mixer pürieren. Die Nüsse mittelgrob hakken. Die Trockenfrüchte, die Nüsse, den Zitronensaft und die Gewürze verrühren. Eventuell mit wenig Honig abrunden, die Füllung sollte nur leicht süß schmecken. • Das Backblech mit Butter einfetten. • Den Teig in Blechgröße ausrollen, locker über die Nudelrolle wickeln und auf dem Blech abrollen. Den Teig an den Rändern etwas hochdrücken. Die Fruchtmasse mit einem Teigschaber gleichmäßig auf den Teig streichen. • Für den Guß die Sahne und den Birnendicksaft verrühren und auf der Füllung verteilen. Den Fladen auf der mittleren Schiene in den kalten Backofen schieben. Bei 220° etwa 30 Minuten backen, bis die Oberfläche goldbraun ist. • Nach dem Abkühlen in schmale Rechtecke schneiden.

Ganz einfach · Preiswert

Kompott aus Dörrfrüchten

⅜ l Wasser · abgeriebene Schale von ½ Zitrone (unbehandelt) · je ¼ Teel. Ceylon-Zimt und gemahlener Anis · je ⅓ Teel. gemahlene Nelken und Ingwer · 180 g gemischtes Dörrobst (Zwetschgen, Birnen, Aprikosen, Kirschen, Äpfel)
Pro Portion etwa 500 Joule/120 Kalorien

Quellzeit: 4 Stunden
Zubereitungszeit: 5 Minuten

Das Wasser mit den Gewürzen auf 35–40 °C erwärmen und über die Trockenfrüchte gießen. Die Früchte so lange darin ziehen lassen, bis sie weich, aber nicht matschig sind. Das Kompott schmeckt zu allen süßen Getreidespeisen.

Varianten: Das Dörrfrucht-Kompott kann noch durch frisches, reifes Obst ergänzt werden. Es wird erst unmittelbar vor dem Servieren kleingeschnitten und daruntergemischt.

Braucht etwas Zeit

Früchtetaler ☞

Wir nehmen die Plätzchen gerne zum Wandern und auf Skitouren mit, denn sie sättigen und sind doch nicht zu süß.

Zutaten für 55–60 Stück (1 Blech):
50 g getrocknete Aprikosen · 70 g entsteinte getrocknete Zwetschgen · 70 g getrocknete Birnen · 30 dunkle kalifornische Weinbeeren · 100 g Haselnußkerne · 100 g Butter · 150 g Honig · abgeriebene Schale und Saft von 1 unbehandelten Zitrone · ½ Teel. Zimt · 150 g Wasser (Einweichflüssigkeit von den Dörrfrüchten mitverwenden) · 100 g Hirse · 100 g Weizen · 100 g Dinkel
Für das Backblech: Butter
Bei 60 Stücken pro Stück etwa 250 Joule/60 Kalorien

Vorbereitungszeit: 1 Stunde
Ruhezeit: 4–12 Stunden
Backzeit: 20–25 Minuten

Das Dörrobst kurz in Wasser einweichen; es soll fest bleiben, also nicht »matschig« werden. Anschließend die abgetropften Dörrfrüchte mit den Rosinen und den Nüssen zusammen im Mixer mittelfein hacken. • Die Butter zerlassen, den Honig damit verrühren. Die Fruchtmischung, Zitronensaft und -schale, den Zimt und das Wasser dazugeben. • Das Getreide feinmahlen und un-

terarbeiten. Den Teig 4 Stunden (oder über Nacht) zugedeckt in den Kühlschrank stellen, bis er fest ist. • Das Backblech mit Butter einfetten. Aus dem Teig gut kirschgroße Kugeln rollen, aufs Blech legen und mit einer Gabel oder dem Fleischklopfer zu flachen Plätzchen drücken. Die Früchtetaler auf der mittleren Schiene in den nicht vorgeheizten Backofen schieben und bei 200° etwa 20–25 Minuten backen. Die Plätzchen sollen weich bleiben.

Sauce aus Dörrfrüchten

Das gequollene Dörrobst mit dem Einweichwasser zu einer Sauce mixen. Man kann noch Sanddornsaft oder frisches oder tiefgefrorenes feingemixtes Obst darunterrühren.

Ganz einfach

Dörrobst – raffiniert gefüllt

Dörrfrüchte passen gut zu pikantem Käse und einem Gläschen Wein. Überraschen Sie Gäste einmal mit pikant gefüllten Dörrpflaumen und Birnenspießchen. Dazu sollten Sie ausgesucht schönes Dörrobst nehmen und die Mandeln und die Walnußkerne 6–8 Stunden in kaltem Wasser quellen lassen. Sie schmecken dann wie frisch geerntet. Hier einige Vorschläge, die Sie beliebig variieren können:

Dörrpflaumen mit Schafkäse

Schafkäse zu Kugeln formen und etwas abflachen. Die Pflaumen damit füllen und in jede 1 Mandel schräg hineinstecken.

Dörrpflaumen mit Gorgonzola

Gorgonzola oder anderen nicht zu scharfen Weichschimmelkäse durch ein Sieb streichen. Eventuell mit wenig Sahne zu einer festen Creme rühren. Dörrpflaumen halbieren. Jede Hälfte mit einer Käserosette besspritzen und 1 Walnußhälfte daraufsetzen.

Dörrpflaumen mit Käsestreifen

Ziegenkäse oder alten Gouda oder eine andere würzige Käsesorte in Streifen schneiden und die Pflaumen damit füllen.

Braucht etwas Zeit

Apfel-Weißkraut mit getrockneten Aprikosen

100 g getrocknete Aprikosen · ⅛ l trockener Weißwein · 600 g Weißkraut (vorbereitet gewogen) · 100 g Zwiebeln · 20 g Butter · ⅛ l Wasser oder Gemüsebrühe · 375 g säuerliche Äpfel · ½–¾ Teel. Curry · 1 Gemüsebrühwürfel · 30 g Butter · 100 g Sahne · ¼ Teel. Cayennepfeffer · ⅛ Teel. Muskatblüte · ½ Teel. frischer, geriebener Ingwer · Salz · Zitronensaft · 1 Eßl. feingehackte Petersilie
Pro Portion etwa 1530 Joule/365 Kalorien

Quellzeit für die Aprikosen: 30 Minuten

Vorbereitungszeit: 25 Minuten
Garzeit: 20 Minuten

Die Aprikosen in kleine Würfel schneiden und in dem Wein 30 Minuten quellen lassen. • Das Weißkraut grobraspeln. Die Zwiebeln schälen und würfeln. Dann die Zwiebelwürfel in der Butter und 1 Eßlöffel Wasser oder Gemüsebrühe in einer großen Pfanne glasig braten. Das Kraut und die Gemüsebrühe dazugeben. • Die Äpfel entkernen, grobraspeln und mit dem Curry und dem Gemüsebrühwürfel unter das Kraut mischen. Das Gemüse in der geschlossenen Pfanne in etwa 20 Minuten bißfest garen. • Dann die Pfanne von der Kochplatte nehmen. Die restliche Butter, die Sahne, die Aprikosen unterziehen und mit den Gewürzen pikant abschmecken. Mit Petersilie bestreut servieren.

Das paßt dazu: Dinkel, körnig gekocht, oder Kartoffelgratin oder Kartoffelpüree.

Variante: Das Kraut schmeckt auch sehr gut, wenn Sie statt Aprikosen getrocknete Zwetschgen oder dunkle kalifornische Weinbeeren nehmen.

Braucht etwas Zeit

Pilz-Kartoffelsuppe

40 g (etwa 2 Tassen) getrocknete Mischpilze · 1 l Wasser · 70 g Lauch/Porree · 300 g Kartoffeln · 2 Gemüsebrühwürfel · 30 g Butter · 100 g saure Sahne · 4 Eßl. trockener Weißwein · je ¾ Teel. getrockneter gerebelter Majoran und Thymian oder die doppelte Menge frische Kräuter · weißer Pfeffer, frisch gemahlen · ½ Knoblauchzehe · 2 Eßl. feingehackte Petersilie
Pro Portion etwa 775 Joule/185 Kalorien

Zeit zum Einweichen für die Pilze: 30 Minuten
Vorbereitungszeit: 20 Minuten
Garzeit: 20 Minuten

Die Pilze auf einem Sieb unter fließendem Wasser abspülen, kleinschneiden und in ½ l handwarmem Wasser 30 Minuten einweichen. • Den Lauch putzen, längs halbieren, gründlich waschen und in schmale Streifen schneiden; auch zarte grüne Teile mitverwenden. Die Pilze zum Kochen aufsetzen, dabei noch ¼ l Wasser zugießen. • Die Kartoffeln dünn schälen, in kleine Würfel schneiden oder grobraspeln. Dann mit dem Lauch in die kochende Pilzbrühe geben. 15–20 Minuten garen, bis die Kartoffeln weich sind. • Alles mit dem Schneidstab des Handmixers pürieren. ¼ l Wasser zugießen. Die Brühwürfel, die Butter, die Sahne, den Wein und die Kräuter dazugeben. Die Suppe vorsichtig erwärmen, aber nicht kochen lassen. Zum Schluß die Suppe mit Pfeffer und durchgepreßtem Knoblauch abschmecken. Vor dem Servieren die Petersilie darüberstreuen.

Braucht etwas Zeit

Haselnuß-Grünkern mit Pilzen

Grünkern muß zwar vor dem Kochen nicht unbedingt eingeweicht werden. Doch die Garzeit ist nur halb so lang, wenn man ihn über Nacht in Wasser quellen läßt. Auch die Vitamine werden bei kürzerem Kochen mehr geschont.

Für den Grünkern: 250 g Grünkern ·
450 g Wasser · 1 Gemüsebrühwürfel ·
35 g Butter · 60 g Haselnußkerne
Für die Pilze: 15 g getrocknete Pilze ·
100 g lauwarmes Wasser · 40 g Zwiebeln ·

70 g Lauch/Porree · 20 g Butter ·
250 g frische kleine Champignons ·
½ Gemüsebrühwürfel · 3 Eßl. Crème fraîche ·
Kräutersalz · weißer Pfeffer, frisch gemahlen ·
2 Eßl. gehackte Petersilie
Pro Portion etwa 2140 Joule/510 Kalorien

Quellzeit für den Grünkern: über Nacht
Quellzeit für die Pilze: 30 Minuten
Vorbereitungszeit: 35 Minuten
Garzeit: 15 Minuten

Den Grünkern über Nacht in dem kalten Wasser einweichen. Am nächsten Tag den Brühwürfel dazugeben, einmal aufkochen und bei schwacher Hitze oder auf der ausgeschalteten Platte 10–15 Minuten ausquellen lassen. 20 g Butter unterziehen. • Die Nüsse mittelgrob hacken, in der restlichen Butter unter dauerndem Wenden goldgelb rösten und erst kurz vor dem Servieren unter den Grünkern mengen. • Inzwischen die getrockneten Pilze in einem Sieb unter fließendem Wasser gründlich abbrausen. Dann kleinschneiden und in dem Wasser 30 Minuten quellen lassen. • Die Zwiebeln schälen und würfeln. Den Lauch putzen, längs einschneiden und gründlich waschen. Dann in schmale Streifen schneiden. Die Zwiebelwürfel und den Lauch in der Butter andünsten. Die Pilze dazugeben und in der offenen Pfanne braten, bis die Flüssigkeit fast verdunstet ist. • Inzwischen die Champignons waschen und je nach Größe vierteln oder halbieren. Dann zu der Pilz-Gemüsemischung geben und 5 Minuten unter Umwenden braten. Den zerbröckelten Brühwürfel dazugeben und die Crème fraîche darunterrühren. Die Pilze mit Salz und Pfeffer abschmecken. Mit der Petersilie bestreuen und zum Grünkern servieren oder unter das Getreide mischen.

Marmeladen und Getränke

Ganz einfach

Roh gerührte Marmeladen

Grundrezept

Roh gerührte Marmeladen sind nicht so fest und weniger lange haltbar als die mit Zucker »eingekochten«. Deshalb nur kleine Mengen zubereiten.

Zutaten für etwa 625 g Marmelade:
500 g reife frische oder tiefgefrorene Früchte (wie Erdbeeren, Himbeeren, Brombeeren) ·
125 g fester Honig (zum Beispiel Klee-
oder Rapshonig)
Pro 100 g Erdbeermarmelade etwa 380 Joule/ 90 Kalorien

Zubereitungszeit: 30 Minuten
Haltbarkeit im Kühlschrank: etwa 14 Tage

Die vorbereiteten Beeren mit dem Schneidstab des Handmixers pürieren. Den Honig in Stückchen dazugeben. Dann mit der Küchenmaschine auf kleiner Stufe so lange rühren, bis eine homogene Masse entstanden ist. Die Marmelade in kleine Schraubgläser füllen und im Kühlschrank aufbewahren.

Varianten:
Rohmarmeladen mit fein zerkleinerten Dörrfrüchten mischen, das macht die Masse fester. Brombeer-Pflaumenmus: Brombeermarmelade und dickes Pflaumenmus zu gleichen Teilen mixen. Sehr gut zum Füllen von Kuchen.

Ganz einfach

Rohe Preiselbeerkonfitüre

Preiselbeeren enthalten organische Säuren, die konservierend wirken. Wir haben deshalb immer einen kleinen Vorrat an gut verlesenen Preiselbeeren in Schraubgläsern im Kühlschrank stehen. Dort halten sie sich ohne jede Konservierung den ganzen Winter über.

Zutaten für 800–850 g Konfitüre:
500 g reife, verlesene Preiselbeeren · 300–350 g fester Honig, zum Beispiel Klee- oder Rapshonig
Pro 100 g etwa 590 Joule/140 Kalorien

Zubereitungszeit: 30 Minuten
Haltbarkeit im Kühlschrank: 4–5 Monate

Die Preiselbeeren mit dem Handmixer pürieren. Den Honig in Stückchen dazugeben. Dann mit der Küchenmaschine auf kleiner Stufe etwa 20 Minuten rühren, bis eine dickflüssige, homogene Masse entstanden ist. Die Konfitüre in kleine Schraubgläser füllen und im Kühlschrank aufbewahren.

Ganz einfach

Marmeladen mit Agar-Agar

Marmeladen mit Agar-Agar gelingen am besten, wenn man nur kleine Mengen auf einmal zubereitet. Dann kommt man mit den kürzesten Kochzeiten aus und die für das Gelieren wichtigen Pektine werden geschont. Leider dämpft Agar-Agar das Fruchtaroma etwas.

Zutaten für etwa 625 g Marmelade:
500 g frische oder tiefgefrorene Früchte · 150 g
Blütenhonig · Saft von 1 Zitrone · 2 gestrichene
Teel. Agar Agar (im Reformhaus oder in der
Apotheke erhältlich)
Pro 100 g (Erdbeermarmelade) etwa 440 Joule/
105 Kalorien

Zubereitungszeit: 20 Minuten
Haltbarkeit im Kühlschrank: etwa 2 Monate

Die Früchte in einem ausreichend großen Kochtopf leicht zerdrücken oder pürieren. ½ Tasse davon abnehmen, Zitronensaft und Agar-Agar damit verrühren. Den Honig zur Fruchtmasse im
Kochtopf geben. Unter Umrühren 5 Minuten
stark kochen lassen. Die Agar-Mischung unterrühren. Einmal aufwallen lassen, den Topf von
der Kochstelle nehmen. • Die kochendheiße
Marmelade randvoll in vorgewärmte kleine
Twist-off-Gläser füllen, den Deckel fest zudre-
hen. Die Gläser sofort auf den Kopf stellen, damit die noch vorhandene Luft entweichen kann.
Nach 1 Minute die Gläser umdrehen und während der nächsten 2–3 Tage nicht mehr bewegen,
bis der Geliervorgang beendet ist.

Schnell · Ganz einfach

Kirsch-Johannisbeer-Gelee

Unigel ist ein Geliermittel aus der Schweiz, das
bei uns erst in einigen Naturkostläden beziehungsweise Reformhäusern erhältlich ist. Marmeladen und Gelees mit Unigel bewahren ihr
volles Aroma. 30 g Unigel – ausreichend für 1 kg
Früchte oder Fruchtsaft – enthalten 3 g Apfel-
pektin und 27 g Fruchtzucker. Der Fruchtzucker-
anteil in der Marmelade ist also minimal.

Zutaten für etwa 1280 g Gelee:
700 g Süßkirschsaft · 300 g schwarzer
Johannisbeersaft · 1 Päckchen (30 g) Unigel ·
250 g Honig (oder mehr, nach Geschmack)
Pro 100 g etwa 500 Joule/120 Kalorien

Zubereitungszeit: 10 Minuten
Haltbarkeit: etwa 6–8 Monate

Den Fruchtsaft mit Unigel und 200 g Honig gut
verrühren. Unter Umrühren aufkochen. Den
restlichen Honig zufügen und 30 Sekunden kochen lassen. • Das Gelee sofort randvoll in vorgewärmte Twist-off-Gläser füllen und mit dem
Deckel verschließen. Die Gläser sofort auf den
Kopf stellen, damit die eingeschlossene Luft entweichen kann. Nach 1 Minute umdrehen und
während der nächsten 12 Stunden nicht mehr bewegen (ganz wichtig!), bis der Geliervorgang abgeschlossen ist; dabei Durchzug vermeiden und
die Gläser vor Licht schützen, um Vitaminzerstö-
rung durch Lichteinfluß zu verhindern. (Wir stellen die Gläser zum Abkühlen in den Kühlschrank.) Marmeladen und Gelees kühl und
dunkel aufbewahren, angebrochene Gläser im
Kühlschrank aufheben.

Ganz einfach

Rumtopf mit Honig

Zu den ganz besonders köstlichen Vorräten gehört der Rumtopf, den wir schon seit Jahren mit
Honig ansetzen. Da zuviel Alkohol in der Vollwertküche nicht unbedingt empfehlenswert ist,
füllen wir nur einen kleinen Topf von 2 Liter Inhalt mit Früchten aus unserem Garten. Es ist er-
staunlich, wieviel hineinpaßt. Erst im Dezember
oder Januar, wenn der Inhalt schon merklich weniger geworden ist, aber noch genügend Rumtopfflüssigkeit vorhanden ist, füllen wir mit fri-

scher Ananas und Clementinen nach. Für das gute Gelingen ist dreierlei notwendig: Makellose, reife, aromatische Früchte, erstklassiger 54%iger Rum und peinliche Sauberkeit.

500 g kleine, reife Erdbeeren · 250 g Himbeeren · 250 g Süßkirschen, entkernt · 500 g Sauerkirschen, nicht entkernt · 250 g Williams-Christ-Birnen, geschält, entkernt, in Stücke geschnitten · 250 g Zwetschgen, halbiert und entkernt · 0,7 l Rum, 54% · 400 g milder Blütenhonig · eventuell 3–4 Eßl. reiner Alkohol, 96% (Apotheke oder Drogerie)
Pro 100 g etwa 840 Joule/200 Kalorien

Zubereitungszeit: 20 Minuten
Ruhezeit: bis zum 1. Advent

Die Hälfte des Rums mit 250 g Honig im Rumtopf verrühren, bis der Honig aufgelöst ist. Die vorbereiteten Früchte nach und nach einlegen (insgesamt etwa 1 kg). • Anschließend den übrigen Honig in dem restlichen Rum auflösen und zugießen. Weitere Früchte einlegen, bis der Rumtopf gefüllt ist. • Die Früchte müssen nicht mit einem Teller beschwert werden. Es genügt, wenn man sie beim Einfüllen vorsichtig mit einem Löffel unter die Oberfläche drückt; sie saugen sich sehr schnell mit Rumtopfflüssigkeit voll. Bevor wir im Sommer für längere Zeit in Urlaub fahren, geben wir noch einige Löffel reinen Alkohol zu, um eine unvorhergesehene Gärung auszuschließen. Den Rumtopf immer gut verschließen und an einem kühlen, dunklen Platz bis zum »Anstich« am 1. Advent aufbewahren.

Varianten: In den Rumtopf passen außerdem: Aprikosen und Pfirsiche, kurz in kochendes Wasser legen, häuten, vierteln und entkernen – Reineclauden, halbieren und entkernen – Mirabellen, mit Holzstäbchen anstechen – Ananas, schälen und in Stücke schneiden, Clementinen, schälen und zerteilen.

Ganz einfach

Schlehensaft

Schlehensaft ist ein altbewährtes Hausmittel bei Appetitlosigkeit. Er fördert die Magensaftsekretion und regt den Appetit an. Die blauschwarzen Früchte pflückt man im Herbst nach den ersten Frostnächten, weil sie dann weniger herb sind. Die gleiche Wirkung wird erreicht, wenn man die gut ausgereiften Früchte in der Kühltruhe durchfrieren läßt.

Zutaten für etwa 1½ l:
1 kg Schlehen · 1–1 ½ l Wasser

Zubereitungszeit: 10 Minuten
Zeit zum Ziehenlassen: 6 Tage

Die Schlehen waschen und in ein Porzellan- oder Steingutgefäß füllen. Das Wasser aufkochen und soviel darübergießen, daß die Schlehen bedeckt sind. Zugedeckt 2 Tage an einem kühlen Ort ziehen lassen. • Dann den Saft absieben, aufkochen und über die Beeren gießen. Weitere 2 Tage ziehen lassen, dann das Ganze noch einmal wiederholen. • Anschließend den Saft absieben. Aufkochen lassen und in vorgewärmte kleine Flaschen füllen. Sofort fest verschließen. Die Flaschen einige Minuten auf den Kopf stellen, damit die Luft herausgepreßt wird. Den Schlehensaft kühl und dunkel aufbewahren.

Zu den Sonnenbroten (Rezept Seite 273) passen Soja- ▷ paste und Tofucreme gut. Rezepte Seite 23 und 24.

Ganz einfach · Preiswert

Holunderblüten-Sekt

Dieser »Hollersekt« schmeckt ganz köstlich und sehr erfrischend. Er ist lange haltbar. Zur Aufbewahrung eignen sich am besten dickwandige Sektflaschen. Sie müssen mit Sektkorken und Draht gut gesichert werden, weil der »Sekt« in der Flasche noch weitergärt. Auch Mineralwasserflaschen mit Schraubverschluß kann man nehmen. Gewöhnliche Weinflaschen sind nicht geeignet, weil die Gefahr besteht, daß sie bei der Gärung platzen.

Zutaten für 3 ½–4 l:
3 ½ l Wasser · 100 g Blütenhonig ·
7 Eßl. Apfelessig · 2 Zitronen (unbehandelt) ·
8–9 eben aufgeblühte Dolden vom Holunder
Pro 0,2 l etwa 75 Joule/18 Kalorien

Zubereitungszeit: 15 Minuten
Zeit zum Ziehenlassen: 3–4 Tage

Das Wasser in ein Steingutgefäß oder in einen großen Topf schütten. Den Honig und den Essig dazugeben. 1 Zitrone auspressen, die zweite Zitrone in Scheiben schneiden und beides in den Topf geben. Die Holunderblüten von den dicken Stielen abschneiden und dazugeben. Alles umrühren. Den Topf zugedeckt an einem warmen

◁ Crêpes Suzette sind ein köstliches Dessert, mit dem man auch skeptische Gäste von der Vollwertküche überzeugen kann. Rezept Seite 266.

Platz aufstellen. • Bereits nach 24 Stunden kann man den »Holundertrunk« – am besten gut gekühlt – servieren. Er schmeckt dann blumig-fruchtig und ist eine herrliche Erfrischung an heißen Tagen. Eventuell muß er nochmals mit Honig oder Zitronensaft abgeschmeckt werden. • Für Holundersekt läßt man den Ansatz noch etwa 2–3 Tage stehen, bis er zu moussieren beginnt. Anschließend den »Sekt« durch ein feines Sieb oder den Kaffeefilter gießen. In Flaschen abfüllen und gut verschließen. Bereits nach etwa 4 Wochen kann der »Sekt« getrunken werden. • Bei längerer Lagerung wird er noch besser. Bei unserem Umzug fanden wir im Keller einige Flaschen, die schon 4 Jahre alt waren und sie schmeckten köstlich! Nach Auskunft von Experten enthält der Hollersekt übrigens keinen Alkohol.

Ganz einfach · Preiswert

Löwenzahnblüten-Sekt

Unsere große, mit goldenen Löwenzahnblüten übersäte Wiese verlockte uns dazu, die Blüten zu einem erfrischenden Getränk anzusetzen. Es schmeckte noch besser als der »Hollersekt« und ist an warmen Tagen eine köstliche Erfrischung. Kinder mögen die »Löwenzahn-Limonade« besonders gern, wenn sie noch nicht vergoren ist. Zubereitet wird der »Sekt« genau wie im vorhergehenden Rezept. Man kann ihn bereits nach 24 Stunden probieren oder in Flaschen abfüllen, wenn er zu moussieren beginnt.

Zutaten für etwa 3½ l:
3 ½ l Wasser · 60–80 g Blütenhonig ·
6 Eßl. Apfelessig · Saft von 1 ½ Zitronen ·
1 unbehandelte Zitrone, in Scheiben geschnitten ·
100 eben aufgeblühte Löwenzahnblüten ohne Stiel
Pro 0,2 l etwa 30 Joule/7 Kalorien

Das harmonische Menü

Das Zusammenstellen eines Menüs gleicht einem Puzzlespiel. Die einzelnen Speisen sollen so zueinander passen, daß ein harmonisches Ganzes entsteht. Das gilt nicht nur in bezug auf den Geschmack, ein Menü muß auch vollwertig sein. Es sollte möglichst alle wichtigen Nährstoffe, Vitamine und Mineralstoffe enthalten. Je vielfältiger die einzelnen Menübestandteile sind, um so wahrscheinlicher ist es, daß wir mit allem bestens versorgt werden. Rohkost sollte nach Möglichkeit immer Bestandteil eines Vollwert-Menüs sein. Entweder man serviert eine Rohkostplatte als Vorspeise, was besonders empfehlenswert ist, oder man reicht einen Salat zur Hauptspeise. Rohkost kann aber auch als Nachspeise serviert werden in Form von frischem Obst, frischen Früchten mit Joghurt oder Quark und als Fruchtsalat.

Da wir in der Vollwertküche wenig und selten Fleisch verzehren, müssen wir auch dem Eiweißgehalt der einzelnen Gerichte ein wenig Aufmerksamkeit schenken. Das ist jedoch ganz einfach. Immer wenn wir Milch, Milchprodukte und Eier mit Getreide, Mais, Kartoffeln oder Hülsenfrüchten kombinieren, erhalten wir eiweißreiche, vollwertige Mahlzeiten. Das kann in einem Gericht sein, zum Beispiel Getreideauflauf mit Käse oder innerhalb der Mahlzeit wie bei Linseneintopf und Quarkspeise als Nachtisch. Hochwertige Eiweißkombinationen erhalten wir auch, wenn wir Getreide, Mais, Nüsse oder Samen mit Hülsenfrüchten verzehren. Wichtig ist dabei, daß die einzelnen Gerichte in einer Mahlzeit vorkommen und nicht über den Tag verteilt gegessen werden.

Aber auch Auge und Geschmack bestimmen die Speisenfolge in einem Menü. Eine wichtige Regel ist, daß die Speisen in der Farbe abwechseln sollen. Also nicht eine Blumenkohlsuppe, dann Chicoréegemüse mit Kartoffeln und anschließend Vanillequark servieren, sondern Gerichte mit möglichst kontrastreichen Farben, denn das regt den Appetit an. Es sollte auch nicht die gleiche Gemüseart oder eine ähnliche mehrmals in einer Mahlzeit vorkommen. Dasselbe gilt für Hülsenfrüchte. Auf einen Salat aus Bohnenkernen sollte keine Linsensuppe, sondern vielleicht ein Getreidegericht mit Gemüse folgen. Abwechslung sollte auch bei der Zubereitung gewahrt bleiben. Rohkost, gekochte, gebackene und gebratene Gerichte sollten sich innerhalb eines Menüs abwechseln. Damit Sie anfangs ein wenig Hilfestellung haben, finden Sie hier einige Menüvorschläge. Sicherlich werden Sie bald selbst Übung im Zusammenstellen vollwertiger Menüs haben.

Menüfolgen für Eilige:

Apfel-Sellerie-Salat 73
Grünkern-Pilz-Topf 143
Schoko-Schaum mit Kleie 245

Rührei spezial – mit Hirse 36
Kressesalat 40
Kirsch-Mandel-Creme 261

Roggenschmarrn 138
Rote-Rüben-Salat 65
Kiwi-Nuß-Quark 243

Delikate Kartoffelpfanne 183
Fruchtjoghurt 247

Menüfolgen für das Frühjahr:

Kopfsalat mit Wildkräutern 41
Junge Möhren 107
Kartoffelgratin 192
Erdbeermix 246

Löwenzahnsalat 57
Bunter Weizenkörnertopf 81
Sanddorncreme 261

»Erste Ernte«-Platte 46
Rhabarberauflauf 229

Brennesseln mit Äpfeln, Hüttenkäse und
   Walnüssen 51
Vollkornspätzle mit Käse 200
Schokoladencreme 263

Ein festliches Frühjahrsmenü:

Spargelsalat mit Nüssen 56
Reissuppe 78
Zucchinisoufflé 214
Bayerische Creme 262

Menüfolgen für den Sommer:

Spinat-Kohlrabi-Möhren-Platte 48
Grießauflauf mit Früchten 230

Zucchini-Knoblauchsuppe 77
Grünkernfrikadellen 136
Bunter Eissalat 45
Beeren-Tutti-Frutti 260

Kürbis-Rohkost 67
Sommer-Risotto 198
Grüne Grütze 253

Mangold in heller Soße 118
Buchweizengrütze 137
Kalte Kirschtorte 252

Ein festliches Sommermenü:

Bleichsellerie mit Käsecreme 28
Indischer Bohnen-Kürbis-Curry 156
Sauerkirschcreme 262

Menüfolgen für den Herbst:

»Sommerende«-Platte 48
Apfelpfannkuchen mit Nüssen 146

Wirsingwickel 113
Kartoffelpüree 189
Bananensalat 251

Würzige Kartoffelsuppe 77
Herbstlicher Obstsalat 248

Ein festliches Herbstmenü:

Walnuß-Avocado 35
Broccolisuppe mit Klößchen 78
Tomaten mit Schafkäse auf Kichererbsen 212
Pflaumen in Gelee 256

Menüfolgen für den Winter:

Möhren mit angekeimten Weizenkörnern 54
Westfälisches Bohnengericht 215
Aprikosenkompott 255

Sahnige Erbsensuppe 85
Rosenkohl in Käsesahne 114
Kartoffelgratin 192
Ambrosia-Obstsalat 250

Sauerkraut mit gemischtem Obst und
   Walnüssen 66
Getreideauflauf 209

Ein festliches Wintermenü:

Dips und Wintergemüse 50
Polenta-Auflauf mit Azukibohnen 216
Mandelgelee mit Sahne 255

Getreide-Steckbriefe

Buchweizen

Der Name täuscht: Buchweizen ist kein Weizenverwandter und gehört auch nicht zu der großen Getreidefamilie. Vielmehr handelt es sich, botanisch gesehen, um ein aus Asien stammendes Knöterichgewächs. Es wächst am besten auf sandigen, moorigen Böden und wird bei uns in geringen Mengen in Norddeutschland angebaut. Buchweizen ist leicht verdaulich, enthält hochwertiges Eiweiß, viel Vitamin B_1 und wichtige Mineralstoffe wie Calcium, Eisen und Kieselsäure. Außerdem ist es reich an Lecithin, das im Nervenstoffwechsel wirkt. In den Handel kommen die kleinen, dreieckigen Nüßchen, die in der Form an Bucheckern erinnern, als ganze Körner, Grieß, Mehl und Grütze.

Dinkel und Grünkern

Dinkel ist eine uralte Kulturform des Weizens und stammt aus Mesopotamien und Persien. Dinkel wird auch heute noch bei uns angebaut. Später mußte der Dinkel dann dem anspruchsvolleren, aber ertragreicheren Weizen weichen. Heute wird Dinkel noch vereinzelt in Baden-Württemberg und Franken angebaut. Neben Deutschland gibt es auch noch Anbaugebiete in Frankreich, Spanien, Österreich und der Schweiz. Zur Herstellung von Grünkern wird Dinkel unreif, also »grün« geerntet. Unmittelbar nach dem Dreschen kommt der Grünkern auf die Darren, um bei 120 bis 130° solange gedörrt zu werden, bis er »krachdürr« ist. Grünkern erhält dadurch seinen besonderen Geschmack.

Während Grünkern früher mit Holzfeuer gedörrt wurde, geschieht dies heute mit Heißluft, die von einer Ölfeuerung erzeugt wird. Der unverzichtbare Rauch, der dem Grünkern sein Aroma verleiht, wird von einem zusätzlich entfachten Holzfeuer dieser Heißluft zugeführt.

Dinkel und Grünkern sind für unsere Ernährung sehr wertvoll, da sie hochwertiges Eiweiß, außerdem Kalzium und Phosphor, Mineralstoffe, die für den Knochenaufbau notwendig sind, und Eisen enthalten. Grünkern hat einen würzigen Geschmack und eignet sich für Suppen, Klöße, Bratlinge, Grütze, Frikadellen und für alle pikanten warmen Gerichte. Dinkel kann man wie Weizen verwenden. Grünkern und Dinkel findet man im Reformhaus und Naturkostladen als ganze Körner, Grieß, Flocken, Schrot und Mehl.

Gerste

Gerste wächst so gut wie überall auf der Welt, denn sie ist klimatisch nicht anspruchsvoll und gedeiht auch auf schlechten Böden. Gerste ist eine uralte Kulturpflanze. Auch unsere Vorfahren verwendeten sie bereits, um daraus Gerstenbrei und Gerstenfladen zu machen. Heute spielt sie für die Ernährung eine geringere Rolle, sieht man einmal von der »flüssigen Nahrung« in Form von Bier ab. Ein weiterer Teil wird als Viehfutter verwendet. Das ist schade, denn Gerste enthält besonders viel von dem für Nerven und Wachstum notwendigen Vitamin Niacin, einem Vitamin der B-Gruppe und wirkt lindernd bei Erkrankungen im Magen-Darmbereich. Bekannt ist dafür der Gerstenschleim. Gerste hat einen pikanten, eher süßlichen Geschmack und eignet sich zum Backen von Fladenbroten, als Suppeneinlage, für pikante warme Gerichte und für Salate. Zum Brotbacken ist sie weniger geeignet, weil sie nur einen geringen Anteil an Klebereiweiß enthält und die Brote nicht richtig aufgehen. Im Handel ist sie in Form ganzer Körner, als Graupen, Grütze, Flocken und als Mehl.

Hafer

Haferbrei war jahrhundertelang Hauptnahrungsmittel der ärmeren Bevölkerung Mitteleuropas. Man nimmt sogar an, daß der Hafer unsere Vorfahren, die sich kein Fleisch leisten konnten, vor drohendem Eiweißmangel bewahrt hat. Die Urheimat des Hafers ist zwar Vorderasien, aber er wächst heute besonders in den nördlichen Gebieten Europas, der UdSSR, USA und Kanadas. Hafer ist das eiweiß- und fettreichste Getreide überhaupt. Er enthält reichlich Vitamine der B-Gruppe und als Mineralstoffe Calcium, Eisen, Mangan, Kupfer und Zink. Er hat einen milden Geschmack, ist leicht verdaulich und hilft bei Magen- und Darmverstimmungen. Man sagt ihm auch eine belebende und aktivierende Wirkung nach (»Dich sticht wohl der Hafer« oder »Hafer macht lustig«). Viele gute Gründe also, Hafer vermehrt auf unseren Speiseplan zu setzen. Er eignet sich für Müsli, Kekse, Breie, als Haferschleim oder für süße Aufläufe. Wegen seines hohen Fettgehalts ist er empfindlicher gegen Verderb als andere Getreidearten.
Haferflocken brauchen deshalb ein besonderes Bearbeitungsverfahren (siehe Stichwort Getreideflocken unter »Besondere Zutaten«). Im Handel ist er in Form von ganzen Körnern, als Grütze, Grieß, Mehl oder Flocken erhältlich.

Hirse

Hirse zählt zu den ältesten Kulturpflanzen überhaupt. Sie ist ein naher Verwandter der Gerste und des Hafers und stammt ursprünglich aus Zentralasien, wo sie nachweislich schon in vorgeschichtlicher Zeit angebaut wurde. Auch bei uns war sie einmal weit verbreitet und zwar vornehmlich in Süddeutschland während der Römerzeit, wie aus altgermanischen Gräberfunden hervorgeht. Heute wird sie nur noch in Afrika, Asien und Südamerika angebaut, hauptsächlich in Gegenden, die für den Reisanbau zu trocken sind. Denn die Rispengräser, von denen es über fünfhundert Arten gibt, haben ein hohes Wärmebedürfnis und eine gute Trockenheitsverträglichkeit. Die ganzen Körner, winzig kleine goldfarbene Kügelchen, verwendet man ähnlich wie Reis. Aus Hirse lassen sich Fladen backen, Suppen, Breie, Pfannkuchen, Pudding, Aufläufe, Gebäck und süße Speisen herstellen. Ein Zusatz von frisch gemahlenem Hirsemehl macht Vollkorngebäck noch knuspriger. Hirse zeichnet sich durch einen hohen Gehalt an Vitaminen der B-Gruppe aus und enthält Magnesium, Kalium, Phosphor und Eisen, außerdem Fluor, das wichtig für die Gesunderhaltung der Zähne ist, und Kieselsäure, die einen positiven Einfluß auf Augen und die Haut hat.
Hirse gibt es im Reformhaus und Naturkostladen als ganze Körner, Flocken und Mehl.

Mais

Mais ist neben Weizen und Reis mengenmäßig die wichtigste Getreideart auf der Welt. Ursprünglich stammt der Mais aus Südamerika, wo er den Indios als Nahrungsmittel diente. Die Spanier brachten den Mais mit nach Europa, wo er anfangs aber nur als Viehfutter verwendet wurde. Heute wird Mais in heißen und gemäßigten Regionen der ganzen Welt angebaut, wenn auch hauptsächlich immer noch als Futtergetreide. Wie beliebt Mais aber auch in der menschlichen Ernährung ist, zeigen Gerichte wie »Polenta« in Italien oder »Kukuruz« in der Türkei.

Maiskörner enthalten zwar wenig Eiweiß im Vergleich zu anderen Getreidearten, doch ist zum Beispiel die Kombination von Bohneneiweiß und Maiseiweiß hochwertiger als Fleischeiweiß. Ferner haben die Maiskörner kaum Vitamine der B-Gruppe, dafür aber reichlich Vitamin A und E sowie zahlreiche Mineralstoffe.

Gemüsemais kann frisch als Maiskörner oder direkt vom Kolben gegessen werden. Aus Maisgrieß wird Polenta gemacht, während man Maismehl für die Zubereitung von Fladen, Klößen, Pfannkuchen und Puddings verwenden kann. Aufgrund seines hohen Fettgehaltes wird Mais auch zur Herstellung von Maiskeimöl hergenommen. Der hohe Fettgehalt bringt es mit sich, daß Maismehl nur begrenzt haltbar ist. Zum Backen eignet es sich aufgrund des Fehlens von Klebereiweiß weniger. Diese Eigenschaft spielt aber eine besondere Rolle in der Ernährung bei Zöliakie, einer Unverträglichkeit gegenüber dem Klebereiweiß in anderen Getreidearten. Mais ist in Form ganzer Körner, als Mehl, Flocken, Grieß und Stärke im Handel.

Reis

Reis ist eine uralte asiatische Kulturpflanze. Neben Weizen und Mais gehört er zu den Getreidepflanzen mit der größten Anbaufläche. Reis dient heute etwa der Hälfte der Menschheit als Grundnahrungsmittel. Reisanbau verlangt milde Wärme und reichliche Bewässerung. In der Vollwertküche verwenden wir nur Naturreis, der noch alle wichtigen Vitamine, Mineralstoffe, Ballaststoffe, aber auch Fett und Eiweiß enthält. Diese stecken im sogenannten Silberhäutchen, das aber bei der Verarbeitung zu weißem Reis aus Haltbarkeitsgründen entfernt wird. Naturreis hat einen körnigen, würzigen Geschmack, ist reich an Vitamin E, das wichtig für die Durchblutung der Gefäße ist, und enthält Vitamine der

B-Gruppe sowie viele Mineralstoffe. Naturreis eignet sich als Suppeneinlage, Beilage, für Bratlinge und pikante oder süße Gerichte. Im Handel gibt es auch Reisflocken.

Roggen

Roggen ist nach Weizen das zweitwichtigste Brotgetreide, denn mit Roggen gebackene Brote halten sich wesentlich länger frisch als Weizenbrote. Roggen stellt an die klimatischen Bedingungen keine so hohen Ansprüche. Er wächst auch in kälteren Regionen und auf kargen Böden. Roggen hat einen herzhaften, würzigen Geschmack. Sein Eiweiß ist vollwertiger als das von Weizen und er hat einen hohen Mineralstoffanteil. Roggen enthält besonders viel Eisen und Kalium, daneben Phosphor und Magnesium. Er ist also ein ausgesprochen gesundes Getreide und sollte daher öfters zum Kochen und Backen verwendet werden. Neben Brot, Kuchen und Gebäck kann man damit Teigwaren, Müsli, pikante und süße warme Gerichte herstellen. Man kann Roggen auch gut mit Weizen mischen und verbindet so die Vorzüge beider Getreidearten. Roggen wird in Form ganzer Körner, als Schrot, Mehl verschiedener Typenbezeichnungen, als Grütze und als Flocken angeboten.

Weizen

Weizen ist in unseren Breitengraden die wichtigste und mengenmäßig bedeutendste Getreideart. Er hat deshalb von allen Getreidearten die größte Anbaufläche, obwohl Weizen an die Bodenqualität die höchsten Ansprüche von allen Getreidearten stellt. Seine Urheimat ist der vordere Orient, wo er schon seit Jahrtausenden kultiviert wird. Heute wächst er in allen gemäßigten und subtropischen Zonen. Man unterscheidet zwei Arten: Weichweizen, der in kälteren Regionen angebaut wird und wegen seines hohen Klebereiweißgehaltes als Brotweizen verwendet wird. Das Klebereiweiß bestimmt die Elastizität und Festigkeit sowie die Krume eines Gebäcks. Hartweizen wächst in wärmeren Regionen Mitteleuropas und wird hauptsächlich für die Nudel- und Grießherstellung verwendet.

Weizen zeichnet sich durch seinen milden Geschmack und seinen hohen Gehalt an Vitamin B_1 aus. Er ist leicht verdaulich und wirkt daher auf die Körperfunktionen entlastend. Er eignet sich zum Backen von Brot, Brötchen und Gebäck, für die Herstellung von Teigwaren, fürs Müsli und für süße und pikante warme Gerichte. Weizen kann man als ganze Körner, Schrot, Flocken, Mehl mit verschiedenen Typenbezeichnungen, Keime, Stärke, Grieß, Kleie und Grütze kaufen.

Die Typenbezeichnung bei Mehl gibt an, wie hoch der Anteil an Ballaststoffen, Vitaminen und Mineralstoffen ist. Je niedriger die Typenbezeichnung, desto geringer ist der Anteil an diesen Bestandteilen. Die Typenzahl gibt dabei genaue Auskunft über den Anteil der im Mehl enthaltenen Mineralstoffe. Die Mehltype 405 (Weißmehl) hat pro 100 g Mehl nur 0,405 g Mineralien, Vollkornmehl der Type 1700 hat dagegen 4 mal soviel, also pro 100 g Mehl 1,7 g.

Einkauf und Lagerung von Getreide

Sobald Sie festgestellt haben, wie köstlich Speisen aus Vollkorn schmecken und wie sie Ihr körperliches Wohlbefinden steigern, werden Sie eventuell Ihr Getreide in größeren Mengen einkaufen wollen. Das ganze Korn ist eine ideale Naturkonserve, denn es ist bei richtiger Lagerung lange haltbar.

Vor dem Verzehr von Vollkorngetreide wird zum Teil gewarnt, weil die Randschichten Schadstoffe und Rückstände von chemischen Spritzmitteln enthalten. Schadstoffe aus der Luft und dem Wasser können auch in biologisch angebautem Getreide enthalten sein. Rückstände von Pestiziden, Insektiziden und Herbiziden enthält solches Getreide freilich nicht. Denn diese Mittel werden im biologischen Landbau nicht verwendet. Deshalb möglichst Getreide aus kontrolliertem Anbau kaufen.

Ganze Körner bekommt man in Reformhäusern, in Naturkostläden und bei Naturkost-Versandfirmen, in Mühlen oder direkt beim biologisch wirtschaftenden Landwirt.

Beim Einkauf direkt vom Erzeuger sollte man darauf achten, daß das Getreide gereinigt ist. Die Landwirte haben Siebe, mit deren Hilfe die Körner von Schmutz und Unkrautsamen befreit werden können. Auch sollte man Korn aus der neuen Ernte nicht vor Mitte November kaufen, damit es lange genug nachtrocknen konnte.

Bei der Lagerung zu Hause sollte möglichst viel Luft an die Körner kommen. Wenn Sie einen sauberen und trockenen Dachboden haben, ist dort ein guter Platz. Das Getreide in flachen Kisten oder stabilen Pappkartons offen lagern und ab und zu mit den Händen »durchwühlen«.

Ein Vorschlag für die Lagerung in der Wohnung wäre eine Korbtruhe, die mit einem dünnen Baumwoll- oder Leinenstoff (keine Kunstfaser!) ausgekleidet wird. Dieses Stoffkleid sollte herausnehmbar und leicht waschbar sein. Sie sollte an einem trockenen und nicht zu warmen Platz stehen und das Getreide darin sollte ebenfalls ab und zu mit den Händen durchgemischt werden.

Gemüse-Steckbriefe

Artischocken

Artischocken sind die Blütenknospen einer großen Distelart. Sie gedeihen in Mittelmeerländern, werden in den Südstaaten der USA und in Mittelamerika kultiviert. Ganze, gegarte Artischocken sind mit einer würzigen, kalt oder warm gereichten Sauce eine köstliche Vorspeise. Ganz junge Artischocken sind so zart, daß man sie vollständig verzehren kann. Man bereitet aus ihnen, auch gemischt mit anderem Gemüse, wohlschmeckende Hauptgerichte. Artischockenböden sind eine besondere Delikatesse. Sie werden gefüllt und meist noch überbacken als Vorspeise gereicht. Beim Einkauf darauf achten, daß die schuppenförmig angeordneten Blätter der Artischocken dicht geschlossen sind und keine braunen, trockenen Spitzen haben. Denn ältere Artischocken und zu lange gelagerte haben faseriges Blattfleisch. Je kleiner die Knospe im Verhältnis zum Stiel ist, desto jünger und zarter ist sie. Artischocken, die nicht sofort verarbeitet werden können, ungeputzt in ein feuchtes Tuch schlagen und kühl und dunkel nicht länger als 3 Tage aufbewahren.

Das beste Gewürz für Artischocken ist Zitronensaft.

Auberginen

Die dunkelvioletten, selten auch weißen, glänzenden keulen- oder eierförmigen Früchte mit dem zartgrünen Fleisch lieben ein warmes Klima. Ihre Heimat ist Hinterindien. Zu uns kommen die Auberginen aus den Mittelmeerländern.

Die heute angebotenen Züchtungen enthalten nur wenig Bitterstoffe, so daß das Entbittern durch Salzen des Fruchtfleisches kaum noch nötig ist. Auberginen eignen sich gut für gemischte Gemüsegerichte und Aufläufe, weil ihr Fleisch viel Flüssigkeit absorbiert.

Beim Einkauf Früchte mit glatter, glänzender Haut wählen. – Auberginen nicht länger als 3 Tage kühl aufbewahren.

Viele Gewürze passen gut zu dem nicht zu ausgeprägten Eigenaroma der Pflanze. Knoblauch, Paprika, Pfefferminze, Rosmarin, Zitronensaft und Zwiebeln sind besonders zu empfehlen.

Bataten (Süßkartoffeln)

Bataten sind die stärkehaltigen Wurzelknollen einer Windenart, die in allen warmen Ländern der Erde angebaut wird. Bataten sind ebenso wandlungsfähig wie unsere Kartoffeln. Leider gibt es sie bei uns nur selten. Süßkartoffeln schmecken köstlich, wenn man sie pikant würzt oder mit Honig oder Fruchtsaft glasiert. Am besten gart man sie in der Schale wie Pellkartoffeln und verwendet sie dann weiter.

Gewürze, die den Charakter der Batate unterstreichen sind Honig, Ingwer, Karamel, gemahlener Koriander. Kontrastreiche Akzente setzen Cayennepfeffer, Muskat, Paprikapulver, Salbei und Thymian.

Blumenkohl (Karfiol)

Der Kohlkopf ist die übergroße, noch knospig geschlossene Blüte der Pflanze. Blumenkohl ist leicht verdaulich und enthält Vitamin B 1, B 2 und reichlich Vitamin C. Die beste Garmethode für dieses Gemüse ist das Dämpfen im Siebeinsatz über kochendem Wasser. Das sollte nicht länger als 10 Minuten dauern. Der Kohl soll nicht völlig weich sein und beim Herausheben nicht auseinanderfallen. In Röschen zerteilt kann Blumenkohl auch in wenig Flüssigkeit gedünstet werden. Kochflüssigkeit als Grundstock zu einer Brühe, Suppe oder Sauce verwenden. In der Garflüssigkeit ist nämlich ein Teil des wasserlöslichen Vitamins C enthalten.

Blumenkohl kann kühl und trocken 3–4 Tage aufbewahrt werden.

Passende Gewürze sind Muskat und frische Kräuter wie Petersilie, Kerbel, eine Spur von Estragon zur Wahl.

Bohnen

Hier geht es nur um die frischen, noch unreifen Früchte dieser Hülsenfruchtart, um die grünen Bohnen und die Wachsbohnen. Die feinsten und teuersten von ihnen sind die Keniabohnen oder Fadenbohnen, nicht länger als ein kleiner Finger, stets fadenlos und etwa stricknadeldünn. Sie sind so kostbar, daß man sie nur als Bestandteil einer feinen Gemüseplatte reichen wird.

Prinzeßbohnen, ebenfalls zart und fein, sind noch nicht ausgewachsene Brechbohnen. Die Brechbohnen selbst sind fleischig, die Bohnenhülsen rund im Querschnitt. Sie sind gut für Eintöpfe und alle Alltagsbohnengerichte geeignet. Schnittbohnen sind flach und grobfleischig. Aus ihnen macht man die berühmten norddeutschen Schnippelbohnen, die in Sahne und Speck schwimmen.

Die gelblichen Wachsbohnen sind zart und fleischig. Sie eignen sich für Salate und schmekken wunderbar, wenn sie ganz einfach gedünstet und mit in Butter gebräunten Semmelbröseln übergossen werden. Frische Bohnen sollten beim Einkauf knackig sein, das heißt sie sollten sich leicht mit einem leisen Knacken durchbrechen lassen.

Aufbewahrt werden sie gewaschen, aber ungeputzt, in ein feuchtes Küchentuch geschlagen, kühl und dunkel nicht länger als 2–3 Tage.

Frische Bohnen enthalten das giftige Phasin. Nach 10 Minuten Kochzeit ist dieser Stoff unschädlich. Frische Bohnen also nicht als Rohkost reichen!

Außer dem Bohnenkraut sind Löffelkraut, Petersilie, Salbei und Thymian geeignete würzende Zutaten. Bohnen harmonieren gut mit Tomaten und allen Zwiebelarten.

Broccoli

Der grüne Verwandte des Blumenkohls mit den locker verzweigten Kohlröschen schmeckt ein wenig nach Spargel. Er enthält mehr Vitamin C als jede Zitrusfrucht. Broccoli ist noch zarter in der Konsistenz als Blumenkohl und benötigt nur eine kurze Dünst- oder Dämpfzeit. Vor dem Garen unbedingt einige zarte Blättchen und Röschen zurückbehalten, feinwiegen und an das fertige Gericht geben. Broccoli ist gut mit Tomaten, Möhren und Spargel kombinierbar.

Beim Einkauf nur kräftig gefärbten Broccoli mit noch geschlossenen Blütenknospenröschen und prallen Stengeln wählen. Broccoli nicht länger als 3 Tage kühl und dunkel lagern. Passende Gewürze sind Knoblauch, Petersilie, Piment und Zitronensaft.

Cardy

Die Pflanze ist eine Zuchtform aus den distelähnlichen Kardengewächsen. Sie kann bis zu 2 m hoch werden und wird in Südosteuropa angebaut. Die fleischigen Blattstiele werden zu Gemüse verarbeitet. Beide haben wegen der in ihnen enthaltenen Bitterstoffe eine positive Wirkung auf Galle und Leber. Das wohlschmeckende Gemüse wird bei uns leider nur selten und nur im August und September angeboten. Beim Einkauf müssen 50-60% Abfall einkalkuliert werden, denn zum Verzehr sind nur die dicken Blattstiele der Pflanze geeignet. Sie haben stachelartige Borsten und müssen geschält werden

Cardy wird in Stücke geschnitten, gedünstet und nach Belieben in einer Sahnesauce serviert oder gedünstet und mit einer Decke aus Vollkornbröseln und geriebenem Käse überbacken. Passende Gewürze sind Estragon, ein wenig Macis, Zitronensaft.

Chicorée

Die leichte Bitterkeit dieses Sprossengemüses verrät seine Zugehörigkeit zu der Zichorie. Chicoréesprossen werden unter schwarzer Folie oder unter der Erde getrieben, dadurch bleibt das Gemüse zart und weiß.

Die Bitterstoffe, die in dem Keil in der Mitte sitzen, regen den Appetit und die Verdauung an. Man sollte ihn deshalb nach Möglichkeit nicht entfernen. Chicorée wird kurz gedünstet und gerne überbacken.

Beim Einkauf dicht geschlossene Sprossen wählen. Chicorée kann man 2-3 Tage kühl und dunkel aufbewahren. Chicorée mit Muskat, ein wenig Pfeffer und Zitronensaft würzen, auch Curry und Paprikapulver passen recht gut.

Chinakohl

Diese im Geschmack sehr milde Kohlsorte stammt wirklich aus dem Reich der Mitte. Die bis zu 1 kg schweren Stauden können blattweise verarbeitet werden.

Auf feste, saftige Außenblätter achten. Bräun-

lich verfärbte Blattspitzen deuten auf falsches Lagern hin. Kühl und nicht zu trocken aufbewahrt hält er sich gut 1 Woche frisch.

Wegen ihres zarten Aromas ist diese Kohlart mit vielen Gemüsesorten zu kombinieren.

Passende Gewürze sind milde Sojasauce, Ingwer, auch eine Spur Piment. Basilikum, ein wenig Minze und die bewährte Petersilie sind die richtigen Kräuter.

Dicke Bohnen (Saubohnen, Puffbohnen)

Von dieser Bohnenart werden nur die großen, noch nicht reifen Kerne gegessen. Die Kerne sind von einer Haut umgeben, die sich nach kurzem Blanchieren leicht entfernen läßt. Beim Einkauf von frischen dicken Bohnen in den Hülsen einkalkulieren, daß 50-70% Abfall entstehen. Prüfen, ob die Bohnenhülsen trocken und nicht etwa angefault sind.

Dicke Bohnen lassen sich in den Hülsen kühl und trocken und möglichst ausgebreitet 2-3 Tage aufbewahren.

Mit Bohnenkraut und Petersilie würzen. In Sahne schmecken sie besonders fein.

Endivien

Oftmals bis Ende November kann Endiviensalat auf dem Beet bleiben. Gegen Frost muß er allerdings mit einer Folienabdeckung geschützt werden. Nicht etwa die Stauden mit besonders viel gelben Innenblättern sind die besten. Die chlorophyllreicheren, dunkelgrünen Blätter enthalten mehr Wertstoffe, insbesondere mehr Vitamin C. Sie sind mitunter etwas hart, deshalb schneidet man sie am besten ganz klein.

Erbsen

Dieses Gemüse gibt es totpasteurisiert und fast völlig aromalos in einem Riesenangebot in Dosen. Doch frische Erbsen sind heutzutage auch in den Sommermonaten rar und kostbar. Köstlich sind die Zuckerschoten, die winzige Erbsen-Embryos enthalten. Man fädelt die Schoten ab und brät sie kurz in Butter. Auch Palerbsen, die »ausgepalt«, das heißt enthülst werden, sollten jung genossen werden. Bei den ausgewachsenen Erbsen wandelt sich der in ihnen enthaltene Zucker in Stärke um und läßt sie mehlig werden. Markerbsen mit ihrer kantigen, fast würfeligen Form schmecken auch als große Exemplare noch leicht süß.

Beim Einkauf bedenken, daß die Hülsen 50% des Gewichtes ausmachen. Keine Erbsen in bräunlichen trockenen Hülsen kaufen. Erbsen stets in den Hülsen und möglichst nicht länger als 1 bis höchstens 2 Tage kühl und nicht zu trocken aufbewahren.

Frische Erbsen als Bestandteil einer feinen Gemüseplatte reichen, mit Pfifferlingen mischen oder mit ganz jungen Möhren.

Auch Frühlingszwiebeln sind eine gute Ergänzung. Frische Erbsen mit einer Prise weißem Pfeffer und etwas Zucker, der die feine Süße dieses edlen Gemüses unterstreicht, würzen. Pfefferminze, Estragon, ein wenig Thymian und natürlich auch Petersilie sind als Kräuter zu empfehlen, jedoch sollte immer nur eines der aufgezählten Kräuter verwendet werden.

Fenchel

Die Fenchelknolle ist der verdickte Stiel der Pflanze. Wie viele Doldengewächse ist Fenchel mild, leicht süßlich und aromatisch im Geschmack und leicht verdaulich. Er hat eine hei-lende Wirkung bei Erkrankungen der Verdauungsorgane. Fenchel liebt Sonne und Wärme. Er gedeiht in unseren Breitengraden nur in sehr warmen Sommern gut. In Italien, von dort bekommen wir den Fenchel, ist er das beliebteste Gemüse. Man ißt die weißen, fleischigen Knollen und gibt die zarten, feingefiederten grünen Blättchen roh als würzende Zutat an das Gericht. Beim Einkaufen feste, weiße Knollen wählen. Fenchel mit trockenen, bräunlichen Außenblättern wurde zu lange gelagert. Zum Aufbewaren die Stiele kürzen, zartes Blattgrün abschneiden und mit den Knollen zusammen in ein feuchtes Küchentuch wickeln und nicht länger als 2 Tage im Gemüsefach des Kühlschranks lagern.

Fenchel in wenig Flüssigkeit und etwas erstklassigem Olivenöl dünsten.

Das Gemüse nur mild mit Knoblauch, Muskat oder Zitronensaft und abgeriebener Zitronenschale würzen.

Grünkohl

Dieser überaus vitaminreiche, herzhafte Winterkohl gedeiht im Norden Deutschlands besonders gut. Grünkohl muß Frost bekommen haben, damit er leichter verdaulich wird und sein volles Aroma entfaltet. Die krausen, dunkelgrünen Blätter werden von den Rippen gestreift, in Salzwasser blanchiert, grobgehackt und anschließend mit einer großzügigen Fettzugabe gegart.

Grünkohl ist eine der wenigen Gemüsesorten, die gut weich gekocht werden sollen. Reichlich frische Petersilie würzt das fertige Gericht und wertet es gleichzeitig mit Vitaminen auf. Keine gelblichen, schlaffen Kohlstauden kaufen. Guter Grünkohl hat knackige, dunkle, dickfleischige Blätter.

Grünkohl sehr kühl und nicht länger als 1 Tag aufbewahren. Es herrscht zwar die Meinung, daß das beste Grünkohlgewürz fette Grützwurst,

Schweinebauch und Kasseler sei, doch schmeckt er geradezu vorzüglich mit gemahlenem Koriander, Muskat oder Piment gewürzt und gegart in kräftiger Gemüsebrühe.

Gurken

Die grünen Schlangengurken gibt es schon verhältnismäßig früh im Sommer. Sie sind ausgesprochene Salatfrüchte. Wenn die grünlich-gelben, aromatischen Schmorgurken nicht zu bekommen sind, kann man auch Schlangengurken für Gemüsegerichte verwenden. Gurken entwässern und entgiften die Nieren, entlasten den Kreislauf und sind, äußerlich angewendet, Balsam für die Haut. Gurken aus biologischem Anbau müssen nicht geschält werden. Die grüne Schale enthält das wertvolle Chlorophyll. Beim Gurkeneinkauf festfleischige Exemplare wählen, die Stielenden dürfen nicht schon schrumpelig-faltig aussehen.

Gurken können kühl und nicht zu trocken gelagert 3 Tage aufbewahrt werden.

Passende Gewürze und Kräuter sind Anis, Paprikapulver, Bohnenkraut, Dill, Fenchelgrün und Pimpinelle.

Kohlrabi

Das sind die verdickten Stiele der Pflanze, nicht deren Wurzelknollen. Aber nicht nur die Kohlrabiknollen sind eßbar. Weit mehr Wirkstoffe sind in den grünen Blättern enthalten. Bei jungen Pflanzen sollte man das Blattgrün auf jeden Fall mitverwenden. Hinsichtlich der Inhaltsstoffe gibt es keinen Unterschied zwischen den violetten und den hellen Kohlrabisorten. Zu spät geerntet oder zu lange gelagert werden beide Arten holzig.

Beim Einkauf auf frisches Blattgrün achten, Knollen mit Rissen in der Oberfläche sind oft holzig.

Kohlrabi höchstens 3 Tage kühl gelagert aufbewahren.

Kohlrabi würzt man mit Muskat und weißem Pfeffer. Eine Prise Zucker lockt seine natürliche Süße hervor, Liebstöckel, Petersilie und Pimpinelle sind passende frische Kräuter.

Kürbis

Die großen Beerenfrüchte der Kürbispflanze können bis zu 1 Zentner schwer werden. Diese Riesenkürbisse zählen zu den Winterkürbissen. Sie werden ausgereift geerntet.

Die kleinen Sommerkürbisse gibt es in vielen Formen und Farben. Squash, die flachen, runden, hellhäutigen Früchte, gehören ebenso dazu wie die beliebten Zucchini. Sommerkürbisse werden noch unreif geerntet. Sie brauchen nicht geschält und entkernt zu werden. Je kleiner diese Kürbisse sind, desto zarter ist ihr Fleisch. Ganze Kürbisse lassen sich ungekühlt bei Raumtemperatur problemlos 1–2 Wochen aufbewahren, die großen Gartenkürbisse unangeschnitten sogar mehrere Wochen. Kürbisstücke wickelt man in Folie und hebt sie bis zu 3 Tagen im Gemüsefach des Kühlschranks auf. Kürbisfleisch schmeckt, pikant gewürzt mit Cayennepfeffer, Currypulver, Ingwer, Knoblauch oder Paprikapulver, sehr reizvoll. Zitrone rundet Kürbisgerichte angenehm ab.

Lauch (Porree)

Lauch zählt wie die Zwiebel und der Knoblauch zu den Liliengewächsen, die reich an ätherischen Ölen sind. Lauch regt den Stoffwechsel und die

Ausscheidung an. Beim Lauch ist die Zwiebel-knolle nicht ausgeprägt. Sie bildet einen Schein-stengel mit langen grünen Blättern. Sommer-lauch ist milder im Aroma, die Stangen sind verhältnismäßig dünn und rund. Winterlauch ist kräftig im Geschmack, seine Stangen dick, die Blätter blaugrün. Für Gerichte aus ganzen Lauchstangen nicht zu dicke Exemplare wählen.

Zum Aufbewahren dunkelgrünes Blattgrün abschneiden, die Stangen in Papier wickeln, kühl und trocken etwa 5 Tage aufbewahren, jedoch nicht in der Nähe von Lebensmitteln, die leicht Fremdgerüche annehmen! Knoblauch und Mus-katnuß passen auch zu Lauchgerichten gut. Als Kräuter sind Estragon, Kerbel, Liebstöckel und Thymian zu empfehlen.

Mais

In Amerika gibt es spezielle Gemüsemaiszüch-tungen. »Sweetcorn«, Zuckermais, heißt dort dieses delikate Gemüse. Was bei uns angeboten wird, ist meist der ganz normale Futtermais in seiner Milchreife. Doch auch der schmeckt gut. Maiskörner sondern in diesem Reifestadium, wenn man sie einritzt, einen weißen, süßlichen Saft ab. Das sollte man ungeniert prüfen, wenn man frischen Mais kauft.

Maiskolben höchstens 2 Tage aufbewahren – danach wandelt sich der in den Körnern enthal-tene Zucker in Stärke um.

Richtige Gewürze sind Cayennepfeffer, Cur-rypulver, Paprikapulver und Pfeffer.

Mangold

Das kräftige, angenehm herb schmeckende Blattgemüse verdient es, wieder neu entdeckt zu werden. Mangold gibt es in den Sommermona-ten von Juli bis September. Er wird leider viel zu selten angeboten. Wir unterscheiden Blattman-gold und Stielmangold. Beim Blattmangold äh-neln die großen Blätter in ihrer Beschaffenheit dem Winterspinat. Man bereitet sie auch wie Spinat zu. Stielmangoid wird wie Spargel in Salz-wasser gegart und gern in einer Sahnesauce oder auf polnische Art zubereitet.

Mangold mit frischem Laub und prallen, knackigen Stielen kaufen. Die chlorophyllhalti-gen Blätter büßen beim Aufbewahren wertvolle Vitalstoffe ein. Mangold vormittags einkaufen oder ernten und möglichst bald zubereiten. Not-falls in ein feuchtes Küchentuch einschlagen und einige Stunden im Gemüsefach des Kühl-schranks aufbewahren.

Zu Mangold passen als würzende Zutaten Knoblauch, Liebstöckel, Petersilie, weißer Pfef-fer und Zitronensaft gut.

Meerrettich (Kren)

Dieses scharfe Wurzelgemüse schätzen wir hauptsächlich als würzende Zutat. Meerrettich hat belebende und heilende Kräfte. Die in ihm enthaltenen ätherischen Öle reizen die Schleim-häute etwas, wirken dabei aber lösend und be-freiend. Meerrettich regt außerdem die Leber-funktion an. Auch sein hoher Vitamin-C-Gehalt macht ihn wertvoll.

Die frischen Wurzeln sind viel schärfer als der konservierte Meerrettich.

Beim Meerrettichkauf Stangen wählen, die nicht elastisch biegsam sind, sondern hart und damit auch saftig.

Meerrettich für lange Lagerung in feuchtem Sand in einer Holzkiste eingraben (einschlagen). In Papier gewickelt im Gemüsefach des Kühlschranks bis zu 1 Woche aufbewahren. Fri-scher, geriebener Meerrettich paßt gut zu rote-Bete-Gemüse, Wirsing und Grünkohl.

Möhren (Karotten, gelbe Rüben)

Dieses Wurzelgemüse aus der Familie der Doldengewächse ist reich an Vitalstoffen und belastet den Organismus kaum. Möhren sind beispielsweise die erste Gemüsemahlzeit des Säuglings. Das in ihnen reichlich enthaltene Provitamin A (Karotin) wird vom Körper in Vitamin A umgewandelt. Es ist wichtig für die Erhaltung der Sehkraft, sorgt für eine gesunde Haut und Schleimhaut.

Karotten sind genaugenommen nur die kleinen kugelig runden frühen Sorten. Sie werden fast aussschließlich von der Konservenindustrie verarbeitet und selten frisch angeboten.

Sommer- und Wintermöhren sind längliche, spitz zulaufende Wurzeln. Möhren harmonieren mit vielen Gemüsesorten, besonders gut mit Blumenkohl, Erbsen, grünen Bohnen, Weißkohl, Wirsingkohl oder Zwiebeln. Beim Einkauf von jungen Sommermöhren auf frisches Blattgrün achten. Spätere Sorten haben oft Wühlmausfraß und auch Faulstellen. Vor allem zum langen Lagern nur tadellose Ware wählen. Die großen späten Sorten sind gut zum Einkellern geeignet. Wenn man sie im Herbst in größeren Mengen preisgünstig beim Erzeuger kaufen kann, schlägt man sie ein, das heißt, man lagert sie in Holzkisten an einem möglichst kühlen Ort in einem Gemisch aus Sand und Erde.

Sonst halten Möhren sich, vor Sonnenlicht geschützt, etwa 2 Wochen frisch.

Anis und Fenchelsamen, die auch zu den Doldengewächsen zählen, sind besonders feine Möhrengewürze. Honig unterstreicht die Süße, Ingwer und Piment geben eine leicht süßliche Schärfe. Petersilie und Pfefferminze sind mit ihrem frischen Aroma die rechte Ergänzung für gekochte Möhren.

Okras

Die Okraschoten sind die Früchte einer Eibischpflanze, die nur in warmen Ländern gedeiht. Okras werden noch unreif geerntet. Die schlanken, kantigen Schoten haben eine pelzige Haut. Der in ihnen enthaltene Saft wird beim Erhitzen schleimig und hat die Eigenschaft, Flüssigkeit zu binden. Deshalb sind Okras gut für Eintopfgerichte geeignet. Im Geschmack erinnert diese Frucht entfernt an Stachelbeeren. Sollten Sie frische Okraschoten entdecken, kaufen Sie nur ganz kleine, höchstens fingerlange Exemplare, ältere Früchte bekommen eine harte, stachelige Haut und sind fast ungenießbar. Okras können nicht geschält werden. Sie würden dabei völlig die in ihnen enthaltene Flüssigkeit verlieren. Okras nicht länger als 3 Tage im Gemüsefach des Kühlschranks aufbewahren.

Das Gemüse verträgt herzhafte, aber auch besonders scharfe Gewürze: Cayennepfeffer, Chilischoten, Currypulver, Ingwer, Knoblauch, Koriander, auch frische Kresse und Zitronensaft können hier geschmacklicher Kontrast und Ergänzung sein.

Paprikaschoten

Die großen gelben, roten, hellgrünen oder kräftig grün gefärbten Gemüsefrüchte sind eine Zuchtform der Gewürzpaprikapflanze. Paprikaschoten werden im nördlichen Mittelmeerraum, in allen Balkanländern und in Holland angebaut. Paprika ist eine der Vitamin-C-reichsten Gemüsesorten. Er enthält beispielsweise fast dreimal soviel Vitamin C wie Zitronen. Die gelben Schoten sind mild im Geschmack, ein besonders feines Aroma haben die länglichen, spitz zulaufenden hellgrünen Paprikaschoten. Roter Gemüsepaprika schmeckt würzig und zart süßlich, die grünen Paprikaschoten am kräftigsten. Sie werden aus Anbau unter Glas oder Folie ganzjährig angeboten und machen, da sie die unreifen Früchte des roten Gemüsepaprikas sind, im Juli den Anfang im Paprikaangebot aus Freilandanbau. Das Gemüse ist hervorragend zum Kombinieren mit anderen Gemüsearten des Hochsommers geeignet. Tomaten, Auberginen, Zucchini und Gurken passen besonders gut. Paprikaschoten unserer Zeit schmecken nicht mehr scharf. Ein Paprikagericht ist also nicht verdorben, wenn es einen Teil der kleinen Kerne der Schoten enthält. Bei Paprikaschoten unbedingt auf glänzende glatthäutige Früchte achten.

Paprikaschoten können kühl und trocken etwa 3 Tage ohne größere Wertstoffverluste gelagert werden.

Basilikum, Dost – die wilde Form unseres Majorans – Knoblauch, Oregano, Paprikapulver, Rosmarin und Zitronensaft runden ein Paprikaschotengericht vollendet ab.

Pastinaken

Das ist ein interessantes Wurzelgemüse. Es heißt, die Pastinake sei eine Kreuzung aus Wurzelpetersilie und Sellerie. Pastinaken haben ein schwach süßliches Aroma wie alle Gemüsearten der Doldengewächse. Sie benötigen zur Milderung und Abrundung ihres fast etwas aggressiven Eigengeschmacks ein wenig Sahne oder Ei. Eine gute Ergänzung sind Kartoffeln oder Möhren.

Die großen, weißen bis gelblichen Wurzeln erinnern in der Form an Wintermöhren. Man kann sie wie diese, in Erde eingeschlagen, längere Zeit lagern. Sonst lassen sich Pastinaken, kühl und dunkel gelagert, etwa 2 Wochen aufbewahren. Pastinaken würzt man richtig mit Anis, Fenchel, etwas Honig, gemahlenem Koriander. Das Küchenkraut der Wahl ist hier Petersilie.

Radicchio

Der erste frische Radicchio aus heimischem Anbau kann bereits ab Ende Oktober geerntet werden. Eine winterharte Sorte ist im Februar/März schnittreif. So begleitet dieser attraktive Wintersalat uns von Beginn bis zum Ende der kalten Jahreszeit. Radicchio bildet kleine feste Köpfe. Die dunkelroten, weißgeäderten Blätter bieten einen appetitanregenden farblichen Kontrast zu grünem Salat, hellem Knollensellerie, Gemüsefenchel und Topinambur. Seine zarte Bitterkeit verträgt sich mit allen Wintergemüsearten, die eine leichte Süße aufweisen, besonders gut. Die lange Wurzel dieses Salates ist allerdings sehr bitter. Man kann sie aber feingehackt als würzende Zutat an den Salat geben.

Römischer Salat

Dieser Salat bildet wie Pflücksalat lockere Stauden. Die länglichen Blätter sind an den Rändern, ähnlich wie Endiviensalat gefranst. Wie dieser späte Blattsalat enthält römischer Salat wertvolle Bitterstoffe, die besonders bei Gallenleiden heilkräftig wirken. Aus heimischem Freilandbau gibt es römischen Salat ab August. Durch die Zugabe von Obst wird der bittere Geschmack etwas gemildert.

Rosenkohl

Eine der wohlschmeckendsten und bekömmlichsten Kohlarten. Rosenkohl ist wie alle grünen Gemüsepflanzen reich an Vitamin C. Die kleinen Kohlröschenknospen, sozusagen Miniatur-Kohlköpfe, wachsen am Stengel der Pflanze jeweils dort, wo er sich verzweigt. Wie Grünkohl, schmeckt auch Rosenkohl am besten, wenn er etwas Frost bekommen hat. Am wertstoffschonendsten dünstet man diesen zarten Kohl in etwas Fett und wenig Flüssigkeit.

Beim Einkaufen vor allem auf festgeschlossene Kohlröschen achten. Je kleiner die Köpfchen, desto feiner sind sie im Geschmack. Gelber Rosenkohl wurde zu warm und zu lange gelagert. Wer Rosenkohl im eigenen Garten anbaut, weiß, daß man ihn – auch bei Minusgraden – am besten an der Kohlpflanze »aufbewahrt« und nur nach Bedarf erntet. Gekauften Rosenkohl kühl, trocken und dunkel nicht länger als 2 Tage aufbewahren.

Muskatnuß, weißer Pfeffer, Petersilie und Salbei geben Rosenkohl die richtige Würze.

Rote Bete (rote Rüben)

Ein überaus gesundes Wurzelgemüse, das besonders im Sommer wohlschmeckende Salate und Gemüsegerichte ergibt. Rote Bete sind ein bewährtes Stärkungsmittel für Rekonvaleszenten und blasse Kinder. Sie wirken vorbeugend gegen Grippe und Erkältungskrankheiten. Rote Bete wirken ähnlich wie Möhren hautverschönernd.

Die kleinen, etwa apfelgroßen Rüben aus den ersten Ernten schmecken besonders gut. Je älter und größer die Rüben werden, desto mehr Zellulose bilden sie, desto längere Garzeiten werden benötigt, wodurch der Wertstoffverlust steigt. Deshalb lohnt es sich, in den Angebotszeiten dieses Gemüse für den Winter einzukochen. Möglichst kleine Rüben kaufen, im Sommer dabei auf frisches Laub achten.

Zum Aufbewahren die Blätter abschneiden und die Rüben kühl und trocken und nicht länger als 1 Woche lagern.

Rote Bete würzt man gut mit geriebenem frischem Ingwer, gemahlenem Koriander, Kümmel, geriebenem Meerrettich, gemahlenen Senf-

körnern, Zitronensaft und Zwiebeln. Sie gehören zu den Gemüsesorten, die durch frische Kräuter nicht unbedingt an Geschmack gewinnen.

Rotkohl (Blaukraut)

Wie alle Kohlsorten ist Rotkohl ein wertvolles Gemüse, reich an Vitamin C, Calcium und Eisen. Bei den sehr festen, rund geschlossenen blaugrünen oder roten Köpfen fällt die feine Wachsschicht, die allen Kohlsorten eigen ist, besonders auf. Sie ist Schutz der äußeren Blätter und steht im Zusammenhang mit dem in den Samen aller Kreuzblütler reichlich vorhandenen fetten Öl. Rotkohl wird am besten geschmort.

Wird Rotkohl kühl, luftig, trocken und nicht zu hell gelagert, hält er sich einige Wochen frisch. Für 2–3 Tage kann man auch angeschnittene Kohlköpfe im Gemüsefach des Kühlschranks aufbewahren.

Dieser Kohl schmeckt erst richtig gut mit einer ganzen Reihe von würzenden Zutaten, die man als klassische Rotkohlgewürze bezeichnen könnte. Fett, wir nehmen ein gutes neutralschmeckendes Pflanzenöl, mit Nelken und Lorbeerblatt besteckte Zwiebel, Muskatnuß, Pfeffer, etwas Süße und etwas Säure, die für eine schöne Rotfärbung sorgen. Zum Süßen Honig, Himbeersaft ohne Zucker, Birnendicksaft oder Johannisbeergelee verwenden. Diese Zutaten würzen besser als Zucker. Mit erstklassigem rotem Weinessig und etwas Rotwein abrunden.

Die Herstellung des Käsekuchens mit Ölteig Schritt für ▷ Schritt. Mit Mürbteig läßt er sich ebenso einfach zubereiten. Rezept Seite 297.

Schwarzwurzeln

Die langen, etwa 2 cm dicken Wurzelstangen haben eine dunkle, fast schwarze Schale. Die Wurzeln enthalten viel Vitamin E, das sonst hauptsächlich in Nüssen, Getreidekeimen und Meeresfrüchten vorkommt. Dieses Vitamin regelt die Keimdrüsenfunktion. Schwarzwurzeln sind ein ausgesprochen feines Gemüse, im Geschmack etwas an Spargel erinnernd. Ihr weißer, milchartiger Saft hat allerdings die Eigenschaft, alles, was damit in Berührung kommt, rostrot zu färben. Von den Händen entfernt man diese unschönen Verfärbungen mit Zitronensaft, aus Textilien gehen sie nur schwer wieder heraus.

Schwarzwurzeln werden in reichlich Salzwasser mit etwas Zitronensaft oder Essig gekocht. Die Säure verhindert, daß sich die geschälten weißen Wurzeln dunkel färben.

Beim Einkauf pralle, feste, vor allem unverletzte, nicht gebrochene Wurzeln wählen.

Schwarzwurzeln dick in Zeitungspapier wickeln und kühl und trocken 2–3 Tage aufbewahren. Größere Mengen wie Meerrettich in Sand und Erde einschlagen und in einem kühlen Raum lagern.

Schwarzwurzelgemüse mit Macis (Muskatblüte) und mildem Paprikapulver würzen, mit frischer Petersilie aufwerten.

◁ Eine Linzer Torte schmeckt mit Vollkorn-Mürbeteig und selbstgemachter Fruchtfüllung unvergleichlich gut. Rezept Seite 295.

Sellerie

Von dieser uralten Kulturpflanze gibt es das Knollengemüse, den in allen südeuropäischen Ländern und in den USA so beliebten Bleich- oder Stangensellerie und zu Würzzwecken Schnittsellerie. Man sagt vor allem dem Knollensellerie wunderbare Kräfte nach. Richtig ist, daß Knollensellerie Vitamin E und alle Selleriearten viele Mineralstoffe enthalten.

Knollensellerie kann ungeschält gedämpft oder geschält und in Scheiben geschnitten in wenig Flüssigkeit gedünstet werden. Tomaten passen gut dazu und außerdem, wie im Suppengrün, Möhren und Lauch.

Kleine und mittelgroße Knollen beim Einkauf bevorzugen. Allzu große Sellerieknollen haben leicht schwammiges Fruchtfleisch und sind manchmal hohl.

Ganze Sellerieknollen zum Überwintern wie Möhren und Schwarzwurzeln in Sand einschlagen. Selleriestücke in Haushaltsfolie gewickelt bis zu 1 Woche im Gemüsefach des Kühlschranks aufbewahren.

An Gemüsegerichte aus Knollensellerie frisches Selleriegrün, Liebstöckel oder Petersilie geben. *Bleichsellerie* ist eine Selleriestaude mit fleischigen Blattstielen. Durch rechtzeitiges Anhäufeln mit Erde während seines Wachstums wird Bleichsellerie hell gehalten. Die Stangen enthalten zwar viel Faserstoffe, doch sind sie nicht verholzt und noch zart in der Konsistenz. Stangensellerie schmeckt sehr mineralisch-salzig und ist roh genossen wunderbar erfrischend. Doch auch als feines Gemüse, ähnlich wie Stielmangold zubereitet, ist er gut.

Auf frisches Blattgrün an den Stangen achten. Keine Stauden kaufen, die außen faserig und trocken wirken.

Die Stauden gewaschen, aber nicht zerteilt, in ein feuchtes Küchentuch gewickelt, bis zu 3 Tagen kühl aufbewahren.

Spargel

Spargel sind die Sprossen der Spargelpflanze. Sie werden gestochen, wenn die Köpfe gerade durch die Erdoberfläche zu stoßen beginnen. Läßt man die Sprossen weiterwachsen, färben sie sich grün und reichern sich im Sonnenlicht mit Vitaminen und Aromastoffen an. So bedauerlich dies ist: Die weißen Spargelsprossen, zarte, duftende und vielgeschätzte Delikatesse, enthalten, sieht man von ein wenig Vitamin C ab, wenig Vitalstoffe.

Nur wirklich frischen Spargel, das heißt höchstens am Tag zuvor gestochenen Spargel kaufen. Die Enden müssen frisch und glatt sein. Für ein Spargelessen rechnet man pro Person 500–700 g Spargel. Spargel möglichst vormittags kaufen und – wird er nicht gleich zubereitet – behutsam in reichlich handwarmem Wasser waschen, ungeschält in ein feuchtes Küchentuch schlagen und im Gemüsefach des Kühlschranks oder im kühlen Keller nicht länger als 24 Stunden aufbewahren. Spargel wenig würzen. Ins Spargelkochwasser außer Salz auch einen Teelöffel Zucker und einen Teelöffel Butter geben. Zerlassene frische Butter ist eine vortreffliche geschmackliche Abrundung. Es gibt Gourmets, die behaupten, die beste Beilage zu Spargel sei Spargel.

Spinat

Das grüne Blattgemüse enthält weit weniger Eisen, als gemeinhin angenommen wird, dafür aber viel Vitamin C, Karotin und das ganze Spektrum der Mineralstoffe in schöner Ausgewogenheit. Spinat enthält allerdings eine beträchtliche Menge Oxalsäure, vor der sich Menschen mit Neigung zu Nierensteinen hüten sollen. Außerdem führt rigorose Düngung dazu, daß im Spinat in gefährlichen Mengen Nitrat gespeichert wird. Nitrat verwandelt sich nach der Aufnahme im Körper zu Nitrit. Nitrit bildet Nitrosamine, die krebserzeugend wirken. Für Säuglinge kann ein Zuviel an Nitrat besonders gefährlich sein. Spinat für Säuglinge deshalb wirklich nur aus biologischem Anbau kaufen und auf keinen Fall aufwärmen.

Die Spinatsorten sind stark unterschiedlich in Blattgröße und Struktur. Winterspinat gibt es von März bis April. Diese Sorte überwintert bis zur Ernte im Freien. Er ist derb im Blatt und sehr aromatisch. Frühen Sommerspinat gibt es von Mai bis Juli, Herbstspinat von September bis November. Diese Sorten sind feinblättrig.

Nur taufrischen Spinat kaufen. Dieses Gemüse büßt innerhalb weniger Stunden durch Verdunstung über die Blattoberfläche den größten Teil seiner Vitalstoffe ein. Aus diesem Grund Spinat auch rasch verarbeiten. Notfalls gewaschen, in ein feuchtes Küchentuch eingewickelt, einige Stunden im Gemüsefach des Kühlschranks aufbewahren.

Spinat mit etwas frischem Knoblauch, geriebener Muskatnuß und weißem Pfeffer würzen. Eine angenehme geschmackliche Nuance geben ein wenig gekörnte Gemüsebrühe, möglichst mit Hefezusatz und 1 Prise Zucker.

Teltower Rübchen

Die kleinen bräunlichen Rübchen werden seit langem in der Mark Brandenburg in der Gegend von Teltow angebaut. Sie gedeihen gut im lockeren Sandboden. Im Hamburger Gemüsegarten Vierlanden versucht man sich jetzt ebenfalls im Anbau dieser delikaten Gemüseart.

Frische Teltower Rübchen sind so kostbar, daß man ihre Qualität nicht durch langes Aufbewahren mindern sollte.

Sie werden sorgfältig geschabt und in karamelisiertem Zucker und wenig Brühe gedünstet.

Tomaten (Paradeiser)

Alle reifen Tomaten sind reich an Vitamin A, B, C und E. Weil wir uns vollwertig ernähren wollen, verzichten wir auf Tomatenkonserven, die in großer Fülle und Vielfältigkeit zu haben sind und bereiten Tomatengerichte aus frischen Früchten zu. Auch sollten wir stets versuchen, Früchte aus biologischem Anbau zu bekommen, denn gerade Tomaten werden im konventionellen Anbau oft falsch gedüngt und viel gespritzt.

Auch bei Tomaten sind viele Wertstoffe in der Schale, der dünnen Tomatenhaut, angereichert. Wer mag, verwendet die Früchte ungeschält. In den Rezepten heißt es jedoch manchmal: »... die Tomaten erst häuten«, weil die harten Schalenreste im Essen oft als störend empfunden werden. Gut ist es, Tomaten roh zu essen, sie schmecken zu Gemüse- und Getreidegerichten gut.

Tomaten lassen sich, kühl und dunkel gelagert (aber nicht im Kühlschrank) 2–3 Tage aufbewahren. Noch unreife Tomaten bei Raumtemperatur möglichst im Sonnenlicht nachreifen lassen.

Klassische Tomatengewürze sind Basilikum, Knoblauch, Oregano, Rosmarin und Zwiebeln, außerdem passen gut Petersilie, Salbei, Schnittlauch und Thymian.

Topinambur (Erdartischocke)

Topinambur gelangte im 17. Jahrhundert aus Amerika nach Europa. Der Name »Knollensonnenblume« paßt wohl am besten zu dieser Pflanze, denn sie ist eine knollenbildende Sonnenblume. Die Knollen sind der Teil, den wir als Gemüse schätzen. Topinamburknollen erinnern im Aussehen an die verzweigten frischen Ingwerknollen. Sie haben eine feste, doch zugleich sehr zarte Konsistenz und schmecken roh nach frischen Haselnüssen, gegart erinnern sie an Artischocke und Kartoffel. Topinamburknollen enthalten keine Stärke, sondern den stärkeähnlichen Stoff Inulin, der die Wirkung von Insulin unterstützt. Deshalb spielen sie in der Diabetikerernährung eine große Rolle.

Die Knollen können als Rohkost und gebraten oder gedünstet als Gemüse zubereitet werden. Wenn sie gründlich gewaschen werden, brauchen sie auch für Salat nicht geschält zu werden. Man reibt sie auf einer groben Reibe. Topinambur können wie Pellkartoffeln gegart werden. Man kann sie auch roh in Scheiben schneiden und in Öl braten. Sie garen rasch. Um den feinen Eigengeschmack nicht zu überdecken, würzt man sie nur mild mit ein wenig Zitronensaft, einem Hauch gemahlenem Kümmel, Kräutersalz und einer Spur Honig.

Weißkohl (Weißkraut)

Der wichtigste Vertreter der Kohlsorten ist gleichzeitig der preiswerteste, was ihn im Ansehen des Verbrauchers sinken läßt. Das ist schade, denn er ist ebenso reich an Wertstoffen wie der teurere Rosenkohl und, gut zubereitet, sehr schmackhaft. Die frühen Sorten, vor allem der in Norddeutschland beliebte Spitzkohl, sind zart, leicht verdaulich und mild im Geschmack.

Weißkohl läßt sich gut mit frischen Bohnenkernen, Möhren, Lauch, Sellerie und Zwiebeln kombinieren und vielfältig variieren.

Angeschnittenen Weißkohl in Haushaltsfolie wickeln und im Gemüsefach des Kühlschranks bis zu 1 Woche aufbewahren. Ganze Köpfe können im kühlen Keller auf einem Lattenrost 2–3 Monate gelagert werden.

Wichtigstes Gewürz ist Kümmel. Das im Kümmel enthaltene ätherische Öl macht Kohl leichter verdaulich. Außerdem passen Koriander und Pfeffer gut dazu, und die geeigneten Kräuter sind Beifuß und Petersilie.

Saisonkalender für Obst und Gemüse

	Jan	Feb	März	April	Mai	Juni	Juli	Aug	Sept	Okt	Nov	Dez
Aprikosen							●	●	●			
Artischocken		●	●		●					●	●	●
Auberginen					●	●	●	●	●	●		
Birnen							●	●	●	●	●	●
Blumenkohl						●	●	●	●	●	●	
Bohnen grün							●	●	●			
Broccholi	●	●	●								●	●
Brombeeren									●	●		
Cherimoyas	●	●	●	●						●	●	●
Chicchoree	●	●	●							●	●	●
Chinakohl	●	●	●							●	●	●
Eisbergsalat					●	●	●	●	●			
Endiviensalat	●	●	●					●	●	●	●	●
Erbsen grün						●	●	●				
Erdbeeren					●	●	●					
Feigen							●	●	●	●		
Feldsalat	●	●	●							●	●	●
Fenchel	●	●	●	●						●	●	●
Gurken						●	●	●	●	●		
Heidelbeeren							●	●	●			
Himbeeren								●				
Johannisbeeren						●	●					
Kirschen						●	●	●				
Knollensellerie	●	●	●							●	●	●
Kohlrabi					●	●	●	●	●	●		

Saisonkalender für Obst und Gemüse

	Jan	Feb	März	April	Mai	Juni	Juli	Aug	Sept	Okt	Nov	Dez
Kopfsalat				●	●	●	●	●	●			
Mandarinen	●	●									●	●
Melonen					●	●	●	●	●	●		
Orangen	●	●	●	●							●	●
Papayas	●	●	●									●
Paprika							●	●	●	●		
Pfirsiche							●	●	●			
Pflaumen							●	●	●	●		
Preiselbeeren							●	●	●			
Radicchio	●	●	●					●	●	●	●	●
Radieschen					●	●	●	●	●			
Rosenkohl	●	●						●	●	●	●	●
Rote Bete	●	●						●	●	●	●	●
Rotkohl	●	●	●					●	●	●	●	●
Spargel				●	●	●						
Spinat				●	●	●	●	●	●	●	●	
Stachelbeeren						●	●					
Staudensellerie	●	●	●							●	●	●
Tomaten							●	●	●	●		
Weintrauben								●	●	●	●	
Weißkohl	●	●	●					●	●	●	●	●
Wirsingkohl	●							●	●	●	●	●
Zucchini					●	●	●	●	●			

Ganzjährig in guter Qualität auf dem Markt: Ananas · Äpfel · Avocado · Bananen · Grapefruit · Kiwis · Lauch/Porree · Mangos · Möhren · Zitronen · Zwiebeln

Wirsingkohl

Die grüne, lockere Köpfe mit krausen Blättern bildende Kohlart hat einen ausgeprägten Geschmack.

Für Wirsing gilt im großen und ganzen das gleiche wie für Weißkohl, doch ist seine Lagerfähigkeit nicht ganz so gut. Im Kühlschrank kann er ebenfalls etwa 1 Woche aufbewahrt werden, im kühlen Keller auf einem Lattenrost etwa 1 Monat. Wirsing würzt man gut mit Koriander, Kümmel, Petersilie und schwarzem Pfeffer.

Zucchini

Das grüne, gurkenähnliche Fruchtgemüse zählt zu den Kürbissen. Je kleiner Zucchini geerntet werden, desto besser ist ihr Geschmack. Kleine Exemplare können ungeschält, nur kurz blanchiert und dann im ganzen gebraten werden. Haben die Früchte erst einmal die Ausmaße einer Gurke erreicht, muß man sie schälen und dünsten oder gar kochen. Zucchini können mit allen sommerlichen Fruchtgemüsesorten kombiniert werden.

Möglichst kleine feste Früchte wählen, die am Stielansatz weder weich sind noch schrumpelig aussehen.

Zucchini können in Papier gewickelt im Gemüsefach des Kühlschranks bis zu 1 Woche aufbewahrt werden.

Zucchini, die nicht viel Eigenaroma haben, würzt man gut mit Cayennepfeffer, Dill, Knoblauch, Petersilie, weißem Pfeffer, frischer Pfefferminze und Zitronensaft.

Zwiebeln

Zwiebeln aller Arten gehören zur großen Familie der Liliengewächse. Seit Urzeiten kennt die Volksmedizin die heilenden und regenerierenden Kräfte der Zwiebel, die sich im Knoblauch noch verstärken. Dieser wirkt entzündungshemmend im Magen-Darm-Bereich, vorbeugend gegen Altersbeschwerden, vor allem gegen Arteriosklerose. Die Zwiebel soll außerdem noch herz- und nervenstärkend wirken. Alle Zwiebeln enthalten viel Vitamin C und ein ätherisches Öl, von dem Schärfe und Geruch der Zwiebel herrühren. Für die Gemüseküche sind vor allem die großen rundgeformten weißen Gemüsezwiebeln und die etwas kleineren, im Geschmack ebenfalls süßlich-milden roten Zwiebeln, auch spanische Zwiebel genannt, interessant. Gemüsezwiebeln eignen sich hervorragend zum Füllen, die roten Zwiebeln ergeben gedünstet ein mildes, aromatisches Gemüse. Die kleinen Frühlingszwiebeln mit dem frischen, grünen Lauch schmecken kleingeschnitten und kurz gebraten beispielsweise gemischt mit Zuckererbsen oder jungen Möhren köstlich.

Beim Zwiebelkauf selbstverständlich nur feste Knollen wählen, keine Zwiebeln kaufen, bei denen sich schon grüne Blattspitzen zeigen. Wenn Zwiebeln zu treiben beginnen, sind sie bald völlig ausgelaugt.

Zwiebeln trocken und luftig aufbewahren. Ideal ist ein hängender Drahtkorb. Zwiebeln, die würzende Zutat bei fast allen herzhaften Gerichten sein können, benötigen selbst nur wenig Gewürze. Oregano, Petersilie und Salbei würzen so stark, daß sie vom Zwiebelaroma nicht überdeckt werden, sondern eine geschmacklich gute Ergänzung bilden. Außerdem würzen Knoblauch und Paprikapulver die Zwiebelgerichte angenehm.

Hülsenfrüchte – Steckbriefe

Ackerbohnen (Feldbohnen)

Braune, harte Bohnenkerne mit einer fast eckigen Form. Ungegart sehen sie etwas schrumpelig aus, was darauf schließen läßt, daß sie bei der Ernte noch nicht ganz ausgereift sind. Nach dem Einweichen sind sie dann prall und glatt. Diese Bohnensorte läßt man am besten 24 Stunden quellen, das verkürzt die sonst sehr lange Garzeit. Die Ackerbohnen sind trotz ihrer harten Schale ausgesprochen schmackhaft. Sehr gut paßt auch Tahin zu Ackerbohnen. Tahin ist eine Paste aus Sesam; wie Mandelmus oder Nußmus besteht sie nur aus gemahlenem Samen. Auch saure oder süße Sahne bekommt Gerichten aus Ackerbohnen gut. Wenn man noch gehackte Petersilie zufügt, erinnern sie im Geschmack an Pilze in Sahnesauce.

Azukibohnen

Eine kleine, braune bis schwarzbraunfarbene Bohnenart, die aus Japan importiert wird. Azuki haben eine vergleichsweise zarte Schale und schmecken auffallend süßlich. Es sind sehr delikate Bohnen und sicher bei uns die kostbarsten von allen Bohnensorten. Sie ergeben gekocht und raffiniert, jedoch nicht zu scharf gewürzt, köstliche Beilagen zu allen herzhaften Getreidegerichten. Sie werten aber auch Suppen und Eintöpfe auf. Es bereitet ein ausgesprochenes Vergnügen, auf diese kleinen prallen, weich gekochten Kerne zu beißen. Man sollte sie niemals zu Püree verarbeiten.

Cannelibohnen

Ebenfalls eine weich kochende, mehlige Bohnenart. Sie sind von sahnigem Weiß, nierenförmig und mild im Geschmack. Sie sind wie kleine Perlbohnen für Eintöpfe gut geeignet.

Dicke Bohnen (Saubohnen)

Diese großen flachen und sehr aromatischen Bohnenkerne werden bei uns leider als getrocknete Hülsenfrucht nur selten angeboten. Wir kennen die frischen, noch grünen Kerne, die eine Spezialität Westfalens sind. Getrocknete dicke Bohnen haben eine feste Schale, die man, wenn die Bohnenkerne nur in Wasser gekocht werden, mühelos entfernen kann, um die geschälte Bohne dann ähnlich wie frische dicke Bohnen in einer Sahnesauce anzurichten oder mit gehackten Zwiebelringen zu mischen. Doch enthalten die Schalen viel Geschmacksstoffe und leisten einen Beitrag zur besseren Verdauung. Zu ihnen passen als würzende Zutat frische Gartenkräuter wie Petersilie oder Dill und Kerbel.

Erbsen

Die getrockneten Samen der Gartenerbse. Die Pflanze ist eine Zuchtform der aus dem Orient stammenden wilden Erbse. Die bei uns erhältlichen gelben und grünen Erbsen unterscheiden sich kaum im Geschmack und in der Kocheigenschaft. Sie behalten beim Garen ihre Form und sind von fester, leicht mehliger Konsistenz. Erbsen sind besonders gut für Suppen und Eintöpfe geeignet. Man würzt sie gut mit frischen oder getrockneten Gartenkräutern, vor allem mit Majoran, Knoblauch, Lorbeer und Muskatnuß. Sie werden durch Roggen- und Weizengerichte optimal ergänzt. Beide Erbsensorten sind ungeschält, geschält und auch geschält und halbiert erhältlich. Die geschälten Produkte brauchen nicht eingeweicht zu werden und haben eine kürzere Garzeit. Beim Ausprobieren der Rezepte dieses Buches haben wir feststellen können, daß geschälte Erbsen die Verdauung mehr belasten als ungeschälte. Man kann dem entgegenwirken, wenn man geschälte Erbsen - wie auch andere Hülsenfrüchte -, die zu Püree weiterverarbeitet werden, sehr weich kochen läßt und mit Doldenblütergewürzen wie Anis, Fenchel, Koriander oder Kümmel würzt.

Flageoletbohnen (Fisolen)
Längliche flache Bohnen von zartgrüner Farbe und frischem köstlichen Geschmack. Sie ergeben mit Kräutern und Zwiebeln gewürzt eine sehr delikate Gemüsebeilage oder einen feinen Bohnensalat.

Kichererbsen
Stammen aus Vorderasien und werden besonders gern in Indien, Mexiko und in den Mittelmeerländern gegessen. Hauptsächlich angebaut werden sie im vorderen Orient und in Indien. Sie sind sehr nahrhaft und enthalten viel Eiweiß. Man kann sie, ähnlich wie getrocknete Erbsen, zu Püree oder Suppen verwenden oder zu Mehl vermahlen. Sie haben einen besonderen Geschmack, der allerdings nicht jedem zusagt. Man sollte sie 12 Stunden quellen lassen und anschließend in 1½ bis 2 Stunden gar kochen. Gekochte Kichererbsen kann man auch in einer leicht geölten Pfanne wie Nüsse rösten.

Limabohnen
Eine flache nierenförmige und sehr große Bohnenart von weißer Farbe. Limabohnen sind mild im Geschmack, kochen weich und mehlig, behalten jedoch ihre Form und sind deshalb für Salate gut geeignet. Man würzt sie gern mit Knoblauch und Zitronensaft oder Apfelessig.

Linsen
Die Pflanze stammt aus den Mittelmeergebieten und Südwestasien und wird in vielen Ländern mit warmem trockenem Klima angebaut. Die Linsenpflanze ist mit der Wicke verwandt. Sie wächst strauchartig, ursprünglich rankend, etwa 25 cm hoch. Im Unterschied zu Bohnen und Erbsen reifen in den Hülsen der Linsen nur 2–3 diskusförmige Samen, die wir Linsen nennen. Bei uns sind die als grüne Linsen bezeichneten am beliebtesten. Ihre Farbe geht jedoch eher ins Braune. Sie werden nach Größe sortiert angeboten: Riesenlinsen mit 7 mm Durchmesser, Tel- lerlinsen 6–7 mm Durchmesser und Mittellinsen 4,5–6 mm Durchmesser. Kleiner als diese Linsensorten sind die roten Linsen aus Südfrankreich. Sie kommen meist geschält in den Handel und gelten als ausgesprochen delikat. Ausdrucksvoller im Geschmack sind jedoch die indischen Puy-Linsen mit dunkelgrüner fester Schale. Puylinsen haben ein kräftiges Aroma, zerkochen nicht und sind gut verträglich. Linsen verlangen unbedingt nach etwas Säure. Das kann Zitronensaft, Obstessig, aber auch ein säuerlicher Apfel sein. Auch Linsen werden durch Gerichte aus Roggen oder Weizen gut ergänzt. Geschmacklich harmonieren sie wunderbar mit Reis.

Pintobohnen (Wachtelbohnen)
Wachtelbohnen werden sie bei uns genannt, weil sie wie Wachteleier braun gesprenkelt sind. In ihrer Kocheigenschaft und im Geschmack unterscheiden sie sich kaum von den hellen roten Bohnen.

Rote Bohnen (Kidneybohnen)
Nierenförmige Kerne von blaßbrauner bis dunkelroter Farbe, würzig im Geschmack, mehlig, jedoch fest kochend. Rote Bohnen werden in den Südstaaten der USA sehr geschätzt. Wie alle dunkler gefärbten Bohnensorten passen sie gut zu Reis- oder Maisgerichten.

Schwarze Bohnen
Nierenförmige oder rundliche, bläulich schwarze, recht harte Bohnenkerne. Sie schmecken würzig und leicht süßlich. Sie behalten beim Kochen ihre Form, sind jedoch dabei sehr schön mehlig. Ursprünglich stammt diese Bohnensorte aus Indien. Heutzutage wird sie in ganz Asien und im mittleren Osten angebaut. Schwarzen Bohnen haftet auch ein Hauch Exotik an. Am besten werden sie mit solch exotischen Gewürzen wie Chilischoten, Ingwer, Kardamom, Kreuzkümmel, Curcuma (Gelbwurz), Nelken und Zimt ge-

würzt. Ein wenig Schärfe sollten Gerichte aus schwarzen Bohnen immer haben. Man verwendet sie zu Bohnen-Curry. Auch zu diesen Bohnen paßt Reis gut. Zu Hirse und Mais bilden sie einen effektvollen farblichen Kontrast.

Sojabohnen

Von der Sojabohne wissen wir, daß sie von allen Hülsenfrüchten am meisten Eiweiß, Fett, Mineralstoffe und die Vitamine B_1 und B_2 enthält. Weil ihr Anteil an Kohlenhydraten geringer ist als bei anderen Bohnenkernen, ist sie weniger mehlig. Sojabohnen schmecken knackig. Von dieser hochwertigen Hülsenfrucht gibt es gelbe, grüne, rote und schwarze Bohnen. Die ganzen Sojabohnen können wir öfters für Gerichte verwenden, für die wir sonst Bohnen oder Erbsen genommen hätten. Der Charakter dieser Gerichte ändert sich dann ganz und gar, das heißt aber nicht, daß sie weniger gut schmecken (siehe auch Seite 397).

Weiße Bohnen

Sie sind die bei uns beliebtesten Bohnenkerne und werden deshalb auch am häufigsten angeboten. Eine Standardsorte wird schlicht mit »weiße Bohnen«, manchmal mit »Perlbohnen« bezeichnet. Es sind kleine, rundliche Bohnenkerne, mild im Geschmack und mehlig kochend. Sie eignen sich für Suppen und Eintöpfe und nehmen die Aromen von Kräutern und Gewürzen gut auf, so daß sich köstliche Casseroles daraus bereiten lassen, obgleich die Bohnen selbst keinen ausgeprägten Eigengeschmack haben. Für Spezialitäten wie »Boston baked beans« und »Bohnencassoulet« aus Frankreich sind sie die Hauptzutat.

Einkauf und Lagerung

Wenn möglich, sollten Hülsenfrüchte, die wir in der Vollwertküche verwenden, aus biologischem Anbau stammen. Abgesehen davon, daß sie dann ein besonders intensives Aroma haben, enthalten sie auch alles in allem wenig Schadstoffrückstände. Es gibt Importeure, die sich darauf spezialisiert haben, Bio-Läden mit biologisch angebauten Hülsenfrüchten zu beliefern. Wenn das wegen einer zeitweiligen Verknappung nicht möglich ist, achten sie wenigstens darauf, daß bei der Ware keine Konservierungsstoffe und keine Schutzmittel gegen Parasitenbefall verwendet wurden.

Man sieht Bohnen, Erbsen und Linsen nicht an, ob sie aus der letzten oder der vorletzten Ernte stammen. Es heißt zwar, daß überalterte Hülsenfrüchte runzelig werden. Doch habe ich selbst in meinen Vorräten eine Tüte mit weißen Bohnen, die mehrere Jahre alt sind und nichts von ihrer glatten Fülle verloren haben. Diese Bohnen wandern natürlich nicht mehr in den Kochtopf. Trotz der fast unbegrenzten Haltbarkeit sollte man möglichst Hülsenfrüchte aus der letzten Ernte kaufen. Je älter die Samen, desto härter sind sie, desto längere Garzeiten benötigen sie.

Hülsenfrüchte werden gewöhnlich in Klarsichthüllen verpackt angeboten. Und weil sie sich so ehrlich unseren Blicken darbieten, sollten wir sie auch prüfend in Augenschein nehmen. Sehen sie unsauber aus, sind sie mit kleinen Steinen durchsetzt oder deuten gar Löcher in den Samen auf Käferbefall hin, suchen wir nach besserer Qualität.

Das Aufbewahren bereitet keine Probleme. In der Originalverpackung an einem trockenen Ort und vor Licht geschützt, können Hülsenfrüchte als Vorrat etwa 1 Jahr – also von einer Ernte bis zur nächsten – gelagert werden. Kauft man größere Mengen lose ein, etwa aus dem großen Sack im Naturkostladen, was preisgünstiger sein kann, empfiehlt es sich, den Vorrat in einen Baumwollsack zu füllen und aufzuhängen. So haben es Kornkäfer schwerer, sich einzunisten, und außerdem kommt es bei dieser luftigen Lagerung nicht zu dem muffigen Geruch, den Hülsenfrüchte manchmal an sich haben.

Frische Kräuter

Basilikum

Basilikum, auch Königskraut genannt, hat seine Heimat in Ostindien und wurde früher gleichermaßen als Heil- und Würzpflanze verwendet. Es wirkt appetitanregend und beruhigend auf den Magen. Basilikum ist das beliebteste Küchenkraut der Mittelmeerländer; dort wächst es üppig vor jedem Haus, in jedem Innenhof in Töpfen und Blechdosen und erfüllt die Luft mit seinem aromatisch-würzigen Duft. Basilikum braucht viel Wärme und einen humusreichen Boden zum Gedeihen. Man kann es im Frühjahr in Schalen aussäen und bis Mitte Mai die Pflänzchen auf der Fensterbank ziehen, bevor sie ins Freie umgepflanzt werden. Bei uns gedeiht nur die großblättrige Art, die weniger aromatisch ist als das kräftige kleinblättrige Basilikum des Südens. Frisches Basilikum schmeckt schwach salzig, leicht minzeartig und etwas scharf. Das Kraut paßt zu jedem Salat und verträgt sich geschmacklich mit allen anderen Küchenkräutern, auch mit Zwiebel und Knoblauch. Tomatensalat schmeckt besonders gut mit frischem Basilikum.

Bohnenkraut

Bohnenkraut, auch Pfefferkraut genannt, schmeckt pfeffrig, würzig, ein wenig nach Minze und ausgeprägt nach grünen Bohnen. Das einjährige Sommerbohnenkraut ist viel schärfer als das 4–5 Jahre ausdauernde Winterkraut. Sommerbohnenkraut kann im Blumenkasten oder Topf ausgesät werden. Es benötigt gute Erde und liebt Feuchtigkeit. Winterbohnenkraut gedeiht besser im Garten auf kalkhaltigem Boden. Nicht

nur Hülsenfrüchte und grüne Bohnen würzt man mit Bohnenkraut. In kleinen Mengen paßt es auch zu frischem Blatt-, Gurken- und Tomatensalat, Salat aus rohen Zucchini oder grünen Paprikaschoten. Frisch oder getrocknet gibt man es gerne zu Getreidesalaten, vor allem aus Roggen, aber auch zu Kartoffelsalaten. Diesen etwas schwereren Salaten beigemischt wirkt es angenehm verdauungsfördernd.

Borretsch

Beheimatet ist Borretsch oder auch Gurkenkraut in den Mittelmeerländern. Borretsch wird im Frühjahr im Garten ausgesät. Die Pflanzen werden etwa 1 m hoch und recht buschig; die Blütensterne leuchten blau, duften süß und werden gern von Bienen besucht. Zum Würzen verwendet man frische, zarte und nur rohe Blättchen. Borretsch schmeckt gurkenähnlich, frisch und kühl auf der Zunge. Das Kraut paßt zu allen grünen Salaten, zu Gurken-, Tomaten-, Paprika- und Kartoffelsalat. Es verträgt sich mit den meisten anderen Gartenkräutern.

Dill

Dill war ursprünglich im Orient beheimatet; die alten Ägypter und Römer schätzten seinen Duft als wirksames Kopfschmerzmittel. Dill schmeckt zart süßlich, belebt und erfrischt, wirkt aber zugleich beruhigend. Dillkraut stellt keine großen Ansprüche an den Boden, liebt aber Sonne und Wärme bei gleichzeitig feuchtem Boden. Man sät Dill Anfang Mai direkt ins Kräuterbeet. Dill wächst rasch in die Höhe, etwa 1 m hoch werden die Pflanzen. Wenn seine gelben Dolden blühen, ist es mit der Würzkraft der Blätter für Salate vorbei. Mit den reifen Samen lassen sich sehr gut

Gemüsegerichte wie Spinat, Mangold und Kohl würzen. Dill ist eines unserer beliebtesten Salatkräuter. Im Gurkensalat darf er nicht fehlen. Grüne Salate, Rohkost aus Wurzelgemüse, Kartoffelsalat und Salate mit gekeimten Getreidekörnern schmecken noch frischer, wenn man einige Stengel feingehackten Dill hinzufügt. Dill gibt es zwar auch getrocknet zu kaufen, doch durch diese Art der Konservierung verliert er fast völlig seinen ihm eigenen Geschmack.

Estragon

Estragon ist ausdauernd, braucht lockeren, humusreichen Boden und liebt Wärme, aber auch Feuchtigkeit. Man kauft Estragon am besten als junge Pflanze und setzt ihn an eine geschützte Stelle im Garten. Estragon ist eines der feinsten Küchenkräuter. Seine schmalen, dunkelgrünen Blätter schmecken würzig, leicht süß, schwach vanilleartig, mit einem Anflug von Bitterkeit. Estragon wirkt magenfreundlich und ist das Lieblingskraut der französischen Küche. Für Sauce Vinaigrette, Sauce Bearnaise, Kräuterbutter und Kräutermayonnaise ist es das klassische Grundgewürz. Estragon ist geschmacksintensiv, einige feingehackte Blättchen genügen als Würze für Salate. Man kombiniert ihn gern mit mild schmeckenden anderen Kräutern, beispielsweise mit Dill, Kerbel, Petersilie und Zitronenmelisse. Estragon paßt zu Kopf-, Chicorée-, Gurken- und Tomatensalat, Salat aus Blumenkohl, Möhren-, Kohlrabi- und Schwarzwurzelrohkost.

Kerbel

Schon im Altertum wurde Kerbel als Heilkraut angebaut und verwendet. Er regt den Stoffwechsel an, wirkt entschlackend und blutreinigend.

Kerbel kann in Kästen oder Blumentöpfen auf dem Balkon gezogen werden, da er keine besonderen Ansprüche an den Boden stellt und auch im Schatten gedeiht. Um den ganzen Sommer über frischen Kerbel ernten zu können, sät man ihn in Folgesaaten von 3 Wochen aus. Die feingegliederten Blätter dieser Kräuterpflanze sind reich an Vitamin C und stark duftenden ätherischen Ölen. Kerbel schmeckt leicht süßlich, ähnlich wie Anis und Fenchel, und würzig wie Petersilie, ist jedoch viel feiner im Geschmack. Man gibt ihn mit anderen Kräutern zusammen an grüne Blattsalate, er mildert das oft strenge Aroma von Wildkräutersalaten, harmoniert mit Tomaten, Gurken, Fenchel und grünen Erbsen. Beim Trocknen büßt er sein duftiges Aroma ein.

Kresse

Den scharfen Geschmack verdankt die Kresse dem in ihr reichlich enthaltenen Senföl, das antibakteriell wirkt. Kresse ist deshalb bei Infektionskrankheiten der Atmungswege zu empfehlen. Außerdem ist sie reich an Vitamin C.

Gartenkresse kann man das ganze Jahr über auf der Fensterbank ziehen. Man streut die Samen auf ein feuchtes Mulltuch oder auf Sackleinwand und hält sie feucht. Nach 2–3 Wochen kann man die Kressestiele mit den Blättchen dann vom »Beet« schneiden; oder man läßt Kressesamen im Keimapparat keimen, bis sie grüne Blättchen bekommen haben. Gartenkresse kann man natürlich auch im Garten aussäen. Sie benötigt keinen besonderen Boden, muß aber genug Feuchtigkeit haben. Kresse keimt auch im Beet rasch und kann bereits nach 2–3 Wochen geerntet werden.

Die Blätter und Stengel der Brunnenkresse ergeben einen erfrischenden Salat und können Zutat zu jeder Rohkost sein. Brunnenkresse wächst wild von Dezember bis Mai in sauberen, rasch fließenden Bächen. Sie ist noch schärfer als Gartenkresse und enthält zudem Bitterstoffe. In den Wintermonaten ist sie eine ausgezeichnete Bereicherung des Speisezettels.

Liebstöckel

Maggikraut ist der gebräuchlichste Name für das intensiv duftende Küchenkraut. Liebstöckel gibt es im Sommer frisch zu kaufen; will man ihn selbst ziehen, genügt eine kleine Pflanze, die in gelockerten Boden gesetzt wird. Die Pflanze braucht Sonne und liebt Feuchtigkeit. Bei günstigem Standort wird sie bis zu 2 m hoch und sehr buschig. Für den Wintervorrat schneidet man die Stengel ab, bindet sie zusammen und läßt sie hängend trocknen. Die Blätter schmecken salzig, stark nach Suppenwürze und Sellerie. Sein volles Aroma entfaltet der Liebstöckel, wenn er kurz mitgekocht wird. Das Kraut eignet sich hervorragend für Gemüsebrühen und Eintöpfe. Als Gewürz für Rohkost verwendet man es frisch, jedoch sparsam, weil es andere Kräuter leicht geschmacklich überdeckt. Frischer Liebstöckel wird feingehackt auch kräftiger Rohkost wie Weißkohl und Rettich beigemischt. Getrockneten Liebstöckel zerreibt man zwischen den Fingern. Er ist fast noch aromatischer als das frische Kraut.

Majoran

Majoran gibt es im Sommer frisch zu kaufen. Man kann das Kraut in Töpfen und Kästen in sandiger Komposterde ziehen. Auspflanzen soll man es erst Ende Mai an einen windgeschützten sonnigen Platz, da Majoran sehr frostempfindlich ist. Die einjährigen Pflanzen werden etwa 50 cm hoch. Die kleinen, dunkelgrünen Blätter

haben einen kräftigen, schwach salzigen und leicht brennenden Geschmack. Majoran regt den Stoffwechsel und die Verdauung an und macht fette Speisen leichter bekömmlich. Er ist das bevorzugte Kraut des Metzgers, der Würste, vor allem fette Leberwurst, damit würzt. Getreiderohkost und Kartoffelsalate werden mit Majoran kräftig im Geschmack und und leicht verträglich.

Minze

Jeder kennt die getrocknete Pfefferminze, die als Tee so wohltuend bei Magenbeschwerden, Kopfweh und Übelkeit wirkt. Nur wenige wissen, daß sich die frischen, kühlenden Blätter auch als Würzkraut eignen. Die bei uns häufigste Pfefferminze ist eine Kreuzung aus Wasserminze und grüner Minze. Auch von der Pfefferminze gibt es verschiedene Sorten. Apfelminze, Ananasminze und Orangenminze sind Züchtungen, die ihren Namen jeweils ihrem köstlichen Aroma verdanken. Wer Pfefferminze selbst ziehen will, kauft sich die Pflanze beim Gärtner. Sie stellt keine besonderen Ansprüche an den Boden, muß nur gut feucht gehalten werden. Frische Minzeblätter können in kleinen Mengen feingehackt jeder Rohkost beigemischt werden. Besonders gut rundet sie den Geschmack von Möhren, Erbsen, roten Beten und Schwarzwurzeln ab.

Oregano

Dost oder wilder Majoran wird dieses Küchenkraut auch genannt. Oregano wächst in südeuropäischen Ländern auf trockenem, karstigem Boden wild, wird aber auch angebaut. Zur Zeit der Blüte ist die Luft erfüllt von seinem würzigen Duft. Er enthält Gerb- und Bitterstoffe sowie ätherische Öle. Oregano wirkt nervenstärkend und entkrampfend. Der Oregano in unseren Gärten hat nicht die Aromafülle des südländischen. Für den Winter kauft man deshalb getrockneten Oregano aus Italien. Mit frischem Oregano kann man Rohkost und Salaten eine südliche Note verleihen. Er schmeckt ähnlich wie Majoran, vielleicht ein wenig schärfer. Tomaten, Zucchini, Kürbis, Zwiebeln vertragen sich sehr gut mit diesem Kraut. Andere Kräuter, wie Basilikum, Thymian und Rosmarin lassen sich ohne weiteres mit Oregano kombinieren. Mit dem echten Majoran harmonisiert er allerdings nicht.

Rosmarin

In seinen Heimatländern Südfrankreich, Dalmatien und Italien wächst Rosmarin in großen Mengen wild. Rosmarin fand schon im Altertum als Heilpflanze Verwendung. Heute schätzt ihn die Naturheilkunde als anregendes, blutdrucksteigerndes Mittel. Rosmarin gedeiht bei uns am besten in Kübeln und Pflanzschalen, in humusreicher Erde an einem sonnigen Platz. Er kann den Winter im Freien überdauern, braucht aber einen guten Frostschutz wie Stroh oder Fichtenzweige. Rosmarin schmeckt schwach bitter, harzig und kampferartig. In kleinen Mengen ist er für jede Rohkost geeignet. Besonders gut paßt er sehr fein gehackt zu Möhren, Tomaten, Gurken, Zucchini und Kürbis.

Salbei

Dieses Kraut wächst auch bei uns wild auf trockenen, mageren Wiesen. Salbei stammt wie viele Gewürzkräuter aus dem Mittelmeerraum. Der Gartensalbei ist würziger als der wildwachsende.

Salbei stellt keine Ansprüche an den Boden, liebt Wärme wie alle Kräuter und übersteht den Winter im Freien. Man pflanzt ihn im Mai im Garten oder in einem tiefen Balkonkasten; 2–3 Pflanzen genügen. Sie wachsen rasch, werden zu üppigen, etwa 50 cm hohen Büschen und treiben im Frühjahr wieder aus. Salbei enthält kampferartiges ätherisches Öl, Bitterstoffe und viel Gerbstoffe. Der Gerbsäure verdankt das Kraut seine zusammenziehende und etwas antiseptische Wirkung. Salbeitee ist ein gutes Hausmittel gegen Entzündungen in Mund und Rachen, eignet sich hervorragend zur Zahnfleischpflege und wirkt anregend auf Leber und Galle. Salbei gibt man zu Kartoffelsalaten und Getreiderohkost – auch aus Gerste oder Roggen – und kombiniert ihn mit anderen Kräutern in Saucen für Rohkost aus Wurzel- und Fruchtgemüse. Er verträgt sich gut mit Basilikum, Bohnenkraut, Minze, Oregano und Thymian.

Thymian

Auch Thymian stammt aus dem Mittelmeerraum; wilden Thymian gibt es auch bei uns. Zerreibt man die winzigen Blätter, duften sie so würzig wie der Gartenthymian; doch dieser würzt stärker, erinnert im Geschmack an Majoran und beißt ein wenig auf die Zunge. Thymian wirkt stabilisierend auf Magen und Nerven, als Tee getrunken schleimlösend bei Husten. Will man Thymian selbst ziehen, läßt man ihn in Schalen keimen und setzt die 10 cm großen Pflänzchen im Mai ins Kräuterbeet. Thymian liebt einen kalkhaltigen leichten Boden und Sonne. Er gedeiht jedoch auch im Blumentopf. Thymian ist für Rohkost nur in kleinen Mengen zu verwenden. Er paßt zu jeder Getreiderohkost und harmoniert mit anderen Kräutern wie Knoblauch, Petersilie, Rosmarin und Salbei. Besser geeignet für Rohkost ist Zitronenthymian, da er mit seinem feinen, duftigen Zitronenaroma geschmacklich nicht so sehr dominiert.

Zitronenmelisse

Aus diesem klassischen Salatkraut bereiteten die Karmelitermönche schon im 17.Jahrhundert Melissengeist, der auch heute noch bei Kopfschmerzen, Übelkeit und Abgeschlagenheit hilft. Zitronenmelisse ist winterhart, liebt einen sonnigen Platz im Garten, läßt sich jedoch auch im Balkonkasten ziehen. Ihr erfrischender, würziger Geschmack und das feine Zitronenaroma machen die Melisse zu einem der beliebtesten Würzkräuter. Man gebraucht möglichst nur die kleinen, noch weichen Blättchen. Zitronenmelisse verliert beim Kochen, aber auch durch Trocknen ihr Aroma und wird deshalb stets nur frisch verwendet.

Vom Umgang mit Kräutern und Gewürzen

Die Würz- und Heilkräfte der Kräuter und Gewürze sollten Sie als Zutat in Rohkost und Salat genießen. Deshalb muß man folgendes beachten:

● Frische Kräuter aus dem eigenen Garten, vom Balkon oder der Fensterbank erst kurz vor der Verarbeitung ernten.

● Die Kräuter kalt abspülen, leicht schütteln, damit das Wasser abtropft und in einem reinen Küchentuch oder in der Salatschleuder trockenschleudern.

● Die Kräuter erst unmittelbar bevor sie dem jeweiligen Gericht beigegeben werden, auf einem Porzellan- oder Marmorbrett – nicht auf einem Holzbrett – fein hacken oder wiegen. Der Kräutersaft zieht ins Holz ein.

● Sind die Kräuterstiele sehr hart oder holzig, nur die abgezupften Blätter oder Blüten verwenden, sonst können auch Stiele und Zweiglein mitgehackt werden.

● In der Kräutermühle oder gar in der elektrischen Küchenmaschine werden die Kräuter eher zerrissen und zerquetscht als zerschnitten. Dabei werden unnötig viele Zellen zerstört. Die Kräuter »bluten aus«.

● Zerkleinerte Kräuter nie längere Zeit stehenlassen, auch nicht zugedeckt, sondern gleich in die Sauce geben. Salatöl – die gehackten Kräuter müssen ganz davon überzogen sein – konserviert die flüchtigen Stoffe in den Kräutern. Nur so können gehackte Kräuter auch einige Zeit aufbewahrt werden.

● Frische Kräuter, die nicht sofort verwendet werden können, bewahrt man folgendermaßen auf: die Kräuter kalt abspülen, völlig trockenschleudern und die Stielenden etwas kürzen. Auf dem Boden eines Schraubglases eine Lage saugfähiges Papier legen (Küchenkrepp, Papiertaschentuch), die Kräuter unzerkleinert mit den Stielen nach oben in das Glas stecken und das Glas gut zuschrauben.

● Getrocknete, geriebene Kräuter werden häufig in Döschen abgepackt angeboten. Die Döschen nach Gebrauch immer wieder gut verschließen, damit die Kräuter nicht ausduften. Selbstgezogene, getrocknete Kräuter und gekaufte in Tütchen abgepackte Kräuter in dunkle Schraubgläser füllen. Die Gläschen gibt es in verschiedenen Größen in Apotheken zu kaufen. Die Gläser entsprechend beschriften. So vermeidet man beim Würzen Mißgriffe. Sie behalten ihren Duft und ihr Aroma 6–12 Monate.

● Getrocknete Kräuter vor dem Gebrauch zwischen Daumen und Zeigefinger noch kleiner zerkrümeln, das erhöht die Würzkraft. Außerdem eine Zeitlang in der Sauce ziehen lassen.

● Getrocknete Kräuter zurückhaltend verwenden, manche schmecken recht scharf.

● Alle Gewürze, ob Samengewürz wie Anis, Fenchel, Koriander, Kümmel, Pfeffer oder Fruchtgewürz oder Chilischoten, Paprikapulver, Wacholderbeeren, aber auch Zimtstangen, Nelken, Ingwerwurzel sowie getrocknete Kräuter dunkel und luftdicht verschlossen aufbewahren.

● Möglichst alle Gewürze unzerkleinert kaufen und erst vor der Verwendung mahlen.

● Zum Mahlen von Gewürzen leistet eine Handkaffeemühle, bei der sich die Feineinstellung regulieren läßt, gute Dienste. Das Kästchen, in das das Mahlgut fällt, nach jedem Gebrauch auf der Handfläche ausklopfen und die Mühle geöffnet stehenlassen, damit sie ausduften kann und keine ungewollten Gewürzmischungen entstehen.

● Ingwerwurzel, frisch oder getrocknet, und Muskatnuß auf einer feinen Reibe direkt in die Salatsauce reiben. Wacholderbeeren gut zerdrükken.

● Alle Gewürze nur sparsam verwenden, weil sie, verglichen mit frischen Kräutern, sehr intensiv würzen und geschmacklich gern dominieren.

Soja – ein vielfältiges Angebot

Gelbe Sojabohnen

Gelbe Sojabohnen werden bei uns am häufigsten gebraucht. Sie sind der Rohstoff für Sojamehl, Sojaöl, Sojamark, Sojamilch und Tofu. Roh enthalten sie wie alle Bohnen einen giftigen Stoff, einen Trypsinhemmer. Er wird jedoch, genau wie bei allen anderen Bohnenarten, durch Kochen ausgeschaltet. Weich gekocht haben Sojabohnen einen feinen Geschmack, der ein wenig an Hühnerfleisch erinnert. Das Fett (18%) in den Sojabohnen und im Mehl daraus ist cholesterinfrei, feinstverteilt und daher leicht verdaulich.

Rote Sojabohnen (Azukibohnen)

Rote Sojabohnen oder Azuki (sprich: Asuki) sind ziemlich teuer und das nicht nur bei uns. In Japan werden sie deshalb und weil sie so gut schmecken »rote Diamanten« genannt. Man verwendet sie dort vorwiegend für süße Gerichte, die an Festtagen serviert werden, und zum Rotfärben von Speisen. Azukibohnen sind schneller gar als gelbe Sojabohnen. Sie schmekken vorzüglich und sollen auf die Nieren und das Bindegewebe günstig wirken. Da man jeweils nur eine kleine Menge braucht, fällt der hohe Preis nicht so ins Gewicht.

Grüne Sojabohnen (Mung- oder Mungobohnen)

Grüne Sojabohnen (Mungobohnen) werden bei uns als Saatgut für selbstgezogene Sojasprossen benutzt. Lassen Sie sich von den sachlichen Bezeichnungen »Saatgut« und »selbstgezogen« nicht abschrecken.

Sojamehl

Sojamehl wird aus gelben Sojabohnen gewonnen, die nach einem schonenden Verfahren von den Schalen, den Bitterstoffen und dem Trypsinhemmer befreit wurden. Deshalb kann es auch ungekocht verwendet werden. Vollfettes Sojamehl ist in Deutschland seit etwa 40 Jahren im Gebrauch. Es ist als Vollsoja und (teilentfettet) als Soja fettarm in den Reformhäusern erhältlich. Das Vollsojamehl der Firma Lima ist durch Rösten vom Trypsinhemmer befreit worden, entspricht aber durch den veränderten Geschmack eher dem japanischen Kinako, das dort für süße Speisen verwendet wird. Es ist deshalb nicht für alle Rezepte mit Vollsojamehl aus diesem Buch geeignet. Von delisana zur Zeit angebotenes Sojamehl aus entfetteten, entbitterten Sojabohnen ist wegen seiner groben Ausmahlung für die meisten Rezepte dieses Buches nicht verwendbar. Lassen Sie sich von der Bezeichnung »Mehl« nicht irreführen. Sojamehl hat eine ganz andere Zusammensetzung der Nährstoffe als zum Beispiel Weizenmehl und wird daher in der Küche auch ganz anders verwendet. Das Sojaeiweiß kann viel Wasser binden. Wundern Sie sich daher nicht über höhere Flüssigkeitsmengen als in vergleichbaren Rezepten.

Sojamark

Sojamark (außer dem selbstgemachten hellen Sojamark) ist am besten für pikante, würzige Zubereitungen geeignet. Für Sojamark (manchmal auch Sojafleisch genannt) gibt es verschiedene Herstellungsverfahren. Nicht alles Sojamark ist TVP (Texturiertes Vegetabiles Protein), das wir für die Vollwertküche ablehnen müssen: TVP wird hauptsächlich in den USA aus den Extraktionsschroten, die bei der Ölgewinnung abfallen, hergestellt. Das Protein wird herausgelöst, aufgelöst und wie Kunstfasern versponnen. So erhält man ein fleischähnliches, fast fettfreies Produkt, das jedoch infolge des hohen Aufwands an Chemie und Technologie von einem Vollwertlebensmittel weit entfernt ist.

Die Vorzüge von Sojamark – die vielseitige Verwendbarkeit, die gute Lagerfähigkeit und den hohen Eiweiß- bei extrem niedrigem Fettgehalt –

können wir auch genießen, ohne das umstrittene TVP zu kaufen. Einige Reformfirmen haben eine andere Herstellungsmethode entwickelt, bei der zum Beispiel durch Pressung (ohne Chemie) entfettetes Sojamehl in einem schonenden physikalischen Verfahren geformt wird. Im Handel ist Sojamark als »Bröckchen« oder Würfel und als gekörntes beziehungsweise granuliertes Sojamark (Hackfleischart). Daß die Rohstoffe laufend auf Rückstände kontrolliert werden, versicherten auf Anfrage alle Hersteller. Auf Nummer Sicher gehen Sie mit Sojamark aus eigener Produktion, die Rezepte finden Sie auf Seite 172.

Sojamilch

Sojamilch wird aus gequollenen, zerkleinerten gelben Sojabohnen und Wasser hergestellt. In Reformhäusern gibt es sie in Tüten unter dem Namen »Sojadrink«, in Naturkostläden bekommt man sie in Gläsern. Selbstgemachte Sojamilch (Rezept Seite 166) muß aromatisiert werden. Den leichten Sojageschmack bekommt man bei der Eigenproduktion nicht ganz weg. Sie werden sich aber schnell daran gewöhnen. Wer viel Sojamilch trinkt, bekommt eine schöne Haut; bei stillenden Müttern wird die Milchbildung angeregt.

Gefüllte Hörnchen, die man nach dieser Methode besonders rasch herstellen kann. Rezept Seite 333. ▷

Tofu

Tofu (Sojaquark oder -käse) wird aus frischer heißer Sojamilch mit einem Gerinnungsmittel (ganz ähnlich wie unser Käse) hergestellt. Das ist möglich, weil das Sojaeiweiß dem Kasein der Milch mehr gleicht als jeder andere Eiweißstoff. Wer Tofu selbst machen möchte, findet das Rezept auf Seite 170. Frisch und hausgemacht schmeckt Tofu natürlich am besten. Man kann ihn jedoch jetzt auch in guter Qualität kaufen. Tofu nahm lange Zeit in Ostasien die gleiche Stellung ein wie bei uns das Fleisch. Trotz der Einführung westlicher Ernährungsgewohnheiten wird Tofu dort immer noch sehr gerne gegessen und unter anderem auch »kurz vor dem Ersten« wegen seines niedrigen Preises geschätzt.

Wenn es im Sommer so heiß ist, daß man keinen Appetit hat, essen die Japaner eisgekühlten Tofu, mit geriebenem frischem Ingwer bestreut und mit Sojasauce übergossen. Tofu hat ein neutrales, cremeartiges Aroma fast ohne Eigengeschmack und läßt sich in nahezu alles verwandeln. Er ist sehr leicht verdaulich, denn die groben Fasern und die wasserlöslichen Kohlenhydrate sind in ihm nicht mehr enthalten.

Der gefriergetrocknete Tofu, der in Naturkostläden manchmal angeboten wird, wird in den Rezepten dieses Buches nicht verwendet: Er ist zwar vorzüglich als leicht verdauliches Protein im Proviant, aber sonst wenig geeignet, die Liebe

zu Tofu zu wecken. 100 g Tofu haben nur etwa 85 Kalorien. Tofu ist die ideale Schlankheitskost. Für die Ernährung von Kleinkindern, alten Menschen und Verdauungsschwachen eignet er sich bestens. Wenn er mit Nigari (Kalziumchlorid), dem traditionellen japanischen Gerinnungsmittel hergestellt ist, enthält er außerdem etwa 23% mehr Kalzium als die Kuhmilch. Das ist unter anderem günstig für die Zähne und die Knochen. Wer Tofu einmal kennengelernt hat, wird das angenehme, überhaupt nicht belastende Sättigungsgefühl nach seinem Genuß nicht mehr missen wollen.

Miso

Ein weiteres Produkt, das besonders Beachtung verdient, ist Miso. Miso besteht aus zerkleinerten, meist mit Getreide fermentierten Sojabohnen. Diese Sojabohnenpaste ist ein schmackhaftes und eiweißreiches Allzweckgewürz. In Japan unterscheidet man rotes und weißes Miso. Von beiden gibt es viele Arten. Bei uns ist nur rotes Miso erhältlich, das wegen seines ziemlich hohen Salzgehaltes die lange Seereise und das Warten auf Kundschaft in einem Geschäft ohne Verluste übersteht. Besonders wertvoll ist das Hatcho-Miso, das fast schwarz ist, weil es einen langen Fermentationsprozeß (18–36 Monate) hinter sich hat. Hier wurde es oft nur unter dem Namen »Miso« verkauft. Sie erkennen es an der Farbe. Japanische Feinschmecker loben das würzige Aroma, die feine, milde Süße und den etwas strengen Geschmack des Hatcho-Miso. Es enthält etwa 21% Eiweiß, 12% Kohlenhydrate und 10% Salz. Vollreis-Miso wird in 6–12 Monaten fermentiert, ist heller (rotbraun) und dem Sojabohnen-(Mame-) und Gersten-(Mugi-) Miso ähnlich. Diese Misosorten enthalten etwa 13% Eiweiß, 20% Kohlenhydrate und 13% Salz. Besonders das Vollreis-Miso schmeckt als Brotaufstrich (dunkles Vollkornbrot mit Butter und dünn mit Miso bestrichen und mit Scheiben von frischen grünen oder Essiggurken belegt).

◁ Selbst gemachtes, milchsauer eingelegtes Sauerkraut schmeckt unvergleichlich gut. Rezept Seite 341.

Sojasauce

Noch wichtiger ist es bei Sojasaucen, auf die Qualität zu achten. Die meisten Produkte, die in den Lebensmittelgeschäften verkauft werden, sind innerhalb weniger Tage in großen Fabriken hergestellt. Ihre Herstellung ist weit entfernt von der natürlichen und langen Fermentation der Sorten Shoyu und Tamari aus Sojabohnen, Salz und Quellwasser. Beide Sorten können Sie verwenden, wenn in den Rezepten Sojasauce angegeben ist. Shoyu enthält etwa 7% Eiweiß und 19% Salz.

Sojaöl

Das Sojaprodukt, das in der üblichen Küche am meisten verwendet wird, ohne daß man es weiß, ist das Sojaöl. Es wird als Speise-, Delikateß- und Tafelöl verkauft, ist Bestandteil vieler Margarinen und Fritierfette, und es wird in allen Bereichen der Back- und Süßwarenindustrie verarbeitet. Es ist jedoch meist nicht als Sojaöl kenntlich gemacht, was wohl auf das Negativ-Image, das Soja seit dem Krieg und der Nachkriegszeit anhaftet, zurückzuführen ist. Qualitativ hat Sojaöl nichts zu verbergen, denn es enthält 60% mehrfach ungesättigte Fettsäuren, größtenteils Linolsäure. Der neutrale Geschmack und die leichte Verdaulichkeit machen es für die Zubereitung von Salaten, zum Braten, Backen und Fritieren gut geeignet. 8 kg Sojaöl pro Jahr und Person werden in der Bundesrepublik verzehrt. Das meiste davon wird durch Extraktion gewonnen. Jedoch bekommt man in den Naturkostläden und Reformhäusern ein hochwertiges gepreßtes Sojaöl, das sich in meiner Küche steigender Beliebtheit erfreut.

Einkauf und Lagerung

Alle auf den Seiten 397–402 beschriebenen Sojaprodukte bekommt man in Reformhäusern, Naturkostläden oder bei Naturkost-Versandfirmen, zum großen Teil in biologischer Qualität.

Wenn Sie Sojamilch und Tofu selbst machen wollen, lohnt es sich eventuell, die dafür benötigten gelben Sojabohnen (in biologischer Qualität) in größeren Mengen direkt bei der Sojaquelle (siehe Seite 424) zu beziehen und sie wie Getreide zu Hause zu lagern. Dort bekommen Sie auch Nigari, das Gerinnungsmittel für Tofu, falls Sie es nicht in Ihrem gewohnten Geschäft kaufen können. Sojabohnen sollen wie Getreide trocken, luftig und kühl aufbewahrt werden. Für die Qualität des Tofus ist es wichtig, von den Sojabohnen möglichst immer die neue Ernte für jeweils ein Jahr einzukaufen.

Sojamehle sollten wie Sojabohnen gelagert werden: trocken, luftig und nicht zu warm.

Sojamark bekommt man sowohl in Packungen im Reformhaus als auch »lose« in Naturkostläden und bei Naturkostversandfirmen. Größere Mengen können aufbewahrt werden; es gilt das gleiche wie für Bohnen und Mehl.

Sojamilch ist empfindlich wie Kuhmilch, sie säuert noch schneller und gehört unbedingt in den Kühlschrank. Dort hält sie sich 5 Tage frisch. »Sojadrink« ist länger haltbar, das Haltbarkeitsdatum gibt darüber Auskunft. Angebrochen sollte er in etwa 2 Tagen verbraucht werden.

Beim Einkauf von Tofu sollte man ebenfalls auf das Haltbarkeitsdatum achten. Angebrochene Packungen müssen wieder gut verschlossen werden, eventuell gießt man etwas Wasser zu. Selbstgemachter Tofu muß mit Wasser bedeckt aufbewahrt werden. Tofu gehört immer in den Kühlschrank. So hält er sich 1 Woche frisch. Einfrieren kann man ihn nicht. Das heißt man kann es, doch man bekommt dann ein neues, verändertes Produkt, entsprechend dem gefriergetrockneten Tofu aus Japan, den es auch in Naturkostläden zu kaufen gibt. Im Gefriergerät wird der Tofu gelb und bekommt eine fleischähnliche Konsistenz. Man kann ihn dann nicht mehr für Rezepte mit normalem Tofu verwenden. Vor dem Einfrieren schneiden Sie ihn am besten in etwa 1 cm dicke Scheiben. Zum Auftauen legen Sie ihn in kochendheißes Wasser. Sobald der Tofu aufgetaut ist, nehemen Sie ihn heraus und drücken etwa die Hälfte des Wassers aus den Scheiben, die jetzt wie Schwämme sind. Man kann sie als Suppeneinlage verwenden, mit Sojasauce pur essen oder braten.

Die roten Misos, die bei uns erhältlich sind und die einen ziemlich hohen Salzgehalt haben, sollen bei Zimmertemperatur unbegrenzt haltbar sein. Im Kühlschrank hält es sich wirklich unbegrenzt.

Sojasauce hält sich auch bei Zimmertemperatur unbegrenzt.

Sojaöl sollte dunkel und kühl gelagert werden, am besten im Kühlschrank oder im Keller.

Besondere Zutaten

Agar-Agar
Pflanzliches Geliermittel, aus getrockneten Meeresalgen gewonnen. Im Reformhaus oder in der Apotheke erhältlich. Es ist unlöslich in kaltem Wasser, löst sich beim Kochen und wird sofort nach dem Erkalten steif. 1 Eßlöffel Agar-Agar reicht aus, um ½ l Flüssigkeit gelieren zu lassen. Geeignet für Süßspeisen und Marmeladen.

Ahornsirup
Dünnflüssiger, hell- bis dunkelbernsteinfarbener Sirup, der aus dem Saft junger Ahornbäume gewonnen wird. Er süßt weniger stark als Honig, hat einen würzigen Geschmack und eignet sich für Müsli, Pfannkuchen und Süßspeisen. Er besteht zu 90 Prozent aus Zucker, enthält einen geringen Anteil an Vitaminen, Mineralstoffen und Spurenelementen. Zum sparsamen Süßen kann Ahornsirup anstelle von Haushaltszucker verwendet werden. Aufgrund des aufwendigen Herstellungsverfahrens ist der Sirup sehr teuer. Nach dem Öffnen ist er im Kühlschrank wenige Wochen haltbar.

Alkohol
Als Rezeptzutat dient er dem Geschmack. Beim Erhitzen und Backen verfliegt der Alkohol und nur das Aroma bleibt. Bei unerhitzten Gerichten bleibt der Alkoholgehalt vorhanden. Für alle, die Alkohol meiden sollen, ersetzt man ihn durch Fruchtsaft, Milch oder Sahne.

Apfelessig
Milder, aus Apfelwein hergestellter Essig mit 5 Prozent Säure; zum Zubereiten von Rohkostsalaten gut geeignet.

Apfeldicksaft
Durch starkes Einkochen von Apfelsaft hergestelltes Süßungsmittel. Der Zuckergehalt beträgt etwa 83 Prozent (verschiedene Zuckerarten wie Fructose, Glukose, Saccharose). Durch das starke Kochen werden die Vitamine zerstört, er enthält jedoch verhältnismäßig viel Mineralstoffe (Kalium, Calcium, Magnesium, Phosphor, Natrium). Zum sparsamen Süßen geeignet.

Arrowroot
Stärkehaltiges Bindemittel aus dem exotischen Pfeilwurz. Es wird aus dem Wurzelstock gewonnen. Es ist ein feines, weißes, neutral schmeckendes Pulver, das aus reiner Stärke besteht.

Backferment
Teiglockerungsmittel (trockenes Granulat) aus Honig und Getreide. Mit Backferment läßt sich auf einfache Weise ein Sauerteig herstellen. Verliert nach etwa 1 Jahr an Triebkraft (Verfalldatum beachten).

Biobin
Pflanzliches Bindemittel aus Johannisbrotkernmehl. Wird in sehr kleinen Mengen verwendet und bindet auch kalte Speisen. Es hält Schlagsahne auf Torten 1–2 Tage fest.

Birnendicksaft
Konzentrat aus eingekochtem Birnensaft. Der Zuckergehalt liegt bei 78 Prozent (Fructose, Saccharose, Glukose). Durch das Einkochen werden die Vitamine zum größten Teil zerstört. Enthält jedoch noch Mineralstoffe. Zum sparsamen Süßen anstelle von Haushaltszucker geeignet.

Brisoletten
Vegetarische Frikadellen aus dem Reformhaus. Brisoletten sind ein Fertigprodukt und werden im Reformhaus in der Dose oder in Folie verpackt angeboten.

Caroben (Karobpulver)
Wird aus den Kernen der Früchte des Johannisbrotbaums durch Vermahlen gewonnen. Es schmeckt ähnlich wie Kakao und kann an dessen Stelle verwendet werden. Es enthält Vitamine und Mineralstoffe, ist fettärmer, ohne stimulierende Wirkung, wirkt aber wie Kakao ebenfalls stopfend. Man kann es zur Zubereitung von Milchshakes, Quarkspeisen, Gebäck und Puddings verwenden.

Crème fraîche
Dicke saure Sahne mit etwa 30 Prozent Fettgehalt. Eignet sich sehr gut für Süßspeisen und Saucen.

Delifrut
Gewürzmischung aus Zimt, Sternanis, Koriander, Bourbonvanille und anderen Gewürzen für süße und fruchtige Speisen. Im Reformhaus erhältlich.

Delikata
Gewürzmischung mit mildem curryähnlichem Geschmack. Im Reformhaus erhältlich.

Edelhefeflocken
Leicht würzende Flocken, die reich an Eiweiß und Vitaminen der B-Gruppe sind. Können über Salate, Suppen zur Anreicherung gestreut werden.

Friate
Apfeldicksaft mit würzigem Geschmack; für verschiedene Speisen und Getränke geeignet. Schmeckt auch verdünnt als Getränk. Im Reformhaus erhältlich.

Getreideflocken
Haferflocken, Weizenflocken, Hirseflocken oder Gerstenflocken. Zur Herstellung wird das Getreide gereinigt, über feuchtwarmer Luft gedämpft und gedarrt, dann entspelzt und nochmals gereinigt. Diese Behandlung erhöht die Haltbarkeit, weil dadurch Enzyme unwirksam werden, die sonst ein Ranzigwerden bewirken. Durch Zerquetschen der ganzen Körner zwischen zwei Stahlwalzen erhält man großblättrige Flocken, durch Schroten und anschließendes Walzen feinblättrige. Durch die Hitzebehandlung nimmt der Vitamingehalt geringfügig ab. Getreideflocken enthalten hochwertiges Eiweiß, hochungesättigte Fettsäuren, Calcium, Eisen und Vitamine der B-Gruppe. Man nimmt sie fürs Müsli, für Suppen und Breie.

Gekörnte Gemüsebrühe
Wird aus Meersalz, Geschmacksverstärker (Glutamat beziehungsweise Glutaminsäure), pflanzlichem Öl, Hefeextrakt, Gemüse, Gewürzen und Petersilie hergestellt. Die Reihenfolge der angeführten Zutaten entspricht dem mengenmäßigen Anteil. Sie enthält im Gegensatz zu Fleischbrühe kein Cholesterin. Sie kann notfalls eine Brühe aus frischem Gemüse ersetzen. Der Ge-

schmacksverstärker Glutamat führt bei manchen, empfindlichen Menschen zu Kopfschmerzen und Benommenheit.

Gomasio
Mischung aus gerösteten, feingemahlenen Sesamkörnern und Meersalz. Es hat einen nußartigen Geschmack und ist sehr fetthaltig durch den hohen Fettgehalt des Sesams. Dadurch nur begrenzt haltbar. Es ist reich an Mineralstoffen und Eiweiß. Man kann Gomasio selbst herstellen, indem man Sesamkörner ohne Fett in der Pfanne röstet und anschließend mit Salz im Mörser fein zerreibt. Im Reformhaus und Naturkostladen erhältlich.

Haferflocken
Siehe auch Getreideflocken; Haferflocken sollten nur als Vollkorn mit Keim verwendet werden. Da Hafer sehr fetthaltig ist, sind die Flocken nur begrenzt haltbar. Kühl aufbewahren, jedoch nicht im Kühlschrank.

Hirseflocken
Siehe auch Getreideflocken: Hirseflocken sind reich an Eiweiß, Kieselsäure und Fluor. Sie eignen sich zum Mischen mit Haferflocken fürs Müsli, zum Andicken von Saucen und Suppen, Gemüse und Aufläufen. Im Reformhaus und Naturkostladen erhältlich.

Honig
Natürliches Süßungsmittel. Besteht zu 80 Prozent aus Zucker (Fructose und Glucose), 17 Prozent Wasser und Spuren von Vitaminen, Mineralstoffen, Enzymen, organischen Säuren, Aromastoffen. Den letzten drei Stoffen wird eine gesundheitsfördernde Wirkung zugeschrieben. Starkes Erhitzen zerstört die im Honig enthaltenen Wirkstoffe. Für unerhitzte Speisen sollte man daher kalt geschleuderten Honig verwenden, der auf möglichst schonende Weise abgefüllt und nicht über 40° erwärmt worden ist.

Zum Backen und Kochen kann man den preiswerteren erhitzten Honig nehmen, da die wertvollen Inhaltsstoffe beim Kochen verloren gehen. Honig wird außerdem nach der pflanzlichen Herkunft unterschieden, zum Beispiel Lindenblüten- oder Tannenhonig. Die Pflanzenart macht sich in erster Linie im Geschmack bemerkbar. Je nach Blüte schmeckt er milder oder herber. Kristallisiert Honig nach einiger Zeit aus, so ist das kein Zeichen für minderwertige Qualität. Wie schnell ein Honig fest wird, ist sortenbedingt und hängt von der honigeigenen Zuckerzusammensetzung ab. Man kann ihn im Wasserbad bei 40° wieder verflüssigen. Honig eignet sich zum Süßen von Süßspeisen, Kuchen und Gebäck und bewirkt einen intensiven Eigengeschmack. Er sollte sparsam verwendet werden. In gleichen Mengen wie Haushaltszucker genossen, hat er wahrscheinlich dieselben schädlichen Wirkungen wie Haushaltszucker (beispielsweise Karies). Das gilt für alle Süßungsmittel.

Ingwerwurzeln
Frische Ingwerwurzeln würzen am intensivsten. Man erhält sie in gut sortierten Obst- und Gemüsefachgeschäften. Man kann auch getrocknete Ingwerwurzeln nehmen. Frischer Ingwer wird vor dem Reiben geschält. Ingwer schmeckt leicht pfeffrig, süßlich und duftet sehr stark. Falls man keine Ingwerwurzel bekommt, kann man auch Ingwerpulver verwenden. Erhältlich im Lebensmittelhandel und Reformhaus.

Kanne Brottrunk
Ein milchsauer eingelegtes Gärungsprodukt aus Vollkornbrot, Wasser und Rosinen. Brottrunk ist erfrischend und wohlschmeckend. Man kann ihn wie Essig zum Würzen verwenden.

Kräutersalz
Besteht zu rund 90 Prozent aus normalem Kochsalz oder Meersalz. Der Rest sind pulverisierte Kräuter, gelegentlich auch Geschmacksverstär-

ker (Glutamat). Kräutersalz sollte ebenso sparsam wie normales Kochsalz verwendet werden, also nicht mehr als 5 g täglich. Besser reichlich frische Kräuter verwenden.

Mandelmus
Besteht aus fein zerkleinerten Mandeln. Von dem in den Mandeln enthaltenen Fett erhält es seine pastenartige Konsistenz. Nach einiger Zeit setzt sich das Öl an der Oberfläche ab, was durch häufiges Umrühren verhindert werden kann. Kühl, dunkel und gut verschlossen hält es sich nach dem Öffnen einige Wochen.

Meersalz
Durch Verdunsten von Meerwasser gewonnenes Salz. Es enthält geringfügig mehr Mineralien als normales Kochsalz. Deren Menge spielt für die Ernährung jedoch keine Rolle, da wir unseren Mineralstoffbedarf nicht mit Salz decken sollen. Der in Meersalz enthaltene Jodgehalt reicht nicht aus, um der Kropfbildung vorzubeugen. Meersalz sollte genauso sparsam verwendet werden wie gewöhnliches Kochsalz.

Miso
Mit Salz vergorene und zerkleinerte Sojabohnen, die man als Gewürz oder als Brotaufstrich verwenden kann. Auch in der geöffneten Packung längere Zeit haltbar. Im Reformhaus oder Naturkostladen erhältlich.

Nußmus
Aus zerkleinerten Nüssen hergestellte Paste, siehe auch Mandelmus.

Nüsse
Nüsse sollten stets aus der neuen Ernte gekauft werden. Wegen ihres hohen Fettgehalts werden sie leicht ranzig. Daher sollte man auf das Haltbarkeitsdatum achten. Nüsse kühl aufbewahren (sie lassen sich auch gut einfrieren) und unmittelbar vor dem Verbrauch reiben oder zerkleinern.

Öle
Besonders empfehlenswert sind kaltgepreßte Öle mit einem hohen Anteil an mehrfach ungesättigten Fettsäuren, von denen die Linolsäure lebensnotwendig ist und mit der Nahrung zugeführt werden muß, da unser Körper sie nicht selbst bilden kann. Am meisten ungesättigte Fettsäuren enthalten Distelöl, alle Keimöle und Leinöl. Es genügen dabei 1½ Eßlöffel täglich, um unseren Bedarf an ungesättigten Fettsäuren zu decken. Zum Erhitzen sind diese Öle nicht geeignet, da dabei gesundheitsschädliche Substanzen entstehen. Zum Kochen und Braten eignen sich kaltgepreßtes Olivenöl oder Sonnenblumenöl.

Piccata
Pikant-scharfe Würze aus Piment, Pfeffer, Zwiebelpulver, Hefe, Paprika, Koriander, Knoblauchpulver, Muskat und anderen Gewürzen.

Pilzpulver
Aus getrockneten, fein pulverisierten Pilzen. Gut geeignet für Gemüseeintöpfe und Füllungen.

Rosinen
Siehe Trockenfrüchte.

Schabzigerklee
Ein Gebirgskraut, das in getrockneter und pulverisierter Form als Gewürz im Reformhaus erhältlich ist. Wird auch bei der Herstellung von Kräuterkäse verwendet.

Sesamkörner
Sind ungeschälte oder geschälte Körner des Sesamkrautes. Schmecken leicht nußartig und enthalten hochwertiges Fett, Eiweiß und Mineralstoffe. Wegen ihres hohen Fettgehaltes sind sie, wie Nüsse, nur begrenzt haltbar. Ungeschälte Sesamkörner sind lange haltbar. Sie schmecken noch besser, wenn man sie in einer Pfanne ohne Fett röstet. Man kann sie über Salate, Gemüse, auf Brot streuen und an Süßspeisen geben.

Sesamsalz
Siehe Gomasio.

Sonnenblumenkerne
Ölhaltige Kerne der Sonnenblume. Sie enthalten hochwertiges Fett, Eiweiß und Mineralstoffe. Sie sind nur begrenzt haltbar. Man verwendet sie wie Sesamkörner.

Sucanat
Ein Granulat aus Zuckerrohrsaft. Sucanat enthält alle B-Vitamine des Zuckerrohrs und ist deshalb qualitativ dem braunen Zucker weit überlegen. Sucanat ersetzt Industriezucker vor allem dann, wenn eine fertige Speise noch mit etwas Zucker bestreut werden soll.

Tahin
Paste aus feingemahlenen Sesamkörnern. Eignet sich als Brotaufstrich (kalorienreich), zum Würzen von Hülsenfrüchten oder Salatsaucen. Angebrochen im Kühlschrank aufbewahren, ab und zu durchrühren und bald verbrauchen.

Tekka
Schwarze, lockere, feinkrümelige Gewürzmischung aus fermentiertem Soja, Möhren, Zwiebeln, Lotoswurzelpulver, Sesamöl und Meersalz. Schmeckt als Würze auch gut auf gebuttertem Vollkornbrot. Im Naturkostladen erhältlich.

Trockenfrüchte
Durch Sonnenwärme oder in Trocknungsanlagen getrocknete Äpfel, Birnen, Aprikosen, Pflaumen, Pfirsiche, Rosinen, Datteln, Feigen. Man kann sie auch selbst herstellen (siehe Kapitel »Natürliche Vorratshaltung«). Durch den Wasserentzug sind sie stark konzentrierte Lebensmittel mit hohem natürlichen Zuckergehalt. Um das Braunwerden der Früchte zu verhindern, werden sie geschwefelt, was auch ihre Haltbarkeit erhöht. Vom gesundheitlichen Standpunkt aus gelten geschwefelte Produkte als bedenklich, sie müssen immer unter heißem Wasser gründlich gewaschen werden. Ungeschwefelte Trockenfrüchte, zum Teil aus biologischem Anbau, gibt es im Reformhaus und im Naturkostladen.

Vanille
Gibt es als Schoten oder gemahlen ohne Zuckerzusatz im Reformhaus. Statt künstlichem Vanillinzucker kann man Vanillehonig herstellen. Man schlitzt 2 Vanilleschoten auf, streicht das Mark in den Honig und fügt die Schoten hinzu.

Vollkornbrösel
Man kann sie durch Mahlen von altbackenem Vollkornbrot selbst herstellen.

Vollweizengrieß
Körniges Mühlenerzeugnis aus dem ganzen Weizenkorn. Sehr eiweißreich, enthält noch Ballaststoffe, Vitamine und Mineralstoffe des vollen Korns. Im Reformhaus oder Naturkostladen erhältlich.

Zitronen- und Orangenschale
Nur von unbehandelten Früchten verwenden. Behandelte Früchte müssen gekennzeichnet sein. Auch unbehandelte sollten gründlich mit heißem Wasser gewaschen werden. Man kann abgeriebene Zitronen- oder Orangenschale in Honig konservieren und in einem Schraubdeckelglas aufbewahren.

Zuckerrübensirup
Auch Rübenkraut genannt. Wird aus Zuckerrüben gewonnen und enthält einen hohen Zuckeranteil (Glucose, Fructose, Saccharose). Aufgrund des hohen Melasseanteils sind noch reichlich Mineralstoffe enthalten. Geeignet zum Backen und zum Süßen anstelle von Haushaltszucker. Sollte jedoch nur sparsam verwendet werden, da ähnliche gesundheitsschädliche Wirkungen zu erwarten sind (Karies, Übergewicht, Zuckerkrankheit).

Techniken und Geräte

Die Ausstattung der »Vollwertküche« unterscheidet sich nicht allzu sehr von einer »normalen« gut ausgestatteten Küche. Es sind nur wenige Geräte, die zusätzlich unbedingt notwendig sind. Wichtigstes Zusatzgerät ist in der Vollwertküche die Getreidemühle. Wer alle Vorteile des vollen Korns nutzen will, wird auf Dauer nicht um die Anschaffung einer Getreidemühle herumkommen. Im Gegensatz zu dem um den größten Anteil an Vitaminen, Mineralstoffen, Fetten und Ballaststoffen beraubten Weißmehl, das eine lange Lagerzeit hat, läßt sich Vollkornmehl nicht lange aufbewahren. Die Vitamine werden schon nach ein paar Stunden vom Luftsauerstoff abgebaut, das Mehl wird nach ein paar Wochen ranzig, weil der ölhaltige Keim mitverarbeitet ist. Wer zunächst nur einmal Gerichte aus Vollkornmehl probieren möchte, kann im Reformhaus, Naturkostladen und inzwischen auch im Lebensmittelhandel Schrot oder Vollkornmehl kaufen. Einige Reformhäuser und Naturkostläden bieten allerdings den Service, daß sie bei ihnen gekauftes Getreide frisch vermahlen. Das hat jedoch nur dann Sinn, wenn man das Mehl nach Bedarf kauft. Größere Mengen längere Zeit vor dem Verbrauch schroten oder mahlen zu lassen, empfiehlt sich nicht. Wer täglich mit Vollkorn kocht und backt, für den lohnt sich die Anschaffung einer eigenen Getreidemühle unbedingt.

Getreidemühlen
Bei der Anschaffung ist zunächst zu überlegen, ob man eine handbetriebene oder elektrische Mühle wählt. Für das tägliche Frischkornmüsli mag in einem kleinen Haushalt eine Hand-Getreidemühle durchaus ausreichen. Wer viel bäckt, sollte besser eine elektrische wählen, denn es ist eine zeitraubende und schweißtreibende Arbeit, 500 g Mehl für einen Kuchen von Hand zu mahlen. Manche Küchenmaschinenhersteller bieten inzwischen Vorsatzgeräte zum Getreidemahlen für ihre Maschinen an. Wer bereits eine Küchenmaschine besitzt, sollte sich danach erkundigen, denn dies ist die preiswerteste Lösung. Selbständige Getreidemühlen sind oft recht teuer. Zu entscheiden hat man sich auch bezüglich des Mahlwerks. Es gibt Stein-, Stahl- und Keramikmahlwerke. Steinmahlwerke mahlen besonders fein und flockig, Ölsaat wie Sesam oder Mohn können die Steine jedoch verkleben. Das ist bei Stahlmahlwerken weniger der Fall, allerdings wird das Feinschrot nicht ganz so flockig. Mahlwerke aus Keramik eignen sich für trockene und ölhaltige Samen. Ansonsten gibt es kaum einen Unterschied zu Stahlmahlwerken (Informationen siehe Seite 424).

Das richtige Kochgeschirr
In der Vollwertküche verwenden wir Garmethoden, die ein möglichst schonendes Zubereiten der Speisen ermöglichen. Vitamine und Mineralstoffe sollen beim Erhitzen erhalten bleiben und nicht ausgelaugt werden. Es empfiehlt sich daher, Gemüse im eigenen Saft zu dünsten oder im Dampf zu garen. Wasser und Fett sollten also nur sehr sparsam zugegeben werden. Gemüse und Kartoffeln werden nicht mehr in einem Topf voll Wasser gar gekocht, sondern tropfnaß in den

Wasser- und fettarm kann man in Edelstahltöpfen garen, die einen Zargen- oder Steckdeckel mit heruntergezogenem Rand haben.

Topf gegeben und gedünstet. Voraussetzung für diese schonende Zubereitung sind Töpfe mit gut schließenden Deckeln wie Zargen- oder Steckdeckel mit heruntergezogenem Rand, die beim Auflegen in den Topf hineinragen. Dadurch kann die Feuchtigkeit nicht entweichen und das

Getreidegerichte gelingen in der Spar-GarBox besonders leicht. Diese moderne »Kochkiste« von SUS ist eine sehr gute Energiespar-Hilfe.

Gemüse im eigenen Saft garen. Wichtig sind auch gut leitende Topfböden, sogenannte Sandwichböden, die einen Kupferkern haben. Er leitet und speichert die Hitze gut und sorgt für eine gleichmäßige Wärmeverteilung. In solchen Töpfen kann unter 100° gegart werden, was der Vitaminerhaltung zugute kommt. Verschiedene Firmen bieten inzwischen solche Töpfe an. Informieren Sie sich in einem Fachgeschäft darüber.

Für das Ausquellen von Getreidekörnern und Grützen hat sich eine sogenannte »Kochkiste« bewährt. Das ist eine Styropor-Box mit einem dazu passenden Edelstahltopf. Die Gerichte werden einige Minuten angekocht und dann in die Styropor-Box zum Ausquellen gegeben.

Rohkostreiben

In einem kleinen Haushalt braucht man für die Rohkostküche nur eine feine, mittelfeine und grobe Reibe sowie einen Hobel für Kohl und Gurken. Alle sollten aus rostfreiem Edelstahl

oder Kunststoff sein. Das macht sie nicht nur pflegeleicht, sondern verhindert auch Oxidationsprozesse bei der Zubereitung, wodurch die Vitamine geschont werden. Schneller geht es bei größeren Mengen allerdings mit der Küchenmaschine. Manche Küchenmaschinen zerreißen die Rohkost zu stark, wodurch sie zuviel Saft verliert und trocken und faserig schmeckt.

Wenn man häufiger Rohkost zubereitet, braucht man mindestens eine feine, eine mittelfeine und eine grobe Reibe oder eine, die alles gleichzeitig bietet.

Dörrgerät

Beim Trocknen kommt es darauf an, den Lebensmitteln auf möglichst schonende Weise die Feuchtigkeit zu entziehen. Die richtige, nicht zu hohe Temperatur und eine gleichzeitige gute Durchlüftung sind die wichtigsten Voraussetzungen für einen schonenden Trockenprozeß (siehe Kapitel »Natürliche Vorratshaltung«). Sehr gut läßt es sich in einem Heißluftherd trocknen. Doch wer viel Obst, Kräuter und Pilze trocknet, wird seinen Backofen nicht immer durch das Dörren von Lebensmitteln belegt haben wollen. Außerdem lassen sich derart empfindliche Lebensmittel wie Kräuter und Pilze besonders schonend in einem elektrischen Dörrapparat trocknen. Solche Geräte gibt es von der Firma Starmix (s. S. 424). Beim »Dörrex« der Firma Sigg (s. S. 424) bestehen die runden Dörrsiebe aus Edelstahl, wodurch die Oxidation des Dörrgutes und die Schwarzfärbung an den Auflagestellen vermieden wird. Bei diesem Gerät wird der Ventilator durch die aufsteigende Warmluft langsam bewegt. Der »Starmix VitaSafe« hat Kunststoffsiebe mit denselben Vorteilen wie die Edelstahlsiebe. Die aufsteigende Warmluft wird durch einen Motor angetrieben.

Gärtopf

Zum Einsäuern von Gemüse, einer besonders schonenden Methode der Haltbarmachung, eignen sich offene Steinguttöpfe, Gläser mit Schraubdeckel, Gläser mit Patentverschluß und spezielle Gärtöpfe. Am einfachsten geht es mit speziellen Gärtöpfen. Sie sind aus Steinzeug hergestellt, das bei Temperaturen von 1200° gebrannt und innen und außen mit einer bleifreien Glasur versehen wurde. Der Deckel und die zwei halbkreisförmigen Beschwerungssteine sind aus dem gleichen Material. Gärtöpfe sind in verschiedenen Größen – von 6 bis 30 l in Haushaltswarengeschäften, Bioläden und bei den meisten Versandfirmen für biologische Erzeugnisse erhältlich. Der obere Rand des Gärtopfes ist als Rinne ausgebildet, in die ein Tauchdeckel hineingreift. Nachdem der Topf mit dem Deckel geschlossen wurde, wird diese Rinne mit Wasser gefüllt. Das verhindert den Luftzutritt von außen; außerdem kann die bei der Gärung entstehende Kohlensäure nicht aus dem Topf entweichen. Ist die Gärung richtig in Gang gekommen, entweicht die überschüssige Kohlensäure, was sich durch ein Gluckern bemerkbar macht. Damit der Luftabschluß von außen auf die Dauer erhalten bleibt, muß das Wasser in der Rinne gelegentlich nachgefüllt werden. Während der ersten vier Wochen, also bis die Gärung abgeschlossen ist, sollte der Topf nicht geöffnet werden, um ein Entweichen der Kohlensäure und ein Eindringen von Luft beziehungsweise Fremdbakterien zu verhindern.

Das Keimen von Samen

Zarte, frische Keimlinge sind eine willkommene Abwechslung zum saisonabhängigen Gemüseangebot, denn man kann sie, unabhängig von der Jahreszeit, selbst ziehen. In den Wintermonaten und im Frühjahr, wenn das Angebot an Obst- und Gemüsesorten nicht so reichhaltig ist, können Keimlinge ganz besonders zur Deckung des Vitaminbedarfs beitragen. Denn der Gehalt an lebenswichtigen Vitaminen (B_1, B_2, C und Carotin) erhöht sich beim Keimen um ein Vielfaches. Jedes Samenkorn enthält alle Nähr- und Aufbaustoffe, die eine Pflanze für ihre Entwicklung benötigt. Das sind jedoch auch gleichzeitig Nährstoffe, die für den Menschen von lebensnotwendiger Bedeutung sind. Durch die Aufnahme von Wasser und Sauerstoff beginnt im Samenkorn ein lebhaftes Stoffwechselgeschehen. Der Gehalt an Enzymen steigt sprunghaft an. Dadurch kommt es zu einer Umwandlung der Kohlenhydrate (Stärke) und des Eiweißes, die so für den menschlichen Körper leichter verwertbar sind. Gleichzeitig steigt auch der Gehalt an Vitaminen, da durch den Keimvorgang zusätzlich Vitamine gebildet werden.
Darüberhinaus enthalten Keimlinge viele Mineralstoffe, Spurenelemente und wertvolles Eiweiß. Die Samenschalen sind sehr ballaststoffreich und können damit für eine geregelte Verdauung sorgen.
Vier Voraussetzungen sind notwendig, damit die Samen keimen: Wasser, Wärme, Luftzirkulation und Licht. Dabei ist der Aufwand an Zeit und Geräten, die man zum Keimen braucht, gering. Nur ein wenig Geduld muß man haben, denn es dauert zwischen 2–6 Tage, bis ein Keimling entsteht. Auch Erde oder Dünger sind nicht notwendig.

Das Keimen ohne Keimgerät

Für das Keimen von Samen gibt es verschiedene Möglichkeiten. Die preiswerteste Methode ist sicherlich das Keimen im Einmachglas. Dazu benötigt man ein Glas mit etwa 1½ Liter Fassungsvermögen, einen Gummiring, ein Stück Kunststoffgaze oder Fliegendraht. Man gibt etwa eine Tasse Samen in das Glas und füllt mit lauwarmem Wasser auf. Am nächsten Tag – nach etwa 12 Stunden Einweichzeit – sind die Samen gequollen und fast doppelt so groß. Das Wasser wird abgegossen, und die Samen werden mehrmals gründlich mit lauwarmem Wasser gespült. Dazu gießt man das Wasser in das Glas, dreht es um und läßt es durch die Kunststoffgaze ablaufen. Nach dem Spülen werden die Keimlinge etwas aufgeschüttelt, dann haben sie mehr Platz zum Keimen. Danach legt man das Glas leicht schräg und mit der Öffnung nach unten in ein Gefäß und bewahrt es an einem schattigen, luftigen Platz auf. So kann überschüssiges Wasser ablaufen. Die Temperatur sollte etwa bei 21 °C liegen.
Die Keimlinge sollten jeden Tag mindestens zweimal mit lauwarmem Wasser durchgespült werden. Das ist wichtig, um das Wachstum von Bakterien oder Schimmelpilzen zu verhüten. Da-

Die Keimlinge müssen täglich mehrmals gespült werden. Dazu läßt man das Wasser durch die Kunststoffgaze in das Glas laufen.

bei das Glas nach dem Spülen immer wieder in Schräglage bringen. Nach etwa 4–6 Tagen sind die Keimlinge so stark gewachsen, daß sie das ganze Einmachglas ausfüllen. Geben Sie dann die Keime in eine Schüssel mit kaltem Wasser und zupfen Sie sie vorsichtig auseinander. Die an der Wasseroberfläche schwimmenden Keime werden herausgenommen. Gut abtropfen lassen. Nicht gekeimte, eventuell harte Samen bleiben auf dem Boden der Schüssel zurück und werden aussortiert. Jetzt können die Keime gegessen werden.

Nach dem Spülen der Keimlinge wird das Glas leicht schräg in ein Gefäß gelegt. So kann überschüssiges Wasser ablaufen.

Nach 4–6 Tagen haben sich die Keimlinge so stark entwickelt, daß sie fast das ganze Glas ausfüllen.

Das Keimen im Keimgerät

Wer einmal Geschmack an den zarten Keimlingen gefunden hat und sie als festen Bestandteil in seinen Speiseplan aufnehmen möchte, denkt vielleicht an die Anschaffung eines Keimgerätes. Es gibt verschiedene Modelle im Handel. Zwei Typen von Keimapparaten sind dabei interessant. Das ist einmal die »Keimfrisch-Box« und der »bio-snacky«.

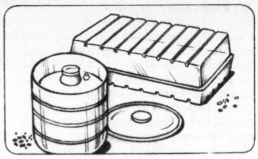

Gut zum Keimen eignet sich der »bio-snacky«, in dem verschiedene Samen gleichzeitig gekeimt werden können.

Das Keimen in der »Keimfrisch-Box« ist besonders praktisch und leicht zu handhaben.

Die »Keimfrisch-Box« funktioniert nach dem gleichen Prinzip wie das Keimen mit dem Einmachglas. Der Vorteil der »Keimfrisch-Box« liegt darin, daß die Keime auch durch den Boden belüftet werden können. Dadurch kommt es zu einer besseren Luftzirkulation, was besonders für die Hygiene wichtig ist. Der Hersteller der »Keimfrisch-Box« bietet auch verschiedene Samenmischungen an, die geschmacklich und von der Keimdauer her aufeinander abgestimmt sind.
Der »bio-snacky« besteht aus drei übereinander gesetzten Keimschalen und einer darunterliegenden Auffangschale für das Wasser. Nach dem Quellen der Samen in der Auffangschale gibt man täglich mindestens zweimal einen ½ Liter Wasser in die oberste Schale. Das Wasser sickert durch die Samen in die Schale darunter und in die Auffangschale. Man kann in allen drei Schalen Keimgemüse derselben Art ziehen, aber auch verschiedene Samen aussäen. Das ist jedoch schwieriger, da die verschiedenen Samen eine unterschiedliche Keimdauer haben und häufig auch unterschiedlich bewässert werden müssen.

Was eignet sich zum Keimen?

Die Samen aller Pflanzen, deren Blätter, Stengel oder Früchte eßbar sind, können zum Keimen verwendet werden. Ausgenommen sind lediglich Nachtschattengewächse wie zum Beispiel Tomaten oder Kartoffeln. Einige Pflanzen ergeben jedoch besonders gutes Keimgemüse. Dazu gehören Hülsenfrüchte (Sojabohnen, Linsen, Erbsen, Kichererbsen) und alle Getreidearten. Am bekanntesten sind die Weizenkeimlinge. Während des Keimens entwickelt sich an den Wurzeln des Weizenkeimlings ein feiner, weißer Flaum, der nicht mit Schimmel verwechselt werden darf. Von Ölfrüchten eignen sich ungeschälte Sesamsaat, Leinsaat, geschälte Sonnenblumen- und Kürbiskerne. Gekeimte Kürbiskerne schmecken besonders gut in einem Obstsalat oder im Müsli.

Außerdem eignen sich noch Alfalfa (Luzerne), Kresse, Senf- oder Rettichsamen zum Keimen. Aber auch Keimlinge von Karotte, Sellerie, Fenchel oder Petersilie schmecken gut.
Wichtigste Voraussetzung sind allerdings keimfähige Samen. Samen mit hoher Keimfähigkeit erhalten Sie in Reformhäusern und Bioläden. Nicht verwenden sollte man Samen aus Samenfachgeschäften, denn diese sind nur zur Freilandzucht bestimmt.

Keimdauer verschiedener Samen

Samen	Erntezeit	Länge des Keimlings
Sojabohnen	4–5 Tage	4 cm
Linsen	3–6 Tage	3 cm
Kichererbsen	2–3 Tage	½–1 cm
Getreide	2–3 Tage	½–1 cm
Luzerne	3–5 Tage	3 cm
Kresse	7 Tage	3 cm
Senf	5–7 Tage	3 cm
Sonnenblumen-kerne	1–2 Tage	5–8 mm

Wie verwendet man Keimlinge?

Frische Keimlinge lassen sich auf vielfältige Weise verwenden. Bevorzugt sollte man sie aber als Rohkost genießen, um den Vitamingehalt zu erhalten. Man kann einen Salat ganz aus Keimlingen machen oder eine Handvoll Keimlinge wie frische Kräuter in jeden Rohkostsalat geben. Auch in süßen und pikanten Quarkmischungen schmecken Keimlinge gut. Oder Sie mischen sie unter Rührei, füllen sie in Omeletts oder streuen sie zuletzt über eine gekochte Suppe. Obstsalat, Müsli oder Frischkornbrei kann man durch Getreidekeimlinge, aber auch mit Sonnenblumen- oder Kürbiskernkeimlingen einen besonderen Geschmack verleihen.

In Hülsenfruchtkeimlingen sind neben wertvollen Inhaltsstoffen auch Spuren des in den getrockneten Samen vorkommenden Phasins enthalten. Phasin ist ein natürlicher Giftstoff, der durch Erhitzen unschädlich gemacht wird. Keimlinge aus Hülsenfrüchten sollten daher vor dem Verzehr 3 Minuten blanchiert werden. Während des Keimens wird allerdings das giftige Phasin zu einem Teil umgewandelt, so daß in den Keimen verhältnismäßig wenig vorhanden ist.
Keimlinge, die nicht sofort gegessen werden, halten sich in einer verschlossenen Plastiktüte etwa 4 Tage im Kühlschrank. Vor der Verwendung sollten Sie die Keimlinge dann nochmals unter fließendem Wasser abspülen.

Bewahrt man die Keimlinge einige Tage auf, müssen sie vor der Verwendung gründlich unter fließendem Wasser gespült werden.

Rezept- und Sachregister

Die *kursiv* gesetzten Seitenzahlen verweisen auf die Farbbilder

A

Ackerbohnen 389
– in Sahnesauce 159
Agar-Agar 403
Ahornsirup 403
Ambrosia-Obstsalat 250
Ananasmilch 22
Ananas, Möhren mit 53
–, Tomaten mit 52
–, trocknen 351
Aniszwieback 277
Apfeldicksaft 403
Apfel-Feigen-Mus 354
Äpfel im Schlafrock 249
– in Nußsauce 250
Apfel-Käse-Kuchen vom Blech 299
Apfelkuchen mit Guß 298
Apfelmeerrettich 234
Apfel-Nuß-Sahne 251
Apfel-Orangen-Marmelade 354
Apfelpfannkuchen mit Nüssen 146
Apfel-Reis-Suppe 316
Apfelrolle 289
Apfel-Rotkohl 115
Apfelsahne 251
Apfelsalat 251
Apfel-Sellerie-Salat 73
Apfel-Streusel-Auflauf 327
Apfelsuppe 92
Apfelwähe, Graubündner 296
Apfel-Weißkraut mit getrockneten
  Aprikosen 358
Aprikosenknödel 206
Aprikosenkompott 255
Aprikosen-Sanddorn-Marmelade
  355
Arrowroot 403
Artischocken 372
– mit Zitronenmayonnaise 33
– vorbereiten 34
Auberginen 372
Auberginen-Auflauf mit Tomaten
  209
Auberginen im Tomaten-Bett 108
Auberginenscheiben mit Joghurt-
  sauce 31
Auberginen vorbereiten 32
Auflauf, Apfel-Streusel- 327

–, Auberginen- mit Tomaten 209
–, Brot- 229
–, Französischer Obst- 227
–, Getreide- 209
–, Grieß- mit Früchten 230, *320*
–, Hirseflocken-Quark- mit Obst 228
–, Mangold-Pfannkuchen- 210
–, Peruanischer Bohnen- 231
–, Polenta- mit Azukibohnen 216,
  319
–, Reis- 228
–, Rhabarber- 229
–, Sellerie-Apfel- 212
–, Sojabohnen- 217
–, Süßer Kartoffel- 227
–, Trauben-Nuß- 231
–, Türken- 230
–, Zwieback- mit Früchten 227
Avocado au gratin 34
Avocados mit Paprikacreme 350
Avocado, Walnuß- 35
Azukibohnen 389
– Pilaw mit 153, *239*

B

Backkartoffeln mit Quarksalat 326
Bananenbecher 19
Bananengemüse 122, *276*
Bananensalat 251
Basilikum 392
Basler Leckerli 307
Bataten 372
– Gefüllte in der Folie 189
Bauern-Rapunzel 47
Bayerische Creme 262
Beerenmüsli 17
Beeren-Reis-Schnee 259
Beerensalat 251
Beeren-Tutti-Frutti 260
Bienenstich 288
Bierstangen 281
Biobin 404
Bioburger 322
Birnendicksaft 404
Birnenhälften, Gefüllte 260
Birnen mit gekeimten Weizenkör-
  nern 29
–, mit Käse 29

Biskuit aufrollen 304
Biskuitroulade, Gefüllte 304
Biskuits, Frühstücks- 281
Blattspinat mit Pinienkernen 99
Blauschimmelkäse für eine Sauce
  vorbereiten 49
Bleichsellerie mit Käsecreme 28
Blini 140
Blumenkohl 372
– Kräuter- 117
– mit Äpfeln 63
– mit Erdnußhaube 323
– vorbereiten 64
Bohnen 373
–, Acker- in Sahnesauce 159
–, Cassoulet mit roten 216, *302*
–, Dicke 374
–, Eintopf aus Oberägypten 154
–, Grüne mit Schaumkrone 119
–, Kartoffelsuppe mit milchsauren
  349
–, Milchsaure im Glas 346
–, Pilaw mit Azuki- 153, *239*
–, Polentaauflauf mit Azuki- 216,*319*
–, Püree aus weißen 152, *240*
–, Roggen-Topf 82
–, Salat aus schwarzen, Paprika und
  Schafkäse 68
–, Schwarze mit Spinat 180
–, Wachs- mit Tomaten 119
Bohnenauflauf, Peruanischer 231
Bohnengericht 157, 179, 215
Bohnenkernsalat, Gemischter 69
Bohnenkraut 392
Bohnenküchle 157
Bohnen-Kürbis-Curry, Indischer
  156, *204*
Bohnen-Mais-Topf 156
Bohnenpfannkuchen, Brasiliani-
  scher 158
Bohnenragout, Buntes 155
Bohnentopf 96
Bohnen und Erbsen mit Gerste 95
Borretsch 392
Borschtsch 84
Bowle, Frucht- 330
Bratkartoffeln, Herzhafte 187
– mit Kräutern 187
Brennesseln mit Äpfeln, Hüttenkäse
  und Walnüssen 51

Brezen, Laugen- 278
Brisoletten 404
Broccoli 373
- garen 78
Broccoligemüse, Feines 116
Broccoli mit Pinienkernen 65
Broccolistrunk vorbereiten 66
Broccolisuppe mit Klößchen 78
Brombeer-Charlotte 259
Brotauflauf 229
Brötchen, Gewürz- 280
-, Quark- 282
-, Rosinen- 281
-, Süße Überraschungs- 336
Brote, Erdbeer- 20
-, Garnierte Käse- 37
-, Kleine Sonnen- 273, *363*
Brot, Gewürztes Bauern- 272
-, Kleie- 272
-, Kletzen- 294
-, Knäcke- 273
-, Leinsamen- 272
-, Sechs-Korn- 272
-, Sonnenblumen- 272
-, Toast- 277
-, Vollkorn-Haus- 271
-, Weizenvollkorn- 272
Brühe, Kräftige Gemüse- 74
Buchweizen 368
- Gekochter 141
- Grütze 137
- Klöße 205
- Soja-Spätzle 201
Bulgarische Hirtenvesper 142,
186
Bulgur mit Zwiebeln und Kräutern
144
Buntes Bohnenragout 155
- Mischgemüse im Gärtopf 346
Buttergebäck 304
Butter klären 144
Butter, Knoblauch-Kerbel- 350
-, Miso- 27
Butterkuchen 339
Buttermilchkaltschale 246
Buttermilchsuppe 91

C

Cannelibohnen 389
Cardy 373

- in Zitronensauce 130
- mit Mandelmus 131
Caroben 404
Cassoulet mit roten Bohnen 216, *302*
Champignonsauce 233
Champignons vorbereiten 81
Champignontopf 94
Chapatis, Soja- 176
-, Vollkorn- 144
Chicorée 374
- in Bananencreme 60
- in Nußcreme 98
- Pastetchen 35
Chicoréesalat, Herbstlicher 59
Chinakohl 374
- mit Äpfeln und Zwiebeln 111
- mit Möhren 56
- mit Sellerie und Sesam 56
- vorbereiten 112
Creme, Bayerische 262
-, Feine Tofu- 265
-, Kirsch-Mandel- 261
-, Kräuter-Käse- 21
-, Mandel- 263
-, Pikante Miso- 24
-, Preiselbeer- 260
-, Russische 262
-, Sanddorn- 261
-, Sauerkirsch- 262
-, Schnittlauch-Tofu- 24
-, Schoko-Hafer- 27
-, Schokoladen- 263
-, Tofu- 24
-, Tofu- Liptauer Art 24, *363*
-, Zitronen- 264
Crêpes aus Vollkorn 267
- Flambierte 267
- Hirse- 267
- Suzette 266, *364*
Curry, Indischer Bohnen-Kürbis-
156, *204*
Curry-Linsen mit Äpfeln 159
Curry-Reis-Salat 71

D

Dämpfkartoffeln 182
Dattelmakronen 305
Delifrut 404
Delikata 404
Dicke Bohnen 374, 389

Dips und Wintergemüse 50
Dill 392
Dinkel 368
Dörrfrüchte, Kompott aus 356
-, Sauce aus 357
Dörrgerät 409
Dörrobstfladen, Schweizer 356
Dörrobst raffiniert gefüllt 357
Dörrpflaumen mit Gorgonzola 358
- mit Käsestreifen 358
- mit Schafkäse 357
Dreikorngrütze 134
Dukatennudeln 292
Durstlöscher 330

E

Edelhefeflocken 404
Eiersauce im Wasserbad 119
Eierweckerl 279
Einkauf und Lagerung von Getreide
371
- von Hülsenfrüchten 391
Eintopf, Bohnen- aus Oberägypten
154
-, Bunter Gersten- 95
-, Französischer Gemüse- mit Pistou
84
-, Spinat- mit Ei 83
Eiscreme, Tofuzzi 329
Eis, Frucht- 269
-, Vanille-Sahne- 269
-, Zimt- 268
Eissalat, Bunter 45, *61*
Endivien 374
- mit Apfel-Meerrettichsahne 42
- mit Orangen 42
- mit Rotkohl in Meerrettichsauce
60, *105*
Erbsen 374, 389
- Grüne- Suppe mit Tomaten 79
- Junge mit Perlzwiebeln 108
- Kräuter- 154
- mit Bohnen und Gerste 95
Erbsenpüree 152
- Süßes indisches 180
Erbsensuppe, Sahnige 85
Erdbeerbrote 20
Erdbeermix 246
Erdbeersauce 242
Erdbeertraum 244

Erdnußsauce 324
»Errötendes Mädchen« 244
»Erste Ernte«-Platte 46
Essig-Öl-Sauce 236
Estragon 393

F

Fenchel 375
- mit frischen Feigen 55
- mit Möhren 56
Fenchelschnitzel 110
Fenchelsuppe 76
Fenchel vorbereiten 55
Fladen, Knusper- 279
-, Schweizer Dörrobst- 356
Flageoletbohnen 390
- Suppe 89
Flambierte Crêpes 267
Flan 265
Friate 404
Frikadellen, Feine Kräuter-Tofu- 171
-, Grünkern- 136
Frischkornmüsli 15
Friteuse 178
Fritierte Kichererbsenbällchen 178
Fritiertes Gemüse 101
Fruchtbowle 330
Fruchteis 269
Früchtekuchen 284
Früchte mit Hüttenkäse 20
Früchtetaler 357
Früchte trocknen 351–353
Fruchtjoghurt 247
Fruchtmilch 331
Fruchtschnitten 309
Fruchtwaffeln 310
Frühlingsrolle mit Sojasprossen 164
Frühstücksbiskuits 281
Frühstück, Schlemmer- 17, *26*
Frühstückssuppe, Süße 312
Frühstückszopf 287

G

Gärtopf 340, 410
Gebackene Kümmelkartoffeln 191
- Topfenpalatschinken 148
Gebratene neue Kartoffeln 190
- Polentascheiben 140
Gebratener Mais 143

Gefüllte Bataten in der Folie 189
- Birnenhälften 260
- Biskuitroulade 304
- Hörnchen 333, *399*
- Melone 31
- Tomaten oder Gurken 33
- Trockenfrüchte 355
- Zwiebeln 100, *167*
Gefüllter Staudensellerie 350
Gefülltes Gemüse 135
Gelee, Himbeer- 255
-, Kirsch-Johannisbeer- 361
-, Mandel- mit Sahne 255
-, Pflaumen in 256
Gemischter Bohnenkernsalat 69
Gemüsebrühe, Gekörnte 404
-, Kräftige 74
Gemüse, Buntes Misch- im Gärtopf 346
-, Fritiertes 101
-, Gefülltes 135
-, Mexiko- mit gebratenem Tofu 103, *168*
-, Pie mit vielerlei 223
-, Sommer- in der Folie 102
-, Sprossen- 125
-, Winter- und Dips 50
Gemüsecreme, Spanische 107
Gemüseeintopf, Französischer mit Pistou 84
Gemüsefüllung, Pikante 104
Gemüsesuppe mit Vollkornschrot 76
Gemüsetorte, Feine 224
Germknödel 207
Gerste 368
- mit Bohnen und Erbsen 95
Gersteneintopf, Bunter 95
Gerstensuppe, Dicke schottische 80, *124*
Getreideauflauf 209
Getreidebratlinge 136
Getreideflocken 404
Getreidegrütze, Einfache 321
Getreidekörner, Gekochte 137
Getreidemühlen 408
Getreide-Schöpfklöße 206
Gewürz-Brötchen 280
Gewürzkuchen 288
Glasierte Teltower Rübchen 120
Glasuren für Kleingebäck 305

Gnocchi, Grieß- mit Tomatensauce *301*, 324
Gomasio 405
Grapefruits, Überbackene 250
Gratin, Kartoffel-
-, Kohlrabi-Kartoffel- 211
Graubündner Apfelwähe 296
Grießauflauf mit Früchten 230, *320*
Grießflammeri 268
Grießgnocchi mit Tomatensauce *301*, 324
Grüne Bohnen mit Schaumkrone 119
Grüne-Erbsen-Pudding 181
Grüne-Erbsen-Suppe mit Tomaten 79
Grüne Grütze 253
Grüne Salate 40
Grünkern 368
- Frikadellen 136
Grünkernfüllung, Rotkohlrouladen mit 112
Grünkerngrütze 134
Grünkern, Haselnuß- mit Pilzen 359
Grünkern-Pilz-Topf 143
Grünkohl 375
Grünkohlpfanne 111
Grütze, Buchweizen- 137
-, Dreikorn- 134
-, Einfache Getreide- 321
-, Grüne 253
-, Grünkern- 134
-, Hirse- 321
-, Roggen- 133
-, Rote 328
-, Weizen- 133
Gurken 376
- aushöhlen 135
- in Käsesauce mit Oliven 53
- Milchsaure im Gärtopf 344
- mit Knoblauchsauce 53
- mit Kräutern 53
- mit Rahmdecke 128
Gurkenmussaka 131
Gurken-Tomaten-Pfanne 128

H

Hafer 369
Hafer-Bananen-Trunk 331
Haferburger 135

Hafercremespeise 264
Haferflocken 405
- Linsen- Bratlinge 161
Haselnuß-Grünkern mit Pilzen 359
Heidelbeersauce 242
Himbeergelee 255
Hirse 369
- Körnige Gold- 141
- Rührei 321
- Rührei spezial mit 36
- Soja-Omelette 145
Hirseblumensuppe 317
Hirsebrei 18
- »Schlaraffenland« 314
Hirsecrêpes 267
Hirseflocken 405
- Quark-Auflauf mit Obst 228
Hirsegrütze 321
Hirsesoufflé 229
Hirsotto 141
Holunderblüten-Sekt 365
Honig 405
- Zimt- 329
Hörnchen, Gefüllte 333, *399*
-, mit Möhren und Erdnußsauce 323
Hülsenfruchtpastete 162

I

Ingwerplätzchen 306
Ingwerwurzeln 405

J

Joghurtbereiter 246
Joghurt, Frucht- 247
-, Selbstgemachter 245
-, Vitamin- 19
Joghurtmüsli 16
Joghurtsauce, Auberginenscheiben mit 31
Johannisbeer-Apfel-Salat 261

K

Kaiserschmarrn 146
Kakao, Pfefferminz- 22
-, Soja- 22
Kalifornischer Reis 197, *276*
Kalte Kirschtorte 252
- Vanillesauce 241
Kanne Brottrunk 405

Karottenmix 21
Karottenmus, Schweizer 316
Kartoffelauflauf, Süßer 227
Kartoffelgemüse, Vollkorn- 190
Kartoffelgratin 192
Kartoffeln, Back- mit Quarksalat 326
-, Brat- mit Kräutern 187
-, Dämpf- 182
-, Gebackene Kümmel- 191
-, Gebratene neue 190
-, Herzhafte Brat- 187
-, Kräuter- 184
-, Kümmel- 184
-, Majoran- 183
-, Nuß- 183
-, Sahne- 187
-, Soja- 195
-, Zwiebel-Dämpf- 183
Kartoffeln und Äpfel 193
Kartoffelpfanne, Delikate 183, *258*
-, mit Tofu 194
Kartoffelplätzchen 193
Kartoffelpudding 191
Kartoffelpuffer 188
- ohne Ei 194
Kartoffelpüree 189
Kartoffelsalat aus Arles 69
-, Bohnen- 71
-, Kresse- 70
-, mit Sauerampfer 71
Kartoffelschmarrn 192
- mit Käse 184
Kartoffelsuppe mit milchsauren Bohnen 349
- Pilz- 358
- Würzige 77
Kascha mit Rahmguß 142
Käse, Birnen mit 29
-, Obst und 269
-, Zucchini mit 67
Käsebrote, Garnierte 37
Käsecreme, Bleichsellerie mit 28
Käsedressing, Kopfsalat mit 41
Käsekuchen 297, *381*
Käse-Sahne-Torte 300
Käsesauce, Gurken in mit Oliven 53
Käsesnacks 37
Käsesoufflé 139
Käsetaschen 193

Kastanien, Linsensuppe mit 89
-, Rotkohl mit 115, *150*
-, Sauerkraut mit 348
Keimgerät 412
Keimsprossenmüsli 16
Kerbel 393
Kichererbsen 390
Kichererbsenbällchen, Fritierte 178
Kichererbsen-Koteletts 160
Kichererbsen mit Joghurt 165
- Püree 153
- Tomaten mit Schafkäse auf 212
Kichererbsensuppe, Andalusische 86
Kirschen entsteinen 232
Kirschknödel 207
Kirschenmichel 232
Kirschenquark mit Kakao 244
Kirsch-Johannisbeer-Gelee 361
Kirschkonfitüre, Allerfeinste 355
Kirsch-Mandel-Creme 261
Kirsch- oder Himbeersauce 241
Kirschtorte, Kalte 252
Kiwi-Nuß-Quark 243
Kleiebrot 272
Kleine Sonnenbrote 273, *363*
Kletzenbrot 294
Klopse nach Königsberger Art 174
Klöße, Buchweizen- 205
-, Getreide-Schöpf- 206
-, Samt- 205
Knabberstangen 225
Knäckebrot 273
Knoblauch-Kerbelbutter 350
Knoblauch, Milchsaurer im Glas 345
Knuspermüsli *25*, 312
Knödel, Aprikosen- 206
-, füllen 206
-, Germ- 207
-, Kirschen- 207
-, Zwetschgen- nach böhmischer Art 208
Knusperfladen 279
Kochkiste 409
Kohlblätter zum Füllen vorbereiten 127
Kohlrabi 376
- Kartoffel-Gratin 211
- mit Wildkräutern und Haselnüssen 59

- Spinat-Möhren-Platte 48
Kohlrouladen 126
Kohlrüben vorbereiten 126
Kokosmakronenmasse 305
Kokoszwieback 277
Kompott, Aprikosen- 255
-, aus Dörrfrüchten 356
-, roh gerührtes Rhabarber- 256
Konfitüre, Allerfeinste Kirsch- 355
-, Rohe Preiselbeer- 360
Kopfsalat mit Käsedressing 41
- mit Wildkräutern 41
Körnersalat, Bunter 138
Kornmäuschen 332
- Braune 332
Krafttrunk 22
Kräuterblumenkohl 117
Kräuter-Erbsen 154
Kräuter, Gurken mit 53
Kräuterkartoffeln 184
Kräuter-Käse-Creme 21
Kräuter-Mixgetränk 30
Kräuterquiche 218
Kräutersalz 405
Kräutersauce, Gelbe 234
Krautkuchen, Ungarischer 348
Krautpirogge, Große 220
Kresse 393
Kresse-Kartoffelsalat 70
Kressesalat 40
Kuchen, Apfel-Käse- vom Blech 299
-, Apfel- mit Guß 298
-, Butter- 339
-, Feiner Tee- 285
-, Früchte- 285
-, Gewürz- 288
-, Käse- 297, *381*
-, Napf- 282
-, Obst- mit Mandelbaiser 297
-, Orangen- 284
-, Rhabarber- mit Honigbaiser 283
-, Schokoladen- mit Sauerkirschen 283
-, Ungarischer Kraut- 348
-, Wiener Nuß- 286
Kümmelkartoffeln 184
Kürbis 376
Kürbisgemüse mit Nudeln 121
Kürbiskraut 130
Kürbisrohkost 67, *87*

L

Lauch 376
- Herzhafter 58
- Roggen-Topf 82
- vorbereiten 75
Lauchtorte, Umgedrehte 104
Laugenbrezen 278
Lebkuchen, Mandel- 309
-, Wiener 307
Leinsamenbrot 272
Liebstöckel 394
Limabohnen 390
Linsen 390
- Curry- mit Äpfeln 159
- Frühlingstorte 163
- Haferflocken-Bratlinge 161
- in Auberginen 177
- Malaysische 161
- mit Backpflaumen 86
- russische Art 160
Linsenhappen, Überbackene 165
Linsenpaste 36
Linsenpüree 152
Linsensuppe, Ägyptische 94
-, mit Kastanien 89
Linsentorte 178
Linzer Torte 295, *382*
Löwenzahnblüten-Sekt 365
Löwenzahnsalat 57

M

Mais 369, 377
- Bohnen-Topf 156
- Gebratener 143
- Tortillas aus Körner- 145
- Würziger 143
Maisdessert, Indianisches 253
Maisgericht, Peruanisches 120
Majoran 394
Majorankartoffeln 183
Makronen, Dattel- 305
Malzmilch 331
Malz-Softies 335
Mandelcreme 263
Mandelgelee mit Sahne 255
Mandellebkuchen 309
Mandelmus 406
- Cardy mit 131
Mandelpudding 263

Mandeltorte 287
Mandelwaffeln 308
Mangold 377
- in heller Sauce 118
- Pfannkuchen-Auflauf 210
- vorbereiten 118
Marmeladen 354, 355
-, mit Agar-Agar 360
-, Roh gerührte 360
Mayonnaise 235
- Artischocken mit Zitronen- 33
- Delikate Tofu- 237
- Tofu- 237
Meerrettich 377
- Apfel- 234
Meerrettichsahne, Endivien mit Apfel- 42
Meerrettichsauce, Rotkohl mit Endivien in 60, *105*
Meersalz 406
Melone, Gefüllte 31
Milch, Ananas- 22
-, Frucht- 331
-, Malz- 331
-, Soja- 166, *222*
Milchsaure Bohnen im Glas 346
- Gurken im Gärtopf 344
- Paprikaschoten im Glas 345
- Rote Rüben im Glas 344
- Weiße Rüben 342
Milchsaurer Knoblauch im Glas 345
- Wirsing im Glas 342
Milchsaures Gemüse, Weißkohl und 64
Milchsaures Rotkraut im Gärtopf 343
Minestrone 75
Minze 394
Miso 401, 406
- Butter 27
Misocreme, Pikante 24
Misosauce 234
Mohnmäuschen 332
Mohnrolle 290
Möhren 377
- Fenchel mit 56
- Junge 107
- mit Ananas 53
- mit angekeimten Weizenkörnern 54

– Nuß- 323
– Spinat-Kohlrabi-Platte 48
Möhren-Muntermacher-Trunk 19, *44*
Möhrensalat, Erfrischender 55
–, mit Rosinen 315
Mungobohnen, Reissalat mit 72
Mungobohnen-Tomaten-Kasserolle 218
Müsli, Beeren- 17
–, Frischkorn- 15
–, Joghurt- 16
–, Keimsprossen- 16
–, Knusper- *25, 312*
–, Pfirsich-Buttermilch- 18
–, Quark- 313
–, Winter- 17
Mussaka, Gurken- 131

N

Napfkuchen 282
Naturreis 196
Nudeln, Hausgemachte 201
–, Kürbisgemüse mit 121
–, mit Käse und Nüssen 325
–, mit Zwiebeln und Möhren 326
Nußbusserl, Wiener 303
Nußcreme, Chicorée mit 98
Nüsse 406
Nußkartoffeln 183
Nußkuchen, Wiener 286
Nußmöhren 323
Nußmus 406
– Sauce mit 236
Nußrolle 290
Nußsauce, Äpfel in 250
–, Rosenkohl in brauner 115

O

Obstauflauf, Französischer 227
Obstkuchen mit Mandelbaiser 297
Obstsalat, Ambrosia 250
–, Feiner 248
–, Herbstlicher 248, *337*
–, mit Weizenkörnern 247
–, Schoko- 248
Obst und Käse 269
Ofenschlupfer 226
Okrapfanne, Indische 127
Okras 378

– vorbereiten 128
Öle 406
Omelettes, Soja-Hafer- 326
–, Soja-Hirse- 145
Orangenkuchen 284
Oregano 394

P

Paprika-Apfelsalat 49
Paprikapaste 23
Paprikasahne, Sojamark in 172
Paprikasalat mit Sellerie 49
Paprikasauce 234
Paprikaschoten 378
– Milchsaure im Glas 345
– mit Apfelquark gefüllt 28, *43*
– mit Reisfüllung 199
– zum Füllen vorbereiten 199
Partysemmeln 278
Pastetchen, Chicorée- 35
Pastete, Hülsenfrucht- 162
Pastinaken 379
– plätzli 117
Peperonata 102
Piccata 406
Pie mit vielerlei Gemüse 223
Pikante Gemüsefüllung 104
– Misocreme 24
– Pizza 177
Pilaw mit Azukibohnen 153, *239*
Pilze, Haselnuß-Grünkern mit 359
–, Paprika-Topf 83
–, trocknen 353
Pilz-Kartoffelsuppe 358
Pilzpulver 406
Pilzquiche 219
Pilzsahne, Sojamark in 172
Pintobohnen 390
Pistou, Französischer Gemüse-eintopf mit 84
Pizza mit Auberginen und Tomaten 226
– mit Rosenkohl 226
– mit Tomaten 225
– Pikante 177
– Torino 224, *275*
Pfannkuchen, Apfel- mit Nüssen 146
–, Brasilianischer Bohnen- 158
–, Schnelle Vollkorn- 145

–, Spinat- mit Kräuterkäsefüllung 101
–, Überbackene 147
–, Vollkorn- 147
Pfefferminzkakao 22
Pfirsiche enthäuten 252
– mit Himbeerpüree 252
Pfirsich-Buttermilch-Müsli 18
Pfirsichkaltschale 91
Pflaumen in Gelee 256
Plätzchen, Ingwer- 306
Polenta 140
– Auflauf mit Azukibohnen 216, *319*
Polentascheiben, Gebratene 140
Pommes Duchesse 188
Preiselbeercreme 260
Preiselbeerkonfitüre, Rohe 360
Preiselbeer-Kürbis-Salat 247
Preiselbeerschaum 260
Pudding, Grüne-Erbsen- 181
–, Kartoffel- 191
–, Mandel- 263
–, Schokoladen- 265
–, Vanille- 265
–, Wirsing- 116, *185*
Püree aus weißen Bohnen 152, *240*
– Erbsen- 152
– Kartoffel- 189
– Kichererbsen- 153
– Linsen- 152
– Sellerie- 110
– Süßes Indisches Erbsen- 180

Q

Quarkbrötchen 282
Quark, Kirschen- mit Kakao 244
–, Kiwi-Nuß- 243
–, Paprikaschoten mit Apfel- gefüllt 28, *43*
–, Russischer 18
–, Vanille- 245
Quarkmüsli 313
Quarknockerl 208
Quarktaschen 300
Quiche, Kräuter- 218
–, Pilz- 219
–, Tomaten- mit Quarkcreme 219

R

Radicchio 379
- bunt gemischt 46
- Rapunzel mit 47
Ragoût fin mit Sojamark 173
Rapunzel, Bauern- 47
-, mit Radicchio 47
Reis 370
- Auflauf 228
- Curry-Salat 71
- Kalifornischer 197, *276*
- Natur- 196
- Trauttmansdorff 268
- Türkischer 214
Reisfüllung, Paprikaschoten mit 199
Reissalat, Frischer 197
-, mit Mungobohnen 72
Reisschrot-Backlinge 198
Reissuppe 78, *123*
Reistopf, Bunter 200
Rettich, Rüben-Rapunzel-Platte 50
Rhabarberauflauf 229
Rhabarber in Weinschaum 254, *338*
Rhabarberkompott, Roh gerührtes 256
Rhabarberkuchen mit Honigbaiser 283
Roggen 370
- Bohnen-Topf 82
- Grütze 133
- in saurer Sahne 133
- Lauch-Topf 82
- Rosenkohl-Topf 93
- Wirsing-Topf 94
Roggenkörner, Würzige 139
Roggenschmarrn 138
Rohe Preiselbeerkonfitüre 360
Roh gerührte Marmeladen 360
Roh gerührtes Rhabarberkompott 256
Rohkost, Kürbis- 67
Rohkostreibe 16, 50, 400
Rohrnudeln 292
Römischer Salat 379
Rosenkohl 379
- in brauner Nußsauce 115
- mit Käsesahne 114
- Roggen-Topf 93
Rosinella 313

Rosinenbrötchen 281
Rosinenknusperchen 335
Rosmarin 395
Rote Bete 380
Rote Bohnen 390
Rote Grütze 328
Roter Salat 315
Rote Rüben in weißer Sauce 129
Rote-Rüben-Salat 65
Rote-Rüben-Suppe 347
Rotkohl 380
- Apfel- 115
- mit Endivien in Meerrettichsauce 60, *105*
- mit Kastanien 115, *150*
Rotkohlrollen mit Grünkernfüllung 112
Rotkraut, Milchsaures- im Gärtopf 343
Rüben, Milchsaure rote im Glas 344
-, Milchsaure weiße 342
Rüben-Rettich-Rapunzel-Platte 50
Rübchen, Glasierte Teltower 120
Rüblitorte 286
Rührei, Hirse- 321
-, spezial mit Hirse 36
-, Tofu 21
Rumtopf mit Honig 361
Russische Creme 262
Russischer Quark 18

S

Saft, Schlehen- 362
Sahnekartoffeln 187
Sahnetorte mit Früchten 303
Sahne-Zitronen-Sauce 238
Salat, Apfel-Sellerie- 73
-, aus gegarten Weizenkörnern 72
-, aus schwarzen Bohnen, Paprika und Schafkäse 68
-, Bohnen-Kartoffel- 71
-, Bunter Eis- 45, *61*
-, Bunter Körner- 138
-, Curry-Reis- 71
-, Erfrischender Möhren- 55
-, Feiner Obst- 248
-, Feiner Waldorf- 30, *62*
-, Festlicher Sauerkraut- 349
-, Frischer Reis- 197
-, Gemischter Bohnenkern- 69

-, Herbstlicher Chicorée- 59
-, Herbstlicher Obst- 248, *337*
-, Johannisbeer-Apfel- 261
-, Kartoffel- aus Arles 69
-, Kartoffel- mit Sauerampfer 71
-, Kopf- mit Käsedressing 41
-, Kopf- mit Wildkräutern 41
-, Kresse- 40
-, Kresse-Kartoffel- 70
-, Löwenzahn- 57
-, Möhren- mit Rosinen 315
-, Obst- mit Weizenkörnern 247
-, Paprika-Apfel- 49
-, Paprika- mit Sellerie 49
-, Preiselbeer-Kürbis- 247
-, Reis- mit Mungobohnen 72
-, Roter 315
-, Rote Rüben- 65
-, Rustikaler Tomaten- mit Tofu 52
-, Schnitt- mit Fenchel und Kerbelsahne 45
-, Schoko-Obst- 248
-, Spargel- mit Nüssen 56
-, Sprossen- 68
-, Süßer Sauerkraut- 314
-, Vitaminreicher 40
-, Zwiebel- mit Orangen 73
Salbei 395
Samtklöße 205
Sanddorncreme 261
Sauce aus Dörrfrüchten 357
- Cardy in Zitronen- 130
- Champignon- 233
- Erdbeer- 242
- Erdnuß- 324
- Essig-Öl- 236
- Gelbe Kräuter- 234
- Grießgnocchi mit Tomaten- 301, 324
- Heidelbeer- 242
- Heiße Vanille- 238
- Herzhafte Zwiebel- 233
- Kalte Vanille- 241
- Kirsch- oder Himbeer- 241
- Mangold in heller 118
- Miso- 234
- mit Nußmus 236
- mit Schafkäse 238
- Paprika- 234
- Rosenkohl in brauner Nuß- 115

- Rote Rüben in weißer 129
- Sahne-Zitronen- 238
- Sauermilch- 237
- Schokoladen- 241
- Sherry-Salat- 236
- Spitzkohl in Wein-Sahne- 113
- Stachelbeersülzchen mit Dick-
  milch-Frucht- 254
- Tatare 237
- Topinambur mit Holländischer 121
- Zitronen-Öl- 235
Sauerampfer, Kartoffelsalat mit 71
Sauerampfersoufflé 214
Sauerkirschcreme 262
Sauerkraut in Eiersahne 211
- mit Ananas und Pinienkernen 66
- mit gemischtem Obst und Wal-
  nüssen 66
- mit Kastanien 348
- Rosa mit Apfelsalat im Rapunzel-
  beet 66
- selbst gemacht 341, *400*
Sauerkrautsalat, Festlicher 349
-, Süßer 314
Sauerkrautsuppe 82
Schabzigerklee 406
Schafkäse, Dörrpflaumen mit 357
-, Sauce mit 238
Schlehensaft 362
Schlemmerfrühstück 17, *26*
Schmarrn, Allgäuer Topfen- 147
-, Kartoffel- 192
-, Kartoffel- mit Käse 184
-, Kaiser- 146
-, Roggen- 138
Schnelle Vollkornpfannkuchen 145
Schnittlauch-Tofucreme 24
Schnittsalat mit Fenchel und
  Kerbelsahne 45
Schoko-Hafer-Creme 27
Schokoladencreme 263
Schokoladenkuchen mit Sauer-
  kirschen 283
Schokoladenmakronenmasse 305
Schokoladenpudding 265
Schokoladensauce 241
Schoko-Obstsalat 248
Schoko-Schaum mit Kleie 245
Schwarze Bohnen 390
- mit Spinat 180

Schwarze-Bohnen-Suppe,
  Indianische 92
Schwarzwurzeln 380
Sechs-Korn-Brot 272
Selbstgemachter Joghurt 245
Sellerie 383
- Apfel-Auflauf 212
- mit Birnen und Käse 57
- mit Mandarinen 57
- vorbereiten 31
Selleriepüree 110
Semmeln, Party- 278
Sesamkörner 406
Sesamsalz 407
Sherry-Salatsauce 236
Soja-Backlinge 175
Sojabohnen 391
- Gelbe 397
- Grüne 397
- Rote 397
Sojabohnen-Auflauf 217
Soja-Chapatis 176
Soja-Hafer-Omelettes 326
Soja-Hirse-Omelette 145
Sojakakao 22
Soja-Kartoffeln 195
Sojaküchle 173
Sojamark 398
- Helles 172
- in Parikasahne 172
- in Pilzsahne 172
- Ragoût fin mit 173
Sojamehl 397
Sojamilch 166, *222,* 398
Sojaöl 402
Sojapaste im Glas 23, *363*
Sojaquark, Tofu 170, *221*
Sojasauce 402
Sojasprossen, Frühlingsrolle mit 164
»Sommerende«-Platte 48, *88*
Sommergemüse in der Folie 102
Sonnenblumenbrot 272
Sonnenblumenkerne 407
Soufflé, Hirse- 229
-, Käse- 139
-, Saueramper- 214
-, Spinat- 213
-, Zucchini- 214
Spaghetti mit Soja »bolognese« 202
Spargel 383

- Salat mit Nüssen 56
Spätzle, Buchweizen-Soja 201
-, herstellen 202
-, Vollkorn- mit Käse 200, *257*
Spinat 384
- Blatt- mit Pinienkernen 99
- mit Äpfeln und Möhren 58
Spinateintopf mit Ei 83
Spinatpfannkuchen mit Kräuter-
  käsefüllung 101
Spinatsoufflé 213
Spinattorte 97, *149*
Spitzbuben 306
Spitzkohl in Wein-Sahne-Sauce 113
Spritzgebäck 310
Sprossengemüse 125
Sprossensalat 68
Stachelbeersülzchen mit Dickmilch-
  Fruchtsauce 254
Staudensellerie, Gefüllter 350
-, mit Kräutern und Nußbutter 109
Steckrüben, Finnische 126
Steckrübentopf 125
Streusel 299
Strudel, Topfenrahm- 295
Suppe, Ägyptische Linsen- 94
-, Andalusische Kichererbsen- 86
-, Apfel- 92
-, Apfel-Reis- 316
-, Buttermilch- 91
-, Broccoli- mit Klößchen 78
-, Dicke Schottische Gersten- 80,
  124
-, Drei-Farben- 318
-, Fenchel- 76
-, Flageoletbohnen- 89
-, Gemüse- mit Vollkornschrot 76
-, Grüne-Erbsen- mit Tomaten 79
-, Guten-Morgen- 312
-, Hirseblumen- 317
-, Indianische Schwarze Bohnen- 92
-, Kartoffel- mit milchsauren Boh-
  nen 349
-, Linsen- mit Kastanien 89
-, Pilz-Kartoffel- 358
-, Reis- 78, *123*
-, Rote-Rüben- 347
-, Sahnige Erbsen- 85
-, Sauerkraut- 82
-, Weiße Bohnen- mit Klößchen 90

Suppe, Würzige Kartoffeln- 77
-, Zucchini-Knoblauch- 77
Süße Briefe 334
- Frühstückssuppe 312
- Sauerkrautsalat 314

T

Tahin 407
Tcha wan mushi »Gedämpfte
   Tasse« 29
Teekuchen, Feiner 285
Tekka 407
Teltower Rübchen 384
- Glasierte 120
Thymian 395
Toastbrot 277
Tofu 170, *221, 401*
- aufbewahren 170
- Feine Kräuter-Frikadellen 171
- Frucht-Shake 22
- Gurken-Haschee 125
- Kartoffelpfanne mit 194
- Mexiko-Gemüse mit gebratenem
   103, *168*
- Preßkasten 170
- »Rührei« 21
- Rustikaler Tomatensalat mit 52
Tofucreme 24
- Feine 265
- Liptauer Art 24, *363*
- Schnittlauch- 24
Tofumayonnaise 237
- Delikate 237
Tomaten 384
- aushöhlen 135
- enthäuten 79
- Gefüllte 33
- mit Ananas 52
- mit Rahmfrischkäse 52
- mit Rohkostfüllung 32, *106*
- mit Schafkäse auf Kichererbsen
   212
Tomatenquiche mit Quarkcreme 219
Tomatensalat, Rustikaler mit Tofu
   52
Topfenpalatschinken, Gebackene
   148
Topfenrahmstrudel 295
Topfenschmarrn, Allgäuer 147
Topinambur 385

- mit holländischer Sauce 121
- mit Zucchini 122
Torte, Kalte Kirsch- 252
'-, Käse-Sahne- 300
-, Linsen- 178
-, Linsen-Frühlings- 163
-, Linzer 295, *382*
-, Mandel- 287
-, Rübli- 286
-, Sahne- mit Früchten 303
-, Spinat- 97, *149*
-, Umgedrehte Lauch- 104
-, Walnuß- 284
Tortillas aus Körnermais 145
Trauben-Nuß-Auflauf 231
Trockenfrüchte 407
- Gefüllte 355

U

Umgedrehte Lauchtorte 104
Ungarischer Krautkuchen 348

V

Vanille 407
- Kipferl 305
- Pudding 265
- Quark 245
Vanille-Sahne-Eis 269
Vanillesauce, Heiße 238
-, Kalte 241
Vitaminjoghurt 19
Vitaminreicher Salat 40
Vollkorn-»Amerikaner« 332
Vollkorn-Chapatis 144
Vollkorn-Hausbrot 271
Vollkorn-Kartoffelgemüse 190
Vollkornpfannkuchen 147
- Schnelle- 145
Vollkornspätzle mit Käse 200, *257*
Vollkornzwieback 274
Vollweizengrieß 407

W

Wachsbohnen mit Tomaten 119
Waffeln, Frucht- 310
-, Mandel- 308
Waldorfsalat, Feiner 30, *62*
Walnuß-Avocado 35
Walnußsahne, Erfrischende 251
Walnußtorte 285

Wasserbad 181, 242
Weihnachtsstollen 293
Weinschaum 242
- Rhabarber in- 254, *358*
Weiße Bohnen 391
Weiße-Bohnen-Suppe mit Klößchen
   90
Weißkohl 385
- mit milchsaurem Gemüse 64
- mit Tomatenrahm 65
Weißkraut- Apfel- mit getrockneten
   Aprikosen 358
Weizen 370
Weizengrütze 133
Weizenkörner, Birnen mit gekeimten
   29
-, Möhren mit angekeimten 54
-, Obstsalat mit 247
-, Salat aus gegarten 72
Weizenkörnertopf, Bunter 81
Weizenküchle 134
Weizenvollkornbrot 272
Westfälisches Bohnengericht 215
Windbeutel 308
Wintergemüse, Dips und 50
Wirsing 388
- Milchsaurer im Glas 342
- mit Fenchel und Apfelsauce 63
- Pudding 116, *185*
- Roggen-Topf 94
Wirsingwickel 113

Z

Zimteis 268
Zimthonig 329
Zitronencreme 264
Zitronenmakronenmasse 305
Zitronenmelisse 396
Zitronen-Öl-Sauce 235
Zitronenschale abschälen 92
Zucchini 388
Zucchini-Knoblauch-Suppe 77
Zucchini mit Käse 67
- mit Knoblauch 67
- mit Nußfüllung 129, *203*
- Topinambur mit 122
Zucchinisoufflé 214
Zuckerrübensirup 407
Zuppa mille fanti 93
Zuppa quattro 81

Naturgemäß leben – Naturgemäß heilen

Dr. Franz Wagner
Akupressur – leicht gemacht
Genaue Anleitung zur Selbstbehandlung bei akuten
und chronischen Beschwerden.
80 Seiten, 25 Zeichnungen. Paperback.

Prof. Dr. med. Dietrich Langen
Autogenes Training für jeden
3 x täglich zwei Minuten – abschalten, entspannen,
erholen. Der ärztliche Führer zum selbständigen
Erlernen der konzentrativen Selbstentspannung.
64 Seiten. Paperback.

Dr. med. Hartmut Dorstewitz
Erkältungskrankheiten natürlich behandeln
So helfen die altbewährten Naturheilverfahren und
Naturheilmittel bei Schnupfen, Husten, Stirn-
und Kieferhöhlenentzündungen, Hals- und
Mandelentzündungen und bei fieberhaften grippalen
Infekten. Mit den wirkungsvollsten Anwendungen
für die Behandlung zu Hause. 96 S., Paperback.

Dr. med. Hellmut Lützner
Wie neugeboren durch Fasten
Abnehmen, Entschlacken,
Entgiften. Der ärztliche
Führer zum selbständigen
Fasten. 80 S., Paperback.

Dr. med. Hellmut Lützner
Helmut Million
Richtig essen nach dem Fasten
Der ärztliche Führer für die
Nachfastenzeit. Mit einem
Speiseplan für die Aufbautage
und mit Vollwert-Rezepten.
80 S. Paperback.

Apotheker
Mannfried
Pahlow
Meine Hausmittel
Bewährte Natur-
heilmittel und
ihre Anwendung bei
Alltagsbeschwerden
und Erkrankungen.
64 S., 30 Zeich-
nungen.
Paperback.

Apotheker Mannfried Pahlow
Meine Heilpflanzen-Tees
Wirksame Teemischungen für die häufigsten Alltags-
beschwerden und Erkrankungen. 80 S., Paperback.

Dr. med. H. Michael Stellmann
Kinderkrankheiten natürlich behandeln
So helfe ich meinem Kind bei Störungen wie Husten
und Schnupfen, Ohren- und Mandelentzündungen,
Blähungen, Durchfall und Blasenentzündung.
Bei Kinderkrankheiten wie Masern, Scharlach,
Keuchhusten, Windpocken, Röteln, Mumps und
Diphtherie. Mit den bewährten Naturheilmitteln.
96 S., Paperback.

GU Gräfe und Unzer

Zwetschgenknödel nach böhmischer Art 208

Zwetschgen- oder Aprikosennudeln 292

Zwetschgenrolle 291

Zwiebackauflauf mit Früchten 227

Zwieback, Anis- 277

-, Kokos- 277

-, Vollkorn- 274

Zwiebel-Dämpfkartoffeln 183

Zwiebeln 388

- aushöhlen 100

- Gefüllte 100, *167*

Zwiebelpaste 23

Zwiebelsalat mit Orangen 73

Zwiebelsauce, Herzhafte 233

Empfehlenswerte Bücher

• Bezugsquellen für Alternatives. Ein Verzeichnis der wichtigsten Adressen. Verein für alternatives Heilwesen e. V. Johannes-Kepler-Str. 58, 7263 Bad Liebenzell

• Cremer, H.-D./Aign, W./Elmadfa, I./Musakt, E./Fritzsche, D.: Die große GU Nährwerttabelle. Neuausgabe 1986/87, Gräfe und Unzer Verlag, München

• Elmadfa, I./Fritzsche, D./Cremer, H.-D.: Die große Vitamin- und Mineralstofftabelle. Gräfe und Unzer Verlag, München

• Deutsche Gesellschaft für Ernährung: Ernährungsbericht 1984, Frankfurt

• Deutsche Gesellschaft für Ernährung: Empfehlungen für die Nährstoffzufuhr. 4. Auflage. Umschau-Verlag, Frankfurt

• Handbuch der Haushalts-Getreidemühlen, Verlag Natürlich und Gesund, Postfach 700118, 7000 Stuttgart 70

• Hauber Gaby/Schwenk Michael: Praktische Ernährungslehre für jedermann. rororo-Sachbuch 7956, Reinbek bei Hamburg

• Katalyse Umweltgruppe: Chemie in Lebensmitteln, Verlag Zweitausendeins, Frankfurt

• Katalyse-Umweltgruppe: Was wir alles schlucken. Zusatzstoffe in Lebensmitteln. Mit Tips für Verbraucher. Rowohlt Verlag, Reinbek bei Hamburg

• von Köerber/Männle/Leitzmann: Vollwerternährung. Grundlagen einer vernünftigen Ernährungsweise. 4. Auflage, Haug Verlag, Heidelberg

• Philippeit, U./Schwartau, S.: Zuviel Chemie im Kochtopf? Rowohlt Verlag, Reinbek bei Hamburg

• Broschüren des Auswertungs- und Informationsdienstes für Ernährung, Landwirtschaft und Forsten (AID) e. V. Postfach 2007 08, 5300 Bonn 2.

Bezugsquellen

• Getreidemühlen oder Informationsmaterial erhältlich in Haushaltswaren- und Elektrofachgeschäften und Reformhäusern oder durch folgende Lieferanten:
G: Bauknecht GmbH, Postfach 983, 7000 Stuttgart 1;
Bösen Getreidemühle, System Dr. H. Burggrabe, Vertrieb durch Reformhäuser;
Wilfried Messerschmidt, August-Heisler-Weg 6, 7744 Königsfeld 1;
Green Hausmühlenbau, A 9991 Iselsberg 39/Österreich Schnitzer KG, Feldbergstr. 11, 7742 St. Georgen;

• Dörrapparate: Reformhäuser, Naturkostläden, Haushaltswarengeschäfte und Naturkostversandhandel. Informationen für »Dörrex« bei Aktiengesellschaft Sigg, Metallwarenfabrik, CH-8500 Frauenfled. Informationen für »Starmix-Vitasafe« bei Schöttle GmbH, 7313 Reichenbach/Fils;

• Gärtopf: Steinzeugwerk Harsch KG, 7518 Bretten;

• Unigel: Biogarten, Freisinger Landstr. 44, 8000 München 45;

• Sojabohnen, Miso, Geräte zur Herstellung von Tofu: Sojaquelle, Seeoner Str. 17, 8201 Pittenhart-Oberbrunn;

• Keimgeräte »Keimfrisch-Box« und »biosnacky« im Reformhaus, Naturkostläden und Versandhandel;

• Adressen biologisch wirtschaftender Landwirte bei

1. Forschungsring für biologisch-dynamische Wirtschaftsweise e. V. (Demeter-Bund), Baumschulenweg 11, 6100 Darmstadt;

2. Fördergemeinschaft organisch-biologischer Land- und Gartenbau e. V. (Bioland), Lange Straße 26, 7326 Heiningen;

3. ANOG e. V., Ernst-Reuter-Str. 18, 5400 Koblenz 1;

4. Biokreis Oberbayern e. V., Rosensteig 13, 8390 Passau.